# 🎯 중등 수학 100점을 위한 단계별 교재

**STEP 01**
**수력충전**

## 수학의 기초 실력 완성
- 쉬운 문제들로 기본 연산력 강화 및 수학 실력 향상
- 풀이 과정을 채워 가면서 스스로 수학의 연산 원리를 터득
- 단원별, 유형별로 문제를 제시하여 부족한 부분 집중 학습

[ 중1-1, 1-2
중2 상 / 하
중3 상 / 하 ]

**STEP 02**
**수력충전**
**초·중등 수학**
**개념 총정리**

## 초·중등 수학 개념을 영역별로 총정리하는 필수 개념서!
- 2015 개정 교육과정의 중등 전학년 수학 개념을 한 권으로 총정리
- 필수 개념을 이해하기 쉽게 정리하고, 고등 수학 개념과 연계성 강화
- 개념 완성 테스트 + 영역별 총정리 + 중등·고등 연결 문제로 실력 향상

[ 중등 수학
개념 총정리 ]
[ 초등 수학
개념 총정리 ]

**STEP 03**
**자이스토리**

## 필수 유형과 서술형 문제 완벽 훈련
- 중등 수학의 모든 개념과 유형의 완벽 학습
- 친근한 대화체 풀이와 단계별 해설로 이해력 향상
- 잘 틀리는 유형의 철저한 대비를 위한 쌍둥이 문제 제시

[ 중1-1, 1-2
중2 상 / 하
중3 상 / 하 ]

**STEP 04**
**일등급 수학**

## 중등 수학 최고의 순수 명품 문제
- 개념과 유형을 효과적으로 적용시키는 필수 문제 수록
- 확장된 개념을 습득하여 수학적 사고력 향상
- 일등급을 위한 고난도 서술형 + 도전 문제 엄선

[ 중2 상 / 하
중3 상 / 하 ]

Xi story

중등 자이스토리

개념　유형　서술형

중등 수학3 (상)

자이스토리 동영상 강의 – 유튜브 채널
수학문제 다깨기

자이스토리·수경출판사

## 자이스토리 특장점

### 중등 수학의 유형과 서술형 문제를 쉽고 단계적으로 완성!!

**I** 대표 유형 + 잘 틀리는 유형 완성!

중등 수학의 교과 개념을 유형별로 촘촘히 분류하여 개념을 쉽게 연관지어 이해할 수 있습니다. 또한, 특별히 선정된 함정 유형은 반복 학습으로 극복할 수 있습니다.

**• 단계적으로 유형별 문항 배치**

기본적인 개념 흐름에 따라 수학에 관심과 흥미를 느낄 수 있도록 촘촘히 단계적으로 유형을 분류하였습니다.
세분화된 유형으로 중등 수학의 개념의 틀을 잡을 수 있도록 문항을 구성하였고, 이를 통해 수학적 원리를 쉽게 터득할 수 있습니다.

**• 잘 틀리는 유형 훈련 +1Up**

자주 틀리는 개념과 유형을 철저히 분석하여 같은 조건과 다른 상황에서 반복 연습할 수 있도록 쌍둥이 문제를 배치하였습니다. 작은 실수도 다시 한 번 점검하여 완벽한 유형 훈련을 할 수 있습니다.

**II** 서술형 + 고난도 문제 완성!

학교시험에 꼭 출제되고, 실생활에 응용할 수 있는 서술형 문제를 단계별로 논리적으로 훈련할 수 있습니다. 또한, 난이도 있는 문제를 점층적으로 연습하여 좀 더 친근하게 수학에 접근하도록 하였습니다.

**• 서술형 문제**

실생활과 관련된 상황에서 수학적 사고력을 확장할 수 있는 서술형 문제를 수록하였습니다. 학생들이 어렵게 느끼는 논리적 사고 과정을 단계적으로 연습하여 더욱 효과적으로 수학적 논리력를 키워가도록 하였습니다.

**• 최고난도 만점 문제**

단순한 계산 문제로는 성적을 올리고, 수학적 사고력을 신장시키는 데 무리가 있습니다. 한 문제에 여러 개념을 통합한 문제를 통해 수학 사고력을 한층 더 올릴 수 있도록 하였습니다.

**III** 수학 공부에 동기 부여!

수학 공부를 할 때 흥미를 느껴 동기가 유발될 수 있도록 재미있고, 특별한 코너를 수록하였습니다.

**• SKY 캠퍼스 탐방**

SKY 선배들의 즐거운 대학 생활에 대한 소개를 통해 공부에 대한 동기 부여를 할 수 있습니다. 먼저 꿈을 이룬 선배들의 한마디, 한마디가 공부하는 데 큰 힘이 될 것입니다.

## 하루 100분, 중3 수학(상) 133개 유형을 효과적으로 공부하자!!

| DAY | 문항 번호 | 틀린 문제, 헷갈리는 문제 번호 적기 | 학습 날짜 | 복습 날짜 |
|---|---|---|---|---|
| 01 | A001 ~ 054 | | 월   일 | 월   일 |
| 02 | A055 ~ 104 | | 월   일 | 월   일 |
| 03 | A105 ~ 145 | | 월   일 | 월   일 |
| 04 | B001 ~ 062 | | 월   일 | 월   일 |
| 05 | B063 ~ 117 | | 월   일 | 월   일 |
| 06 | B118 ~ 157 | | 월   일 | 월   일 |
| 07 | C001 ~ 052 | | 월   일 | 월   일 |
| 08 | C053 ~ 112 | | 월   일 | 월   일 |
| 09 | C113 ~ 155 | | 월   일 | 월   일 |
| 10 | D001 ~ 056 | | 월   일 | 월   일 |
| 11 | D057 ~ 109 | | 월   일 | 월   일 |
| 12 | D110 ~ 151 | | 월   일 | 월   일 |
| 13 | E001 ~ 043 | | 월   일 | 월   일 |
| 14 | E044 ~ 098 | | 월   일 | 월   일 |
| 15 | E099 ~ 140 | | 월   일 | 월   일 |
| 16 | F001 ~ 067 | | 월   일 | 월   일 |
| 17 | F068 ~ 120 | | 월   일 | 월   일 |
| 18 | F121 ~ 162 | | 월   일 | 월   일 |
| 19 | G001 ~ 066 | | 월   일 | 월   일 |
| 20 | G067 ~ 130 | | 월   일 | 월   일 |
| 21 | G131 ~ 172 | | 월   일 | 월   일 |
| 22 | H001 ~ 066 | | 월   일 | 월   일 |
| 23 | H067 ~ 119 | | 월   일 | 월   일 |
| 24 | H120 ~ 148 | | 월   일 | 월   일 |
| 25 | I 001 ~ 048 | | 월   일 | 월   일 |
| 26 | I 049 ~ 091 | | 월   일 | 월   일 |
| 27 | I 092 ~ 120 | | 월   일 | 월   일 |

X-story 구성과 활용법

## 01 개념 다지기+체크 문제

콕콕 집어주는 개념 정리를 보며, 개념 문제를
쭉쭉 풀어보자.

① 수학은 손에서부터 실력이 올라갑니다. 연습장을
꺼내 해당 개념에 대한 문제를 차례로 풀어봅니다.
② 개념 내용과 연계된 개념 연습 문제를 1:1로 배치
하여 개념에 대한 문제가 어떻게 연결되는지 바로
확인합니다.
③ 필수개념에는 강조 표시, 계산 실수나 개념을 잘못
이해하여 틀린 문제에도 주의 표시하여 개념을 정
확히 짚고 갑시다.

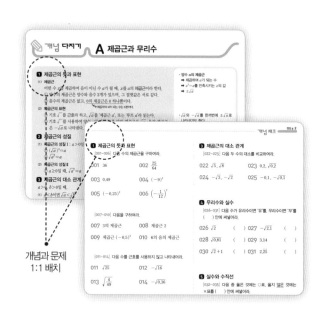

개념과 문제
1:1 배치

## 02 유형 다지기 (학교시험+학력평가)

꼭 알아야 하는 대표 유형을 시작으로 반복하여
연습하자.

① 수학은 유형 파악이 중요한 과목이므로 먼저 대표
유형을 정확히 이해하면서 문제를 풀어 봅니다.
② 대표 유형과 유사하지만 확장된 문항을 풀어보면
서 개념이나 유형 접근방법을 한 번 더 연습합니다.
③ 대표 유형과 함께 제공한 다음 내용도 나만의 비법
으로 정리해 둡니다.

  *개념 찾기 : 개념 복습하기
  *Check Key : 해법의 단서 파악하기
  *접근법 : 문제해결 방법 제시

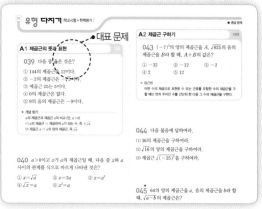

대표 문제

★는 중 난이도 체크

## 03 잘 틀리는 유형 훈련+1up

잘 틀리는 문제를 한 번 더 반복하여 확실히
마스터하자.

① 실수가 자주 발생하는 유형은 반복하여 풀어가는
것이 최선의 방법입니다.
② 유형에 대한 개념이나 접근 방식이 이해가 되지 않
는다면 앞에서 공부한 유형다지기에서 다시금 학
습합니다.
③ +1up에서 비슷한 유형의 문제를 또 풀어보면 실수
를 한번 더 방지할 수 있습니다.

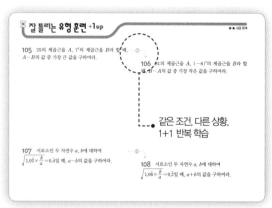

같은 조건, 다른 상황,
1+1 반복 학습

★★는 상 난이도 체크

**04** 서술형 다지기 Step 1, 2

서술형 문제를 단계별로 연습하고, 스스로 서술하여 논리적으로 풀어가는 방법을 배우자.

① 서술형 문제를 풀어가는 순서를 익히는 코너이므로 순차적으로 써가면서 풀어봐야 합니다.

② Q 단계별로 서술하기에서는 쌍둥이 문제로 한 번 더 반복하여 유사문제를 단계별로 풀어갑니다.

> **먼저,** 문제를 꼼꼼히 읽어 묻는 것이 무엇인지, 어떻게 접근하는지 파악합니다.
>
> **그다음,** 직접적, 간접적으로 주어진 조건을 이용하여 답을 구하는 과정을 논리적으로 서술합니다.
>
> **그래서,** 앞에서 풀어간 내용을 종합적으로 정리하여 답을 구합니다.

③ Q 스스로 서술하기에서는 앞 단계에서 익힌 서술형 풀이 순서를 이용해 스스로 문제를 풀어가는 연습을 합니다.

제시된 단계에 따라 서술하기

빈칸에 스스로 서술하기

**05** 최고난도 만점 문제

여러 가지 개념이 들어 있는 최고난도 문제를 차근차근 정복하자.

① 여러 개념이 있는 문제를 풀어보며 고득점에 도전합시다.

② 너무 어렵다면 먼저 친구와 선생님에게 조언을 구하여 최고난도 문제의 원리를 이해하도록 합니다.

③ 문제를 풀지 못해서 좌절하기보다는 통합적 개념이 어떻게 쓰였는지 확인하는 것부터 시작해도 됩니다.

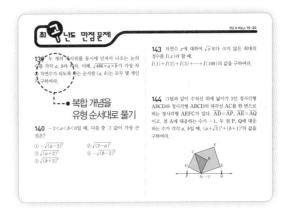

복합 개념을 유형 순서대로 풀기

**06** 단계적 풀이 및 오답 피하기

혼자서도 학습이 가능한 쉽게 이해되는 단계적인 해설

① 자이스토리의 장점인 단계적인 풀이는 문제만큼이나 해설을 꼼꼼히 보는 것이 좋습니다.

② 틀린 문제는 반드시 해설을 확인하고, 맞은 문제도 자신의 풀이와 다른 점이 있는지 체크체크~

③ 오답피하기도 반드시 읽어서 자신만의 풀이로 정리 해 둡니다.

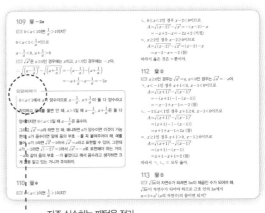

자주 실수하는 패턴을 정리

# I 제곱근과 실수

# II 다항식의 곱셈과 인수분해

 이 책의 차례

# Ⅲ 이차방정식

## F 이차방정식의 풀이

## G 이차방정식의 활용

# Ⅳ 이차함수

**SKY 캠퍼스 탐방**

### 66 노력은 최고의 재능이다 99

중학생 때는 아직 공부를 왜 해야 되는지 잘 모르겠고 그냥 부모님이 시켜서 하는 경우가 많을 거야. 그러면 사실 자기주도학습을 하기 위한 동기부여를 받기가 힘들어. 그래서 나는 공부를 할 때, 그리고 삶을 살아가는데 있어서 목표를 세우는 게 정말 중요하다고 생각해. 그 목표가 직업이든, 대학이든, 사소한 것이든 무엇이든 상관없어. 너에게 확실한 목표가 생긴다면 그 목표를 이루기 위해 어떤 노력을 해야 하는지 알게 될 거야. 그럼 그 자체만으로도 노력을 하기 위한 강력한 동기부여가 된다고 나는 생각해. 목표가 있는, 동기부여를 받은 상태에서의 공부는 그냥 하는 공부보다 효율이 훨씬 좋아질 거야. 아직 중학생이기 때문에 앞으로 목표가 많이 바뀔 수도 있어. 그래도 상관없어. 너의 목표가 바뀐다고 해서 그 전 목표를 이루기 위해 너희가 한 노력이 사라지는 건 절대 아니거든. 그 노력들은 모두 남아서 너에게 큰 힘이 될 거야. 그러니까 친구들 모두 자신만의 목표를 만들어보았으면 좋겠어. 파이팅!

박성재
서울대학교 지구환경과학과
서울 동화 고등학교
서울 삼육 중학교

### 66 경험은 미래의 나를 결정짓는다 99

아마 대학교 오기 전에는 많이 지치고 힘든 상태일지도 몰라. 해야할 공부가 많아 버겁거나 미래에 대한 막연한 불안감, 수많은 고민들 같은 이유들이 있으니까. 나도 분명히 그랬던 시기가 있었고, 대부분의 사람들이 그렇게 느꼈을 거야. 그런데 지금 돌아보면 중고등 학생시절이 그립기도 하고, 참 뿌듯하게 느껴져. 그리고 수많은 고민을 했기 때문에 내 자신이 조금 성숙해질 수 있었던 것 같아. 자신의 목표를 생각하면서, 친구들에게 서로 의지하면서 결국에는 이뤄낼 수 있었어. 대학교에 오면 많은 일들을 스스로 해야 해. 중고등학생 시절에 열심히 공부하며 스스로를 조절하는 경험이나 시간을 관리했던 경험이 있어서 대학생활도 잘 하고 있는 것 같아. 마지막으로, 우리는 모두 다 꿈을 이루기 위해서 살고 있잖아? 그 과정은 고통스러울지는 몰라도 미래에 받을 달콤한 결과를 생각하면서 즐기는 것이 어때? 꿈을 쫓는 과정은 다 아름답다고 생각해. 열심히 노력해서 꼭 학창시절이 의미 있고, 아름다운 추억으로 남길 바랄게!

정혜원
고려대학교 수학과
제주 과학 고등학교
제주 아라 중학교

### 66 바람이 불지 않아 바람개비가 돌지 않으면 앞으로 달려 나가면 된다 99

공부는 많이 외로워. 아무리 많은 수업을 듣고 과외를 받는다고 해도 결국 머릿속에 내용을 집어넣고 문제를 풀며 감각을 익히는 연습을 하는 것은 자신밖에 할 수 없는 일이니까. 나도 그런 점 때문에 중학교 때부터 참 많이 억울하고 서러웠던 것 같아. 왜 남들은 놀면서 적당히 하는 공부를 나는 혼자 아등바등 해야 하는지, 왜 남들은 족집게 강사가 시험에 나올만한 내용도 다 집어준다는데 나는 그 모든 것을 혼자서 해결해야 하는지. 그런데 지나고 생각해 보니까, 그냥 사람마다 다 갈 길이 다른 것뿐이더라. 동일한 목적지를 향해 누구는 이런 길로, 누구는 저런 길로 갈 뿐이었어. 나는 그냥 내 길을 가면 되는 일이더라고. 내가 중학교 때 그랬던 것처럼 남들과 자신을 비교하면서 스스로를 불쌍하게 여기는 짓은 하지 말았으면 좋겠어. 그저 나는 나만의 길을 간다는 마음으로 묵묵히 열심히 하다보면 뭐든지 이룰 수 있을 거야. 파이팅!!

방은비
연세대학교 노어노문학과
강원 외국어 고등학교
남춘천 여자 중학교

# I 제곱근과 실수

개념 다지기  **A** 제곱근과 무리수

**1 제곱근의 뜻과 표현**

(1) **제곱근**

어떤 수 $x$를 제곱하여 음이 아닌 수 $a$가 될 때, $x$를 $a$의 **제곱근**이라 한다.

① 양수의 제곱근은 양수와 음수 2개가 있으며, 그 절댓값은 서로 같다.

② 음수의 제곱근은 없고, 0의 제곱근은 0 하나뿐이다.

          ↳ 제곱하여 0이 되는 수는 0뿐이다.

(2) **제곱근의 표현**

① 기호 $\sqrt{\phantom{a}}$ 를 근호라 하고, $\sqrt{a}$를 '제곱근 $a$', 또는 '루트 $a$'라 읽는다.

② 기호 $\sqrt{\phantom{a}}$ 를 사용하여 양수 $a$의 제곱근 중 양의 제곱근은 $\sqrt{a}$, 음의 제곱근 은 $-\sqrt{a}$로 나타낸다.

**2 제곱근의 성질**

(1) **제곱근의 성질 I** : $a>0$일 때,

 ① $(\sqrt{a})^2=a$       ② $(-\sqrt{a})^2=a$

 ③ $\sqrt{a^2}=a$        ④ $\sqrt{(-a)^2}=a$

(2) **제곱근의 성질 II**

 ① $a\geq0$일 때, $\sqrt{a^2}=a$     ② $a<0$일 때, $\sqrt{a^2}=-a$

**3 제곱근의 대소 관계**

$a>0$, $b>0$일 때,

(1) $a<b$이면 $\sqrt{a}<\sqrt{b}$    (2) $\sqrt{a}<\sqrt{b}$이면 $a<b$

      ↳ 양수 $a$, $b$에 대하여 $a<b$이면 $\sqrt{a}<\sqrt{b}$이므로 $-\sqrt{a}>-\sqrt{b}$이다.

**4 무리수와 실수**

(1) **무리수** : 유리수가 아닌 수, 즉 순환하지 않는 무한소수

(2) **소수의 분류**

소수 $\begin{cases} 유한소수 \\ 무한소수 \end{cases}$ $\begin{cases} 순환소수 \text{─────────────} \text{─유리수} \\ 순환하지\ 않는\ 무한소수\ \text{─무리수} \end{cases}$

(3) **실수** : 유리수와 무리수를 통틀어 실수라 한다.

(4) **실수의 분류**

실수 $\begin{cases} 유리수 \begin{cases} 정수 \begin{cases} 양의\ 정수(자연수) : 1,\ 2,\ 3,\ \cdots \\ 0 \\ 음의\ 정수 : -1,\ -2,\ -3,\ \cdots \end{cases} \\ 정수가\ 아닌\ 유리수 : \dfrac{1}{2},\ -\dfrac{1}{3},\ 1.6,\ \cdots \end{cases} \\ 무리수(순환하지\ 않는\ 무한소수) : \sqrt{2},\ -\sqrt{5},\ \pi,\ \cdots \end{cases}$

**5 실수와 수직선**

(1) 서로 다른 두 실수 사이에는 무수히 많은 실수가 있다.

(2) 모든 실수는 각각 수직선 위의 한 점에 대응한다.

(3) 수직선은 유리수와 무리수, 즉 실수에 대응하는 점으로 완전히 메울 수 있다.

**6 실수의 대소 관계**

두 실수 $a$, $b$에 대하여 다음이 성립한다.

(1) $a-b>0$이면 $a>b$   (2) $a-b=0$이면 $a=b$   (3) $a-b<0$이면 $a<b$

---

• 양수 $a$의 제곱근

 ➡ 제곱하여 $a$가 되는 수

 ➡ $x^2=a$를 만족시키는 $x$의 값

 ➡ $\pm\sqrt{a}$

• $\sqrt{a}$와 $-\sqrt{a}$를 한꺼번에 $\pm\sqrt{a}$로 나타내기도 한다.

• 양수 $a$의 제곱근 ➡ $\pm\sqrt{a}$

 제곱근 $a$ ➡ $\sqrt{a}$

• $\sqrt{a^2}$은 $a^2$의 양의 제곱근이므로 $a$의 부호에 관계없이 항상 음이 아닌 값을 갖는다.

• 유리수

분자, 분모($\neq0$)가 모두 정수인 분수, 즉 $\dfrac{(정수)}{(0이\ 아닌\ 정수)}$의 꼴로 나타낼 수 있는 수

• 근호가 있다고 해서 모두 무리수는 아니다. $\sqrt{4}=2$, $\sqrt{0.01}=0.1$처럼 근호 안의 수가 어떤 수의 제곱이면 그 수는 유리수가 된다.

• 일반적으로 '수'라고 하면 실수를 의미한다.

• 수의 대소 관계

① (음수) $<0<$ (양수)

② 양수는 절댓값이 클수록 크고, 음수는 절댓값이 작을수록 크다.

**1 제곱근의 뜻과 표현**

[001~006] 다음 수의 제곱근을 구하여라.

**001** $36$

**002** $\dfrac{25}{64}$

**003** $0.49$

**004** $(-9)^2$

**005** $(-0.25)^2$

**006** $\left(-\dfrac{1}{12}\right)^2$

[007~010] 다음을 구하여라.

**007** 3의 제곱근

**008** 제곱근 2

**009** 제곱근 $(-0.5)^2$

**010** 6의 음의 제곱근

[011~014] 다음 수를 근호를 사용하지 않고 나타내어라.

**011** $\sqrt{25}$

**012** $-\sqrt{16}$

**013** $\sqrt{\dfrac{4}{49}}$

**014** $-\sqrt{0.36}$

**2 제곱근의 성질**

[015~017] 다음을 계산하여라.

**015** $(-\sqrt{2})^2$

**016** $(\sqrt{3})^2+\sqrt{(-3)^2}$

**017** $(\sqrt{12})^2 \div \sqrt{(-3)^2}$

[018~019] $a>0$일 때, 다음 식을 간단히 하여라.

**018** $\sqrt{(-2a)^2}$

**019** $\sqrt{a^2}+\sqrt{(-a)^2}$

[020~021] $-1<a<0$일 때, 다음 식을 간단히 하여라.

**020** $\sqrt{(a-1)^2}$

**021** $\sqrt{a^2}+\sqrt{(a+1)^2}$

**3 제곱근의 대소 관계**

[022~025] 다음 두 수의 대소를 비교하여라.

**022** $\sqrt{5},\ \sqrt{8}$

**023** $0.2,\ \sqrt{0.2}$

**024** $-\sqrt{3},\ -\sqrt{2}$

**025** $-0.1,\ -\sqrt{0.1}$

**4 무리수와 실수**

[026~031] 다음 수가 유리수이면 '유'를, 무리수이면 '무'를 ( ) 안에 써넣어라.

**026** $\sqrt{2}$ ( )

**027** $-\sqrt{2.1}$ ( )

**028** $\sqrt{0.81}$ ( )

**029** $3.14$ ( )

**030** $\sqrt{2}+1$ ( )

**031** $2.\dot{2}\dot{5}$ ( )

**5 실수와 수직선**

[032~035] 다음 중 옳은 것에는 ○표, 옳지 않은 것에는 ×표를 ( ) 안에 써넣어라.

**032** 두 정수 0과 1 사이에는 무수히 많은 정수가 있다. ( )

**033** 두 유리수 1.2와 2.2 사이에는 무수히 많은 유리수가 있다. ( )

**034** 두 무리수 $\sqrt{2}$와 $\sqrt{3}$ 사이에는 무수히 많은 무리수가 있다. ( )

**035** 두 유리수 $\dfrac{1}{4}$과 $\dfrac{1}{5}$ 사이에는 유리수가 존재하지 않는다. ( )

**6 실수의 대소 관계**

[036~038] 다음 두 수의 대소를 비교하여라.

**036** $2+\sqrt{15},\ 6$

**037** $-2+\sqrt{3},\ 1+\sqrt{3}$

**038** $5-\sqrt{5},\ 3-\sqrt{5}$

## A1 제곱근의 뜻과 표현

기초

**039** 다음 중 옳은 것은?

① 144의 제곱근은 12이다.

② $-2$의 제곱근은 $-\sqrt{2}$이다.

③ 제곱근 25는 5이다.

④ 0의 제곱근은 없다.

⑤ 9의 음의 제곱근은 $-9$이다.

\* 개념 찾기

$a$의 제곱근과 제곱근 $a$의 비교 (단, $a>0$)

(1) $a$의 제곱근 ⇨ 제곱하여 $a$가 되는 수, 즉 $\pm\sqrt{a}$

(2) 제곱근 $a$ ⇨ $a$의 양의 제곱근, 즉 $\sqrt{a}$

**040** $a>0$이고 $x$가 $a$의 제곱근일 때, 다음 중 $x$와 $a$ 사이의 관계를 식으로 바르게 나타낸 것은?

① $x=\sqrt{a}$　　　② $x=2a$　　　③ $x=a^2$

④ $\sqrt{x}=a$　　　⑤ $x^2=a$

**041** $x^2=81$일 때, 다음 중 옳지 <u>않은</u> 것은?

① $x$의 제곱근은 81이다.　② 81의 제곱근은 $x$이다.

③ $x=\pm9$　　　　　　　④ 81은 $x$의 제곱이다.

⑤ $x=\pm\sqrt{81}$

**042** 다음 〈보기〉에서 옳지 <u>않은</u> 것을 모두 고른 것은?

보기

ㄱ. $-\sqrt{11}$은 11의 제곱근이다.

ㄴ. $4^2$의 제곱근은 $\pm2$이다.

ㄷ. 제곱하여 0.3이 되는 수는 없다.

ㄹ. $1.\dot{7}$의 제곱근은 $\pm1.\dot{3}$이다.

① ㄱ, ㄴ　　　② ㄱ, ㄹ　　　③ ㄴ, ㄷ

④ ㄱ, ㄷ, ㄹ　　　⑤ ㄴ, ㄷ, ㄹ

## A2 제곱근 구하기

이해

**043** $(-7)^2$의 양의 제곱근을 $A$, $\sqrt{625}$의 음의 제곱근을 $B$라 할 때, $A+B$의 값은?

① $-32$　　　② $-12$　　　③ $-2$

④ 2　　　　　⑤ 12

\* 접근법

어떤 수의 제곱으로 표현된 수 또는 근호를 포함한 수의 제곱근을 구할 때는 먼저 주어진 수를 간단히 한 다음 그 수의 제곱근을 구한다.

**044** 다음 물음에 답하여라.

(1) 36의 제곱근을 구하여라.

(2) $\sqrt{16}$의 양의 제곱근을 구하여라.

(3) 제곱근 $\sqrt{(-25)^2}$을 구하여라.

**045** ★ 64의 양의 제곱근을 $a$, 음의 제곱근을 $b$라 할 때, $\sqrt{a-b}$의 제곱근은?

① 2　　　　　② 4　　　　　③ $\pm1$

④ $\pm2$　　　　⑤ $\pm4$

**046** ★ 정사각형 모양의 색종이를 그림과 같이 네 꼭 짓점이 한 점에 모이도록 겹치지 않게 잘 접어 작은 정 사각형을 만들었다. 새로 만들어진 정사각형의 넓이가 $50 \text{ cm}^2$일 때, 접기 전 색종이의 한 변의 길이는?

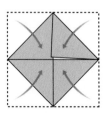

① 5 cm　　　② 10 cm　　　③ 15 cm

④ 20 cm　　　⑤ 25 cm

## A3 피타고라스 정리에서 제곱근의 이용 응용

**047** 그림과 같이 가로의 길이가 4 cm, 세로의 길이가 $\sqrt{5}$ cm인 직사각형 ABCD의 대각선의 길이는?

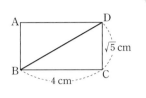

① $\sqrt{17}$ cm   ② $\sqrt{19}$ cm   ③ $\sqrt{21}$ cm

④ $\sqrt{23}$ cm   ⑤ 5 cm

\* 개념 찾기
∠C=90°인 직각삼각형 ABC에서
$\overline{AB}=c$, $\overline{BC}=a$, $\overline{CA}=b$일 때,
$c=\sqrt{a^2+b^2}$

**048** 그림과 같은 직각삼각형 ABC에서 $\overline{AC}$의 길이를 구하여라.

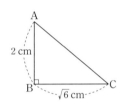

**049** 그림에서 $\overline{AB}=\overline{BC}=\overline{CD}=\overline{DE}=1$일 때, $\overline{AE}$의 길이는?

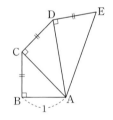

① $\sqrt{2}$   ② $\sqrt{3}$
③ 2   ④ $\sqrt{5}$
⑤ $\sqrt{6}$

**050** 그림에서 사각형 ABCD는 한 변의 길이가 9 cm인 정사각형이고 $\overline{AE}=\overline{BF}=\overline{CG}=\overline{DH}=4$ cm일 때, $\overline{EF}$의 길이는?

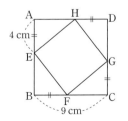

① $\sqrt{35}$ cm   ② $\sqrt{37}$ cm
③ $\sqrt{39}$ cm   ④ $\sqrt{41}$ cm
⑤ $\sqrt{43}$ cm

**051** 그림에서 $\overline{AD}$의 길이는?

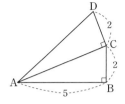

① $\sqrt{29}$   ② $\sqrt{33}$
③ $\sqrt{6}$   ④ $\sqrt{39}$
⑤ $\sqrt{42}$

**052** 그림과 같이 두 대각선의 길이가 각각 18 cm, 14 cm인 마름모 ABCD의 한 변의 길이를 구하여라. (단, 점 O는 두 대각선의 교점)

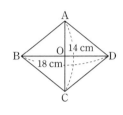

**053** 그림과 같이 밑면의 가로의 길이가 $\sqrt{5}$ cm, 세로의 길이가 3 cm이고 높이가 $\sqrt{3}$ cm인 직육면체의 대각선의 길이는?

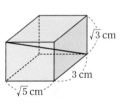

① $\sqrt{15}$ cm   ② $\sqrt{17}$ cm   ③ $\sqrt{19}$ cm
④ $\sqrt{21}$ cm   ⑤ $\sqrt{23}$ cm

**054** 그림과 같은 직육면체의 꼭짓점 F에서 출발하여 겉면을 따라 모서리 CG를 지나 꼭짓점 D에 이르는 최단 거리를 구하여라.

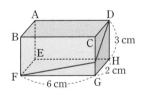

## A4 제곱근의 성질 I　이해

**055** 다음 중 옳은 것은?

① $\sqrt{2^2}=\pm2$　　② $\sqrt{(-3)^2}=-3$

③ $(-\sqrt{2})^2=-2$　　④ $-(\sqrt{3})^2=-3$

⑤ $-\sqrt{(-2)^2}=2$

∗ **Check Key**

$a>0$일 때,

(1) $(\sqrt{a})^2=a$　　(2) $(-\sqrt{a})^2=a$

(3) $\sqrt{a^2}=a$　　(4) $\sqrt{(-a)^2}=a$

**056** 다음 중 옳지 <u>않은</u> 것은?

① $\sqrt{4}=2$　　② $(\sqrt{0.5})^2=0.5$

③ $(-\sqrt{6})^2=-6$　　④ $-\sqrt{\left(\dfrac{1}{2}\right)^2}=-\dfrac{1}{2}$

⑤ $-\sqrt{(-7)^2}=-7$

**057** 다음 중 그 값이 나머지 넷과 <u>다른</u> 하나는?

① $\sqrt{10^2}$　　② $\sqrt{(-10)^2}$　　③ $(-\sqrt{10})^2$

④ $-(\sqrt{10})^2$　　⑤ $(\sqrt{10})^2$

**058** ★ $A$, $B$가 다음과 같을 때, $A-B$의 값은?

$$A=\sqrt{169}-3\sqrt{(-2)^4}+\sqrt{(-3)^2\times5^2}-\sqrt{(-6)^2}$$
$$B=\sqrt{(-24)^2}\times\left(\sqrt{\dfrac{1}{6}}\right)^2-(-\sqrt{10})^2\div(-\sqrt{2})^2$$

① $-9$　　② $-4$　　③ $1$

④ $6$　　⑤ $11$

## A5 제곱근의 성질 Ⅱ　이해

**059** $a<0$일 때, 다음 중 옳지 <u>않은</u> 것은?

① $(-\sqrt{-a})^2=-a$　　② $\sqrt{a^2}=a$

③ $-\sqrt{(-a)^2}=a$　　④ $\sqrt{(-a)^2}=-a$

⑤ $-\sqrt{a^2}=a$

∗ **Check Key**

$\sqrt{a^2}=\begin{cases} a & (a\ge0) \\ -a & (a<0) \end{cases}$

**060** $x>0$일 때, $\sqrt{(-x)^2}+\sqrt{(2x)^2}$을 간단히 하여라.

**061** $a>0$일 때, 다음 중 그 값이 가장 큰 것은?

① $\sqrt{a^2}$　　② $\sqrt{9a^2}$　　③ $\sqrt{(-4a)^2}$

④ $\dfrac{\sqrt{(-6a)^2}}{2}$　　⑤ $-\sqrt{(-5a)^2}$

**062** ★ $a<b$, $ab<0$일 때, 다음 식을 간단히 하여라.

$$-\sqrt{(-3b)^2}+\sqrt{81a^2}-\sqrt{(-8a)^2}+\sqrt{16b^2}$$

**063** ★ 그림과 같은 '제곱'이라는 나무는 뿌리에서 흡수한 영양분을 제곱해서 꽃을 피운다. 예를 들어, 뿌리에서 2를 흡수하면, 제곱하여 4라는 꽃을 피우게 된다. 이 '제곱' 나무에 $a^2$이 피었을 때, ㄱ~ㄹ 중 뿌리에서 흡수한 영양분인 것을 모두 골라라. (단, $a>0$)

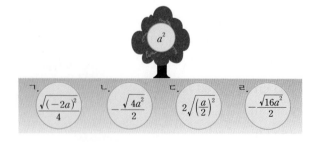

ㄱ. $\dfrac{\sqrt{(-2a)^2}}{4}$　ㄴ. $-\dfrac{\sqrt{4a^2}}{2}$　ㄷ. $2\sqrt{\left(\dfrac{a}{2}\right)^2}$　ㄹ. $-\dfrac{\sqrt{16a^2}}{2}$

## A6 식 간단히 하기 이해

**064** $-2 < a < 3$일 때, $\sqrt{(a+2)^2} + \sqrt{(a-3)^2}$ 을 간단히 한 것은?

① $-5$    ② $-1$    ③ $5$
④ $-2a+1$    ⑤ $2a-1$

* 접근법
$\sqrt{\bullet^2}$의 꼴을 간단히 할 때에는 먼저 ●의 부호를 조사한다.
$\sqrt{\bullet^2} = \begin{cases} \bullet \ (\bullet \geq 0) \Rightarrow \text{●가 양수이면 부호는 그대로} \\ -\bullet \ (\bullet < 0) \Rightarrow \text{●가 음수이면 부호는 반대로} \end{cases}$

**065** $0 < x < 2$일 때, $\sqrt{(x+2)^2} - \sqrt{(x-2)^2}$을 간단히 한 것은?

① $-2x-4$    ② $-2x$    ③ $4$
④ $2x$    ⑤ $2x+4$

**066** $a > b > 0$일 때,
$\sqrt{(a-b)^2} - \sqrt{(a+b)^2} - \sqrt{(b-a)^2}$을 간단히 하여라.

**067** ★ $x < -1$일 때, $\sqrt{(x+1)^2} + \sqrt{(x-3)^2} = 12$를 만족시키는 $x$의 값은?

① $-6$    ② $-5$    ③ $-4$
④ $-3$    ⑤ $-2$

**068** ★ 두 실수 $x$, $y$에 대하여 $x-y < 0$, $xy < 0$일 때, 다음 식을 간단히 하여라.

$$(\sqrt{-x})^2 + \sqrt{(x-2)^2} + \sqrt{(x-y)^2} - \sqrt{(2-x+y)^2}$$

## A7 근호로 표현된 자연수 이해

**069** $\sqrt{168x}$가 자연수가 되기 위한 가장 작은 자연수 $x$의 값을 구하여라.

* 접근법
근호 안의 수가 제곱수가 되어야 한다.
(1) $\sqrt{Ax}$, $\sqrt{\dfrac{A}{x}}$ 꼴 : $A$를 소인수분해한 후 소인수의 지수가 모두 짝수가 되도록 하는 $x$의 값을 찾는다.
(2) $\sqrt{A+x}$, $\sqrt{A-x}$ 꼴 : $A$보다 큰 (또는 작은) 제곱인 수를 찾는다.

**070** $10 < a < 50$일 때, $\sqrt{12a}$가 자연수가 되도록 하는 모든 자연수 $a$의 값의 합은?

① $75$    ② $78$    ③ $81$
④ $84$    ⑤ $87$

**071** $\sqrt{\dfrac{90}{x}}$이 자연수가 되는 자연수 $x$의 개수는?

① $1$개    ② $2$개    ③ $3$개
④ $4$개    ⑤ $5$개

**072** 다음 중 $\sqrt{13+x}$가 자연수가 되도록 하는 자연수 $x$의 값이 될 수 없는 것은?

① $3$    ② $12$    ③ $23$
④ $38$    ⑤ $51$

**073** $\sqrt{18-a}$가 자연수가 되도록 하는 가장 작은 자연수 $a$의 값은?

① $1$    ② $2$    ③ $3$
④ $4$    ⑤ $5$

## A8 제곱근의 대소 관계 이해

**074** 다음 중 두 수의 대소 관계가 옳은 것은?

① $2 < \sqrt{3}$  
② $\sqrt{(-2)^2} < \sqrt{2^2}$  
③ $-\sqrt{8} < -\sqrt{7}$  
④ $-\sqrt{15} < -4$  
⑤ $\sqrt{0.6} < 0.6$

**＊Check Key**

$a > 0$, $b > 0$일 때,

(1) $a < b$이면 $\sqrt{a} < \sqrt{b}$  (2) $\sqrt{a} < \sqrt{b}$이면 $a < b$

**075** 다음 중 두 수의 대소 관계가 옳지 <u>않은</u> 것은?

① $3 > \sqrt{10}$  
② $\sqrt{\dfrac{1}{5}} < \dfrac{1}{2}$  
③ $-\sqrt{7} < -\sqrt{6}$  
④ $\sqrt{14} < 4$  
⑤ $\sqrt{0.3} > 0.2$

**076** 다음 물음에 답하여라.

(1) $2 \leq \sqrt{x} < 3$을 만족하는 자연수 $x$의 개수를 구하여라.

(2) $3 < \sqrt{2x+1} < 4$를 만족하는 모든 자연수 $x$의 값의 합을 구하여라.

**077** 다음 수 중에서 가장 큰 수를 $a$, 가장 작은 수를 $b$라 할 때, $a^2 - b^2$의 값을 구하여라.

$$(-\sqrt{2})^2, \quad \sqrt{6}, \quad -\sqrt{7}, \quad 0, \quad -3, \quad \sqrt{\dfrac{9}{4}}$$

**078** ★ $0 < x < 1$인 유리수 $x$에 대하여 다음을 큰 수부터 차례로 나열하였을 때, 왼쪽에서 두 번째에 오는 수와 세 번째에 오는 수의 곱을 구하여라.

$$x, \quad \sqrt{x}, \quad x^2, \quad \dfrac{1}{x}, \quad \dfrac{1}{\sqrt{x}}$$

## A9 유리수와 무리수 기초

**079** 다음 중 순환하지 <u>않는</u> 무한소수인 것은?

① $-\sqrt{(-2)^2}$  
② $\sqrt{0.16}$  
③ $\sqrt{\dfrac{25}{4}}$  
④ $\sqrt{15}$  
⑤ $\sqrt{0.\dot{1}}$

**＊개념 찾기**

순환하지 않는 무한소수를 무리수라 한다.

이때, 근호를 제거할 수 없는 수도 무리수이다.

**080** 다음 설명 중 옳은 것은?

① 무한소수는 모두 무리수이다.  
② 유리수는 모두 유한소수로 나타낼 수 있다.  
③ 유리수가 되는 무리수가 존재한다.  
④ 순환소수는 모두 유리수이다.  
⑤ 근호를 사용하여 나타낸 수는 모두 무리수이다.

**081** 다음 〈보기〉에서 유리수가 <u>아닌</u> 수는 모두 몇 개인가?

──── 보기 ────

$$\sqrt{0.\dot{4}}, \qquad 0.\dot{5}, \qquad \sqrt{0.25}, \qquad -\sqrt{0.\dot{1}}$$
$$(-\sqrt{5})^2, \qquad 5 - \sqrt{5}, \qquad \sqrt{(-\pi)^2}$$

① 1개  
② 2개  
③ 3개  
④ 4개  
⑤ 5개

**082** 다음 중 무리수로 나타내어지는 것을 모두 고르면? (정답 2개)

① 0.016의 음의 제곱근  
② $\sqrt{\dfrac{4}{49}}$  
③ 넓이가 144인 정사각형의 한 변의 길이  
④ 넓이가 $9\pi$인 원의 반지름의 길이  
⑤ 반지름의 길이가 1인 원의 둘레의 길이

## A10 실수와 수직선 I  이해

**083** 그림과 같이 한 변의 길이가 1인 정사각형 ABCD에서 $\overline{BD}=\overline{BP}$일 때, 점 P에 대응하는 수를 구하여라.

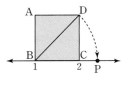

* **접근법**
  - 직각삼각형의 빗변의 길이는 피타고라스 정리를 이용해서 구할 수 있다.
  - 구하는 점이 기준점에서 오른쪽에 있으면 빗변의 길이만큼 더하고, 왼쪽에 있으면 빗변의 길이만큼 뺀다.

**084** 그림과 같이 한 변의 길이가 1인 정사각형 ABCD에서 $\overline{CA}=\overline{CP}$일 때, 점 P에 대응하는 수는?

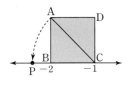

① $-1-\sqrt{2}$　　② $-\sqrt{2}$　　③ $-2+\sqrt{2}$
④ $-1+\sqrt{2}$　　⑤ $\sqrt{2}$

**085** 그림과 같이 수직선 위에 한 변의 길이가 1인 정사각형 ABCD가 있다. $\overline{AC}=\overline{AP}=\overline{AQ}$이고 A(1), P($a$), Q($b$)일 때, $a$, $b$의 값을 차례로 나타낸 것은?

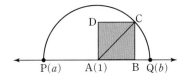

① $-\sqrt{2}$, $\sqrt{2}$　　　　② $1-\sqrt{2}$, $\sqrt{2}$
③ $-\sqrt{2}$, $1+\sqrt{2}$　　④ $1-\sqrt{2}$, $1+\sqrt{2}$
⑤ $2-\sqrt{2}$, $2+\sqrt{2}$

**086** 그림과 같이 한 변의 길이가 1인 정사각형 ABCD에서 $\overline{CA}=\overline{CP}$, $\overline{BD}=\overline{BQ}$일 때, 점 P, Q에 대응하는 두 수의 합을 구하여라.

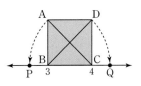

**087** 그림에서 모눈 한 칸은 한 변의 길이가 1인 정사각형일 때, 다음 설명 중 옳지 <u>않은</u> 것을 모두 고르면? (정답 2개)

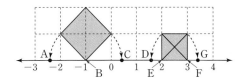

① $\overline{AB}=\overline{BC}$
② $\overline{FD}=\overline{EG}$
③ $\overline{BC}=\overline{EF}$
④ 점 A에 대응하는 수는 $-1-\sqrt{2}$이다.
⑤ 점 G에 대응하는 수는 $3+\sqrt{2}$이다.

**088** 그림과 같이 수직선 위에 한 변의 길이가 1인 세 정사각형이 있을 때, $-1+\sqrt{2}$에 대응하는 점은?

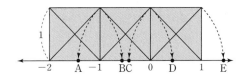

① 점 A　　② 점 B　　③ 점 C
④ 점 D　　⑤ 점 E

**089** 그림과 같이 닮음비가 3 : 1인 두 정사각형이 수직선 위에서 꼭짓점 B를 공유하면서 붙어 있다. 두 정사각형의 넓이의 합이 10이고, 큰 정사각형의 한 꼭짓점이 A(0)일 때, 점 P에 대응하는 수를 구하여라. (단, $\overline{BF}=\overline{BP}$)

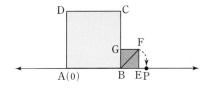

## A11 실수와 수직선 Ⅱ 　이해

**090** 그림과 같은 정사각형 ABCD에서 $\overline{AB}=\overline{AP}$일 때, 점 P에 대응하는 수를 구하여라.
(단, 모눈 한 칸은 한 변의 길이가 1인 정사각형이다.)

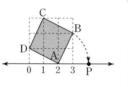

＊ 접근법
• 피타고라스 정리를 이용해 $\overline{AB}$의 길이를 구할 수 있다.
• (점 P에 대응하는 수)=(점 A에 대응하는 수)+($\overline{AB}=\overline{AP}$의 길이)

**091** 그림과 같은 정사각형 ABCD에서 $\overline{AB}=\overline{AQ}$, $\overline{AD}=\overline{AP}$일 때, 두 점 P, Q에 대응하는 수를 각각 구하여라.
(단, 모눈 한 칸은 한 변의 길이가 1인 정사각형이다.)

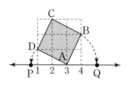

**092** 그림에서 모눈 한 칸은 한 변의 길이가 1인 정사각형이고 $\overline{CD}=\overline{CP}$, $\overline{FE}=\overline{FQ}$일 때, 두 점 P, Q에 대응하는 수를 각각 구하여라.

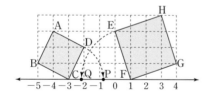

**093** ⭐ 그림과 같이 정사각형 ABCD와 그 대각선 AC를 한 변으로 하는 정사각형 AEFC가 있다. $\overline{AD}=\overline{AP}$, $\overline{AE}=\overline{AQ}$일 때, 다음 설명 중 옳은 것은? (단, 모눈 한 칸은 한 변의 길이가 1인 정사각형이다.)

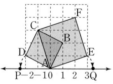

① $\overline{AP}=\overline{AC}$
② $\overline{AQ}=\overline{AC}$
③ 점 P에 대응하는 수는 $-2-\sqrt{5}$이다.
④ 점 Q에 대응하는 수는 $2+\sqrt{10}$이다.
⑤ □AEFC의 넓이는 □ABCD의 넓이의 4배이다.

## A12 실수와 수직선 Ⅲ 　이해

**094** 다음 설명 중 옳지 <u>않은</u> 것은?

① 0과 1 사이에는 무수히 많은 유리수가 있다.
② −100과 100 사이에는 무수히 많은 정수가 있다.
③ $\sqrt{2}$와 $\sqrt{3}$ 사이에는 무수히 많은 무리수가 있다.
④ 모든 실수는 수직선 위에 나타낼 수 있다.
⑤ 서로 다른 두 무리수 사이에는 무수히 많은 무리수가 있다.

＊ Check Key
⑴ 모든 유리수, 무리수, 실수는 각각 수직선 위의 한 점에 대응한다.
⑵ 수직선은 유리수만으로(무리수만으로)는 완전히 메울 수 없지만 실수로는 완전히 메울 수 있다.
⑶ 서로 다른 두 수 사이에 자연수, 정수는 유한개이지만 유리수, 무리수, 실수는 무수히 많다.

**095** 다음 설명 중 옳은 것은?

① 1과 2 사이에는 무리수가 $\sqrt{2}$, $\sqrt{3}$으로 2개가 있다.
② $\dfrac{1}{5}$과 $\dfrac{1}{4}$ 사이에는 무리수가 없다.
③ $\sqrt{2}$와 $\sqrt{3}$ 사이에는 유리수가 없다.
④ 1에 가장 가까운 무리수는 $\sqrt{2}$이다.
⑤ 유리수에 대응하는 점만으로는 수직선을 완전히 메울 수 없다.

**096** 다음 〈보기〉에서 옳은 것을 모두 골라라.

─ 보기 ─
ㄱ. 3과 $\sqrt{10}$ 사이에는 자연수가 없다.
ㄴ. $\pi$는 수직선 위에 나타낼 수 없다.
ㄷ. −1과 $\sqrt{2}$ 사이의 정수는 1뿐이다.
ㄹ. 서로 다른 두 유리수 사이에는 무수히 많은 유리수가 있다.
ㅁ. 서로 다른 두 무리수의 합은 항상 무리수이다.

## A13 실수의 대소 관계

**097** 다음 중 두 실수의 대소 관계가 옳지 <u>않은</u> 것은?

① $\sqrt{10}-1>2$      ② $\sqrt{5}+1>3$

③ $\sqrt{2}+1<3$      ④ $3+\sqrt{5}<\sqrt{5}+\sqrt{8}$

⑤ $2-\sqrt{7}>1-\sqrt{7}$

* 접근법
(1) $a-b>0$이면 $a>b$
(2) $a-b=0$이면 $a=b$
(3) $a-b<0$이면 $a<b$

**098** 다음 중 두 실수의 대소 관계가 옳지 <u>않은</u> 것은?

① $\sqrt{15}+1<5$      ② $8+\sqrt{2}<9$

③ $\sqrt{\dfrac{1}{3}}-2>\sqrt{\dfrac{1}{5}}-2$      ④ $-1+\sqrt{6}>-3+\sqrt{6}$

⑤ $-\sqrt{10}-3<-\sqrt{10}-\sqrt{7}$

**099** 다음 중 ◯ 안에 들어갈 부등호가 나머지 넷과 <u>다른</u> 하나는?

① $\sqrt{10}+1 \bigcirc 4$

② $\sqrt{3}+\sqrt{5} \bigcirc \sqrt{5}+2$

③ $-\sqrt{17}-\sqrt{12} \bigcirc -4-\sqrt{17}$

④ $6-\sqrt{8} \bigcirc 3$

⑤ $\sqrt{6}-\sqrt{(-2)^2} \bigcirc -3+\sqrt{6}$

**100** 다음 세 수 $a$, $b$, $c$의 대소 관계로 옳은 것은?

$$a=\sqrt{3}+\sqrt{5}, \quad b=\sqrt{5}+1, \quad c=3+\sqrt{3}$$

① $a>b>c$     ② $a>c>b$     ③ $b>c>a$

④ $c>a>b$     ⑤ $c>b>a$

**101** 반지름의 길이가 $3+\sqrt{2}$, $4$, $5-\sqrt{2}$인 세 원을 각각 $P$, $Q$, $R$라 할 때, 넓이가 가장 큰 원부터 차례로 말하여라.

**102** 다음 수를 수직선 위에 나타낼 때, 가장 오른쪽에 있는 수와 왼쪽에서 두 번째에 있는 수의 합을 구하여라.

$$-\sqrt{6}, \quad 3+\sqrt{6}, \quad \sqrt{6}+\sqrt{7}, \quad \sqrt{7}+2, \quad -\sqrt{7}-1$$

**103** 다음 중 $\sqrt{5}$와 $\sqrt{7}$ 사이에 있는 무리수가 <u>아닌</u> 것은? (단, $\sqrt{5}=2.236$, $\sqrt{7}=2.646$)

① $\sqrt{6}$                  ② $\sqrt{5}+\dfrac{\sqrt{7}}{4}$

③ $\dfrac{\sqrt{5}+\sqrt{6}}{2}$          ④ $\dfrac{\sqrt{6}+\sqrt{7}}{2}$

⑤ $\dfrac{\sqrt{5}+\sqrt{7}}{2}$

**104** 다음과 같이 자연수 $n$에 대하여 1과 3 사이에 $\sqrt{n}$을 수직선 위에 나타낼 때, 자연수 10과 11 사이에 무리수 $\sqrt{n}$에 해당하는 점은 모두 몇 개인가?

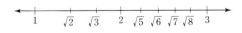

① 18개      ② 19개      ③ 20개

④ 21개      ⑤ 22개

**105** 25의 제곱근을 $A$, $7^2$의 제곱근을 $B$라 할 때, $A-B$의 값 중 가장 큰 값을 구하여라.

**106** 81의 제곱근을 $A$, $(-6)^2$의 제곱근을 $B$라 할 때, $B-A$의 값 중 가장 작은 값을 구하여라.

**107** 서로소인 두 자연수 $a$, $b$에 대하여 $\sqrt{1.0\dot{2}\times\dfrac{b}{a}}=0.\dot{4}$일 때, $a-b$의 값을 구하여라.

**108** 서로소인 두 자연수 $a$, $b$에 대하여 $\sqrt{1.0\dot{6}\times\dfrac{b}{a}}=0.\dot{2}$일 때, $a+b$의 값을 구하여라.

**109** $0<a<1$일 때, $\sqrt{\left(a-\dfrac{1}{a}\right)^2}-\sqrt{\left(a+\dfrac{1}{a}\right)^2}$을 간단히 하여라.

**110** $0<a<1$일 때, $\sqrt{\left(a-\dfrac{1}{a}\right)^2}-\sqrt{\left(-a-\dfrac{1}{a}\right)^2}+\sqrt{(2a)^2}$을 간단히 하여라.

**111** $A=\sqrt{(x-2)^2}-\sqrt{x^2}$일 때, 다음 〈보기〉에서 옳은 것을 모두 고른 것은?

─ 보기 ─

ㄱ. $x<0$일 때, $A=-2x+2$

ㄴ. $0\le x<2$일 때, $A=2$

ㄷ. $x\ge2$일 때, $A=-2$

① ㄱ　　　　② ㄷ　　　　③ ㄱ, ㄴ

④ ㄴ, ㄷ　　　⑤ ㄱ, ㄴ, ㄷ

**112** $A=\sqrt{(x+1)^2}-\sqrt{(x-1)^2}$일 때, 다음 〈보기〉에서 옳은 것을 모두 고른 것은?

─ 보기 ─

ㄱ. $x<-1$일 때, $A=-2$

ㄴ. $-1\le x<1$일 때, $A=2x$

ㄷ. $x\ge1$일 때, $A=2$

① ㄱ　　　　② ㄴ　　　　③ ㄱ, ㄴ

④ ㄴ, ㄷ　　　⑤ ㄱ, ㄴ, ㄷ

**113** $n$이 100 이하의 자연수일 때, $\sqrt{3n}$이 자연수가 되는 $n$의 개수는?

① 1개　　　　② 2개　　　　③ 3개

④ 4개　　　　⑤ 5개

**114** $n$이 100 이하의 자연수일 때, $\sqrt{2n}$이 자연수가 되는 $n$의 개수는?

① 1개　　　　② 3개　　　　③ 5개

④ 7개　　　　⑤ 9개

**115** $\sqrt{15-x}$가 자연수가 되게 하는 모든 자연수 $x$의 값의 합을 구하여라.

**116** $\sqrt{20-x}$가 자연수가 되게 하는 모든 자연수 $x$의 값의 합을 구하여라.

**117** $-\sqrt{15}$에 가장 가까운 정수를 $a$, $\sqrt{54}$에 가장 가까운 정수를 $b$라 할 때, $a+b$의 값은?

① 2      ② 3      ③ 4
④ 5      ⑤ 6

**118** $-\sqrt{23}$에 가장 가까운 정수를 $a$, $\sqrt{61}$에 가장 가까운 정수를 $b$라 할 때, $b-a$의 값은?

① 12      ② 13      ③ 14
④ 15      ⑤ 16

**119** $5 \le \sqrt{3x+1} < 8$을 만족하는 자연수 $x$ 중 가장 큰 값을 $a$, 가장 작은 값을 $b$라 할 때, $\sqrt{abc}$가 자연수가 되도록 하는 가장 작은 자연수 $c$의 값은?

① 2      ② 3      ③ 6
④ 10      ⑤ 12

**120** $4 < \sqrt{3x} \le \sqrt{80}$을 만족하는 자연수 $x$ 중에서 $\sqrt{2x}$가 자연수가 되도록 하는 모든 $x$의 값의 합은?

① 23      ② 26      ③ 29
④ 32      ⑤ 35

**121** 자연수 $x$에 대하여 $\sqrt{x}$ 이하의 자연수의 개수를 $f(x)$라 할 때, $f(123)-f(68)$의 값을 구하여라.

**122** 자연수 $x$에 대하여 $\sqrt{x}$ 이하의 소수의 개수를 $f(x)$라 하자. 예를 들어, $4<\sqrt{20}<5$이므로 $f(20)=2$이다. $f(40)+f(180)$의 값을 구하여라.

**123** 그림의 모든 사각형은 한 변의 길이가 1인 정사각형일 때, 다음 〈보기〉에서 옳은 것을 모두 고른 것은?

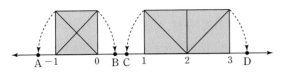

━━━ 보기 ━━━
ㄱ. $A(-\sqrt{2})$
ㄴ. $B(\sqrt{2}-1)$
ㄷ. $\overline{AC}=2$
ㄹ. $\overline{BD}=4$

① ㄱ, ㄴ  ② ㄴ, ㄹ  ③ ㄷ, ㄹ
④ ㄱ, ㄴ, ㄷ  ⑤ ㄴ, ㄷ, ㄹ

**124** 그림의 모든 사각형은 한 변의 길이가 1인 정사각형일 때, 다음 〈보기〉에서 옳지 <u>않은</u> 것을 모두 고른 것은?

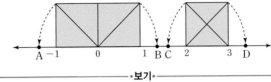

━━━ 보기 ━━━
ㄱ. $A(-\sqrt{2})$
ㄴ. $B(\sqrt{2}+1)$
ㄷ. $\overline{BD}=3$
ㄹ. $\overline{AC}=3$

① ㄱ, ㄴ  ② ㄴ, ㄷ  ③ ㄷ, ㄹ
④ ㄱ, ㄴ, ㄷ  ⑤ ㄴ, ㄷ, ㄹ

**125** 다음 중 $\sqrt{5}$와 $\sqrt{10}$ 사이에 있는 수가 <u>아닌</u> 것은?
(단, $\sqrt{5}=2.236$, $\sqrt{10}=3.162$)

① $\sqrt{10}-0.4$  ② $\sqrt{5}+0.1$  ③ $\sqrt{5}+1$
④ $\sqrt{8}$  ⑤ $\dfrac{\sqrt{5}+\sqrt{10}}{2}$

**126** 다음 중 2와 3 사이에 있는 수가 <u>아닌</u> 것은?

① $\sqrt{5}$  ② $\sqrt{6}$  ③ $\sqrt{7}$
④ $\sqrt{8}-1$  ⑤ $\dfrac{\sqrt{6}+\sqrt{8}}{2}$

**127** 다음 조건을 만족시키는 수를 모두 고르면?
(단, $\sqrt{10}=3.162$) (정답 2개)

(가) 4보다 작다.
(나) $\sqrt{10}$보다 크다.

① $0.85+\sqrt{10}$  ② $4-\dfrac{\sqrt{10}}{2}$  ③ $\dfrac{4+\sqrt{10}}{2}$
④ $\sqrt{15}$  ⑤ $\dfrac{5+\sqrt{10}}{2}$

**128** 다음 조건을 만족시키는 수를 모두 고르면?
(단, $\sqrt{3}=1.732$, $\sqrt{6}=2.449$) (정답 2개)

(가) $\sqrt{6}$보다 크다.
(나) 3보다 작다.

① $\sqrt{10}$  ② $\dfrac{\sqrt{3}+3}{2}$  ③ $3-\dfrac{\sqrt{3}}{2}$
④ $\sqrt{6}+\dfrac{1}{2}$  ⑤ $\dfrac{\sqrt{3}+\sqrt{6}+1}{2}$

**129** $4^2$의 음의 제곱근을 $A$, $\sqrt{(-4)^2}$의 양의 제곱근을 $B$라 할 때, $A-B$의 값을 구하여라.

먼저, $A$의 값을 구하자. 40%

그다음, $B$의 값을 구하자. 40%

그래서, $A-B$의 값을 구하자. 20%

**130** $(-3)^2$의 양의 제곱근을 $A$, $\sqrt{(-25)^2}$의 음의 제곱근을 $B$라 할 때, $A+B$의 값을 구하여라.

먼저,

그다음,

그래서,

**131** $n$이 100 이하의 자연수일 때, $\sqrt{54n}$이 자연수가 되도록 하는 가장 큰 자연수 $n$의 값을 구하여라.

먼저, 근호 안이 제곱인 수가 되게 하는 $n$의 조건을 찾자. 40%

그다음, $n$의 값의 범위를 구하자. 20%

그래서, 답을 구하자. 40%

**132** $n$이 100 이하의 자연수일 때, $\sqrt{48n}$이 자연수가 되도록 하는 가장 큰 자연수 $n$의 값을 구하여라.

먼저,

그다음,

그래서,

**133** $1 < x < 2$일 때, $\sqrt{(x-1)^2} + \sqrt{(x-2)^2}$을 간단히 하여라.

**134** $0 < a < 1$일 때,
$\sqrt{\left(a - \dfrac{1}{a}\right)^2} + \sqrt{\left(a + \dfrac{1}{a}\right)^2} - \sqrt{\left(1 - \dfrac{1}{a}\right)^2}$을 간단히 하여라.

**135** $9 < \sqrt{10x^2} < 10$을 만족시키는 자연수 $x$를 구하여라.

**136** $\sqrt{59+x} = y$에서 $y$가 자연수가 되도록 하는 가장 작은 자연수 $x$의 값을 $a$, 그때의 $y$의 값을 $b$라 할 때, $a+b$의 값을 구하여라.

**137** 다음 세 수 $A$, $B$, $C$의 대소 관계를 구하여라.

$$A = \sqrt{7} + \sqrt{5}, \quad B = 2 + \sqrt{7}, \quad C = 3 + \sqrt{5}$$

**138** 그림과 같은 정사각형 ABCD에서 $\overline{AB} = \overline{AQ}$, $\overline{AD} = \overline{AP}$이다. 두 점 P, Q에 대응하는 수를 각각 $p$, $q$라 할 때, $p+q$의 값을 구하여라. (단, 모눈 한 칸은 한 변의 길이가 1인 정사각형이다.)

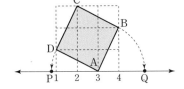

**139** 두 개의 주사위를 동시에 던져서 나오는 눈의 수를 각각 $a$, $b$라 하자. 이때, $\sqrt{486 \times a \times b}$가 가장 작은 자연수가 되도록 하는 순서쌍 $(a, b)$는 모두 몇 개인지 구하여라.

**140** $-2 < a < b < 0$일 때, 다음 중 그 값이 가장 큰 것은?

① $-\sqrt{(a-2)^2}$
② $\sqrt{(2-a)^2}$
③ $\sqrt{(a+2)^2}$
④ $-\sqrt{(b-2)^2}$
⑤ $\sqrt{(b+2)^2}$

**141** 그림과 같은 세 정사각형 ABCD, ECFG, HFIJ의 넓이를 각각 $S_1$, $S_2$, $S_3$이라 하자.
$S_1 = 2$, $S_1 : S_2 : S_3 = 1 : 2 : 4$일 때, $\overline{AC} + \overline{CF} + \overline{FJ}$의 값을 구하여라.

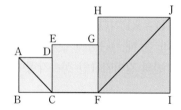

**142** $\sqrt{78-2x} - \sqrt{37+3y}$가 가장 큰 정수가 되도록 하는 자연수 $x$, $y$에 대하여 $x+y$의 값을 구하여라.

**143** 자연수 $x$에 대하여 $\sqrt{x}$보다 크지 않은 최대의 정수를 $I(x)$라 할 때,
$I(1) + I(2) + I(3) + \cdots + I(100)$의 값을 구하여라.

**144** 그림과 같이 수직선 위에 넓이가 3인 정사각형 ABCD와 정사각형 ABCD의 대각선 AC를 한 변으로 하는 정사각형 AEFC가 있다. $\overline{AD} = \overline{AP}$, $\overline{AE} = \overline{AQ}$이고, 점 A에 대응하는 수가 $-1$, 두 점 P, Q에 대응하는 수가 각각 $a$, $b$일 때, $(a+\sqrt{3})^2 + (b+1)^2$의 값을 구하여라.

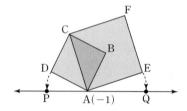

**145** 그림과 같이 반지름의 길이가 1인 원이 수직선 위의 점 A(0)에서 접하고 있다. 이 원이 수직선을 따라 시계방향으로 한 바퀴 굴러 점 A가 다시 수직선에 닿는 점을 P라 하자. 점 P에 대응하는 수를 $k$라 할 때, 다음 〈보기〉에서 옳은 것을 모두 골라라.

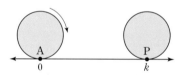

──── 보기 ────

ㄱ. $\dfrac{1}{2}k$는 $\dfrac{a}{b}$ ($a$, $b$는 정수, $b \neq 0$)의 꼴로 나타낼 수 있다.

ㄴ. $\pi - \dfrac{1}{2}k$는 유리수이다.

ㄷ. $2k+1$은 무리수이다.

ㄹ. $k - \sqrt{2}$에 대응하는 점은 수직선 위에 나타낼 수 없다.

# 학생들을 위한 특별한 공간 학생회관

학생회관에 있는 문구점은 서울대 학생들을 위해 필기구, 노트 등을 저렴한 가격으로 판매하는 곳이야. 규모가 큰 만큼 없는 물건이 없다시피 하고 거의 모든 물건에 서울대학교 로고가 붙어있어. 그리고 초콜릿 같은 기념품도 팔아서 지인들에게 선물할 수 있어. 학생회관 2층에는 토스트와 샌드위치를 저렴하게 파는 '라운지 스넥'이라는 곳이 있어. 원래 배가 고프지만 시간이 별로 없을 때 가볍게 음식을 사 먹는 곳인데, 토스트가 정말 맛있어서 많은 학생들이 애용하는 곳이지.

서울대학교 심볼마크

학생식당은 다른 어느 학교보다도 뛰어나다고 자부할 수 있는 학생회관 학생식당이야. 좋은 가성비의 세 가지 메뉴 중 하나를 골라서 먹을 수 있고, 저녁 시간이 되면 이 중 세 번째 메뉴를 무려 1,000원이라는 저렴한 가격으로 이용할 수 있어. 그리고 왠지 아래에는 지하철이 다닐 거 같은 기분이 드는 학생회관의 서울대입구역 9번 출구 계단을 내려가면 의외로 분식을 파는 '9출분식' 식당이 있어. 여느 분식집처럼 라면, 떡볶이, 순대 등을 저렴한 가격으로 팔아. 사실 진짜 지하철 서울대입구역에는 8번 출구까지만 있어.

글 · 사진 : **박성재**(서울대 지구환경과학과)

## B 근호를 포함한 식의 계산

### 1 제곱근의 곱셈과 나눗셈

(1) **제곱근의 곱셈** : $a>0$, $b>0$이고 $m$, $n$이 유리수일 때

  ① $\sqrt{a} \times \sqrt{b} = \sqrt{ab}$ ➔ 여러 개의 근호가 곱해질 때 하나의 근호로!

  ② $m\sqrt{a} \times n\sqrt{b} = mn\sqrt{ab}$ ➔ 근호 안의 수와 밖의 수는 끼리끼리

(2) **제곱근의 나눗셈** : $a>0$, $b>0$이고 $m$, $n$이 유리수일 때

  ① $\sqrt{a} \div \sqrt{b} = \dfrac{\sqrt{a}}{\sqrt{b}} = \sqrt{\dfrac{a}{b}}$  ② $m\sqrt{a} \div n\sqrt{b} = \dfrac{m}{n}\sqrt{\dfrac{a}{b}}$ (단, $n \neq 0$)

(3) **근호가 있는 식의 변형** : $a>0$, $b>0$일 때

  ① $\sqrt{a^2 b} = a\sqrt{b}$ ➔ 제곱인 인수는 근호 밖으로 나갈 수 있다.

  ② $\sqrt{\dfrac{a}{b^2}} = \dfrac{\sqrt{a}}{b}$, $\sqrt{\dfrac{a^2}{b}} = \dfrac{a}{\sqrt{b}}$

> • $a>0$, $b>0$, $c>0$일 때
> ① $\sqrt{a}\sqrt{b}\sqrt{c} = \sqrt{abc}$
> ② $\sqrt{a^2 b^2 c} = \sqrt{a^2}\sqrt{b^2}\sqrt{c} = ab\sqrt{c}$

> • 제곱근의 곱셈과 나눗셈의 혼합 계산
> ① 유리수의 계산과 같이 앞에서부터 순서대로 계산한다.
> ② 나눗셈은 역수를 곱하는 모양으로 바꾸어 계산한다.

### 2 분모의 유리화

분모에 근호가 있을 때, 분모와 분자에 0이 아닌 같은 수를 각각 곱하여 분모를 유리수로 고치는 것을 분모의 유리화라 한다. 즉, $a>0$, $b>0$일 때

$$\frac{\sqrt{a}}{\sqrt{b}} = \frac{\sqrt{a} \times \sqrt{b}}{\sqrt{b} \times \sqrt{b}} = \frac{\sqrt{ab}}{b}$$

분모, 분자에 $\sqrt{b}$를 곱한다.

> • 분모의 근호 안의 수를 소인수분해 했을 때, 제곱인 인수가 있으면 $\sqrt{a^2 b} = a\sqrt{b}$를 이용하여 제곱인 인수를 근호 밖으로 꺼낸 다음 분모를 유리화한다.
> 예 $\dfrac{1}{\sqrt{20}} = \dfrac{1}{2\sqrt{5}} = \dfrac{\sqrt{5}}{2\sqrt{5} \times \sqrt{5}}$
> $= \dfrac{\sqrt{5}}{10}$

### 3 제곱근의 덧셈과 뺄셈

근호를 포함한 식의 덧셈과 뺄셈은 근호 부분을 다항식에서의 동류항처럼 생각하여 근호 부분이 같은 것끼리 모아서 계산한다.

$a>0$이고 $m$, $n$이 유리수일 때

(1) $m\sqrt{a} + n\sqrt{a} = (m+n)\sqrt{a}$  (2) $m\sqrt{a} - n\sqrt{a} = (m-n)\sqrt{a}$

### 4 제곱근의 사칙연산

(1) **괄호가 있는 식의 계산** : 분배법칙을 이용하여 괄호를 푼 후 계산한다.

(2) **근호를 포함한 식의 혼합 계산** : 덧셈, 뺄셈, 곱셈, 나눗셈이 섞여 있는 계산은 ↙유리수에서와 같이 곱셈과 나눗셈을 먼저 계산한다.
  근호 안에 제곱인 인수가 있으면 근호 밖으로 꺼내고, 분모에 근호가 있으면 분모를 유리화한다.

> • 다항식의 분배법칙
> ① $a(b+c) = ab + ac$
> ② $(a+b)c = ac + bc$

### 5 제곱근의 값

(1) **제곱근표** : 1.00부터 99.9까지의 수에 대한 양의 제곱근의 값을 반올림하여 소수점 아래 셋째 자리까지 계산하여 정리해 놓은 표

(2) **제곱근표 읽는 방법** : 처음 두 자리 수의 가로줄과 끝자리 수의 세로줄이 만나는 곳에 있는 수를 읽는다.

(3) **제곱근표에 없는 수의 제곱근의 값** : $\sqrt{a^2 b} = a\sqrt{b}$ $(a>0, b>0)$를 이용하여 제곱근의 값을 구할 수 있다. 즉, $x$가 제곱근표에 있는 수일 때

  ① $\sqrt{100x} = 10\sqrt{x}$, $\sqrt{10000x} = 100\sqrt{x}$, $\cdots$

  ② $\sqrt{\dfrac{x}{100}} = \dfrac{\sqrt{x}}{10}$, $\sqrt{\dfrac{x}{10000}} = \dfrac{\sqrt{x}}{100}$, $\cdots$

> • 제곱근표 읽는 방법
> 예 $\sqrt{1.63} = 1.277$
>
> | 수 | 0 | 1 | 2 | ③ | ⋯ |
> |---|---|---|---|---|---|
> | **1.4** | 1.183 | 1.187 | 1.192 | 1.196 | ⋯ |
> | **1.5** | 1.225 | 1.229 | 1.233 | 1.237 | ⋯ |
> | **1.6** | 1.265 | 1.269 | 1.273 | 1.277 | ⋯ |
> | ⋯ | ⋯ | ⋯ | ⋯ | ⋯ | ⋯ |

## ❶ 제곱근의 곱셈과 나눗셈

[001~006] 다음 식을 간단히 하여라.

**001** $\sqrt{2} \times \sqrt{3}$

**002** $-3\sqrt{7} \times 2\sqrt{3}$

**003** $\dfrac{\sqrt{10}}{\sqrt{2}}$

**004** $-\dfrac{\sqrt{5}}{\sqrt{15}}$

**005** $\sqrt{75} \div \sqrt{5}$

**006** $\sqrt{2} \div \sqrt{12}$

[007~010] 다음을 $a\sqrt{b}$ 또는 $\dfrac{\sqrt{b}}{a}$의 꼴로 나타내어라.
(단, $a$는 유리수, $b$는 가장 작은 자연수)

**007** $\sqrt{18}$

**008** $-\sqrt{27}$

**009** $\sqrt{\dfrac{7}{16}}$

**010** $\sqrt{0.02}$

## ❷ 분모의 유리화

[011~014] 다음 수의 분모를 유리화하여라.

**011** $\dfrac{\sqrt{3}}{\sqrt{2}}$

**012** $-\dfrac{\sqrt{3}}{\sqrt{5}}$

**013** $\dfrac{3}{2\sqrt{3}}$

**014** $-\dfrac{2}{\sqrt{8}}$

[015~018] 다음 식을 간단히 하여라.

**015** $\dfrac{5}{\sqrt{2}} \times \dfrac{\sqrt{2}}{5\sqrt{2}}$

**016** $\sqrt{3} \div \sqrt{8} \times \sqrt{2}$

**017** $3\sqrt{10} \times \sqrt{6} \div \sqrt{15}$

**018** $\dfrac{2}{\sqrt{3}} \div \dfrac{1}{\sqrt{8}} \div \dfrac{\sqrt{3}}{\sqrt{2}}$

## ❸ 제곱근의 덧셈과 뺄셈

[019~022] 다음 식을 간단히 하여라.

**019** $2\sqrt{3} + \sqrt{3}$

**020** $7\sqrt{5} - 2\sqrt{5}$

**021** $\sqrt{12} - \sqrt{48}$

**022** $\sqrt{72} + \sqrt{32} - 3\sqrt{2}$

## ❹ 제곱근의 사칙연산

[023~028] 다음 식을 간단히 하여라.

**023** $\sqrt{2}(\sqrt{5} + 3\sqrt{2})$

**024** $(\sqrt{35} + \sqrt{14}) \div \sqrt{7}$

**025** $\sqrt{60} \times \dfrac{3}{\sqrt{5}} + \sqrt{50}$

**026** $\sqrt{2} \times \sqrt{18} + \sqrt{18} \div \sqrt{8}$

**027** $\sqrt{3}(\sqrt{5} - \sqrt{2}) + \sqrt{2}(\sqrt{3} + \sqrt{5})$

**028** $\dfrac{\sqrt{12} + \sqrt{18}}{\sqrt{2}} - \dfrac{\sqrt{27} - \sqrt{72}}{\sqrt{3}}$

## ❺ 제곱근의 값

[029~032] 제곱근표를 이용하여 다음 제곱근의 값을 구하여라.

| 수 | 0 | 1 | ⋯ | 3 | ⋯ | 8 |
|---|---|---|---|---|---|---|
| **1.0** | 1.000 | 1.005 | ⋯ | 1.015 | ⋯ | 1.039 |
| **⋯** | ⋯ | ⋯ | ⋯ | ⋯ | ⋯ | ⋯ |
| **1.3** | 1.140 | 1.145 | ⋯ | 1.153 | ⋯ | 1.175 |
| **⋯** | ⋯ | ⋯ | ⋯ | ⋯ | ⋯ | ⋯ |
| **1.5** | 1.225 | 1.229 | ⋯ | 1.237 | ⋯ | 1.257 |
| **⋯** | ⋯ | ⋯ | ⋯ | ⋯ | ⋯ | ⋯ |
| **1.7** | 1.304 | 1.308 | ⋯ | 1.315 | ⋯ | 1.334 |

**029** $\sqrt{1.01}$

**030** $\sqrt{1.33}$

**031** $\sqrt{1.58}$

**032** $\sqrt{1.7}$

[033~036] $\sqrt{2.14} = 1.463$, $\sqrt{21.4} = 4.626$임을 이용하여 다음 제곱근의 값을 구하여라.

**033** $\sqrt{2140}$

**034** $\sqrt{21400}$

**035** $\sqrt{0.0214}$

**036** $\sqrt{0.00214}$

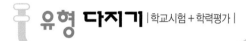

## B1 제곱근의 곱셈과 나눗셈  기초

**037** 다음 중 옳은 것은?

① $\sqrt{3} \times \sqrt{27} = 81$

② $\sqrt{70} \div \sqrt{7} = \sqrt{10}$

③ $\sqrt{3} \times \sqrt{5} \times \sqrt{15} = 2\sqrt{15}$

④ $-\dfrac{\sqrt{26}}{\sqrt{2}} = \sqrt{13}$

⑤ $2\sqrt{30} \div 6\sqrt{5} = \sqrt{2}$

＊ 접근법
(1) 제곱근의 곱셈은 근호 안의 수끼리, 근호 밖의 수끼리 계산한다.
(2) 제곱근의 나눗셈은 역수의 곱셈으로 고쳐서 계산한다.

**038** $2\sqrt{22} \times (-5\sqrt{3}) \times \left(-\sqrt{\dfrac{1}{11}}\right)$을 간단히 한 것은?

① $-10\sqrt{6}$  ② $-10\sqrt{3}$  ③ $5\sqrt{3}$
④ $10\sqrt{3}$  ⑤ $10\sqrt{6}$

**039** 다음 중 그 값이 가장 큰 것은?

① $\sqrt{48} \div \sqrt{12}$  ② $\sqrt{3} \times \sqrt{2}$

③ $\dfrac{\sqrt{40}}{\sqrt{5}} \times \sqrt{3}$  ④ $\dfrac{\sqrt{35}}{\sqrt{6}} \div \dfrac{\sqrt{7}}{\sqrt{12}}$

⑤ $2\sqrt{24} \div 3\sqrt{6}$

**040** 다음 식을 만족하는 양의 유리수 $a$, $b$에 대하여 $ab$의 값을 구하여라.

$$\sqrt{3} \times \sqrt{\dfrac{8}{21}} \times \sqrt{\dfrac{63}{4}} = \sqrt{a}, \quad \dfrac{\sqrt{30}}{\sqrt{2}} \div \dfrac{\sqrt{45}}{\sqrt{8}} = \sqrt{b}$$

## B2 근호가 있는 식의 변형  기초

**041** 다음 〈보기〉에서 옳은 것을 모두 고른 것은?

─ 보기 ─
ㄱ. $\sqrt{28} = 4\sqrt{7}$  ㄴ. $\sqrt{\dfrac{216}{12}} = 3\sqrt{2}$
ㄷ. $\sqrt{0.56} = \dfrac{\sqrt{14}}{5}$  ㄹ. $\sqrt{96} = 6\sqrt{3}$

① ㄱ, ㄷ  ② ㄱ, ㄹ  ③ ㄴ, ㄷ
④ ㄴ, ㄹ  ⑤ ㄷ, ㄹ

＊ 개념 찾기
$a>0$, $b>0$일 때,
(1) $\sqrt{a^2 b} = a\sqrt{b}$  (2) $\sqrt{\dfrac{b}{a^2}} = \dfrac{\sqrt{b}}{a}$

**042** 양의 유리수 $a$, $b$에 대하여 $\sqrt{90} = 3\sqrt{a}$, $\sqrt{320} = b\sqrt{5}$일 때, $\sqrt{ab}$의 값은?

① $2\sqrt{2}$  ② $2\sqrt{3}$  ③ $2\sqrt{5}$
④ $4\sqrt{3}$  ⑤ $4\sqrt{5}$

**043** 다음 세 수를 작은 것부터 차례로 나열하여라.

$$2\sqrt{7}, \quad 4\sqrt{3}, \quad 3\sqrt{5}$$

**044** 다음 네 수를 가장 작은 것부터 차례로 나열했을 때, 두 번째 수와 네 번째 수의 곱을 구하여라.

$$\dfrac{2}{\sqrt{5}}, \quad \dfrac{\sqrt{2}}{\sqrt{5}}, \quad \dfrac{\sqrt{3}}{2}, \quad \dfrac{\sqrt{5}}{3}$$

**045** ★ $\sqrt{3000}$은 $\sqrt{30}$의 $x$배이고, $\dfrac{\sqrt{0.05}}{\sqrt{10}}$는 $\sqrt{50}$의 $y$배일 때, $x$, $y$에 알맞은 수를 차례로 구한 것은?

① $10, \dfrac{1}{100}$  ② $10, \dfrac{1}{10}$  ③ $10, 10$
④ $100, \dfrac{1}{100}$  ⑤ $100, \dfrac{1}{10}$

## B3 문자를 이용한 제곱근의 표현 <sub>이해</sub>

**046** $\sqrt{2}=a$, $\sqrt{3}=b$일 때, $\sqrt{24}$를 $a$, $b$를 사용하여 나타낸 것은?

① $ab$    ② $ab^2$    ③ $a^2b$

④ $2a^2b$    ⑤ $a^3b$

---

\* 접근법

문자를 이용한 제곱근의 표현

(i) 근호 안의 수를 소인수분해한다.

(ii) 근호를 분리한다.

(iii) 주어진 문자로 나타낸다.

---

**047** $\sqrt{7}=a$일 때, $\sqrt{1.75}$를 $a$를 사용하여 나타낸 것은?

① $\dfrac{a}{4}$    ② $\dfrac{a}{3}$    ③ $\dfrac{a}{2}$

④ $2a$    ⑤ $3a$

**048** $\sqrt{3}=a$, $\sqrt{5}=b$일 때, $\sqrt{300}$을 $a$, $b$를 사용하여 나타낸 것은?

① $2ab$    ② $3ab$    ③ $a^2b$

④ $2a^2b$    ⑤ $2ab^2$

**049** $\sqrt{0.3}=a$, $\sqrt{3}=b$일 때, 다음 중 옳지 <u>않은</u> 것은?

① $\sqrt{30}=10a$    ② $\sqrt{0.003}=\dfrac{a}{10}$    ③ $\sqrt{300}=10b$

④ $\sqrt{0.03}=\dfrac{b}{10}$    ⑤ $\sqrt{0.00003}=\dfrac{b}{100}$

**050** ★ $\sqrt{5}=a$, $\sqrt{7}=b$일 때, $\sqrt{12}$를 $a$, $b$를 사용하여 나타낸 것은?

① $\sqrt{ab}$    ② $\sqrt{a+b}$    ③ $a+b$

④ $\sqrt{a^2+b^2}$    ⑤ $a^2+b^2$

## B4 분모의 유리화 <sub>기초</sub>

**051** $\sqrt{0.9}=k\sqrt{10}$일 때, $k$의 값은?

① $\dfrac{3}{100}$    ② $\dfrac{9}{100}$    ③ $\dfrac{3}{10}$

④ $\dfrac{9}{10}$    ⑤ $3$

---

\* 개념 찾기

$a>0$, $b>0$일 때,

(1) $\dfrac{1}{\sqrt{a}}=\dfrac{\sqrt{a}}{\sqrt{a}\times\sqrt{a}}=\dfrac{\sqrt{a}}{a}$    (2) $\dfrac{\sqrt{a}}{\sqrt{b}}=\dfrac{\sqrt{a}\times\sqrt{b}}{\sqrt{b}\times\sqrt{b}}=\dfrac{\sqrt{ab}}{b}$

---

**052** $a=\sqrt{2}$, $b=\sqrt{3}$이고 $\dfrac{5a^3}{b}=\dfrac{p\sqrt{6}}{q}$일 때, $p+q$의 값은? (단, $p$, $q$는 서로소인 자연수이다.)

① $12$    ② $13$    ③ $14$

④ $15$    ⑤ $16$

**053** $\dfrac{5\sqrt{a}}{3\sqrt{15}}$의 분모를 유리화하였더니 $\dfrac{\sqrt{105}}{9}$가 되었다. 이때, 자연수 $a$의 값은?

① $2$    ② $3$    ③ $5$

④ $7$    ⑤ $8$

**054** ★ 두 유리수 $a$, $b$에 대하여 $\dfrac{10}{\sqrt{75}}=a\sqrt{3}$, $\dfrac{6}{\sqrt{24}}=b\sqrt{6}$일 때, $\sqrt{\dfrac{b}{a}}$의 값을 구하여라.

**B5** 제곱근의 곱셈과 나눗셈의 혼합 계산　이해

**055** $4\sqrt{3} \div 2\sqrt{6} \times (-\sqrt{12})$ 를 간단히 한 것은?

① $-2\sqrt{6}$　② $-2\sqrt{3}$　③ $-\sqrt{6}$

④ $\sqrt{3}$　⑤ $\sqrt{6}$

***접근법***
① 앞에서부터 순서대로 계산한다.
② 나눗셈은 역수의 곱셈으로 고쳐서 계산한다.
③ 제곱근의 성질과 분모의 유리화를 이용한다.

**056** $2\sqrt{3} \times (-\sqrt{18}) \div \dfrac{\sqrt{2}}{6}$ 를 간단히 하여라.

**057** $\left(-\dfrac{12}{\sqrt{45}}\right) \div \dfrac{\sqrt{8}}{\sqrt{3}} \times \dfrac{2}{\sqrt{6}} = k\sqrt{5}$ 를 만족시키는 유리수 $k$의 값은?

① $-\dfrac{4}{3}$　② $-\dfrac{2}{5}$　③ $-\dfrac{1}{5}$

④ $\dfrac{2}{5}$　⑤ $\dfrac{4}{3}$

**058**★ 다음 중 옳지 <u>않은</u> 것을 모두 고르면? (정답 2개)

① $2\sqrt{12} \times 3\sqrt{3} \div \sqrt{2} = 18$

② $\sqrt{28} \div \sqrt{35} \times (-\sqrt{20}) = -4$

③ $(-2\sqrt{18}) \times \sqrt{32} \div (-\sqrt{6}) = 8\sqrt{6}$

④ $\sqrt{\dfrac{8}{3}} \div \dfrac{\sqrt{40}}{\sqrt{2}} \div \dfrac{\sqrt{5}}{9} = \dfrac{3\sqrt{6}}{5}$

⑤ $\dfrac{7\sqrt{2}}{4} \div \left(-\dfrac{\sqrt{11}}{\sqrt{30}}\right) \times \dfrac{\sqrt{33}}{3\sqrt{5}} = -\dfrac{7\sqrt{2}}{2}$

**B6** 제곱근의 곱셈과 나눗셈의 도형에의 활용
－피타고라스 정리의 활용 I　응용

**059** 그림과 같이 가로, 세로의 길이가 각각 4 cm, 2 cm인 직사각형 ABCD의 대각선 BD를 한 변으로 하는 정사각형의 대각선의 길이는?

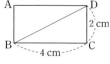

① $2\sqrt{5}$ cm　② $4\sqrt{2}$ cm　③ $2\sqrt{10}$ cm

④ $3\sqrt{5}$ cm　⑤ $2\sqrt{15}$ cm

***접근법***
⑴ 가로와 세로의 길이가 각각 $a$, $b$인 직사각형의 대각선의 길이를 $l$이라 하면 $l = \sqrt{a^2 + b^2}$
⑵ 한 변의 길이가 $a$인 정사각형의 대각선의 길이를 $l$이라 하면 $l = \sqrt{2}a$

**060** 그림과 같이 $\overline{BD} = 2\sqrt{3}$ cm인 정사각형 ABCD의 한 변의 길이를 구하여라.

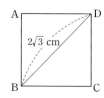

**061**★ 그림과 같이 지름의 길이가 10 cm인 원 모양의 종이를 잘라 정사각형을 만들려고 한다. 만들 수 있는 가장 큰 정사각형의 한 변의 길이는?

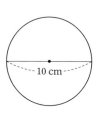

① $2\sqrt{3}$ cm　② $2\sqrt{5}$ cm　③ 5 cm

④ $5\sqrt{2}$ cm　⑤ $5\sqrt{3}$ cm

**062**★ 그림과 같이 가로, 세로의 길이가 각각 6 cm, 4 cm인 직사각형 ABCD의 꼭짓점 A에서 대각선 BD에 내린 수선의 발을 H라 할 때, $\overline{AH}$의 길이를 구하여라.

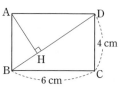

05 DAY

## B7 제곱근의 곱셈과 나눗셈의 도형에의 활용 – 피타고라스 정리의 활용 Ⅱ 응용

**063** 그림에서 △ABC는 한 변의 길이가 $2\sqrt{6}$ cm인 정삼각형일 때, △ABC의 높이는?

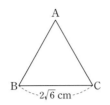

① $2\sqrt{3}$ cm  ② 4 cm

③ $3\sqrt{2}$ cm  ④ 5 cm

⑤ $3\sqrt{3}$ cm

\* 접근법

그림과 같이 한 변의 길이가 $a$인 정삼각형 ABC에서 $\overline{BH}=\dfrac{a}{2}$이므로 정삼각형 ABC의 높이를 $h$, 넓이를 $S$라 하면

$$h=\sqrt{a^2-\left(\dfrac{a}{2}\right)^2}=\dfrac{\sqrt{3}}{2}a$$

$$S=\dfrac{1}{2}\times a\times\dfrac{\sqrt{3}}{2}a=\dfrac{\sqrt{3}}{4}a^2$$

**064** 그림에서 △ABC는 한 변의 길이가 4 cm인 정삼각형이고, △ADE는 △ABC의 높이인 $\overline{AD}$를 한 변으로 하는 정삼각형일 때, △ADE의 넓이는?

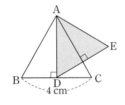

① $2\sqrt{2}$ cm²  ② 3 cm²  ③ $3\sqrt{2}$ cm²

④ $3\sqrt{3}$ cm²  ⑤ 6 cm²

**065** 높이가 $4\sqrt{6}$ cm인 정삼각형 ABC의 넓이를 구하여라.

**066** ★ 그림에서 □ABCD는 마름모이다. $\overline{AB}=2\sqrt{2}$ cm, ∠A=120°일 때, 대각선 BD의 길이를 구하여라.

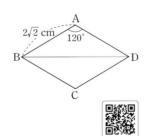

## B8 제곱근의 곱셈과 나눗셈의 도형에의 활용 – 피타고라스 정리의 활용 Ⅲ 응용

**067** 그림과 같은 직육면체에서 대각선 AG의 길이는?

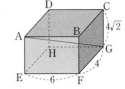

① $2\sqrt{15}$  ② $2\sqrt{17}$

③ $4\sqrt{5}$  ④ $2\sqrt{21}$

⑤ $4\sqrt{6}$

\* 접근법

(1) 세 모서리의 길이가 각각 $a$, $b$, $c$인 직육면체의 대각선의 길이를 $l$이라 하면 $l=\sqrt{a^2+b^2+c^2}$

(2) 한 모서리의 길이가 $a$인 정육면체의 대각선의 길이를 $l$이라 하면 $l=\sqrt{3}a$

**068** 그림과 같은 정육면체의 대각선 DF의 길이가 12 cm일 때, 이 정육면체의 한 모서리의 길이는?

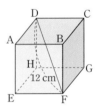

① 4 cm  ② $4\sqrt{2}$ cm

③ $4\sqrt{3}$ cm  ④ $6\sqrt{2}$ cm

⑤ $6\sqrt{3}$ cm

**069** 그림과 같이 대각선의 길이가 $3\sqrt{5}$ cm인 직육면체에서 삼각형 AEG의 넓이를 구하여라.

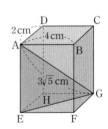

**070** 그림과 같은 정육면체의 대각선 DF의 길이가 $\sqrt{6}$일 때, 이 정육면체의 겉넓이를 구하여라.

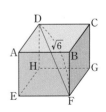

## B9 제곱근의 곱셈과 나눗셈의 도형에의 활용 – 피타고라스 정리의 활용 Ⅳ

응용

**071** 그림과 같이 높이가 $2\sqrt{3}$인 정사면체의 부피는?

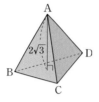

① 3  ② $3\sqrt{2}$

③ 6  ④ $3\sqrt{6}$

⑤ 9

* 접근법

그림과 같이 한 모서리의 길이가 $a$인

정사면체에서 $\overline{DM}=\dfrac{\sqrt{3}}{2}a$이고,

$\overline{DH}=\dfrac{2}{3}\overline{DM}=\dfrac{\sqrt{3}}{3}a$이므로

정사면체의 높이를 $h$, 부피를 $V$라 하면

$h=\sqrt{a^2-\left(\dfrac{\sqrt{3}}{3}a\right)^2}=\dfrac{\sqrt{6}}{3}a$

$V=\dfrac{1}{3}\times\dfrac{\sqrt{3}}{4}a^2\times\dfrac{\sqrt{6}}{3}a=\dfrac{\sqrt{2}}{12}a^3$

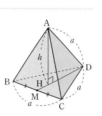

**072** 그림과 같이 한 모서리의 길이가 6 cm인 정사면체의 꼭짓점 A에서 밑면에 내린 수선의 발을 H, $\overline{CD}$의 중점을 M이라 할 때, 삼각형 AHM의 넓이를 구하여라.

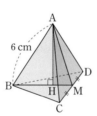

**073** 그림과 같은 정사면체의 꼭짓점 A에서 밑면에 내린 수선의 발을 H, $\overline{CD}$의 중점을 M이라 하자. $\overline{BH}=2$ cm일 때, 이 정사면체의 부피는?

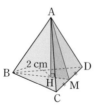

① $2\sqrt{2}$ cm³  ② $2\sqrt{6}$ cm³  ③ $3\sqrt{3}$ cm³

④ 6 cm³  ⑤ $4\sqrt{6}$ cm³

## B10 제곱근의 덧셈과 뺄셈

기초

**074** $8\sqrt{2}+3\sqrt{5}-\sqrt{18}+\sqrt{20}=a\sqrt{2}+b\sqrt{5}$일 때, 유리수 $a$, $b$에 대하여 $a+b$의 값을 구하여라.

* 개념 찾기

$m$, $n$이 유리수이고 $a>0$일 때,

(1) $m\sqrt{a}+n\sqrt{a}=(m+n)\sqrt{a}$  (2) $m\sqrt{a}-n\sqrt{a}=(m-n)\sqrt{a}$

**075** $\sqrt{8}+\sqrt{32}-\sqrt{50}$을 간단히 한 것은?

① $-2\sqrt{2}$  ② $-\sqrt{2}$  ③ 0

④ $\sqrt{2}$  ⑤ $2\sqrt{2}$

**076** $\sqrt{192}-\sqrt{24}-\sqrt{54}-\sqrt{108}$을 간단히 하였더니 $a\sqrt{3}+b\sqrt{6}$이 되었다. 이때, 유리수 $a$, $b$에 대하여 $a+b$의 값을 구하여라.

**077** $\sqrt{48}-\sqrt{50}+4\sqrt{32}+3\sqrt{12}$를 $a\sqrt{2}+b\sqrt{3}$의 꼴로 나타낼 때, 유리수 $a$, $b$에 대하여 $a-b$의 값은?

① $-4$  ② $-1$  ③ 1

④ 2  ⑤ 4

**078** $\sqrt{3}=a$, $\sqrt{5}=b$라 할 때, $\sqrt{45}-\sqrt{20}+\sqrt{12}-2\sqrt{27}$을 $a$, $b$를 사용하여 나타낸 것은?

① $a+2b$  ② $2b-a$  ③ $b-4a$

④ $3a+3b$  ⑤ $4a-b$

## B11 제곱근이 있는 사칙연산   이해

**079** $2\sqrt{3}+\dfrac{\sqrt{50}-\sqrt{6}}{\sqrt{2}}$ 을 간단히 하여라.

* **Check Key** ······

$a>0$, $b>0$, $c>0$일 때,

$$\dfrac{\sqrt{a}+\sqrt{b}}{\sqrt{c}}=\dfrac{(\sqrt{a}+\sqrt{b})\times\sqrt{c}}{\sqrt{c}\times\sqrt{c}}=\dfrac{\sqrt{ac}+\sqrt{bc}}{c}$$

**080** 다음 식을 간단히 하면?

$$\sqrt{8}-\sqrt{3}\times\sqrt{6}+\sqrt{40}\div\sqrt{5}$$

① $\sqrt{2}$  ② $\sqrt{3}$  ③ $\sqrt{6}$
④ $2\sqrt{2}$  ⑤ $2\sqrt{3}$

**081** $\sqrt{(-6)^2}+(-2\sqrt{3})^2-\sqrt{3}\left(\sqrt{27}+\dfrac{3\sqrt{2}}{\sqrt{3}}\right)$를 간단히 한 것은?

① $3\sqrt{2}$  ② $9-3\sqrt{2}$  ③ $9+3\sqrt{2}$
④ $18-3\sqrt{2}$  ⑤ $18+3\sqrt{2}$

**082** $\dfrac{\sqrt{8}-2\sqrt{3}}{\sqrt{2}}+\dfrac{6}{\sqrt{3}}(\sqrt{3}-\sqrt{2})$를 간단히 하여라.

**083**★ $2\sqrt{5}\left(\dfrac{1}{\sqrt{2}}-\sqrt{5}+1\right)+\dfrac{\sqrt{48}-\sqrt{30}}{\sqrt{3}}=a+b\sqrt{5}$ 일 때, 유리수 $a$, $b$에 대하여 $a+b$의 값은?

① $-6$  ② $-4$  ③ $-2$
④ $0$  ⑤ $2$

## B12 제곱근의 계산 결과가 유리수가 될 조건   이해

**084** $a(\sqrt{5}-1)+\sqrt{5}(\sqrt{5}-3)$이 유리수일 때, 유리수 $a$의 값은?

① $1$  ② $2$  ③ $3$
④ $4$  ⑤ $5$

* **Check Key** ······

$p$, $q$가 유리수이고 $\sqrt{m}$이 무리수일 때, $p+q\sqrt{m}$이 유리수가 될 조건은 $q=0$이다.

**085** $\dfrac{8}{\sqrt{3}}(\sqrt{12}-4)+\sqrt{2}\left(\dfrac{a}{\sqrt{6}}-\sqrt{18}\right)$이 유리수가 되도록 하는 유리수 $a$의 값은?

① $30$  ② $32$  ③ $34$
④ $36$  ⑤ $38$

**086**★ 유리수 $a$, $b$에 대하여
$\sqrt{2}(a-\sqrt{3})+b\left(\dfrac{2}{\sqrt{6}}+1\right)-\sqrt{8}$이 유리수일 때, $a+b$의 값은?

① $5$  ② $6$  ③ $7$
④ $8$  ⑤ $9$

**087**★ $a(\sqrt{5}-2)+4\left(\dfrac{3}{2}-\sqrt{5}\right)=b$를 만족시키는 유리수 $a$, $b$에 대하여 $ab$의 값은?

① $-8$  ② $-4$  ③ $2$
④ $4$  ⑤ $8$

## B13 식의 값 구하기  응용

**088** $x=\dfrac{\sqrt5+\sqrt2}{2}$, $y=\dfrac{\sqrt5-\sqrt2}{2}$일 때, $x(x+y)^2+y(x-y)^2$의 값을 구하여라.

* 접근법
(1) $x$, $y$의 값이 주어진 경우
  ⇨ $x+y$, $x-y$의 값을 구한 후 식의 값을 구한다.
(2) 식이 복잡한 경우
  ⇨ 식을 간단히 한 후에 주어진 수를 대입한다.

**089** $x=3\sqrt2$, $y=1-2\sqrt2$일 때, $x(y+2)-y(x-3)$의 값은?

① 2
② $1+\sqrt2$
③ $2\sqrt2$
④ 3
⑤ $-1+3\sqrt2$

**090** $a=\sqrt2$, $b=\sqrt3$일 때, $\dfrac{a}{b}+\dfrac{b}{a}$의 값을 구하여라.

**091** $x=\dfrac{\sqrt7+\sqrt5}{2}$, $y=\dfrac{\sqrt7-\sqrt5}{2}$일 때, $(x+y)(x-y)$의 값은?

① $\sqrt5$
② $\sqrt7$
③ $\sqrt{12}$
④ $\sqrt{35}$
⑤ $\sqrt5+\sqrt7$

## B14 도형과 제곱근의 연산  응용

**092** 그림과 같이 넓이가 각각 $12\ cm^2$, $16\ cm^2$인 두 정사각형이 접해 있을 때, 두 정사각형의 둘레의 길이의 합을 구하여라.

* 접근법
(1) (사다리꼴의 넓이)$=\dfrac{1}{2}\times\{($윗변의 길이$)+($아랫변의 길이$)\}\times($높이$)$
(2) (정사각형의 넓이)$=($한 변의 길이$)^2$
(3) (직육면체의 부피)$=($가로의 길이$)\times($세로의 길이$)\times($높이$)$

**093** 그림과 같은 사다리꼴의 넓이를 구하여라.

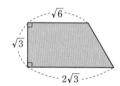

**094** 그림과 같은 직육면체의 부피가 $a\sqrt2+b\sqrt5$일 때, $a-b$의 값을 구하여라. (단, $a$, $b$는 유리수이다.)

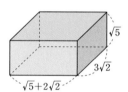

**095** 그림과 같은 삼각형의 넓이를 구하여라.

**096** 그림에서 사각형 $A$, $B$, $C$, $D$는 모두 정사각형이고, 각 사각형의 넓이 사이에는 $B$는 $A$의 3배, $C$는 $B$의 2배, $D$는 $C$의 3배인 관계가 있다고 한다. $D$의 넓이가 1일 때, $A$의 한 변의 길이와 $C$의 한 변의 길이의 합을 구하여라.

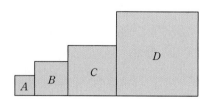

**B15 제곱근표** <sup>기초</sup>

**097** 다음 제곱근표에서 $\sqrt{46.2}=a$, $\sqrt{b}=7.036$일 때, $1000a-100b$의 값은?

| 수 | 0 | 1 | 2 | 3 | 4 | 5 |
|---|---|---|---|---|---|---|
| 46 | 6.782 | 6.790 | 6.797 | 6.804 | 6.812 | 6.819 |
| 47 | 6.856 | 6.863 | 6.870 | 6.877 | 6.885 | 6.892 |
| 48 | 6.928 | 6.935 | 6.943 | 6.950 | 6.957 | 6.964 |
| 49 | 7.000 | 7.007 | 7.014 | 7.021 | 7.029 | 7.036 |

① 239     ② 413     ③ 1172
④ 1847     ⑤ 2416

＊ 접근법
제곱근표 읽는 방법 : 근호 안의 수의 처음 두 자리 수의 가로줄과 끝 자리 수의 세로줄이 만나는 곳의 수를 읽는다.

**098** 다음은 제곱근표의 일부분이다. 물음에 답하여라.

| 수 | 0 | 1 | 2 | 3 | ⋯ |
|---|---|---|---|---|---|
| 5.4 | 2.324 | 2.326 | 2.328 | 2.330 | ⋯ |
| ⋯ | ⋯ | ⋯ | ⋯ | ⋯ | ⋯ |
| 5.8 | 2.408 | 2.410 | 2.412 | 2.415 | ⋯ |
| ⋯ | ⋯ | ⋯ | ⋯ | ⋯ | ⋯ |
| 54 | 7.348 | 7.355 | 7.362 | 7.369 | ⋯ |
| ⋯ | ⋯ | ⋯ | ⋯ | ⋯ | ⋯ |
| 58 | 7.616 | 7.622 | 7.629 | 7.635 | ⋯ |

(1) $\sqrt{5.80}=a$, $\sqrt{54.1}=b$일 때, $a+b$의 값을 구하여라.

(2) $\sqrt{x}=7.616$, $\sqrt{y}=2.330$을 만족시키는 $x$, $y$에 대하여 $100y-x$의 값을 구하여라.

**099** 다음은 제곱근표의 일부분이다. 이 표를 이용하여 $\sqrt{0.541}$의 값을 구하여라.

| 수 | 0 | 1 | 2 | 3 | ⋯ |
|---|---|---|---|---|---|
| 5.4 | 2.324 | 2.326 | 2.328 | 2.330 | ⋯ |
| ⋯ | ⋯ | ⋯ | ⋯ | ⋯ | ⋯ |
| 54 | 7.348 | 7.355 | 7.362 | 7.369 | ⋯ |

**100** 다음 중 주어진 제곱근표를 이용하여 그 값을 구할 수 <u>없는</u> 것은?

| 수 | 0 | 1 | 2 | 3 | 4 | 5 |
|---|---|---|---|---|---|---|
| 3.0 | 1.732 | 1.735 | 1.738 | 1.741 | 1.744 | 1.746 |
| 3.1 | 1.761 | 1.764 | 1.766 | 1.769 | 1.772 | 1.775 |
| 3.2 | 1.789 | 1.792 | 1.794 | 1.797 | 1.800 | 1.803 |
| 3.3 | 1.817 | 1.819 | 1.822 | 1.825 | 1.828 | 1.830 |
| 3.4 | 1.844 | 1.847 | 1.849 | 1.852 | 1.855 | 1.857 |

① $\sqrt{0.0003}$    ② $\sqrt{0.034}$    ③ $\sqrt{321}$
④ $\sqrt{3250}$    ⑤ $\sqrt{34400}$

**101** 다음은 제곱근표의 일부분이다. 물음에 답하여라.

| 수 | 0 | 1 | 2 | ⋯ | 7 | 8 | 9 |
|---|---|---|---|---|---|---|---|
| 1.0 | 1.000 | 1.005 | 1.010 | ⋯ | 1.034 | 1.039 | 1.044 |
| 1.1 | 1.049 | 1.054 | 1.058 | ⋯ | 1.082 | 1.086 | 1.091 |
| 1.2 | 1.095 | 1.100 | 1.105 | ⋯ | 1.127 | 1.131 | 1.136 |
| 1.3 | 1.140 | 1.145 | 1.149 | ⋯ | 1.170 | 1.175 | 1.179 |
| ⋯ | ⋯ | ⋯ | ⋯ | ⋯ | ⋯ | ⋯ | ⋯ |
| 1.7 | 1.304 | 1.308 | 1.311 | ⋯ | 1.330 | 1.334 | 1.338 |
| 1.8 | 1.342 | 1.345 | 1.349 | ⋯ | 1.367 | 1.371 | 1.375 |
| 1.9 | 1.378 | 1.382 | 1.386 | ⋯ | 1.404 | 1.407 | 1.411 |

(1) $\sqrt{x}=11.45$, $\sqrt{y}=0.101$일 때, $x+10000y$의 값을 구하여라.

(2) $\sqrt{7.24}=z$를 만족시키는 $z$에 대하여 $100z$의 값을 구하여라.

## B16 주어진 제곱근의 값을 이용한 식의 계산 이해

**102** $\sqrt{2.32}=1.523$, $\sqrt{23.2}=4.817$일 때, $\sqrt{0.232}$의 값은?

① 0.01523  ② 0.04817  ③ 0.1523
④ 0.4817  ⑤ 15.23

\* **Check Key**
(1) $\sqrt{100a}=10\sqrt{a}$, $\sqrt{10000a}=100\sqrt{a}$, ⋯
(2) $\sqrt{\dfrac{a}{100}}=\dfrac{\sqrt{a}}{10}$, $\sqrt{\dfrac{a}{10000}}=\dfrac{\sqrt{a}}{100}$, ⋯

**103** $\sqrt{3.5}=1.871$, $\sqrt{35}=5.916$일 때, 다음 제곱근의 값을 구하여라.

(1) $\sqrt{35000}$  (2) $\sqrt{0.0035}$

**104** $\sqrt{2}=1.414$, $\sqrt{20}=4.472$일 때, 다음 중 옳지 않은 것은?

① $\sqrt{200}=14.14$  ② $\sqrt{2000}=44.72$
③ $\sqrt{20000}=141.4$  ④ $\sqrt{0.2}=0.1414$
⑤ $\sqrt{0.002}=0.04472$

**105** $\sqrt{10}=3.162$일 때, $\dfrac{\sqrt{5}}{\sqrt{2}}-\dfrac{\sqrt{2}}{\sqrt{5}}$의 값은?

① 0.9016  ② 0.9126  ③ 0.9246
④ 0.9486  ⑤ 0.9846

**106** $\sqrt{2}=1.414$, $\sqrt{3}=1.732$일 때, $\dfrac{\sqrt{2}+4}{\sqrt{2}}+\dfrac{\sqrt{3}+9}{\sqrt{3}}$의 값은?

① 10.016  ② 10.018  ③ 10.02
④ 10.022  ⑤ 10.024

## B17 무리수의 정수 부분과 소수 부분 이해

**107** $\sqrt{7}+3$의 정수 부분을 $a$, 소수 부분을 $b$라 할 때, $a-b$의 값은?

① $3-\sqrt{7}$  ② $4-\sqrt{7}$  ③ $5-\sqrt{7}$
④ $6-\sqrt{7}$  ⑤ $7-\sqrt{7}$

\* **접근법**
(1) 무리수는 정수 부분과 소수 부분으로 나뉜다.
   즉, (무리수)=(정수 부분)+(소수 부분)
(2) 무리수의 소수 부분은 무리수에서 정수 부분을 뺀 값과 같다.

**108** $\sqrt{21}$의 정수 부분을 $a$, $\sqrt{14}$의 소수 부분을 $b$라 할 때, $a+b$의 값을 구하여라.

**109** $3\sqrt{6}$의 정수 부분을 $a$, 소수 부분을 $b$라 할 때, $\dfrac{3a}{b+7}$의 값을 구하여라.

**110** $\sqrt{5}$의 소수 부분을 $x$라 할 때, $\sqrt{80}$의 소수 부분을 $x$를 사용하여 나타낸 것은?

① $4x-2$  ② $4x-1$  ③ $4x$
④ $4x+1$  ⑤ $4x+2$

**111** $\sqrt{15}-1$의 정수 부분을 $a$, $\sqrt{3}+2$의 소수 부분을 $b$라 할 때, 다음 세 실수 $A$, $B$, $C$의 대소 관계를 부등호를 사용하여 나타내어라.

$$A=\sqrt{108}-2b, \quad B=\sqrt{50}+a, \quad C=\sqrt{75}-ab$$

**05 DAY**

### B18 수직선에서의 제곱근의 연산 응용

**112** 그림에서 사각형 ABCD는 한 변의 길이가 1인 정사각형이고 $\overline{CA}=\overline{CP}$, $\overline{BD}=\overline{BQ}$이다. 점 P, Q에 대응하는 수를 각각 $p$, $q$라 할 때, $p-q$의 값을 구하여라.

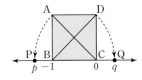

＊ **Check Key**

근호 안의 수가 같을 때, 무리수의 덧셈과 뺄셈은 다항식의 동류항의 덧셈, 뺄셈과 같은 방법으로 계산한다.

**113** 그림은 한 변의 길이가 1인 세 정사각형을 수직선 위에 나타낸 것이다. 다음 설명 중 옳은 것을 모두 고르면? (정답 2개)

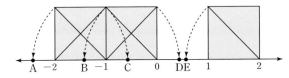

① $\overline{AB}=\overline{BC}$
② 점 C에 대응하는 수는 $-2+\sqrt{2}$이다.
③ 점 D에 대응하는 수는 $\sqrt{2}$이다.
④ $\overline{BD}=2\sqrt{2}$
⑤ $\overline{AE}=3$

**114** 그림과 같이 정사각형 ABCD에서 점 B를 중심으로 $\overline{BA}$, $\overline{BC}$를 반지름으로 하는 원을 각각 그릴 때, 원이 수직선과 만나는 점에 대응하는 수를 각각 $a$, $b$라 하자. 이때, $3a-2b$의 값을 구하여라. (단, 모눈 한 칸은 한 변의 길이가 1인 정사각형이다.)

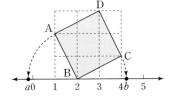

### B19 제곱근의 연산을 이용한 실수의 대소 관계 이해

**115** 다음 중 두 실수의 대소 관계를 바르게 나타낸 것은?

① $3\sqrt{2}-4>2\sqrt{5}-4$
② $2\sqrt{2}>2\sqrt{7}-\sqrt{2}$
③ $\sqrt{48}+1<3\sqrt{3}+2$
④ $\sqrt{20}+\sqrt{7}<3\sqrt{5}-\sqrt{7}$
⑤ $\sqrt{12}-4\sqrt{2}>\sqrt{8}-\sqrt{27}$

＊ 접근법

두 실수 $A$, $B$의 대소 비교는 $A-B$의 부호를 통해 알아낸다.
(1) $A-B>0 \Rightarrow A>B$
(2) $A-B=0 \Rightarrow A=B$
(3) $A-B<0 \Rightarrow A<B$

**116** 다음 중 ○ 안에 들어갈 부등호가 나머지 넷과 다른 하나는?

① $2\sqrt{2}$ ○ $3\sqrt{2}-\sqrt{5}$
② $2\sqrt{5}+2$ ○ $8-\sqrt{5}$
③ $4-2\sqrt{2}$ ○ $\sqrt{32}-4$
④ $\sqrt{18}-2\sqrt{3}$ ○ $\sqrt{3}-\sqrt{2}$
⑤ $3\sqrt{5}-\sqrt{11}$ ○ $2\sqrt{10}-\sqrt{11}$

**117** 세 수 $A=6-2\sqrt{5}$, $B=3(2-\sqrt{3})$, $C=2\sqrt{3}-3$의 대소 관계를 바르게 나타낸 것은?

① $A<B<C$  ② $A<C<B$  ③ $B<A<C$
④ $B<C<A$  ⑤ $C<B<A$

**118** $a=\dfrac{1}{\sqrt{3}}$이고, $b=a+\dfrac{1}{a}$일 때, $b$는 $a$의 몇 배인가?

① $\dfrac{3}{4}$배  ② $\dfrac{4}{3}$배  ③ $\dfrac{5}{2}$배

④ 3배  ⑤ 4배

**119** $a=\dfrac{1}{\sqrt{6}}$이고, $b=\dfrac{1}{a}-a$일 때, $b$는 $a$의 몇 배인가?

① $\dfrac{1}{6}$배  ② $\dfrac{5}{6}$배  ③ $\dfrac{6}{5}$배

④ 5배  ⑤ 6배

**120** $a>0$, $b>0$, $ab=50$일 때, $a\sqrt{\dfrac{8b}{a}}+2b\sqrt{\dfrac{a}{b}}$의 값을 구하여라.

**121** $a>0$, $b>0$, $ab=10$일 때, $a\sqrt{\dfrac{9b}{a}}+b^2\sqrt{\dfrac{a^3}{b}}$의 값을 구하여라.

**122** 양수 $x$, $y$에 대하여 $\sqrt{5}+\sqrt{x}=2\sqrt{5}$, $\sqrt{6+3y}=5\sqrt{3}$을 만족시킬 때, $y-x$의 값은?

① 15  ② 16  ③ 17

④ 18  ⑤ 19

**123** 양수 $x$, $y$에 대하여 $3\sqrt{3}+\sqrt{2x}=7\sqrt{3}$, $\sqrt{8+4y}=6\sqrt{5}$를 만족시킬 때, $x+y$의 값은?

① 66  ② 67  ③ 68

④ 69  ⑤ 70

**124** $\sqrt{3}(4\sqrt{3}-1)+\sqrt{27}(a-\sqrt{3})$이 유리수가 되도록 하는 유리수 $a$의 값을 구하여라.

**125** $\sqrt{2}(4\sqrt{18}-1)+\sqrt{8}(a-\sqrt{50})$이 유리수가 되도록 하는 유리수 $a$의 값을 구하여라.

06 DAY

**126** 두 실수 $x$, $y$에 대하여 $x \odot y = x\sqrt{3}-y$라 하자. $(a \odot 2)-2(1 \odot a)=b$를 만족시키는 유리수 $a$, $b$에 대하여 $2b \odot \sqrt{3}a$의 값을 구하여라.

**127** 두 실수 $x$, $y$에 대하여 $x \star y = (x+y)-y\sqrt{2}$라 하자. $(a \star 3)-(1 \star a)=b$를 만족시키는 유리수 $a$, $b$에 대하여 $a\sqrt{2} \star b$의 값을 구하여라.

**128** $\dfrac{\sqrt{10}-3}{\sqrt{5}}-\sqrt{2}(2+\sqrt{10})=A\sqrt{2}+B\sqrt{5}$일 때, $A-5B$의 값을 구하여라. (단, $A$, $B$는 유리수이다.)

**129** $(5\sqrt{3}+2) \div \sqrt{3}-\sqrt{7}(2+\sqrt{21})=A\sqrt{3}+B\sqrt{7}+C$ 일 때, $ABC$의 값을 구하여라.
(단, $A$, $B$, $C$는 유리수이다.)

**130** 명진이는 과학 실험을 하다가 $\sqrt{11.43}$의 값을 구해야 할 필요가 있어서 제곱근표를 찾았으나 다음과 같이 제곱근표의 일부분만 있었다. 표를 이용하여 $\sqrt{11.43}$의 값을 구한 것은?

| 수 | 0 | ⋯ | 3 | ⋯ | 7 | ⋯ |
|---|---|---|---|---|---|---|
| **1.1** | 1.049 | ⋯ | 1.063 | ⋯ | 1.082 | ⋯ |
| **1.2** | 1.095 | ⋯ | 1.109 | ⋯ | 1.127 | ⋯ |
| **1.3** | 1.140 | ⋯ | 1.153 | ⋯ | 1.170 | ⋯ |

① 3.289  ② 3.327  ③ 3.381
④ 3.42  ⑤ 3.459

**131** 세희는 과학 실험을 하다가 $\sqrt{452}$의 값을 구해야 할 필요가 있어서 제곱근표를 찾았으나 다음과 같이 제곱근표의 일부분만 있었다. 표를 이용하여 $\sqrt{452}$의 값을 구한 것은?

| 수 | 0 | ⋯ | 3 | ⋯ | 7 | ⋯ |
|---|---|---|---|---|---|---|
| **1.1** | 1.049 | ⋯ | 1.063 | ⋯ | 1.082 | ⋯ |
| **1.2** | 1.095 | ⋯ | 1.109 | ⋯ | 1.127 | ⋯ |
| **1.3** | 1.140 | ⋯ | 1.153 | ⋯ | 1.170 | ⋯ |

① 21.26  ② 22.18  ③ 22.54
④ 23.06  ⑤ 23.4

**132** $1.584^2=2.51$이라 할 때, $\sqrt{0.0251}$의 값을 구하여라.

**133** $1.414^2=2$, $1.732^2=3$이라 할 때, $\dfrac{1}{2\sqrt{2}}+\dfrac{6}{\sqrt{3}}$의 값을 구하여라.

**134** 그림과 같이 넓이가 28, 112, 175인 정사각형 모양의 색종이를 서로 이웃하게 붙였다. 이 색종이로 이루어진 도형의 둘레의 길이를 구하여라.

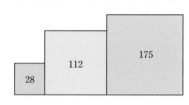

**135** 그림과 같이 넓이가 48, 12, 3인 세 정사각형에서 $\overline{AB}+\overline{BC}$의 값을 구하여라.

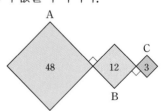

**136** 자연수 $n$에 대하여 $\sqrt{n}$의 소수 부분을 $f(n)$이라 할 때, $f(75)-f(12)$의 값을 구하여라.

**137** 자연수 $n$에 대하여 $\sqrt{n}$의 소수 부분을 $f(n)$이라 할 때, $f(18)-f(20)-f(32)+f(45)$의 값을 구하여라.

**138** 그림과 같은 전개도로 만들어진 원기둥의 부피를 구하여라.

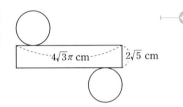

**139** 그림과 같은 전개도로 만들어진 원뿔의 겉넓이를 구하여라.

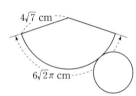

**140** 그림과 같이 정사각형 ABCD에서 $\overline{AB}=\overline{AP}$, $\overline{AD}=\overline{AQ}$를 만족시키는 수직선 위의 두 점 P, Q에 대응하는 수를 각각 $p$, $q$라 할 때, $p-q$의 소수 부분을 구하여라. (단, 모눈 한 칸은 한 변의 길이가 1인 정사각형이다.)

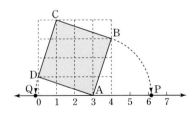

**141** 그림과 같이 수직선 위에 한 변의 길이가 2인 두 정사각형을 그렸을 때, $\overline{BD}=\overline{BP}$, $\overline{GE}=\overline{GQ}$를 만족시키는 두 점 P, Q에 대응하는 수를 각각 $p$, $q$라 하자. $\dfrac{q}{p}$의 소수 부분을 구하여라.

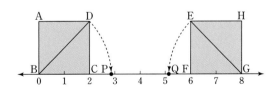

**142** $\sqrt{980}=a\sqrt{5}$, $\sqrt{2450}=b\sqrt{2}$일 때, $\sqrt{ab}$의 값을 구하여라.

> 먼저, $a$의 값을 구하자. `30%`

> 그다음, $b$의 값을 구하자. `30%`

> 그래서, $\sqrt{ab}$의 값을 구하자. `40%`

**143** $\sqrt{75}=a\sqrt{3}$, $\sqrt{200}=b\sqrt{2}$일 때, $\sqrt{ab}$의 값을 구하여라.

> 먼저,

> 그다음,

> 그래서,

**144** 다음 식을 간단히 하여라.

$$\sqrt{6} \div \frac{3\sqrt{3}}{4} - \frac{9}{\sqrt{18}} + \frac{4}{3\sqrt{2}}$$

> 먼저, 나눗셈을 곱셈으로 바꾸자. `40%`

> 그다음, 약분을 하거나 분모를 유리화하자. `40%`

> 그래서, 계산하자. `20%`

**145** 다음 식을 간단히 하여라.

$$\sqrt{8} \div \frac{3\sqrt{3}}{4} - \sqrt{18} \div 6\sqrt{3}$$

> 먼저,

> 그다음,

> 그래서,

**146** $\sqrt{0.004}=x\sqrt{10}$일 때, 유리수 $x$의 값을 구하여라.

**147** 다음을 계산한 결과가 유리수일 때, 유리수 $a$의 값을 구하여라.

$$\sqrt{2}(\sqrt{12}+2\sqrt{2})-\frac{a}{\sqrt{3}}(\sqrt{18}-\sqrt{2})$$

**148** $a>0$, $b>0$, $ab=2$일 때, $a\sqrt{\dfrac{12b}{a}}+b\sqrt{\dfrac{75a}{b}}$의 값을 구하여라.

**149** 그림과 같은 삼각기둥의 부피가 $6\sqrt{6}$일 때, 이 삼각기둥의 겉넓이를 구하여라.

**150** 세 수 $A=2(\sqrt{2}+\sqrt{7})$, $B=2\sqrt{7}+3$, $C=\sqrt{32}+3$의 대소를 비교하여라.

**151** 그림과 같이 가로의 길이가 $3\sqrt{2}$ cm, 세로의 길이가 $4\sqrt{3}$ cm, 높이가 $\sqrt{2}$ cm인 직육면체에서 모든 모서리의 길이를 $\sqrt{2}$ cm씩 늘여서 새로운 직육면체를 만들었을 때, 새로 만든 직육면체와 처음의 직육면체의 부피의 차를 구하여라.

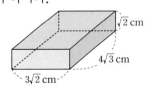

# 최고난도 만점 문제

**152** 그림과 같이 중심이 $O$이고, 반지름의 길이가 각각 $r_1$, $r_2$, $r_3$인 세 원 $C_1$, $C_2$, $C_3$이 있다. 두 원 $C_2$와 $C_1$의 넓이의 비가 $2 : 1$이고, 두 원 $C_3$과 $C_2$의 넓이의 비가 $4 : 3$이라 한다. 색칠한 부분의 넓이가 $24\pi$라 할 때, $r_3$의 값은?

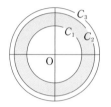

① $4\sqrt{3}$ ② $7$ ③ $8$
④ $5\sqrt{3}$ ⑤ $6\sqrt{3}$

**153** 두 유리수 $x$, $y$에 대하여 $x \odot y = \sqrt{3}x - y$로 약속하자. 등식 $\{(x \odot 3y) \odot y\} + 1 = x \odot 3y$를 만족하는 유리수 $x$, $y$에 대하여 $x + y$의 값을 구하여라.

**154** 그림과 같이 $\overline{FG} = 3\sqrt{3}$, $\overline{GH} = 2\sqrt{3}$, $\overline{DH} = 3\sqrt{5}$인 직육면체의 꼭짓점 A에서 모서리 BF, CG를 지나 옆면을 따라 점 H에 이르는 최단 거리를 구하여라.

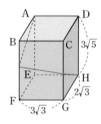

**155** $f(x) = \sqrt{x+1} - \sqrt{x}$일 때, $f(1) + f(2) + f(3) + \cdots + f(48)$의 값을 구하여라.

**156** 두 자연수 $x$, $y$에 대하여 $\sqrt{x}$의 정수 부분이 5, $\sqrt{y}$의 정수 부분이 8일 때, $\sqrt{y-x}$의 정수 부분의 최댓값은?

① $4$ ② $5$ ③ $6$
④ $7$ ⑤ $8$

**157** 그림과 같이 밑면의 반지름의 길이가 2 cm이고, 모선의 길이가 6 cm인 원뿔에 구가 내접하고 있다. 이때, 이 구의 겉넓이는?

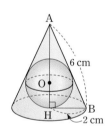

① $4\pi$ cm² ② $8\pi$ cm²
③ $16\pi$ cm² ④ $32\pi$ cm²
⑤ $64\pi$ cm²

**1** 다항식과 다항식의 곱셈

분배법칙을 이용하여 다음과 같이 전개한다.

$$(a+b)(c+d)=ac+ad+bc+bd$$

↪ 다항식과 다항식의 곱셈에서 분배법칙을 이용하여 하나의 다항식으로 나타내는 것을 전개한다고 한다.

**2** 곱셈 공식

(1) $(a+b)^2=a^2+2ab+b^2$

(2) $(a-b)^2=a^2-2ab+b^2$

(3) $(a+b)(a-b)=a^2-b^2$

(4) $(x+a)(x+b)=x^2+(a+b)x+ab$

(5) $(ax+b)(cx+d)=acx^2+(ad+bc)x+bd$

**3** 곱셈 공식을 이용한 분모의 유리화

$a>0$, $b>0$일 때

(1) $\dfrac{1}{\sqrt{a}+\sqrt{b}}=\dfrac{\sqrt{a}-\sqrt{b}}{(\sqrt{a}+\sqrt{b})(\sqrt{a}-\sqrt{b})}=\dfrac{\sqrt{a}-\sqrt{b}}{a-b}$ (단, $a\neq b$)

(2) $\dfrac{c}{\sqrt{a}-\sqrt{b}}=\dfrac{c(\sqrt{a}+\sqrt{b})}{(\sqrt{a}-\sqrt{b})(\sqrt{a}+\sqrt{b})}=\dfrac{c(\sqrt{a}+\sqrt{b})}{a-b}$ (단, $a\neq b$)

↪ $(a+b)(a-b)=a^2-b^2$을 이용하여 분모를 유리화한다.

**4** 곱셈 공식을 이용한 수의 계산

(1) 수의 제곱의 계산

제곱할 수를 적절히 나누어 곱셈 공식 $(a+b)^2=a^2+2ab+b^2$ 또는 $(a-b)^2=a^2-2ab+b^2$을 이용한다.

예 $103^2=(100+3)^2=100^2+2\times100\times3+3^2$
$=10000+600+9=10609$

(2) 두 수의 곱의 계산

두 수의 특징을 관찰하여 곱셈 공식 $(a+b)(a-b)=a^2-b^2$ 또는 $(x+a)(x+b)=x^2+(a+b)x+ab$를 이용한다.

예 $95\times105=(100-5)(100+5)$
$=100^2-5^2=10000-25=9975$

$52\times53=(50+2)(50+3)$
$=50^2+(2+3)\times50+2\times3$
$=2500+250+6=2756$

**5** 곱셈 공식의 변형

(1) $a^2+b^2=(a+b)^2-2ab$

(2) $a^2+b^2=(a-b)^2+2ab$

(3) $(a+b)^2=(a-b)^2+4ab$

(4) $(a-b)^2=(a+b)^2-4ab$

---

• (다항식)×(다항식)의 계산

(ⅰ) 분배법칙을 이용하여 전개한다.

(ⅱ) 동류항이 있으면 동류항끼리 모아서 간단히 정리한다.

• 곱셈 공식과 도형의 넓이

(1)  (2)

$(a+b)^2$　$(a-b)^2$
$=a^2+2ab+b^2$　$=a^2-2ab+b^2$

(3)

$(a+b)(a-b)=a^2-b^2$

(4)

$(x+a)(x+b)$
$=x^2+(a+b)x+ab$

(5)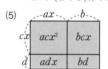

$(ax+b)(cx+d)$
$=acx^2+(ad+bc)x+bd$

• $(-a-b)^2$, $(-a+b)^2$, $(-a-b)(-a+b)$의 전개

(1) $(-a-b)^2=(a+b)^2$

(2) $(-a+b)^2=(a-b)^2$

(3) $(-a-b)(-a+b)$
$=(a+b)(a-b)$

• 공통 부분이 있는 식의 전개

(ⅰ) 공통 부분을 한 문자로 치환한다.

(ⅱ) 곱셈 공식을 이용하여 식을 전개한다.

(ⅲ) 공통 부분을 다시 대입하여 정리한다.

예 $(a-b-1)(a-b+2)$ 　$a-b=A$
$=(A-1)(A+2)$ ← 로 치환
$=A^2+A-2$ 　$A=a-b$
$=(a-b)^2+(a-b)-2$ 　대입
$=a^2-2ab+b^2+a-b-2$

**1** 다항식과 다항식의 곱셈

[001~004] 다음 식을 전개하여라.

001 $(a+3)(b+1)$

002 $(a+3)(2b-5)$

003 $(x-1)(2-y)$

004 $(2x+3)(y-2)$

**2** 곱셈 공식

[005~012] 곱셈 공식을 이용하여 다음 식을 전개하여라.

005 $(x+2)^2$

006 $(2a+b)^2$

007 $(3a-2b)^2$

008 $(-2x+y)^2$

009 $(a+2b)(a-2b)$

010 $(3a+b)(3a-b)$

011 $(x+1)(x+2)$

012 $(2x-1)(x+2)$

**3** 곱셈 공식을 이용한 분모의 유리화

[013~016] 다음 수의 분모를 유리화하여라.

013 $\dfrac{2}{\sqrt{6}+2}$

014 $\dfrac{\sqrt{5}+2}{\sqrt{5}-2}$

015 $\dfrac{\sqrt{3}}{3+2\sqrt{2}}$

016 $\dfrac{8\sqrt{3}}{4-2\sqrt{3}}$

**4** 곱셈 공식을 이용한 수의 계산

[017~020] 다음 ☐ 안에 알맞은 양수를 써넣어라.

017 $52^2=(50+\boxed{\phantom{0}})^2=2500+\boxed{\phantom{0}}+\boxed{\phantom{0}}$
$=\boxed{\phantom{0}}$

018 $96^2=(100-\boxed{\phantom{0}})^2=10000-\boxed{\phantom{0}}+\boxed{\phantom{0}}$
$=\boxed{\phantom{0}}$

019 $102\times98=(\boxed{\phantom{0}}+2)\times(\boxed{\phantom{0}}-2)$
$=\boxed{\phantom{0}}-4=\boxed{\phantom{0}}$

020 $199\times103=(\boxed{\phantom{0}}-1)\times(\boxed{\phantom{0}}+3)$
$=\boxed{\phantom{0}}+500-\boxed{\phantom{0}}$
$=\boxed{\phantom{0}}$

**5** 곱셈 공식의 변형

[021~024] 다음 중 옳은 것에는 ○표, 옳지 않은 것에는 ×표를 ( ) 안에 써넣어라.

021 $(a-b)^2=(a+b)^2+4ab$　　　　( 　 )

022 $x^2+y^2=(x-y)^2+2xy$　　　　( 　 )

023 $a^2+1=(a+1)^2-2a$　　　　( 　 )

024 $(2b-1)^2=(2b+1)^2-4$　　　　( 　 )

[025~026] 양수 $a$에 대하여 $a-\dfrac{1}{a}=1$일 때, 다음 식의 값을 구하여라.

025 $a^2+\dfrac{1}{a^2}$

026 $a+\dfrac{1}{a}$

## C1 다항식과 다항식의 곱셈 기초

**027** $(2x+5y)(-3x+6y)$를 전개한 것은?

① $6x^2-2xy+30y^2$

② $6x^2-3xy+30y^2$

③ $-6x^2-3xy+30y^2$

④ $-6x^2+2xy+30y^2$

⑤ $-6x^2+3xy+30y^2$

＊ 접근법

다항식이 길어도 분배법칙을 이용하면 된다.

$(a+b+c)(d+e)=(a+b+c)d+(a+b+c)e$
$=ad+bd+cd+ae+be+ce$

**028** $(Ax-6y)(2x+By)=10x^2+Cxy-18y^2$일 때, 상수 $A$, $B$, $C$에 대하여 $A+B+C$의 값은?

① 10　　　② 11　　　③ 12

④ 13　　　⑤ 14

**029** ★ $(x+1)(x+1)(x+1)=x^3+Ax^2+Bx+1$일 때, 상수 $A$, $B$에 대하여 $AB$의 값은?

① 8　　　② 9　　　③ 10

④ 11　　　⑤ 12

**030** ★ 밑변의 길이가 $4a-3b$이고, 높이가 $2a+4b+6$인 삼각형의 넓이를 구하여라.

## C2 곱셈 공식 $(a+b)^2$ 기초

**031** $(2x+5y)^2$을 전개할 때, 다음 중 옳지 않은 것은?

① $xy$의 계수는 20이다.

② $(-2x-5y)^2$과 전개한 식이 같다.

③ $x^2$과 $y^2$의 계수의 합은 29이다.

④ $\left(x+\dfrac{5}{2}y\right)^2$은 $(2x+5y)^2$의 $\dfrac{1}{2}$배이다.

⑤ 전개하여 식을 정리하면 항은 3개이다.

＊ 개념 찾기

$(a+b)^2=a^2+2ab+b^2$

**032** $(2x+3y)^2+4(x+2y)^2$을 전개한 식으로 옳은 것은?

① $4x^2+28xy+25y^2$　　② $8x^2+24xy+25y^2$

③ $8x^2+28xy+25y^2$　　④ $16x^2+24xy+25y^2$

⑤ $16x^2+28xy+10y^2$

**033** $(2x+4y)^2=Ax^2+Bxy+Cy^2$일 때, 상수 $A$, $B$, $C$에 대하여 $\dfrac{AB}{C}$의 값을 구하여라.

**034** $(x+A)^2=x^2+Bx+\dfrac{4}{9}$일 때, 양수 $A$, $B$에 대하여 $A+B$의 값을 구하여라.

**035** ★ $(2x+1)^4$을 전개할 때, $x^2$의 계수는?

① 8　　　② 16　　　③ 24

④ 32　　　⑤ 40

**C3 곱셈 공식 $(a-b)^2$** 기초

**036** 다음 중 $(3x-y)^2$과 같은 것은?

① $(3x+y)^2$    ② $(-3x-y)^2$

③ $(-3x+y)^2$    ④ $-(3x-y)^2$

⑤ $-(-3x+y)^2$

* 개념 찾기
$(a-b)^2=a^2-2ab+b^2$

**037** $(6x-5)^2=Ax^2+Bx+C$일 때, 상수 $A$, $B$, $C$에 대하여 $A-B+C$의 값은?

① 100    ② 114    ③ 121

④ 132    ⑤ 144

**038** $(Ax-B)^2=\dfrac{1}{4}x^2-Cx+\dfrac{1}{9}$일 때, 양수 $A$, $B$, $C$에 대하여 $\dfrac{AB}{C}$의 값은?

① $\dfrac{1}{9}$    ② $\dfrac{1}{6}$    ③ $\dfrac{1}{3}$

④ $\dfrac{1}{2}$    ⑤ $1$

**039** 한 변의 길이가 $5a-3$인 정사각형의 넓이를 구하여라.

**C4 곱셈 공식 $(a+b)(a-b)$** 기초

**040** $(2a+b)(2a-b)$를 전개한 식으로 옳은 것은?

① $a^2+4b^2$    ② $2a^2-b^2$    ③ $2a^2+b^2$

④ $4a^2-b^2$    ⑤ $4a^2+b^2$

* 개념 찾기
$(a+b)(a-b)=a^2-b^2$

**041** $(-a+6)(-a-6)$을 전개하여라.

**042** 다음 〈보기〉에서 옳은 것을 모두 고른 것은?

──── 보기 ────

ㄱ. $(x-y)(-x-y)=-x^2+y^2$

ㄴ. $(-2a+3b)(-2a-3b)=-4a^2-9b^2$

ㄷ. $\left(\dfrac{2}{5}x+y\right)\left(\dfrac{2}{5}x-y\right)=\dfrac{2}{5}x^2-y^2$

① ㄱ    ② ㄷ    ③ ㄱ, ㄷ

④ ㄴ, ㄷ    ⑤ ㄱ, ㄴ, ㄷ

**043** $(7-4x)(4x+7)$을 전개했을 때, $x^2$의 계수와 상수항의 합을 구하여라.

★
**044** $(x-2)(x+2)(x^2+4)(x^4+16)$을 전개하여라.

## C5 곱셈 공식 $(x+a)(x+b)$ <small>기초</small>

**045** $(x+3y)(x-4y)$를 전개했을 때, $xy$의 계수와 $y^2$의 계수의 합은?

① $-13$　　② $-11$　　③ $0$

④ $11$　　⑤ $13$

＊ 개념 찾기 ……………………………………
$(x+a)(x+b)=x^2+(a+b)x+ab$

---

**046** $\left(x-\dfrac{1}{2}\right)\left(x+\dfrac{1}{5}\right)=x^2+Ax+B$일 때, 상수 $A$, $B$에 대하여 $A+B$의 값은?

① $-\dfrac{2}{5}$　　② $-\dfrac{1}{5}$　　③ $0$

④ $\dfrac{1}{5}$　　⑤ $\dfrac{2}{5}$

---

**047** $(x+5y)(x+\square y)=x^2+9xy+\square y^2$일 때, $\square$ 안에 들어갈 두 수의 합은?

① $4$　　② $9$　　③ $15$

④ $20$　　⑤ $24$

---

**048** $(x+1)(x+2)+(x+2)(x+3)$
$\qquad\qquad +(x+3)(x+4)=Ax^2+Bx+C$
일 때, 상수 $A$, $B$, $C$에 대하여 $A+B+C$의 값을 구하여라.

---

## C6 곱셈 공식 $(ax+b)(cx+d)$ <small>기초</small>

**049** $(3x-1)(x+2)$를 전개한 식으로 옳은 것은?

① $3x^2-5x-2$　　② $3x^2-5x+2$

③ $3x^2+5x-2$　　④ $3x^2+5x$

⑤ $3x^2+5x+2$

＊ 개념 찾기 ……………………………………
$(ax+b)(cx+d)=acx^2+(ad+bc)x+bd$

---

**050** $\left(\dfrac{2}{5}x-\dfrac{2}{3}\right)\left(\dfrac{3}{2}x+\dfrac{1}{2}\right)$을 전개하였을 때, $x$의 계수는?

① $-\dfrac{4}{5}$　　② $-\dfrac{2}{5}$　　③ $\dfrac{2}{5}$

④ $\dfrac{4}{5}$　　⑤ $1$

---

**051** $(-2x+A)(Bx+1)=-6x^2-5x-1$일 때, 상수 $A$, $B$에 대하여 $AB$의 값은?

① $-3$　　② $-1$　　③ $1$

④ $3$　　⑤ $5$

---

**052** $A=3x+1$, $B=2x+4$일 때, $(2A-3B)(A+2B)$를 간단히 한 것은?

① $-70x+90$　　② $-70x-90$

③ $-50x+70$　　④ $-50x-70$

⑤ $-30x+50$

---

## C7 곱셈 공식 종합　이해

**053** 다음 중 옳지 <u>않은</u> 것은?

① $(3x+4)^2=9x^2+24x+16$

② $(2x-1)^2=4x^2-4x+1$

③ $(x+1)(x-1)(x^2+1)=x^4+x^2-1$

④ $(-3x+5)(5x+6)=-15x^2+7x+30$

⑤ $(2a+3b)(5a-4b)=10a^2+7ab-12b^2$

* Check Key
(1) $(a+b)^2=a^2+2ab+b^2$, $(a-b)^2=a^2-2ab+b^2$
(2) $(a+b)(a-b)=a^2-b^2$
(3) $(x+a)(x+b)=x^2+(a+b)x+ab$
(4) $(ax+b)(cx+d)=acx^2+(ad+bc)x+bd$

**054** $(-3x+8)^2+(-3x-8)^2$을 간단히 한 것은?

① $-6x^2+48x+16$

② $-6x^2-48x+16$

③ $18x^2+128$

④ $18x^2+48x+128$

⑤ $18x^2+96x$

**055** $3(x-a)^2-(2x+1)(x+b)$를 간단히 하면 $x$의 계수가 0이라 한다. 상수 $a$, $b$에 대하여 $6a+2b$의 값을 구하여라.

**056** 카드를 넣었을 때, 옳은 것에는 1, 틀린 것에는 2를 부여하여 출력하는 기계가 있다. 다음 세 카드를 넣었을 때, 출력되어 나오는 숫자의 합을 구하여라.

| | | |
|---|---|---|
| $(-x+2y)^2$ $=-x^2+4xy+4y^2$ | $(2x+y)^2$ $=4x^2+4xy+y^2$ | $(-3x-y)^2$ $=-9x^2-6xy-y^2$ |

## C8 곱셈 공식과 도형　응용

**057** 그림과 같이 한 변의 길이가 $a$인 정사각형에서 직각을 낀 두 변의 길이가 $b$인 직각이등변삼각형 두 개를 잘라내고 남은 도형의 넓이를 구하여라.

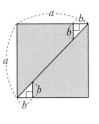

* 접근법
도형의 넓이를 구할 때, 곱셈 공식의 꼴로 유도하도록 한다.
즉, 가로, 세로의 길이를 적절하게 표현한 후 넓이 공식을 이용하여 곱셈 공식의 꼴로 만들자.

**058** 그림에서 네 직사각형의 넓이 사이의 관계를 이용하여 설명할 수 있는 곱셈 공식은?

① $(a+b)^2=a^2+2ab+b^2$

② $(a-b)^2=a^2-2ab+b^2$

③ $(a+b)(a-b)=a^2-b^2$

④ $(x+a)(x+b)=x^2+(a+b)x+ab$

⑤ $(ax+b)(cx+d)=acx^2+(ad+bc)x+bd$

**059** 그림에서 색칠한 도형의 넓이를 구하여라.

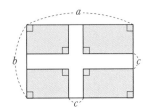

**060** 민희는 한 변의 길이가 7 m인 정사각형 모양의 땅을 그림과 같이 네 부분으로 나누어 각 부분에 채송화, 봉숭아, 나팔꽃, 강낭콩을 심기로 하였다. 제일 작은 정사각형 모양의 땅에 강낭콩을 심기로 하였고, 넓이가 25 m²로 제일 큰 정사각형 모양의 땅에는 나팔꽃을 심기로 하였다. 강낭콩을 심는 땅의 넓이를 구하여라.

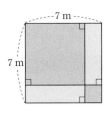

**061** 그림과 같이 한 변의 길이가 $x$인 정사각형에서 가로의 길이는 $3y$만큼 줄이고 세로의 길이는 $2y$만큼 늘였다. 색칠한 직사각형의 넓이는?

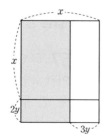

① $x^2-5xy+6y^2$
② $x^2-xy-6y^2$
③ $x^2+xy-6y^2$
④ $x^2+xy+6y^2$
⑤ $x^2+5xy+6y^2$

**062** 그림에서 □ABCD는 직사각형이고, □GCFH는 정사각형일 때, □EBGH의 넓이는? (단, $x>y$)

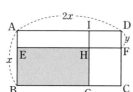

① $x^2-y^2$
② $x^2+y^2$
③ $x^2-2xy+y^2$
④ $2x^2-3xy+y^2$
⑤ $2x^2-xy-y^2$

**063** ★ 그림에서 색칠한 부분의 넓이는?

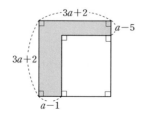

① $5a^2-8a-17$
② $5a^2-4a-3$
③ $5a^2+7a+2$
④ $8a^2-3a-1$
⑤ $8a^2+10a+9$

## C9 공통 부분이 있는 식의 전개   <sub></sub>이해

**064** $(a-2b-1)(a+2b-1)$을 전개한 것은?

① $a^2+2a+1-4b^2$
② $a^2-2a+1-4b^2$
③ $a^2-2a+1+4b^2$
④ $a^2-4b^2+4b+1$
⑤ $a^2-4b^2-4b+1$

✳ 접근법
(ⅰ) 공통 부분을 한 문자로 치환한다.
(ⅱ) 곱셈 공식을 이용하여 식을 전개한다.
(ⅲ) 공통 부분을 다시 대입하여 정리한다.

**065** $(x^2-x+1)(x^2-x+3)-5$의 전개식에서 $x^2$의 계수와 상수항의 합은?

① $-3$      ② $-1$      ③ $0$
④ $1$      ⑤ $3$

**066** ★ 다음 등식을 만족시키는 상수 $a$, $b$, $c$에 대하여 $a+b+c$의 값을 구하여라.

$$x(x+1)(x^2+x+1)=x^4+ax^3+bx^2+cx$$

**067** ★ $A=ax+by$일 때, 다음 등식을 만족시키는 상수 $a$, $b$에 대하여 $ab$의 값을 구하여라.

$$(A-2)^2=4x^2+(12y-8)x+9y^2-12y+4$$

## C10 네 개의 일차식의 곱의 전개 <small>이해</small>

**068** $x(x-1)(x+3)(x+4)$의 전개식에서 $x^2$의 계수는?

① 3      ② 5      ③ 7

④ 9      ⑤ 11

※ 접근법
(i) 네 개의 일차식을 상수항의 합이 같도록 두 개씩 묶어서 전개한다.
(ii) 공통 부분을 치환하여 식을 정리한다.

**069** $(x-2)(x-3)(x+2)(x+3)$의 전개식에서 $x^3$의 계수와 $x^2$의 계수의 합은?

① $-15$      ② $-14$      ③ $-13$

④ $-12$      ⑤ $-11$

**070** 다음은 $(x+2)(x-2)(x-6)(x-10)$을 전개하는 과정이다. $A$, $B$, $C$에 각각 알맞은 식을 구하여라.

$$(x+2)(x-2)(x-6)(x-10)$$
$$=\{(x+2)A\} \times \{B(x-6)\}$$
$$=(C-20)(C+12)$$
$$=x^4-16x^3+56x^2+64x-240$$

**071** 다음 식을 전개하기 위해 일차식을 두 개씩 묶어 전개하여 공통 부분을 만들려고 한다. 두 개씩 바르게 짝지은 것을 고르고, 이때 공통 부분의 $x$의 계수를 구하면?

$$\underset{㉠}{(x+3)}\underset{㉡}{(x+4)}\underset{㉢}{(2x+3)}\underset{㉣}{(2x+5)}$$

① ㉠, ㉡과 ㉢, ㉣, 9      ② ㉠, ㉢과 ㉡, ㉣, 9

③ ㉠, ㉣과 ㉡, ㉢, 9      ④ ㉠, ㉢과 ㉡, ㉣, 11

⑤ ㉠, ㉣과 ㉡, ㉢, 11

## C11 곱셈 공식을 이용한 무리수의 계산 <small>이해</small>

**072** $(2\sqrt{2}-3)(5\sqrt{2}+2)+8\sqrt{2}=a+b\sqrt{2}$일 때, $a-b$의 값은?

① 8      ② 11      ③ 14

④ 17      ⑤ 20

※ 접근법
제곱근을 문자처럼 생각하고 곱셈 공식을 이용하여 식을 전개한다.

**073** $(\sqrt{5}-2)^2+(1+3\sqrt{5})^2$을 계산하여라.

**074** $(x+3-\sqrt{6})(x+3+\sqrt{6})$의 전개식에서 $x$의 계수와 상수항의 곱은?

① $-18$      ② $-3$      ③ 3

④ 9      ⑤ 18

**075** 다음 〈보기〉에서 계산 결과가 유리수인 것을 모두 골라라.

─── 보기 ───
ㄱ. $(2\sqrt{5}-1)^2$
ㄴ. $(3-2\sqrt{3})(-2\sqrt{3}-3)$
ㄷ. $(3\sqrt{2}-2)(6\sqrt{2}+4)$
ㄹ. $(\sqrt{10}-3)(\sqrt{10}+7)$

**076** $(\sqrt{2}-4)^2-(2\sqrt{2}+3)(2\sqrt{2}-3)$ 을 계산하면?

① $19-8\sqrt{2}$  ② $19-4\sqrt{2}$  ③ $19+4\sqrt{2}$
④ $19+8\sqrt{2}$  ⑤ $19+20\sqrt{2}$

**077** $(2\sqrt{3}+\sqrt{7})(2\sqrt{3}-\sqrt{7})(\sqrt{15}-4)(\sqrt{15}+4)$ 를 계산하면?

① $-10$  ② $-5$  ③ $1$
④ $5$  ⑤ $10$

**078** $(2+3\sqrt{6})(a-4\sqrt{6})$ 이 유리수가 되도록 하는 유리수 $a$의 값은?

① $2$  ② $\dfrac{8}{3}$  ③ $\dfrac{10}{3}$
④ $4$  ⑤ $\dfrac{14}{3}$

**079** 둘레의 길이가 $4\sqrt{5}+12\sqrt{7}$ 인 정사각형의 넓이는?

① $26$  ② $56+2\sqrt{35}$  ③ $68$
④ $60+4\sqrt{35}$  ⑤ $68+6\sqrt{35}$

**080**★ $(4\sqrt{5}+9)^{99}(4\sqrt{5}-9)^{100}$ 을 계산하여라.

---

### C12 곱셈 공식을 이용한 분모의 유리화  이해

**081** $\dfrac{2\sqrt{7}-4}{3-\sqrt{7}}$ 의 분모를 유리화하여 $a+b\sqrt{7}$ 의 꼴로 나타낼 때, 유리수 $a$, $b$에 대하여 $a+b$ 의 값은?

① $2$  ② $3$  ③ $4$
④ $5$  ⑤ $6$

☀ 접근법
분모가 두 수의 합 또는 차로 이루어진 무리수일 때, 곱셈 공식 $(a+b)(a-b)=a^2-b^2$을 이용하여 분모를 유리화한다.

**082** $\dfrac{\sqrt{6}-\sqrt{5}}{-\sqrt{6}-\sqrt{5}}$ 의 분모를 유리화한 것은?

① $-11-2\sqrt{30}$  ② $-11+2\sqrt{30}$  ③ $11-2\sqrt{30}$
④ $-1-2\sqrt{30}$  ⑤ $-1+2\sqrt{30}$

**083** $(3\sqrt{2}+\sqrt{3})\div\dfrac{\sqrt{2}-\sqrt{3}}{2}$ 을 간단히 하여라.

**084** $\dfrac{\sqrt{3}}{5-3\sqrt{3}}-\dfrac{\sqrt{3}}{5+3\sqrt{3}}$ 을 간단히 한 것은?

① $-9$  ② $-4\sqrt{2}$  ③ $0$
④ $4\sqrt{2}$  ⑤ $9$

**085** $\dfrac{1-\sqrt{6}}{5+2\sqrt{6}}-\dfrac{3+\sqrt{6}}{5-2\sqrt{6}}=A+B\sqrt{6}$ 일 때, 유리수 $A$, $B$에 대하여 $A-B$의 값을 구하여라.

## C13 곱셈 공식을 이용한 식의 값 이해

**086** $x=\sqrt{2}$일 때, 다음 식의 값을 구하여라.

$$5(x-1)^2-(3x+2)(2x-3)$$

\* 접근법

식을 간단히 한 후에 주어진 수를 대입한다.

**087** $x=4-3\sqrt{2}$, $y=2\sqrt{6}$일 때, $(x+y)^2-(x-y)^2$의 값은 $a\sqrt{3}+b\sqrt{6}$이다. 유리수 $a$, $b$에 대하여 $a+b$의 값은?

① $-16$      ② $-8$      ③ $0$

④ $8$      ⑤ $16$

**088** $x=4-\sqrt{7}$일 때, $x^2-8x+10$의 값은?

① $-1$      ② $1$      ③ $3$

④ $5$      ⑤ $7$

**089**★ $x=\dfrac{2}{-2-\sqrt{2}}$일 때, $\sqrt{x^2+4x+11}$의 값은?

① $\sqrt{3}$      ② $2$      ③ $\sqrt{5}$

④ $2\sqrt{2}$      ⑤ $3$

## C14 곱셈 공식과 무리수의 정수 부분과 소수 부분 이해

**090** $\sqrt{10}+1$의 정수 부분을 $a$, 소수 부분을 $b$라 할 때, $a-\dfrac{1}{b}$의 값은?

① $-\sqrt{10}$      ② $1-\sqrt{10}$      ③ $\sqrt{10}-1$

④ $\sqrt{10}$      ⑤ $\sqrt{10}+1$

\* Check Key

(무리수)=(정수 부분)+(소수 부분)

⇨ (무리수의 소수 부분)=(무리수)−(정수 부분)

**091** $\sqrt{5}$의 소수 부분을 $a$, $\sqrt{13}$의 소수 부분을 $b$라 할 때, $a^2-2\sqrt{5}a+\sqrt{13}b$의 값을 구하여라.

**092** $2\sqrt{3}$의 정수 부분을 $x$, 소수 부분을 $y$라 할 때, $x^2+y^2+6y$의 값은?

① $4\sqrt{3}$      ② $6+\sqrt{3}$      ③ $10+\sqrt{3}$

④ $12$      ⑤ $16$

**093**★ $\dfrac{8}{4-2\sqrt{3}}$의 정수 부분을 $a$, 소수 부분을 $b$라 할 때, $a+\sqrt{3}b$의 값은?

① $23-7\sqrt{3}$      ② $23+7\sqrt{3}$      ③ $24\sqrt{3}$

④ $26-6\sqrt{3}$      ⑤ $26+6\sqrt{3}$

## C15 곱셈 공식과 수의 곱셈 응용

**094** 곱셈 공식을 이용하여 $101 \times 99$를 계산하려고 한다. 다음 중 이용할 곱셈 공식으로 알맞은 것은?

① $(x+y)^2 = x^2 + 2xy + y^2$

② $(x-y)^2 = x^2 - 2xy + y^2$

③ $(x+y)(x-y) = x^2 - y^2$

④ $(x+a)(x+b) = x^2 + (a+b)x + ab$

⑤ $(ax+b)(cx+d) = acx^2 + (ad+bc)x + bd$

＊ 접근법
(1) $(x+y)^2 = x^2 + 2xy + y^2$, $(x-y)^2 = x^2 - 2xy + y^2$은 어떤 수의 제곱한 값을 계산할 때 이용하면 편리하다.
(2) $(x+y)(x-y) = x^2 - y^2$은 두 수의 합과 차를 곱할 때 이용하면 편리하다.

**095** 다음 〈보기〉에서 수를 계산할 때 편리하게 이용할 수 있는 곱셈 공식을 바르게 연결한 것으로 알맞은 것을 모두 고른 것은? (단, $a$, $b$는 양수)

─── 보기 ───
ㄱ. $1004^2 \rightarrow (a+b)^2 = a^2 + 2ab + b^2$
ㄴ. $999^2 \rightarrow (a-b)^2 = a^2 - 2ab + b^2$
ㄷ. $51 \times 54 \rightarrow (a+b)(a-b) = a^2 - b^2$
ㄹ. $69 \times 71 \rightarrow (x+a)(x+b) = x^2 + (a+b)x + ab$

① ㄱ, ㄴ     ② ㄴ, ㄷ     ③ ㄱ, ㄴ, ㄷ
④ ㄱ, ㄴ, ㄹ     ⑤ ㄴ, ㄷ, ㄹ

**096** 곱셈 공식을 이용하여 $97 \times 103$의 값을 계산하여라.

**097** 곱셈 공식을 이용하여 $21^2 + 51 \times 49$를 계산하여라.

**098** ★ $(x-1)(x+1)(x^2+1)(x^4+1) = 255$일 때, 자연수 $x$의 값을 구하여라.

## C16 식의 변형 I 이해

**099** $a+b=5$, $ab=6$일 때, $a^2 + b^2$의 값은?

① 10     ② 11     ③ 12
④ 13     ⑤ 14

＊ 접근법
두 수의 합 또는 차와 곱이 주어진 경우는 다음을 이용한다.
(1) $x^2 + y^2 = (x+y)^2 - 2xy = (x-y)^2 + 2xy$
(2) $(x+y)^2 = (x-y)^2 + 4xy$, $(x-y)^2 = (x+y)^2 - 4xy$

**100** $x+y=5$, $x^2+y^2=17$일 때, $xy$의 값은?

① 3     ② 4     ③ 5
④ 6     ⑤ 7

**101** $x-y=8$, $xy=3$일 때, $x^2+y^2$의 값은?

① 55     ② 60     ③ 65
④ 70     ⑤ 75

**102** 두 수의 차가 2이고, 곱이 48일 때, 두 수의 제곱의 합을 구하여라.

**103** ★ $\dfrac{1}{a} + \dfrac{1}{b} = 5$, $ab = \dfrac{1}{6}$일 때, $a^2 + b^2$의 값은?

① $\dfrac{5}{18}$     ② $\dfrac{11}{36}$     ③ $\dfrac{1}{3}$

④ $\dfrac{13}{36}$     ⑤ $\dfrac{7}{18}$

**C17 식의 변형 Ⅱ**  이해

**104** $x+\dfrac{1}{x}=5$일 때, $x^2+\dfrac{1}{x^2}$의 값은?

① 21  ② 22  ③ 23
④ 24  ⑤ 25

＊접근법

$x+\dfrac{1}{x}$ 또는 $x-\dfrac{1}{x}$의 값이 주어진 경우는 다음을 이용한다.

(1) $x^2+\dfrac{1}{x^2}=\left(x+\dfrac{1}{x}\right)^2-2=\left(x-\dfrac{1}{x}\right)^2+2$

(2) $\left(x+\dfrac{1}{x}\right)^2=\left(x-\dfrac{1}{x}\right)^2+4$, $\left(x-\dfrac{1}{x}\right)^2=\left(x+\dfrac{1}{x}\right)^2-4$

**105** $x-\dfrac{1}{x}=6$일 때, $x^2+\dfrac{1}{x^2}$의 값은?

① 34  ② 36  ③ 38
④ 40  ⑤ 42

**106** $a-\dfrac{1}{a}=4$일 때, $\left(a+\dfrac{1}{a}\right)^2$의 값은?

① 16  ② 17  ③ 18
④ 19  ⑤ 20

**107**★ $x+\dfrac{1}{x}=3$일 때, $x^4+\dfrac{1}{x^4}$의 값은?

① 38  ② 41  ③ 44
④ 47  ⑤ 50

**C18 식의 변형 Ⅲ**  이해

**108** $x^2+7x+1=0$일 때, $x+2+\dfrac{1}{x}$의 값은?

① $-7$  ② $-5$  ③ $-3$
④ $-1$  ⑤ 1

＊접근법

$x^2-ax\pm1=0$이 주어진 경우는 다음을 이용한다.

$x^2-ax\pm1=0 \Rightarrow x\pm\dfrac{1}{x}=a$ (복호동순)

**109** $x^2-2x-1=0$일 때, $\left(x+\dfrac{1}{x}\right)^2$의 값은?

① 5  ② 6  ③ 7
④ 8  ⑤ 9

**110** $a^2+5a-1=0$일 때, $a^2-7+\dfrac{1}{a^2}$의 값은?

① 16  ② 17  ③ 18
④ 19  ⑤ 20

**111**★ $x^2-Ax+1=0$이고, $x^2+\dfrac{1}{x^2}=7$이 성립할 때, 자연수 $A$를 구하여라.

**112**★ $x^2-10x+1=0$일 때, $x^2+x+\dfrac{1}{x}+\dfrac{1}{x^2}$의 값은?

① 100  ② 102  ③ 104
④ 106  ⑤ 108

**★★**
**113** 용중이는 $(-2x-1)(4x+3)$을 전개하는데 $-2$를 잘못 보고 전개하였더니 $4Ax^2+2x+B$가 되었다. 다음 중 $(x+A)(x+B)$를 전개한 것으로 옳은 것은?

① $x^2-x-6$  　　② $x^2+x-6$
③ $x^2+x+6$  　　④ $x^2-2x-6$
⑤ $x^2+2x+6$

**114** 용철이는 $(-5x+1)(4x-2)$를 전개하는데 $4$를 잘못 보고 전개하였더니 $-5Ax^2+12x-B$가 되었다. 다음 중 $(x+A)(x+B)$를 전개한 것으로 옳은 것은?

① $x^2+2x$  　　② $x^2+2x+4$  　　③ $x^2+2x+8$
④ $x^2+4x+4$  　　⑤ $x^2+4x+8$

**115** $(2x-2y-1)(2x+y-1)$의 전개식에서 상수항을 포함한 모든 항의 계수의 합을 구하여라.

**116** $(a+3b-2)(a+3b+5)$의 전개식에서 상수항을 포함한 모든 항의 계수의 합을 구하여라.

**117** $(4+\sqrt{3})(2a-5\sqrt{3})$을 계산한 결과가 유리수가 되도록 하는 유리수 $a$의 값은?

① 6  　　② 8  　　③ 10
④ 12  　　⑤ 14

**118** $(\sqrt{6}-3a)(\sqrt{6}+1)$을 계산한 결과가 유리수가 되도록 하는 유리수 $a$의 값은?

① $\dfrac{1}{3}$  　　② $\dfrac{1}{2}$  　　③ 1
④ 2  　　⑤ 3

**119** $x=\dfrac{\sqrt{3}-\sqrt{2}}{\sqrt{3}+\sqrt{2}},\ y=\dfrac{\sqrt{3}+\sqrt{2}}{\sqrt{3}-\sqrt{2}}$일 때, $(x+y)^2-5xy$의 값을 구하여라.

**120** $x=3+\sqrt{2},\ y=3-\sqrt{2}$일 때, $\dfrac{y}{x}+\dfrac{x}{y}$의 값을 구하여라.

★★
**121** 다음 〈보기〉에서 옳은 것을 모두 골라라.

┌─── 보기 ───┐
ㄱ. $\sqrt{x+y}=\sqrt{x}+\sqrt{y}$를 만족하는 자연수 $x$, $y$는 없다.

ㄴ. $\sqrt{x+y}$의 정수 부분이 1인 자연수 $x$, $y$에 대하여 순서쌍 $(x,\ y)$의 개수는 4개이다.

ㄷ. $\sqrt{27-3x}$가 자연수가 되는 자연수 $x$는 1개이다.
└───────────┘

**122** 다음 〈보기〉에서 옳은 것을 모두 골라라.

┌─── 보기 ───┐
ㄱ. $\dfrac{1}{\sqrt{x}+\sqrt{y}}=\sqrt{x}-\sqrt{y}$를 만족하는 자연수 $x$, $y$는 무수히 많다. (단, $x\geq y$)

ㄴ. $\sqrt{x+y}$의 정수 부분이 2인 자연수 $x$, $y$에 대하여 순서쌍 $(x,\ y)$의 개수는 25개이다.

ㄷ. $\sqrt{18-5x}$가 자연수가 되는 자연수 $x$는 1개이다.
└───────────┘

**123** 그림과 같이 수직선 위에 한 변의 길이가 1인 두 정사각형이 있다. 두 점 P, Q에 대응하는 수를 각각 $a$, $b$라 할 때, $a+3b+ab$의 값을 구하여라.
(단, $\overline{AB}=\overline{AP}$, $\overline{CD}=\overline{CQ}$)

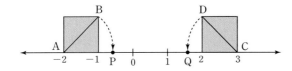

**124** 그림과 같이 정사각형 ABCD에서 점 C를 중심으로 $\overline{CB}$, $\overline{CD}$를 반지름으로 하는 원을 그려 수직선과 만나는 점에 대응하는 수를 각각 $a$, $b$라 하자. 이때, $\dfrac{b-a}{a}$의 값을 구하여라. (단, 모눈 한 칸은 한 변의 길이가 1인 정사각형이다.)

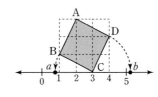

**125** $\dfrac{1}{1+\sqrt{2}}+\dfrac{1}{\sqrt{2}+\sqrt{3}}+\dfrac{1}{\sqrt{3}+\sqrt{4}}+\cdots+\dfrac{1}{\sqrt{29}+\sqrt{30}}$ 의 소수 부분을 $x$라 할 때, $x^2+10x+1$의 값을 구하여라.

**126** $\dfrac{1}{1+\sqrt{2}}+\dfrac{1}{\sqrt{2}+\sqrt{3}}+\dfrac{1}{\sqrt{3}+\sqrt{4}}+\cdots+\dfrac{1}{\sqrt{39}+\sqrt{40}}$ 의 소수 부분을 $x$라 할 때, $x^2+12x+5$의 값을 구하여라.

**127** $x=\sqrt{2}-1$일 때, $x^3+2x^2+2x+3$의 값을 구하여라.

**128** $x=\sqrt{2}+2$일 때, $x^3-4x^2+4x-3$의 값을 구하여라.

**129** 둘레의 길이가 $6\sqrt{2}+12\sqrt{3}$인 정삼각형의 넓이를 구하여라.

**130** 둘레의 길이가 $8\sqrt{6}+8$인 정사각형의 두 대각선이 만나 생기는 네 개의 직각이등변삼각형 중 하나의 넓이를 구하여라.

**131** $x^2-2x-4=0$일 때,
$(x+1)(x+2)(x-3)(x-4)$의 값을 구하여라.

**132** $2x^2-7x-10=0$일 때,
$(2x-1)(2x-3)(x-2)(x-3)$의 값을 구하여라.

**133** $a-b=2$, $ab=3$일 때, 다음 등식을 만족시키는 상수 $k$의 값을 구하여라.

$$(a^2+b^2)(a^4+b^4)=k$$

**134** $a^2-a-1=0$일 때, 다음 등식을 만족시키는 상수 $k$의 값을 구하여라.

$$a^2+\frac{1}{a^2}=k\left(a^4+\frac{1}{a^4}\right)$$

**135** $x=\sqrt{3}+2$일 때, $\dfrac{[x]}{x-[x]}+\dfrac{3x+[x]}{[x]}$의 값을 구하여라. (단, $[x]$는 $x$보다 크지 않은 최대의 정수이다.)

**136** $x=\sqrt{5}+1$일 때, $\dfrac{x-[x]+1}{x}+\dfrac{x[x]}{x-2}$의 값을 구하여라. (단, $[x]$는 $x$보다 크지 않은 최대의 정수이다.)

**137** $x=\dfrac{\sqrt{5}+\sqrt{3}}{\sqrt{5}-\sqrt{3}}$, $y=\dfrac{\sqrt{5}-\sqrt{3}}{\sqrt{5}+\sqrt{3}}$일 때, $x^2+xy+y^2$ **+1**
의 값을 구하여라.

먼저, $x$의 분모를 유리화하자. 　30%

그다음, $y$의 분모를 유리화하자. 　30%

그래서, $x^2+xy+y^2$의 값을 구하자. 　40%

**138** $x=\dfrac{\sqrt{5}+2}{\sqrt{5}-2}$, $y=\dfrac{\sqrt{5}-2}{\sqrt{5}+2}$일 때, $x^2-xy+y^2$을
구하여라.

먼저,

그다음,

그래서,

**139** $(a^2-a+2)(a^2+a+2)(a^4-3a^2+4)$을 전개하 **+1**
여라.

먼저, $a^2+2=A$로 두고 주어진 식을 간단히 하자. 　40%

그다음, $a^4+4=B$로 두고 주어진 식을 간단히 하자. 　40%

그래서, $B=a^4+4$를 다시 대입하여 정리하자. 　20%

**140** $(x^2-xy+y^2)(x^2+xy+y^2)(x^4-x^2y^2+y^4)$을
전개하여라.

먼저,

그다음,

그래서,

**141** 다음과 같이 주어진 세 식이 있다.

$$
\begin{aligned}
A &= (-2a+3b)^2-(a-b)^2 \\
B &= (a+3b)(a-3b) \\
C &= (4a+3b)(-pa+qb)
\end{aligned}
$$

$A+B+\dfrac{35}{3}ab=C$가 성립할 때, 상수 $p$, $q$에 대하여 $p+q$의 값을 구하여라.

**142** $(a+\sqrt{2})(3\sqrt{2}-4)$가 유리수가 되게 하는 유리수 $a$의 값을 구하여라.

**143** $\dfrac{3+\sqrt{6}}{\sqrt{6}-3}-\dfrac{2\sqrt{2}-\sqrt{3}}{\sqrt{2}+\sqrt{3}}=a+b\sqrt{6}$일 때, 유리수 $a$, $b$에 대하여 $ab$의 값을 구하여라.

**144** $x=\sqrt{(2\sqrt{2}+3)^2}$, $y=\sqrt{(2\sqrt{2}-3)^2}$이라 할 때, $x^2-xy+y^2$의 값을 구하여라.

**145** 길이가 12 cm인 끈을 잘라서 두 개의 정삼각형을 만들려고 한다. 두 정삼각형의 넓이의 비가 2 : 1이 되게 하려고 할 때, 큰 정삼각형의 한 변의 길이를 구하여라.

**146** 연산 $\odot$에 대하여 $a\odot b=(a-b)^2$으로 정의할 때, $3x\odot(-y)+xy\odot3$을 전개하여라.

**147** $(x+a)(x+b)=x^2+(a+b)x+10$이 성립한다. $a$, $b$가 정수일 때, $a+b$가 가질 수 있는 가장 큰 값을 구하여라.

**148** 어떤 수와 그 역수의 합이 항상 3일 때, 그 두 수의 차를 $A$라 하자. 다음 중 $A$의 값의 범위로 알맞은 것은?

① $0<A<1$      ② $1<A<2$

③ $2<A<3$      ④ $3<A<4$

⑤ $4<A<5$

**149** 정수 $n$에 대하여 $n-3<\sqrt{x+1}<n+3$을 만족하는 정수 $x$의 개수가 239개일 때, 정수 $n$의 값을 구하여라. (단, $n\geq4$)

**150** $x=\sqrt{2}+1$일 때, $\dfrac{[x]}{x-2[x]}\times\left(\dfrac{2x-[x]}{2x+[x]}\right)^2$의 값을 구하여라. (단, $[x]$는 $x$보다 크지 않은 최대의 정수이다.)

**151** $\sqrt{5}$의 소수 부분을 $a$, $b=\dfrac{1}{a}$이라 할 때, $(a-1)x+3(b+3)y+1=0$을 만족하는 유리수 $x$, $y$의 값을 각각 구하여라.

**152** $\langle x \rangle$를 $x$에 가장 가까운 정수라 할 때, $\left\langle \dfrac{1}{\sqrt{5}-2} \right\rangle + \left\langle \dfrac{1}{\sqrt{5}+2} \right\rangle$의 값을 구하여라.

**153** $(\sqrt{41}+\sqrt{42})^{25}=k$일 때, $(\sqrt{41}-\sqrt{42})^{25}$의 값을 $k$를 사용하여 나타내어라.

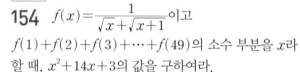

**154** $f(x)=\dfrac{1}{\sqrt{x}+\sqrt{x+1}}$이고 $f(1)+f(2)+f(3)+\cdots+f(49)$의 소수 부분을 $x$라 할 때, $x^2+14x+3$의 값을 구하여라.

**155** 그림과 같이 $\overline{AB}=4$ cm, $\overline{AD}=6$ cm인 직사각형 ABCD를 대각선 AC를 접는 선으로 하여 접었다. 점 D′에서 $\overline{EC}$에 내린 수선의 발을 H라 할 때, $\overline{D'H}$의 길이를 구하여라.

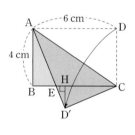

# 연세대학교 공연의 메카 노천극장

노천극장은 말 그대로 연세대학교에서 이루어지는 큰 공연들이 열리는 장소야. 특히 연세인들의 축제, 아카라카가 이곳에서 열리는데 약 1만 명 정도를 수용할 수 있는 큰 공간이라 공연을 크게 잘 볼 수 있어! 노천극장의 돌계단 하나하나를 이루는 돌은 모두 우리 연세대학교를 졸업하고 후원해 주신 동문들의 이름이 적혀 있는데, 그 중에 JYP엔터테이먼트의 박진영 선배님도 있어. 신입생 오리엔테이션 때 선배들이 신입생 환영 게임의 일종으로 그 많은 돌들 중에서 박진영 선배님의 이름을 찾는 게임을 했던 기억이 있는데, 노천극장이 산 쪽에 있는 건물이다 보니까 맨 뒷자리에 올라가면 그 높이가 아찔해서 도저히 끝까지 못 올라가고 벌벌 떨었던 기억이 있어. 노천극장이 연세대를 대표하는 공연 장소인 만큼 저곳에서 공연하는 것을 꿈꾸는 동아리들도 많아!

연세대학교 심볼마크

글 · 사진 : **방은비**(연세대 노어노문학과)

# 개념 다지기  D 인수분해

## 1 인수와 인수분해의 뜻

**(1) 인수**

하나의 다항식을 두 개 이상의 단항식 또는 다항식의 곱으로 나타낼 때의 각각의 식을 처음 다항식의 인수라 한다.

**(2) 인수분해**

하나의 다항식을 두 개 이상의 인수들의 곱으로 나타내는 것을 그 다항식을 인수분해한다고 한다. 인수분해는 전개의 반대 과정이다.

$$x^2+3x+2 \underset{\text{전개}}{\overset{\text{인수분해}}{\rightleftarrows}} \underbrace{(x+1)}_{\text{인수}} \underbrace{(x+2)}_{\text{인수}}$$

## 2 공통인수를 이용한 인수분해

**(1) 공통인수**

다항식의 각 항에 공통으로 곱해져 있는 인수

**(2) 공통인수를 이용한 인수분해**

다항식의 각 항의 공통인수를 찾아서 분배법칙을 이용하여 공통인수로 묶어 내어 인수분해한다.

$$\underbrace{ma+mb=m(a+b)}_{\text{공통인수}}$$

## 3 인수분해 공식

**(1) 완전제곱식을 이용한 인수분해**

$$a^2+2ab+b^2=(a+b)^2 \qquad a^2-2ab+b^2=(a-b)^2$$

**(2) 합과 차의 곱을 이용한 인수분해**

$$a^2-b^2=\underbrace{(a+b)}_{\text{두 수의 합}}\underbrace{(a-b)}_{\text{두 수의 차}}$$

**(3) $x^2$의 계수가 1인 이차식의 인수분해**

곱했을 때 상수항이 되고, 더했을 때 $x$의 계수가 되는 두 수를 찾아 두 일차식의 곱으로 나타낸다.

$$x^2+\overbrace{(a+b)}^{}x+\overbrace{ab}^{\text{두 수의 곱}}=(x+a)(x+b)$$
$$\underbrace{\phantom{x^2+(a+b)x+ab=(x+a)(x+b)}}_{\text{두 수의 합}}$$

**(4) $x^2$의 계수가 1이 아닌 이차식의 인수분해**

(ⅰ) 곱해서 $x^2$의 계수가 되는 두 수와 곱해서 상수항이 되는 두 수를 각각 찾아 세로로 내려 적는다.

(ⅱ) 서로 대각선으로 곱하여 합한 것이 $x$의 계수가 되는 것을 찾는다.

(ⅲ) 이 과정을 순서대로 적어 $(ax+b)(cx+d)$의 꼴로 나타낸다.

$$acx^2+(ad+bc)x+bd=(ax+b)(cx+d)$$

$$\begin{array}{ccc} \boxed{ax} & \searrow & \boxed{b} \longrightarrow & bcx \\ \boxed{cx} & \nearrow & \boxed{d} \longrightarrow & \underline{adx} \; (+ \\ & & & (ad+bc)x \end{array}$$

$\underbrace{\phantom{(ad+bc)x}}_{x\text{의 계수}}$

---

- 다항식의 인수는 자연수에서의 약수와 같은 개념이다.

- $ma+mb=m(a+b)$
  ⇨ 인수 : 1, $m$, $a+b$, $m(a+b)$

- $x^2+3x+2=(x+1)(x+2)$
  ⇨ 인수 : 1, $(x+1)$, $(x+2)$,
     $(x+1)(x+2)$

- 다항식을 인수분해할 때는 공통인수를 모두 묶어 내야 한다.
  예 $x^2y-8xy=x(xy-8y)$ (×)
     $x^2y-8xy=xy(x-8)$ (○)

- 완전제곱식 : 다항식의 제곱으로 된 식 또는 이 식에 상수를 곱한 식

- 완전제곱식이 될 조건
  ① $x^2+ax+b$가 완전제곱식이 되기 위한 $b$의 조건 : $b=\left(\dfrac{a}{2}\right)^2$
  ② $x^2+ax+b(b>0)$가 완전제곱식이 되기 위한 $a$의 조건 : $a=\pm 2\sqrt{b}$

- 수의 범위에 대한 특별한 조건이 없는 경우의 인수분해는 유리수의 범위에서 더 이상 인수분해할 수 없을 때까지 계속한다.

- $x^2+x-6$을 인수분해하는 방법

| 곱이 −6인 두 수 | 합 |
|:---:|:---:|
| 1, −6 | −5 |
| 2, −3 | −1 |
| 3, −2 | 1 |
| 6, −1 | 5 |

$\therefore x^2+x-6=(x+3)(x-2)$

---

## ① 인수와 인수분해의 뜻

[001~002] 등식 $x^2+5x+4=(x+1)(x+4)$에 대하여 다음 ☐ 안에 알맞은 것을 써넣어라.

**001** $x+1$과 $x+4$는 $x^2+5x+4$의 ☐ 이다.

**002** $x^2+5x+4$를 $(x+1)(x+4)$로 나타내는 것과 같이 하나의 다항식을 두 개 이상의 ☐ 들의 곱으로 나타내는 것을 그 다항식을 ☐ 한다고 한다.

[003~006] 다음 식은 어떤 다항식을 인수분해한 것인지 〈보기〉에서 골라라.

─────── 보기 ───────
ㄱ. $x^2-9$　　　　　 ㄴ. $x^2+2x+1$
ㄷ. $2x^2-xy-y^2$　　 ㄹ. $x^2+3x-10$
─────────────────

**003** $(x+1)^2$ 　　 ( 　　 )

**004** $(x+3)(x-3)$ 　 ( 　　 )

**005** $(x+5)(x-2)$ 　 ( 　　 )

**006** $(2x+y)(x-y)$ 　 ( 　　 )

## ② 공통인수를 이용한 인수분해

[007~010] 다음 각 단항식의 1이 아닌 공통인수를 구하여라.

**007** $2ax,\ bx$

**008** $x^2y,\ xy^2$

**009** $2a^2,\ 4a$

**010** $3m^2n,\ 6m^3,\ 9m^2n^2$

[011~014] 다음 식을 인수분해하여라.

**011** $6ab^2-8b^2$

**012** $-3xy^2+9x^2y^3$

**013** $x^3-x^2y+x^2z$

**014** $-4a^3b^2+12a^2b-2a^2b^2$

## ③ 인수분해 공식

[015~018] 다음 식을 인수분해하여라.

**015** $a^2+4a+4$

**016** $x^2-14x+49$

**017** $9a^2-6a+1$

**018** $x^2-16xy+64y^2$

[019~022] 다음 식이 완전제곱식이 되도록 ☐ 안에 알맞은 양수를 써넣어라.

**019** $x^2+8x+$☐

**020** $x^2+12xy+$☐$y^2$

**021** $x^2+$☐$x+81$

**022** $a^2+$☐$ab+9b^2$

[023~026] 다음 식을 인수분해하여라.

**023** $a^2-64$

**024** $4x^2-49y^2$

**025** $36a^2-b^2$

**026** $-x^2+25$

[027~028] 다음 ☐ 안에 알맞은 양수를 써넣어라.

**027** $x^2+8x+15=(x+$☐$)(x+$☐$)$

**028** $a^2+2a-24=(a-$☐$)(a+$☐$)$

[029~030] 다음 식을 인수분해하여라.

**029** $x^2-3xy-10y^2$

**030** $a^2+ab-12b^2$

[031~032] 다음은 주어진 다항식을 인수분해하는 과정이다. ☐ 안에 알맞은 것을 써넣어라.

**031** $4x^2+8x+3=($☐$x+3)($☐$x+$☐$)$

☐$x$ ⤬ $3$ → ☐

☐$x$ ⤬ ☐ → $\dfrac{2x}{8x}$ (+

**032** $2x^2-7xy+6y^2=($☐$-3y)(x-$☐$)$

☐$x$ ⤬ $-3y$ → ☐

$x$ ⤬ $-2y$ → $\dfrac{}{-7xy}$ (+

[033~036] 다음 식을 인수분해하여라.

**033** $2a^2+5a+2$

**034** $12x^2-5x-2$

**035** $2a^2+ab-6b^2$

**036** $4x^2-10xy+6y^2$

## D1 공통인수를 이용한 인수분해 [기초]

**037** 다음 중 $3x^2y-6x^2$의 인수가 <u>아닌</u> 것은?

① $x$   ② $x^2$   ③ $xy$

④ $y-2$   ⑤ $x(y-2)$

* 접근법

공통인수를 찾아 분배법칙을 이용하여 공통인수로 묶어 준다.

⇨ $ma+mb=m(a+b)$

**038** 다음 〈보기〉에서 $x^3-x^2$의 인수인 것을 모두 골라라.

─ 보기 ─

ㄱ. $x$   ㄴ. $x^2$   ㄷ. $x^3$

ㄹ. $x-1$   ㅁ. $x^2-1$   ㅂ. $x(x-1)$

**039** $(x-1)(x-2)+(x+3)(x-1)$을 인수분해한 것은?

① $x(x-1)$   ② $(x-1)(x+2)$

③ $(x-1)(2x-3)$   ④ $(x+1)(2x-1)$

⑤ $(x-1)(2x+1)$

**040** 다음 중 $ab(x-y)+b(y-x)$의 인수가 <u>아닌</u> 것을 모두 고르면? (정답 2개)

① $a$   ② $b$   ③ $a-1$

④ $x+y$   ⑤ $x-y$

★
**041** $a(x-5)-b(10-2x)-c(5-x)$를 인수분해하여라.

## D2 완전제곱식을 이용한 인수분해 [기초]

**042** $9x^2+24x+16$이 $(ax+b)^2$으로 인수분해될 때, 양수 $a$, $b$에 대하여 $a+b$의 값은?

① 4   ② 5   ③ 6

④ 7   ⑤ 8

* 개념 찾기

(1) $a^2+2ab+b^2=(a+b)^2$

(2) $a^2-2ab+b^2=(a-b)^2$

**043** 다음 중 $x^2+12x+36$의 인수인 것은?

① $x-6$   ② $x-3$   ③ $x+1$

④ $x+3$   ⑤ $x+6$

**044** $\dfrac{25}{9}a^2-15ab+\dfrac{81}{4}b^2$을 인수분해하여라.

**045** 다음 〈보기〉의 다항식 중 완전제곱식으로 인수분해할 수 있는 것을 모두 골라라.

─ 보기 ─

ㄱ. $x^2-4x+4$   ㄴ. $x^2+x$

ㄷ. $25x^2+10x+1$   ㄹ. $2x^2-12x+36$

**046** 다음 중 인수분해한 것이 옳지 <u>않은</u> 것은?

① $x^2-20xy+100y^2=(x-10y)^2$

② $2x^2-16x+32=2(x-4)^2$

③ $25x^2+60xy+36y^2=(5x-6y)^2$

④ $x^2-2+\dfrac{1}{x^2}=\left(x-\dfrac{1}{x}\right)^2$

⑤ $x^2-\dfrac{1}{2}x+\dfrac{1}{16}=\left(x-\dfrac{1}{4}\right)^2$

## D3 완전제곱식 만들기 이해

**047** $(x+4)(x-6)+k$가 완전제곱식이 되도록 하는 상수 $k$의 값은?

① 8    ② 12    ③ 16

④ 20    ⑤ 25

\* **Check Key**

(1) $x^2+ax+b$가 완전제곱식일 때 $\Rightarrow b=\left(\dfrac{a}{2}\right)^2$

(2) $x^2+ax+b\,(b>0)$가 완전제곱식일 때 $\Rightarrow a=\pm2\sqrt{b}$

**048** $(x-a+2)(x+5-2a)$가 완전제곱식이 될 때, 상수 $a$의 값은?

① 1    ② 3    ③ 5

④ 7    ⑤ 9

**049** $4x^2+12x+a=(bx+c)^2$일 때, 상수 $a$, $b$, $c$에 대하여 $a+b+c$의 값을 구하여라. (단, $b>0$)

**050** $4x^2+(3k-3)xy+9y^2$이 완전제곱식이 되기 위한 모든 상수 $k$의 값의 합은?

① $-2$    ② $-1$    ③ 1

④ 2    ⑤ 3

**051** $ax^2+24x+4=(bx+2)^2$일 때, 상수 $a$, $b$에 대하여 $a-b$의 값을 구하여라.

## D4 근호 안이 완전제곱식으로 인수분해되는 식 응용

**052** $2<x<3$일 때, $\sqrt{x^2-6x+9}-\sqrt{x^2-4x+4}$를 간단히 한 것은?

① $2x+5$    ② $2x+1$    ③ $2x-1$

④ $-2x+5$    ⑤ $-2x-5$

\* **접근법**

근호 안의 식을 인수분해한 후 부호에 주의하여 근호를 없앤다.

$$\sqrt{a^2}=\begin{cases} a & (a\geq0) \\ -a & (a<0) \end{cases}$$

**053** $0<x<5$일 때, $\sqrt{x^2}+\sqrt{x^2-10x+25}$를 간단히 한 것은?

① $-5$    ② 5    ③ $-5x$

④ $2x$    ⑤ $5x$

**054** $y<x<0$일 때, $\sqrt{x^2-2xy+y^2}+\sqrt{x^2+2xy+y^2}$을 간단히 한 것은?

① $-2x$    ② $-2y$    ③ $2x$

④ $2y$    ⑤ $2x+2y$

**055** $0<6x<1$일 때, $\sqrt{x^2+\dfrac{1}{3}x+\dfrac{1}{36}}-\sqrt{x^2-\dfrac{1}{3}x+\dfrac{1}{36}}$을 간단히 하여라.

**056** $1<a<3$에 대하여 $\sqrt{x}=a-1$일 때, $\sqrt{x+6a+3}+\sqrt{x-4a+8}$의 값을 구하여라.

10<sub>DAY</sub>

## D5 $a^2 - b^2$ 꼴의 인수분해

기초

**057** $4x^2 - 81 = (ax+b)(ax-b)$를 만족하는 두 자연수 $a$, $b$에 대하여 $a+b$의 값은?

① 3      ② 5      ③ 7

④ 9      ⑤ 11

\* 개념 찾기 ......................................

$$\underset{\text{제곱의 차}}{a^2 - b^2} = \underset{\text{합}}{(a+b)}\underset{\text{차}}{(a-b)}$$

**058** $3x^2 - 12y^2$을 인수분해한 것은?

① $3(x+4y)(x-y)$

② $3(x+y)(x-2y)$

③ $3(x+2y)(x-2y)$

④ $(3x+12y)(3x-12y)$

⑤ $(x+12y)(3x-y)$

**059** $\dfrac{1}{9}a^2 - \dfrac{1}{4}b^2$을 인수분해하여라.

**060** 다음 중 $ax^2 - 4a$의 인수가 <u>아닌</u> 것은?

① $a$      ② $x-2$      ③ $x+2$

④ $x-4$      ⑤ $x^2-4$

**061** $(2x+1)^2 - (x-2)^2 = (3x+a)(x+b)$일 때, 상수 $a$, $b$에 대하여 $a+2b$의 값은?

① 3      ② 4      ③ 5

④ 6      ⑤ 7

**062** $x^2 - y^2 = 36$, $x+y = 18$일 때, $x$, $y$의 값을 각각 구한 것은?

① $x=6$, $y=12$      ② $x=8$, $y=10$

③ $x=9$, $y=9$      ④ $x=10$, $y=8$

⑤ $x=12$, $y=6$

**063** 다음 중 $x^8 - 1$의 인수가 <u>아닌</u> 것은?

① $x-1$      ② $x+1$      ③ $x^2-1$

④ $x^4-1$      ⑤ $x^6-1$

**064** $a^4 - 256b^4 = (a^2 + \square b^2)(a + \square b)(a - \square b)$일 때, $\square$ 안에 들어갈 세 자연수의 합을 구하여라.

**065** 다음 중 $x^2(y^2-1) - y^2 + 1$의 인수가 <u>아닌</u> 것은?

① $x+1$      ② $x-1$      ③ $y+1$

④ $y-1$      ⑤ $x-y$

**066** $a * b = (a-b)^2$이라 할 때, $(a*1) - (b*1)$을 인수분해하여라.

## D6 $x^2$의 계수가 1인 이차식의 인수분해 기초

**067** $(x+3)(x+2)-2=(x+a)(x+b)$일 때, 상수 $a$, $b$에 대하여 $a^2b$의 값은? (단, $a>b$)

① 4  ② 8  ③ 12
④ 16  ⑤ 20

* 개념 찾기
$x^2+(a+b)x+ab=(x+a)(x+b)$

**068** $x^2-4x-21$은 $x$의 계수가 1인 두 일차식의 곱으로 인수분해된다. 이 두 일차식의 합은?

① $2x-8$  ② $2x-7$  ③ $2x-4$
④ $2x-1$  ⑤ $2x+3$

**069** 다음 식을 인수분해하였을 때, $x+1$을 인수로 갖지 <u>않는</u> 것은?

① $x^2-x-2$  ② $x^2-2x-3$
③ $x^2-4$  ④ $x^2+4x+3$
⑤ $x^2+2x+1$

**070** $x^2+Ax-8=(x+B)(x+4)$일 때, 상수 $A$, $B$에 대하여 $B-A$의 값은?

① $-6$  ② $-4$  ③ $-2$
④ 0  ⑤ 2

**071** ★ $x^2+Ax-14=(x+a)(x+b)$일 때, 다음 중 $A$의 값이 될 수 있는 것은? (단, $a$, $b$는 정수이다.)

① 3  ② 5  ③ 7
④ 9  ⑤ 11

## D7 $x^2$의 계수가 1이 아닌 이차식의 인수분해 기초

**072** $(x-2)(5x-1)+4$를 인수분해하면 $x$의 계수가 자연수인 두 일차식의 곱으로 인수분해된다. 이때, 이 두 일차식의 합은?

① $5x-8$  ② $5x+8$  ③ $6x-7$
④ $6x-2$  ⑤ $6x+7$

* 개념 찾기
$acx^2+(ad+bc)x+bd=(ax+b)(cx+d)$

**073** $2x^2-3x-9=(ax+b)(cx+d)$일 때, 정수 $a$, $b$, $c$, $d$에 대하여 $a+b+c+d$의 값은?
(단, $a>0$, $c>0$)

① $-3$  ② $-1$  ③ 0
④ 1  ⑤ 3

**074** 다음 중 $4x^2-22x+24$의 인수가 <u>아닌</u> 것은?

① 2  ② $x-3$  ③ $x-4$
④ $2x-3$  ⑤ $2x-8$

**075** $5x^2-8xy-4y^2=(5x+my)(x+ny)$일 때, 상수 $m$, $n$에 대하여 $m+n$의 값을 구하여라.

**076** $x$에 대한 이차식 $2x^2+ax+b$를 인수분해하면 $(2x-1)(x-2)$가 된다. 이때, 상수 $a$, $b$에 대하여 $a+b$의 값은?

① $-7$  ② $-3$  ③ 0
④ 3  ⑤ 7

**077** 다음 중 $x-3$을 인수로 갖지 <u>않는</u> 것은?

① $2x^2-7x+3$       ② $2x^2-x-15$

③ $4x^2-11x-3$      ④ $3x^2+8x-3$

⑤ $2x^2-13x+21$

**078** $\dfrac{3}{4}x^2+\dfrac{1}{2}x-2$를 인수분해하여라.

**079** $7x^2-(3a-1)x-12$를 인수분해하면 $(x+b)(7x+6)$이 된다. 이때, 상수 $a$, $b$에 대하여 $ab$의 값은?

① $-6$        ② $-3$        ③ $1$

④ $3$         ⑤ $6$

**080** $(x-2)(x+9)+(x-4)^2+4x-18$을 인수분해하면?

① $(x+4)(2x-5)$       ② $(x+5)(2x-5)$

③ $(x+6)(2x-3)$       ④ $(x-4)(2x+3)$

⑤ $(x-6)(2x+5)$

**081** 다음 중 $2x^2+(3a+1)x+a^2-1$의 인수인 것은?

① $x-a-1$        ② $x-a+1$

③ $2x+a-1$       ④ $2x-a+1$

⑤ $2x+a+1$

---

**D8 인수분해 공식 종합**    이해

**082** 다음 중 인수분해한 것이 옳지 <u>않은</u> 것을 모두 고르면? (정답 2개)

① $x^2+18x+81=(x+9)^2$

② $\dfrac{1}{2}x^2-\dfrac{2}{9}y^2=\dfrac{1}{2}\left(x+\dfrac{1}{3}y\right)\left(x-\dfrac{1}{3}y\right)$

③ $x^2+5x-14=(x+7)(x-2)$

④ $6x^2-11x-2=(2x-1)(3x+2)$

⑤ $9x^3-15x^2y+6xy^2=3x(x-y)(3x-2y)$

✳ **Check Key**

(1) $a^2\pm2ab+b^2=(a\pm b)^2$

(2) $a^2-b^2=(a+b)(a-b)$

(3) $x^2+(a+b)x+ab=(x+a)(x+b)$

(4) $acx^2+(ad+bc)x+bd=(ax+b)(cx+d)$

**083** 다음 ☐ 안에 들어갈 수가 나머지 넷과 <u>다른</u> 하나는?

① $4x^2+\boxed{\phantom{x}}x+1=(2x+1)^2$

② $x^2+x-20=(x+5)(x-\boxed{\phantom{x}})$

③ $9x^2-16=(3x+\boxed{\phantom{x}})(3x-4)$

④ $10x^2+13x+\boxed{\phantom{x}}=(2x+1)(5x+4)$

⑤ $12x^2-x-6=(\boxed{\phantom{x}}x+2)(4x-3)$

**084** 다음 등식을 만족하는 자연수 $a$, $b$, $c$, $d$에 대하여 $a+b+c+d$의 값을 구하여라.

$$x^2-6x+9=(x-a)^2$$
$$x^2-4=(x+b)(x-2)$$
$$x^2+2x-15=(x-3)(x+c)$$
$$2x^2+x-3=(x-d)(2x+3)$$

## D9 공통인 인수 구하기 　이해

**085** 두 다항식 $2x^2-5x+3$과 $4x^2+4x-15$의 공통인 인수는?

① $x-3$ 　　② $x+3$ 　　③ $2x-1$

④ $2x+1$ 　　⑤ $2x-3$

＊ 접근법 ⋯⋯⋯⋯⋯⋯⋯⋯⋯⋯⋯⋯⋯⋯⋯⋯⋯⋯⋯⋯⋯⋯
각 다항식을 인수분해하여 공통으로 들어 있는 인수를 찾는다.

**086** 두 다항식 $-2a^2b+18b$, $3a^2-7a-6$의 공통인 인수는?

① $a-3$ 　　② $a-1$ 　　③ $a$

④ $a+1$ 　　⑤ $a+3$

**087** 다음 〈보기〉에서 $x+1$을 인수로 갖는 것을 모두 고른 것은?

──────── 보기 ────────
ㄱ. $x^3-x$ 　　　　ㄴ. $x^2-2x+1$
ㄷ. $x^2+3x-4$ 　　ㄹ. $-5x^2-5x$
ㅁ. $4x^2+7x-2$ 　　ㅂ. $-3x^2+2x+5$

① ㄱ, ㄷ 　　② ㄴ, ㅂ 　　③ ㄱ, ㄹ, ㅂ

④ ㄴ, ㄷ, ㅁ 　　⑤ ㄷ, ㄹ, ㅁ

**088**★ 다음 세 다항식의 1이 아닌 공통인 인수를 구하여라.

$x^3y-x^2y-2xy$
$(x+3)^2-6(x+4)+11$
$(2x-1)x^2-4(2x-1)x+8x-4$

## D10 인수가 주어진 이차식의 미지수 구하기 　이해

**089** $10x^2+mx-6$이 $5x+2$를 인수로 가질 때, 상수 $m$의 값은?

① $-11$ 　　② $-5$ 　　③ $-1$

④ $5$ 　　⑤ $11$

＊ 접근법 ⋯⋯⋯⋯⋯⋯⋯⋯⋯⋯⋯⋯⋯⋯⋯⋯⋯⋯⋯⋯⋯⋯
$px+q$가 이차식 $ax^2+bx+c$의 인수이면
⇨ $ax^2+bx+c=\underset{\text{주어진 인수}}{(px+q)}\underset{\text{나머지 인수}}{(rx+s)}$

**090** 이차식 $x^2-ax-30$이 $x+6$으로 나누어떨어질 때, 상수 $a$의 값을 구하여라.

**091**★ $x+a$가 세 이차식 $2x^2-8$, $x^2-x-2$, $3x^2+bx-4$의 공통인 인수일 때, 상수 $a$, $b$에 대하여 $a+b$의 값은?

① $-10$ 　　② $-8$ 　　③ $-6$

④ $-4$ 　　⑤ $-2$

**092**★ $x^2+11x+k$가 $(x+a)(x+b)$로 인수분해될 때, 상수 $k$의 최댓값은? (단, $a$, $b$는 자연수이다.)

① $10$ 　　② $18$ 　　③ $24$

④ $30$ 　　⑤ $33$

## D11 계수 또는 상수항을 잘못 보고 푼 경우 　이해

**093** $x^2$의 계수가 1인 어떤 이차식을 미현이는 일차항의 계수를 잘못 보고 $(x+2)(x+3)$으로 인수분해하였고, 종국이는 상수항을 잘못 보고 $(x-1)(x-4)$로 인수분해하였다. 이 이차식을 바르게 인수분해하여라.

> **\* 접근법**
> 잘못 본 수를 제외한 나머지 값은 제대로 본 것이므로
> ① 상수항을 잘못 본 식: $x^2+\boxed{a}x+b$
> ② 일차항의 계수를 잘못 본 식: $x^2+cx+\boxed{d}$
> ①, ②에서 올바른 이차식은 $x^2+ax+d$

**094** $x^2$의 계수가 1인 어떤 이차식을 동찬이는 일차항의 부호를 반대로 보고 $(x+3)(x-2)$로 인수분해하였다. 이 이차식을 바르게 인수분해한 것은?

① $(x-2)(x-3)$　　② $(x+2)(x-3)$
③ $(x+2)(x+3)$　　④ $(x-1)(x+6)$
⑤ $(x+1)(x-6)$

**095** 이차식 $x^2+ax+b$를 인수분해하는데 성수는 일차항의 계수를 잘못 보고 $(x-2)(x+14)$로 인수분해하였고, 기정이는 상수항을 잘못 보고 $(x-3)(x-9)$로 인수분해하였다. 이때, 상수 $a$, $b$에 대하여 $a-b$의 값을 구하여라.

**096**★ 이차식 $ax^2+bx+c$를 태연, 수영, 유나 세 사람이 각각 이차항, 일차항, 상수항만을 정확히 보고서 인수분해를 한 결과가 다음과 같았다. 이 이차식을 바르게 인수분해하면 $(x+p)(qx+r)$라 할 때, $p+q+r$의 값을 구하여라. (단, $a$, $b$, $c$, $p$, $q$, $r$는 상수이다.)

> 태연 : $(2x-1)(x+2)$
> 수영 : $(3x-2)(x-1)$
> 유나 : $(x-1)(x+3)$

## D12 인수분해 공식과 도형 I 　응용

**097** 그림에 주어진 모든 건물들의 넓이의 합과 같은 넓이를 가지는 직사각형의 가로의 길이와 세로의 길이의 합은? (단, 모든 건물은 직사각형 모양이다.)

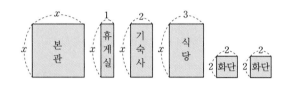

① $2x+4$　　② $2x+5$　　③ $2x+6$
④ $2x+7$　　⑤ $2x+8$

> **\* 접근법**
> (직사각형의 넓이)＝(가로의 길이)×(세로의 길이)

**098** 그림은 넓이가 각각 $a^2$, 9인 정사각형 2개와 넓이가 $3a$인 직사각형 2개를 이어 붙여서 정사각형 ABCD를 만든 것이다. 이때, 정사각형 ABCD의 둘레의 길이를 구하여라.

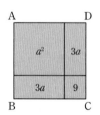

**099** 그림과 같은 모든 직사각형의 넓이의 합을 나타내는 다항식을 $A$라 할 때, $A$를 인수분해하여라.

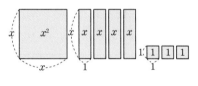

**100** 그림에 주어진 직사각형을 모두 사용하여 하나의 큰 직사각형을 만들 때, 큰 직사각형의 둘레의 길이는?

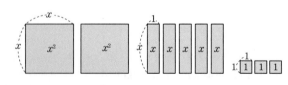

① $3x+4$　　② $3x+6$　　③ $3x+8$
④ $6x+6$　　⑤ $6x+8$

**D13 인수분해 공식과 도형 Ⅱ** 응용

**101** 넓이가 $6a^2+19ab+10b^2$인 직사각형의 가로의 길이가 $2a+5b$일 때, 세로의 길이를 구하여라.

* **접근법**
  넓이가 $10x^2+17x+3=(2x+3)(5x+1)$인 직사각형의 가로의 길이가 $5x+1$이면 세로의 길이는 $2x+3$이다.

**102** 그림은 넓이가 $(12x^2-7x-10)\ \text{m}^2$인 직사각형 모양의 가정집의 평면도를 나타낸 것이다. 세로의 길이가 $(3x+2)\ \text{m}$일 때, 가로의 길이를 구하여라.

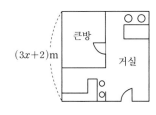

**103** 넓이가 $5x^2-13x+8$인 직사각형의 가로의 길이가 $x-1$일 때, 이 직사각형의 가로의 길이와 세로의 길이의 합은?

① $6x+6$    ② $6x+3$    ③ $6x-3$
④ $6x-6$    ⑤ $6x-9$

**104** 그림과 같은 사다리꼴의 넓이가 $2a^2+5a-3$일 때, 이 사다리꼴의 높이를 구하여라.

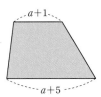

**105** 진우는 그림과 같이 한 변의 길이가 각각 $a$ cm, $b$ cm인 정사각형 모양의 색종이를 이용하여 크기가 다른 종이학을 만들려고 한다. 두 색종이의 둘레의 길이의 합이 100 cm이고, 넓이의 차가 150 cm²일 때, 두 색종이의 둘레의 길이의 차를 구하여라. (단, $a>b$)

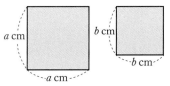

**D14 인수분해 공식과 도형 Ⅲ** 응용

**106** 그림과 같이 반지름의 길이가 5인 원에서 반지름의 길이를 $x$만큼 늘일 때, 색칠한 부분의 넓이를 $x$에 대한 식으로 나타낸 후, 그 식을 인수분해하여라.

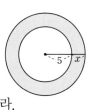

* **Check Key**
  (1) (원의 넓이)$=\pi\times$(반지름의 길이)$^2$
  (2) (원의 둘레의 길이)$=2\pi\times$(반지름의 길이)

**107** 영란이네 가족은 한 변의 길이가 $x$ m인 정사각형 모양의 텃밭을 가지고 있다. 이 텃밭의 가로의 길이는 $a$ m만큼 늘이고, 세로의 길이는 $b$ m만큼 줄여서 직사각형 모양으로 만들었더니 그 넓이가 $(3x-10)\ \text{m}^2$만큼 늘었을 때, $a+b$의 값은? (단, $a$, $b$는 자연수이다.)

① 7          ② 8          ③ 9
④ 10         ⑤ 11

**108** 그림과 같은 정사각형에서 색칠한 부분의 넓이를 $x$, $y$를 사용하여 나타낸 다항식을 $A$라 할 때, 다음 중 $A$의 인수인 것은?

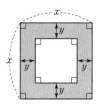

① $x$          ② $xy$
③ $y^2$         ④ $x+y$
⑤ $x-y$

**109** 그림에서 두 도형 (가), (나)의 넓이가 같을 때, 도형 (나)의 둘레의 길이를 구하여라.

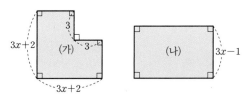

**110** $10x^2+ax-7$이 $x$의 계수가 정수인 두 일차식의 곱으로 인수분해될 때, 정수 $a$의 개수는?

① 4개  ② 6개  ③ 8개
④ 10개  ⑤ 12개

**111** $x^2-2x-a$가 $x$의 계수가 정수인 두 일차식의 곱으로 인수분해되도록 하는 자연수 $a$의 개수는?

(단, $1<a<50$)

① 4개  ② 5개  ③ 6개
④ 7개  ⑤ 8개

**112** 다음 중 완전제곱식이 아닌 것은?

① $1+2y+y^2$  ② $x^2-12xy+36y^2$
③ $4x^2-x+4$  ④ $16x^2-8xy+y^2$
⑤ $x^2-8x+16$

**113** 다음 중 완전제곱식이 아닌 것은?

① $\frac{1}{4}x^2+x+1$  ② $a^2+4a+4$
③ $3x^2-12xy+12y^2$  ④ $9a^2+30ab+16b^2$
⑤ $9x^2-12xy+4y^2$

**114** $25x^2+(k-1)x+9$가 완전제곱식이 되기 위한 상수 $k$의 값은? (단, $k<0$)

① $-31$  ② $-30$  ③ $-29$
④ $-28$  ⑤ $-27$

**115** $3x^2-10x+A$가 완전제곱식이 되도록 하는 상수 $A$의 값은?

① $\frac{9}{8}$  ② $\frac{16}{9}$  ③ $\frac{25}{9}$
④ $\frac{16}{3}$  ⑤ $\frac{25}{3}$

**116** $2 < x < 3$일 때, $\sqrt{4-4x+x^2}-\sqrt{9-6x+x^2}$을 간단히 하여라.

**117** $2 < x < 3$일 때, $\sqrt{x^2}-\sqrt{x^2-4x+4}+\sqrt{x^2-6x+9}$를 간단히 한 것은?

① $-3x+5$  ② $-x+5$  ③ $x-1$
④ $3x-5$  ⑤ $3x+5$

**118** $x$에 대한 이차식 $x^2+ax+15$가 $(x+b)(x+c)$로 인수분해될 때, 상수 $a$의 최솟값은?
(단, $b$, $c$는 정수이다.)

① $-16$  ② $-8$  ③ $-2$
④ $2$  ⑤ $8$

**119** $x$에 대한 이차식 $x^2+Ax+48$이 $(x+a)(x+b)$로 인수분해될 때, 상수 $A$의 최댓값과 최솟값을 각각 구하여라. (단, $a$, $b$는 양의 정수이다.)

**120** 다음 중 $(x-2)^2-1$과 $2x^2+x-3$의 공통인 인수는?

① $x-3$  ② $x-1$  ③ $x+1$
④ $x+3$  ⑤ $2x+3$

**121** 다음 중 나머지 넷과 1을 제외한 공통인 인수를 갖지 <u>않는</u> 것은?

① $2x^2-13x+21$  ② $2x^2+3x-9$
③ $3x^2-8x-3$  ④ $2x^2-7x+3$
⑤ $3x^2+x-30$

**122** $x-1$이 $2x^2-6x+m$의 인수일 때, 상수 $m$의 값은?

① 1      ② 2      ③ 3
④ 4      ⑤ 5

**123** $5x^2+Ax-6$이 $5x-3$으로 나누어떨어질 때, 상수 $A$의 값을 구하여라.

**124** 다음 중 유리수의 범위에서 인수분해가 되지 않는 것은?

① $x^2-4x-4$      ② $x^2-2x-3$
③ $x^2+x+\dfrac{1}{4}$      ④ $2x^2-5x+2$
⑤ $x^2-x-2$

**125** 다음 중 유리수의 범위에서 인수분해할 수 없는 것은?

① $25x^2-8$      ② $100-\dfrac{1}{64}x^2$
③ $\dfrac{1}{4}x^2+2x+4$      ④ $10x^2-3x-1$
⑤ $x^2+\dfrac{5}{3}x-\dfrac{2}{3}$

**126** $x^2$의 계수가 1인 어떤 이차식을 성혁이는 $x$의 계수를 잘못 보고 $(x+1)(x-8)$로 인수분해하였고, 창형이는 상수항을 잘못 보고 $(x+8)(x-6)$으로 인수분해하였다. 이 이차식을 바르게 인수분해한 것은?

① $(x+2)(x-6)$      ② $(x+6)(x-2)$
③ $(x-2)(x-4)$      ④ $(x+2)(x-4)$
⑤ $(x+4)(x-2)$

**127** 이차식 $x^2+ax+b$를 인수분해하는데 상준이는 $x$의 계수를 잘못 보고 $(x-3)^2$으로 인수분해하였고, 혜수는 상수항을 잘못 보고 $(x+7)(x-1)$로 인수분해하였다. 이때, 주어진 이차식을 바르게 인수분해하면 $(x+c)^2$일 때, 상수 $a$, $b$, $c$에 대하여 $a+b+c$의 값을 구하여라.

**128** 그림과 같은 직사각형 모양의 땅이 있다. 가로
의 길이가 $4x-3$, 넓이가 $8x^2-2x-3$일 때, 이 직사각
형의 둘레의 길이는?

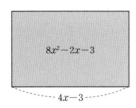

$8x^2-2x-3$

$4x-3$

① $6x-2$    ② $6x+2$    ③ $6x+4$
④ $12x-6$    ⑤ $12x-4$

**129** 밑면의 가로의 길이가 2, 세로의 길이가 $x+2$인
직육면체의 부피가 $10x^2+14x-12$일 때, 이 직육면체
의 겉넓이는?

① $5x^2-15x+8$    ② $5x^2+15x-8$
③ $10x^2-38x-16$    ④ $10x^2+38x+16$
⑤ $10x^2+38x-16$

**130** 세 식 $a$, $b$, $c$에 대하여
$<a, b, c>=(a+b)(b-c)$라 할 때, 다음 식을 인수
분해하여라.

$$<x, 2, -7x>-<3, -2x, 4>$$

**131** 두 수 $a$, $b$에 대하여
$$a◎b=a^2-b^2, \quad a⦿b=a^2b^2-1$$
이라 할 때, $(x^2◎y)+(x^2⦿y)$를 인수분해하여라.

**132** ★★ $3n^2-8n-16$이 소수가 되도록 하는 자연수 $n$
의 값을 구하여라.

**133** 자연수 $n$에 대하여 $6n^2-11n-10$이 소수일 때,
이 소수를 구하여라.

# 서술형 다지기

단계별로 서술하기

단계별로 서술하기

**134** $0 < 4x < 1$일 때,

$$\sqrt{x^2 - \frac{1}{2}x + \frac{1}{16}} - \sqrt{x^2 + \frac{1}{2}x + \frac{1}{16}}$$ 을 간단히 하여라.

**먼저,** 근호 안에 있는 식을 인수분해하자.  `40%`

--------------------------------

**그다음,** 근호를 없애기 위해 부호를 판정하자.  `20%`

--------------------------------

**그래서,** 주어진 식을 간단히 하자.  `40%`

--------------------------------

**135** $2 < a < 3$일 때,

$$\sqrt{a^2} - \sqrt{a^2 - 4a + 4} + \sqrt{a^2 - 6a + 9}$$ 를 간단히 하여라.

**먼저,**

--------------------------------

**그다음,**

--------------------------------

**그래서,**

--------------------------------

**136** 일차항의 계수가 1인 두 일차식의 곱이
$(x-3)(x+6) - 6x$일 때, 이 두 일차식의 합을 구하여라.

**먼저,** $(x-3)(x+6) - 6x$를 전개하자.  `30%`

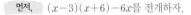

--------------------------------

**그다음,** 전개한 식을 인수분해하자.  `50%`

--------------------------------

**그래서,** 두 일차식의 합을 구하자.  `20%`

--------------------------------

**137** $(2x-5)^2 + (x+3)(x-7) + 12$를 인수분해하면 일차항의 계수가 자연수인 두 일차식의 곱으로 인수분해된다. 이때, 이 두 일차식의 합을 구하여라.

**먼저,**

--------------------------------

**그다음,**

--------------------------------

**그래서,**

--------------------------------

**138** $16x^2+24x+5a=(3bx-c)^2$일 때, 상수 $a$, $b$, $c$에 대하여 $5a-3b+c$의 값을 구하여라. (단, $b>0$)

**141** $a$, $b$, $m$은 자연수이고 $a>b$일 때, 다항식 $x^2+12x+m$은 $(x+a)(x+b)$로 인수분해된다. 이때, 상수 $m$의 최댓값을 구하여라.

**139** $2<a<4$이고, $\sqrt{x}=a-2$일 때, $\sqrt{x+6a-3}+\sqrt{x-4a+12}$를 간단히 하여라.

**142** $x^2$의 계수가 1인 어떤 이차식을 인수분해하는데 성태는 $x$의 계수를 잘못 보아 $(x+1)(x-10)$으로 인수분해하였고, 영주는 상수항을 잘못 보아 $(x+6)(x-3)$으로 인수분해하였다. 주어진 이차식을 바르게 인수분해하면 $(x+a)(x+b)$일 때, 상수 $a$, $b$에 대하여 $a^2+b^2$의 값을 구하여라.

**140** 두 다항식 $x^2+7x+10$과 $x^2+ax-20$이 일차식인 공통인 인수를 갖도록 하는 모든 정수 $a$의 값의 합을 구하여라.

**143** 높이가 $3x$인 원기둥의 부피가 $(12x^3+60x^2y+75xy^2)\pi$일 때, 이 원기둥의 밑면의 지름의 길이를 구하여라. (단, $x>0$, $y>0$)

# 최고난도 만점 문제

**144** 그림과 같은 직사각형들을 모두 사용하여 한 개의 큰 정사각형을 만들려고 할 때, 넓이가 1인 정사각형은 몇 개 더 필요한가?

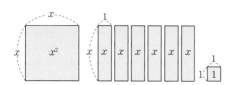

① 5개      ② 6개      ③ 7개
④ 8개      ⑤ 9개

**145** $0 < a < 1$일 때, 다음 식을 간단히 하여라.

$$3\sqrt{(-a)^2} - \sqrt{\left(a+\frac{1}{a}\right)^2 - 4} + \sqrt{\left(a-\frac{1}{a}\right)^2 + 4}$$

**146** 두 식 $x^2+(a+1)x+a$와 $x^2+(a+2)x+a-3$이 $x$의 계수가 1인 같은 일차식으로 나누어떨어질 때, 상수 $a$의 값을 구하여라.

**147** 그림과 같이 한 변의 길이가 $a$, $b$인 정사각형 모양의 두 색종이가 있다. 색칠한 부분의 넓이가 40이고, 색칠한 부분의 둘레의 길이가 $16\sqrt{2}$일 때, $a-b$의 값은?

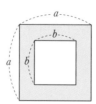

① $2\sqrt{2}$      ② $3\sqrt{2}$      ③ $4\sqrt{2}$
④ $5\sqrt{2}$      ⑤ $6\sqrt{2}$

**148** $x+1$과 $x-3$이 $x^3+Ax^2+Bx-3$의 인수일 때, $6x^2+Bx+A$를 인수분해하여라.
(단, $A$, $B$는 상수이다.)

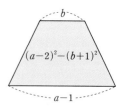

**149** 그림과 같이 윗변의 길이, 아랫변의 길이가 각각 $b$, $a-1$인 사다리꼴의 넓이가 $(a-2)^2-(b+1)^2$일 때, 이 사다리꼴의 높이를 구하여라.

**150** 두 자리 자연수 $a$, $b$에 대하여 $a=\sqrt{b^2+77}$이 성립할 때, $2a-b$의 값은?

① 30      ② 35      ③ 40
④ 45      ⑤ 50

**151** 500개의 이차식 $x^2-4x-1$, $x^2-4x-2$, $x^2-4x-3$, $\cdots$, $x^2-4x-500$ 중 $x$의 계수와 상수항이 모두 정수인 두 일차식의 곱으로 인수분해되는 것은 모두 몇 개인지 구하여라.

# 이공계 캠퍼스의 중심, 하나스퀘어

하나스퀘어는 인문계 캠퍼스의 중앙 광장 같은 역할을 하는 곳이야. 우리는 편하게 줄여서 '하스'라고 불러. 이름처럼 네모난 모양의 유리로 된 건물이고, 계단을 따라서 지하로 내려가면 하스내부가 나오는데, 정말 있을 게 다 있어! 나도 처음 입학하고 나서 정말 놀랐어! 커피숍 두 개랑 편의점, 아이스크림가게, 롯데리아, 분식집, 인쇄소, 유니스토어, 전자제품가게, 하나은행, 강의실, 심지어 꽃가게도 있어! 일단 공부할 수 있는 일반 열람실도 있고, 노트북 열람실도 있어. 그룹 스터디룸도 있는데, 고등학교 때는 혼자 공부했다면 대학에 와서는 이런 시설에서 친구들과 같이

고려대학교 심볼마크

공부하는 것도 좋은 방법인 것 같아. 뭐든지 친구들이랑 같이하면 재밌고 좋은 추억이 되잖아? 그리고 하스 중앙에 그랜드피아노가 있는데 누구든지 와서 피아노를 칠 수 있어. 주변에 테이블이 있어서 피아노 소리를 들으며 간식을 먹거나 친구들이랑 자주 얘기를 하곤 해. 중앙광장 잔디가 있다면 하스에도 잔디가 있어! 이걸 줄여서 또 '하잔'이라고 불러. 학기 초에는 과 선배, 동기들과 하스 잔디에 동그랗게 앉아서 게임을 하고 얘기를 나누곤 해. 축제기간에는 저녁에 커다란 스크린을 띄워놓고 다 같이 영화를 보기도 해.

글 : **정혜원**(고려대 수학과)/사진 : http://photo.naver.com/view/2008021122594927760

## 1 복잡한 식의 인수분해

(1) 공통 부분을 묶어 낸다.

(2) 인수분해 공식을 이용할 수 있도록 적당한 항끼리 짝지어 공통 부분을 묶어 낸다.

## 2 치환을 이용한 인수분해

주어진 식에 공통 부분이 있으면 다른 한 문자로 치환하여 인수분해한 후 원래의 식을 대입하여 정리한다.

(1) 공통 부분을 한 문자로 치환하는 경우

예 $\underset{A^2}{(x+1)^2}+3\underset{A}{(x+1)}+2=A^2+3A+2$ ⟶ $x+1=A$로 치환

$\qquad = (A+1)(A+2)$ ⟶ 인수분해

$\qquad = (x+1+1)(x+1+2)$ ⟶ $A=x+1$ 대입

$\qquad = (x+2)(x+3)$

(2) 이차식 이상의 문자를 다른 문자로 치환하는 경우

예 $\underset{A^2}{x^4}+4\underset{A}{x^2}-5=A^2+4A-5$

$\qquad = (A+5)(A-1)$

$\qquad = (x^2+5)(x^2-1)$

$\qquad = (x^2+5)(x+1)(x-1)$

## 3 항이 4개인 식의 인수분해

(1) (2개 항)+(2개 항)

2개의 항끼리 짝지어 공통 부분을 찾아 묶은 후 인수분해한다.

예 $\underset{둘}{ab+a}+\underset{둘}{b+1}=(ab+a)+(b+1)=a(b+1)+(b+1)$

$\qquad = (a+1)(b+1)$

(2) (3개 항)+(1개 항)

3개의 항을 묶어 완전제곱식으로 만든 후 $a^2-b^2=(a+b)(a-b)$를 이용하여 인수분해한다.

예 $\underset{셋}{x^2+14x+49}-\underset{하나}{y^2}=(x+7)^2-y^2=(x+7+y)(x+7-y)$

$\qquad = (x+y+7)(x-y+7)$

## 4 인수분해 공식의 활용

(1) 복잡한 수를 계산할 때 인수분해 공식을 이용할 수 있도록 수의 모양을 변형하여 계산한다.

예 $18^2+72+4=18^2+2\times18\times2+2^2=(18+2)^2=20^2=400$

$\qquad 53^2-47^2=(53+47)(53-47)=100\times6=600$

(2) 식의 값을 구할 때는 주어진 식을 인수분해한 다음 문자의 값을 대입하여 식의 값을 구한다.

예 $x=\sqrt{5}+3$일 때, $x^2-6x+9$의 값을 구하면

$x^2-6x+9=(x-3)^2=\{(\sqrt{5}+3)-3\}^2=(\sqrt{5})^2=5$

⟵ 인수분해한 후 $x$의 값 대입

---

· 공통 부분을 한 문자로 치환하여 인수분해할 때, 결과의 식에 반드시 치환한 문자 대신에 원래의 식을 대입하여 정리해야 한다.

· 공통 부분이 없어도 다음과 같이 각각의 식을 다른 문자로 치환하여 인수분해할 수 있다.

예 $\underset{A}{(2x+1)^2}-\underset{B}{(x+4)^2}$

$\qquad = A^2-B^2$

$\qquad = (A+B)(A-B)$

$\qquad = \{(2x+1)+(x+4)\}$

$\qquad\qquad \{(2x+1)-(x+4)\}$

$\qquad = (3x+5)(x-3)$

· 내림차순 : 다항식을 어떤 문자에 관하여 차수가 높은 항부터 낮은 항의 순서로 정리하여 나열한 것

· 항이 5개 이상인 경우 또는 문자가 여러 개인 경우는 차수가 가장 낮은 문자에 대하여 내림차순으로 정리한 후 인수분해한다.

예 $x^2-xy+2x-y+1$

$\qquad = -(x+1)y+(x^2+2x+1)$ ⟵ (i)

$\qquad = -(x+1)y+(x+1)^2$ ⟵ (ii)

$\qquad = (x+1)(-y+x+1)$

$\qquad = (x+1)(x-y+1)$

(i) $y$에 대하여 내림차순으로 정리

(ii) 공통 부분을 묶어 인수분해

· 활용에 많이 사용되는 인수분해 공식

① $ma\pm mb=m(a\pm b)$

② $a^2\pm2ab+b^2=(a\pm b)^2$

③ $a^2-b^2=(a+b)(a-b)$

**1 복잡한 식의 인수분해**

[001~004] 다음 식을 공통 부분을 묶어 내어 인수분해하여라.

001 $x(a+3b)+y(a+3b)$

002 $2xy-2x+3(y-1)$

003 $y(x+z)+xz+z^2$

004 $4a^3b-4a^2b+ab$

**2 치환을 이용한 인수분해**

[005~010] 치환을 이용하여 다음 식을 인수분해하여라.

005 $(x-1)^2-(1-x)$

006 $(x+3)^2+2(x+3)+1$

007 $(a+b)^2-4(a+b)+4$

008 $(x-3)^2-9$

009 $(x+1)^2-(x+1)-2$

010 $2(a-b)^2+5(a-b)-3$

**3 항이 4개인 식의 인수분해**

[011~013] 다음 ☐ 안에 공통으로 들어갈 식을 구하여라.

011 $xy+x+y+1=(xy+x)+(\boxed{\phantom{xx}})$
$\qquad =x(\boxed{\phantom{xx}})+(\boxed{\phantom{xx}})$
$\qquad =(x+1)(\boxed{\phantom{xx}})$

012 $xy-xb+ay-ab=x(\boxed{\phantom{xx}})+a(\boxed{\phantom{xx}})$
$\qquad =(x+a)(\boxed{\phantom{xx}})$

013 $x^2+2xy+y^2-4$
$\quad =(x^2+2xy+y^2)-4$
$\quad =(\boxed{\phantom{xx}})^2-2^2$
$\quad =(\boxed{\phantom{xx}}+2)(\boxed{\phantom{xx}}-2)$

[014~015] 다음 식을 [  ] 안의 문자에 대하여 내림차순으로 정리하여 인수분해하여라.

014 $4a^2+2ab-4a-b+1$ [ $b$ ]

015 $x^2-xy-6x+3y+9$ [ $y$ ]

**4 인수분해 공식의 활용**

[016~020] 인수분해 공식을 이용하여 다음을 계산하여라.

016 $25\times43-25\times13$

017 $98^2-4$

018 $13^2+2\times13\times17+17^2$

019 $\sqrt{25^2-24^2}$

020 $2\times65^2-2\times35^2$

[021~024] 인수분해 공식을 이용하여 다음 식의 값을 구하여라.

021 $x=4$, $y=3$일 때, $x^2y-8xy+15y$

022 $x=23$일 때, $x^2-6x+9$

023 $x=2+\sqrt{3}$, $y=2-\sqrt{3}$일 때, $x^2-y^2$

024 $x=6.8$, $y=11$일 때, $xy+3.2y-x-3.2$

## E1 공통 부분을 묶어 인수분해하기 <sub>이해</sub>

**025** 다음 중 $x^2(x-1)-x+1$의 인수가 <u>아닌</u> 것은?

① $x+1$      ② $x-1$      ③ $(x-1)^2$

④ $x^2-1$      ⑤ $x^2+1$

**\* 접근법**
공통 부분이 있으면 분배법칙을 이용해 공통 부분을 묶어 내어 인수분해한다.

**026** 다음 중 $(a-b)x+(b-a)y$를 인수분해하여라.

**027** 다음 중 $x(x-y)-y(y-x)-x+y$의 인수인 것을 모두 고르면? (정답 2개)

① $x+y$      ② $x-y$      ③ $x+y+1$

④ $x+y-1$      ⑤ $x-y-1$

**028** $b(a-b)+2ac-2bc$가 계수가 정수인 두 일차식의 곱으로 인수분해될 때, 두 일차식의 합은?

① $a+2b-c$      ② $a-b+2c$      ③ $2a+b-c$

④ $a+2c$      ⑤ $2b+c$

★
**029** $2x^2+x-1-(x+1)^2$을 인수분해한 것은?

① $(x+1)(x-2)$      ② $(x+1)(x+2)$

③ $(2x-1)(x+2)$      ④ $(2x+1)(x-2)$

⑤ $(2x+1)(x+2)$

## E2 치환하여 인수분해하기 I <sub>이해</sub>

**030** 두 다항식 $(x-1)^2-2(x-1)-8$과 $2x^2-9x-5$의 공통인 인수는?

① $x-5$      ② $x+1$      ③ $x+5$

④ $2x-1$      ⑤ $2x+1$

**\* 접근법**
주어진 식의 공통 부분을 한 문자로 치환한 후 인수분해 공식을 이용한다.

**031** 다음은 $(x-3)^2+2(x-3)-24$를 인수분해하는 과정이다. (가), (나), (다), (라)에 들어갈 알맞은 수를 각각 $a$, $b$, $c$, $d$라 할 때, $a+b+c+d$의 값을 구하여라.

$$x-3=A로 치환하면$$
$$(x-3)^2+2(x-3)-24$$
$$=A^2+2A-24$$
$$=(A+\boxed{(가)})(A+\boxed{(나)})$$
$$=(x-3+\boxed{(가)})(x-3+\boxed{(나)})$$
$$=(x+\boxed{(다)})(x+\boxed{(라)})$$

**032** $1-(x-y)^2$을 인수분해한 것은?

① $(1+x-y)(1-x-y)$

② $(1+x-y)(1-x+y)$

③ $(1+x+y)(1-x-y)$

④ $(1+x+y)(1-x+y)$

⑤ $(1+x+y)(1+x-y)$

**033** $(x+1)^2-5(x+1)+6$을 인수분해하면 $(x+a)(x+b)$가 된다. 이때, 상수 $a$, $b$에 대하여 $a+b$의 값을 구하여라.

**034** 다음 중 $(x^2+2x)^2-11(x^2+2x)+24$의 인수가 <u>아닌</u> 것은?

① $x-1$　　　② $x-2$　　　③ $x+2$

④ $x+3$　　　⑤ $x+4$

**035** 다음 중 두 다항식
$(2x+1)^2-(x-4)^2$, $3(x+3)^2+5(x+3)-2$의 공통인 인수는?

① $x-1$　　　② $x+3$　　　③ $x+5$

④ $2x-1$　　　⑤ $3x+8$

**036** 다항식 $(x-y)^2-8x+8y+16$을 인수분해하였더니 $(x+ay+b)^2$이 되었다. 이때, $a+b$의 값을 구하여라. (단, $a$, $b$는 상수)

**037** 다항식 $2(x+1)^2+3(x+1)(x-2)+(x-2)^2$을 인수분해한 것은?

① $2x(3x+1)$　　　　② $3x(2x-1)$

③ $2(x+1)(x-2)$　　④ $2(x+2)(x-1)$

⑤ $3(x+2)(x-1)$

**038** $(x-3)^2-6(x+3)^2+x^2-9$를 인수분해하여라.

**E3 치환하여 인수분해하기 Ⅱ**　　　이해

**039** 다음 중 $(a-b)(a-b+1)-2$의 인수인 것을 모두 고르면? (정답 2개)

① $a-b-2$　　② $a-b-1$　　③ $a-b+2$

④ $a+b-1$　　⑤ $a+b+2$

\* 접근법 ⋯⋯⋯⋯⋯⋯⋯⋯⋯⋯⋯⋯⋯⋯⋯⋯⋯⋯
반복되는 식을 한 문자로 치환한 후 전개한 다음 인수분해한다.

**040** $(x-y-2)(x-y+5)-30$ 을 인수분해한 것은?

① $(x-y+2)(x-y-20)$

② $(x-y-2)(x-y+20)$

③ $(x-y-4)(x-y+10)$

④ $(x-y+8)(x-y-5)$

⑤ $(x-y-8)(x-y+5)$

**041**★ $(x^2-x-3)(x^2+x-3)-3x^2$을 인수분해하여라.

**042**★ $(-x+y-\sqrt{5})(x-y-\sqrt{5})+4x-4y$를 인수분해하면 $-(x-ay+b)(x-y+c)$가 된다. 이때, 상수 $a$, $b$, $c$에 대하여 $a+b+c$의 값은?

① $-3$　　　② $-1$　　　③ $2$

④ $3$　　　⑤ $5$

**043**★ $\left(x+\dfrac{1}{x}\right)^2-4\left(x-\dfrac{1}{x}\right)$을 인수분해하여라.

## E4 ( )( )( )( )+$k$ 꼴의 인수분해 이해

**044** $x(x+1)(x+2)(x+3)+1$이 $(x^2+ax+b)^2$으로 인수분해될 때, 상수 $a$, $b$에 대하여 $a+b$의 값을 구하여라.

＊ 접근법
곱해진 일차식 4개를 공통 부분이 생기도록 적절히 2개씩 묶어서 전개한 후 공통 부분을 치환하여 인수분해한다.

**045** 다음 중 $x(x-2)(x-1)(x+1)+1$의 인수인 것은?

① $x-1$      ② $x+1$      ③ $x^2-x-1$
④ $x^2-x+1$      ⑤ $x^2+x-1$

**046** $(x+1)(x+2)(x-3)(x-4)-6$은 $x^2$의 계수가 1인 두 이차식의 곱으로 인수분해된다. 이때, 이 두 이차식의 합을 구하여라.

**047** ★ $(x+a)(x-b)(x^2+x-c)$를 전개한 식이 $(x-1)(x-3)(x+2)(x+4)+24$를 전개한 식과 같다고 할 때, $a+b+c$의 값을 구하여라.
(단, $a$, $b$, $c$는 양수이다.)

**048** ★ $(x-4)(x+2)(x+1)(x-2)-4x^2$이 $x^2$의 계수가 1인 두 이차식의 곱으로 인수분해될 때, 이 두 이차식의 $x$의 계수의 합을 구하여라.

## E5 적당한 항끼리 묶어 인수분해하기 이해

**049** $x^2+16y^2-8xy-25$를 인수분해하였더니 $(x+ay+b)(x+cy+d)$가 되었다. 이때, 상수 $a$, $b$, $c$, $d$에 대하여 $a+b+c+d$의 값은?

① $-8$      ② $-4$      ③ $0$
④ $4$      ⑤ $8$

＊ 접근법
⑴ 공통 부분이 생기도록 2개의 항씩 묶어 인수분해한다.
⑵ 2개의 항씩 묶어 공통 부분이 생기지 않으면 3개의 항을 묶어 완전제곱식으로 만든 후 인수분해한다.

**050** 다음 중 $xy-y+2x-2$의 인수인 것은?

① $x-2$      ② $x+1$      ③ $y+2$
④ $x-y$      ⑤ $x-y-2$

**051** 두 다항식 $ab+b-a-1$과 $a^2-ab+a-b$의 1이 아닌 공통인 인수를 구하여라.

**052** $ab+bc+cd+da=15$이고 $a+c=5$일 때, $b+d$의 값은?

① $1$      ② $3$      ③ $5$
④ $7$      ⑤ $9$

**053** 다음 중 $y-(xy+1)x+x^3$의 인수가 <u>아닌</u> 것은?

① $x-1$      ② $x+1$      ③ $x^2-1$
④ $x-y$      ⑤ $x+y$

**054** $x^2+2x+2y-y^2$을 인수분해하였더니 $(x+y)(x+ay+b)$가 되었다. 이때, 상수 $a$, $b$에 대하여 $ab$의 값을 구하여라.

**055** 다음 중 $a^2-2a+1-b^2$의 인수인 것은?

① $a-b+1$    ② $a+b-1$    ③ $a+b+1$

④ $a-b+2$    ⑤ $a+b+2$

**056** $x^2-y^2+6x+9=45$이고 $x+y=2$일 때, $x-y$ 의 값은?

① $-6$    ② $-3$    ③ $3$

④ $6$    ⑤ $9$

**057** $x^2+y^2-2xy-2x+2y-15$를 인수분해한 것은?

① $(x-y-5)(x-y-3)$    ② $(x-y-5)(x-y+3)$

③ $(x-y+5)(x-y-3)$    ④ $(x-y+5)(x-y+3)$

⑤ $(x+y-5)(x+y+3)$

**058** $x^2+6xy+9y^2+3x+9y+2$는 $x$, $y$의 계수가 자연수인 두 일차식의 곱으로 인수분해될 때, 이 두 일차식의 합은?

① $2x+6y+3$    ② $2x+6y+4$    ③ $3x+4y+2$

④ $3x+4y+3$    ⑤ $4x+5y+6$

---

### E6 내림차순으로 정리하여 인수분해하기    이해

**059** $x^2-xy-2y^2+5x-y+6$을 인수분해하였더니 $(x+ay+b)(x+cy+d)$가 되었다. 이때, $a+b+c+d$의 값을 구하여라.

(단, $a$, $b$, $c$, $d$는 상수이다.)

＊ 접근법

주어진 식의 항이 5개 이상일 때,

(1) 문자가 여러 개이고 차수가 다르면 차수가 가장 낮은 문자에 대하여 내림차순으로 정리한다.

(2) 문자가 여러 개이고 차수가 같으면 어느 한 문자에 대하여 내림차순으로 정리한다.

**060** $x^2+xy+4x-2y-12$를 인수분해하였더니 $(x+a)(x+by+c)$가 되었다. 이때, $a+b+c$의 값은?

(단, $a$, $b$, $c$는 상수이다.)

① $-6$    ② $-2$    ③ $1$

④ $5$    ⑤ $8$

**061** $x^2+9y^2+2x-6y-6xy+1$을 인수분해하여라.

**062** $x^2-y^2+7x+y+12$를 인수분해한 것은?

① $(x+y-2)(x-y-6)$    ② $(x+y+2)(x-y+6)$

③ $(x+y-3)(x-y-4)$    ④ $(x+y+3)(x-y-4)$

⑤ $(x+y+3)(x-y+4)$

**063** ★ $x^2-5xy+4y^2+x+2y-2$는 $x$의 계수가 1인 두 일차식의 곱으로 인수분해된다. 이 두 일차식의 합을 $2x+ay+b$라 할 때, 상수 $a$, $b$에 대하여 $a+b$의 값은?

① $-5$    ② $-4$    ③ $-3$

④ $-2$    ⑤ $-1$

## E7 세 문자를 포함한 식의 인수분해 　이해

**064** 다음 〈보기〉에서 $a^2b+b^2c-b^3-a^2c$의 인수인 것을 모두 고른 것은?

─ 보기 ─

ㄱ. $a-b$　　ㄴ. $a+b$　　ㄷ. $b-c$

ㄹ. $b+c$　　ㅁ. $a-c$

① ㄱ, ㄴ, ㄷ　　　　② ㄱ, ㄴ, ㄹ

③ ㄱ, ㄹ, ㅁ　　　　④ ㄴ, ㄷ, ㄹ

⑤ ㄷ, ㄹ, ㅁ

\* 접근법

$a, b, c$ 중 차수가 가장 낮은 문자 $c$에 대하여 내림차순으로 정리한다.

**065** $a^3-(b+c)a^2+abc$를 인수분해하여라.

**066** ★ $a-b=-3$, $c-a=2$일 때, $ab-b^2-ac+bc$의 값은?

① $-6$　　　　② $-3$　　　　③ $2$

④ $3$　　　　⑤ $6$

**067** ★ 다음 식을 인수분해하여라.

$$abc+ab+bc+ca+a+b+c+1$$

## E8 인수분해 공식을 이용한 수의 계산 　응용

**068** $6.5^2\times3.14-3.5^2\times3.14$의 값은?

① $9.42$　　　② $31.4$　　　③ $94.2$

④ $314$　　　⑤ $942$

\* 접근법

복잡한 수의 계산을 할 때에는 주어진 식을 인수분해한 다음 계산하면 편리하다.

**069** $273^2-272^2=273+272$임을 설명하는 데 가장 알맞은 인수분해 공식은?

① $a^2+2ab+b^2=(a+b)^2$

② $a^2-2ab+b^2=(a-b)^2$

③ $a^2-b^2=(a+b)(a-b)$

④ $x^2+(a+b)x+ab=(x+a)(x+b)$

⑤ $acx^2+(ad+bc)x+bd=(ax+b)(cx+d)$

**070** $\sqrt{202^2-198^2}$을 인수분해 공식을 이용하여 계산한 것은?

① $20$　　　② $20\sqrt{2}$　　　③ $20\sqrt{3}$

④ $40$　　　⑤ $40\sqrt{2}$

**071** $5416\times5418+1$이 어떤 자연수의 제곱일 때, 어떤 자연수를 구하여라.

**072** 인수분해 공식을 이용하여 다음을 계산한 것은?

$$1^2-2^2+3^2-4^2+5^2-6^2+7^2-8^2$$

① $-54$　　　② $-41$　　　③ $-36$

④ $-27$　　　⑤ $-13$

**073** 인수분해 공식을 이용하여 다음을 계산하여라.

$$1^2+5^2+9^2+13^2-(3^2+7^2+11^2+15^2)$$

**074** $\dfrac{2020 \times 2021+2020}{2021^2-1}$의 값은?

① $-1$      ② $1$      ③ $2020$
④ $2021$      ⑤ $2022$

**075** 인수분해 공식을 이용하여 다음 두 수 $A$, $B$의 차를 구하여라.

$$A=103^2-6 \times 103+9$$
$$B=35^2-350+25$$

**076** 자연수 $2^8-1$의 약수의 개수는?

① $4$개      ② $6$개      ③ $8$개
④ $10$개      ⑤ $12$개

**077** $\sqrt{50 \times 51 \times 52 \times 53+1}$을 계산하여라.

---

### E9 인수분해 공식을 이용한 식의 값 구하기 이해

**078** $x=\sqrt{5}-\sqrt{3}$, $y=\sqrt{5}+\sqrt{3}$일 때, $x^2-y^2$의 값은?

① $-4\sqrt{15}$      ② $-4\sqrt{5}$      ③ $4\sqrt{3}$
④ $4\sqrt{5}$      ⑤ $4\sqrt{15}$

*  접근법
주어진 식을 인수분해한 후 문자의 값을 대입하면 식의 값을 빠르고 정확하게 구할 수 있다.

**079** $a=\dfrac{1-\sqrt{2}}{2}$, $b=\dfrac{1+\sqrt{2}}{2}$일 때, $a^2-2ab+b^2$의 값은?

① $1$      ② $2$      ③ $3$
④ $4$      ⑤ $5$

**080** $x=-\dfrac{1}{\sqrt{3}-2}$, $y=-\dfrac{1}{\sqrt{3}+2}$일 때, $\dfrac{y^2-x^2}{xy}$의 값은?

① $2\sqrt{3}$      ② $4\sqrt{3}$      ③ $6\sqrt{3}$
④ $8\sqrt{3}$      ⑤ $10\sqrt{3}$

**081** $a=1.75$, $b=0.25$일 때, $a^2-2ab-3b^2$의 값은?

① $0.5$      ② $0.75$      ③ $1$
④ $1.5$      ⑤ $2$

**082** $a+b=\sqrt{6}$, $ab=1$일 때, $(a-b)a^2+(b-a)b^2$의 값은?

① $4$      ② $2\sqrt{6}$      ③ $5$
④ $4\sqrt{3}$      ⑤ $8$

**083** $x=5+\sqrt{2}$일 때, $(x-2)^2-6(x-2)+9$의 값은?

① 1      ② 2      ③ 3
④ 4      ⑤ 5

**084** $x-y=\sqrt{5}$일 때, $x^2-2xy+y^2+2x-2y+1$의 값은?

① $2\sqrt{5}$      ② $4\sqrt{5}$      ③ $4+2\sqrt{5}$
④ $6+2\sqrt{5}$      ⑤ $8+2\sqrt{5}$

**085** $x=1+\sqrt{2}$, $y=1-\sqrt{2}$일 때, $\dfrac{(a+b)(1+x+y)}{(a+b)x^2-(a+b)y^2}$의 값은? (단, $a+b\neq0$)

① $-\dfrac{3\sqrt{2}}{8}$      ② $-\dfrac{\sqrt{2}}{8}$      ③ $\dfrac{\sqrt{2}}{8}$
④ $\dfrac{\sqrt{2}}{4}$      ⑤ $\dfrac{3\sqrt{2}}{8}$

**086** ★ $ab=-4$, $(a+2)(b+2)=10$일 때, $a^3+b^3+a^2b+ab^2$의 값을 구하여라.

**087** ★ $x=\dfrac{\sqrt{2}+1}{\sqrt{2}-1}$, $y=(\sqrt{2}-1)^2$일 때, $(x^2+y^2)^2-4x^2y^2$의 값은?

① 1144      ② 1148      ③ 1152
④ 1156      ⑤ 1160

---

**E10 인수분해 공식의 도형에의 활용**    응용

**088** 그림과 같이 넓이가 $a^2-b^2+2b-1$인 직사각형의 가로의 길이가 $a+b-1$일 때, 이 직사각형의 둘레의 길이는?

① $2a$      ② $4a-4$      ③ $4a$
④ $2a-2b$      ⑤ $4a-4b$

* 접근법
도형의 길이, 넓이, 부피에 대한 공식을 알고 적용하여 식으로 나타내자.
(1) (직사각형의 넓이)=(가로의 길이)×(세로의 길이)
(2) (원의 넓이)=$\pi$×(반지름의 길이)$^2$
(3) (직육면체의 부피)=(가로의 길이)×(세로의 길이)×(높이)

**089** 그림에서 사각형 ABCD는 한 변의 길이가 1인 정사각형이다. 두 점 P, Q에 대응하는 수를 각각 $a$, $b$라 할 때, $a^2+2ab+b^2+a+b-6$의 값을 구하여라. (단, $\overline{AC}=\overline{AQ}$, $\overline{BD}=\overline{BP}$)

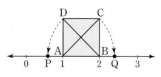

**090** 넓이가 $xy-y^2+3x-6y-9$인 직사각형 모양의 화단의 세로의 길이는 $x-y-3$이다. 이 화단의 둘레의 길이는?

① $x+3$      ② $2x$      ③ $y+3$
④ $2y$      ⑤ $x-2y$

**091** 부피가 $x^3-x^2y-x+y$인 직육면체의 밑면의 가로의 길이와 세로의 길이가 각각 $x+1$, $x-1$일 때, 이 직육면체의 모든 모서리의 길이의 합은?

① $2x-6y$      ② $3x-y$      ③ $4x-12y$
④ $6x-2y$      ⑤ $12x-4y$

**092** 그림과 같이 한 변의 길이가 $a$인 정사각형 모양의 연못 주위에 연못의 가로의 길이, 세로의 길이를 각각 $2b$만큼 늘여 화단을 만들었다. 이 화단의 넓이와 같은 직사각형 모양의 땅의 가로의 길이가 $a+b$일 때, 이 땅의 세로의 길이는?

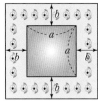

① $4a$      ② $2b$      ③ $4b$
④ $2ab$      ⑤ $4ab$

**093** 그림에서 세 원의 중심은 모두 $\overline{AC}$ 위에 있고, 점 D는 $\overline{BC}$의 중점이다. $\overline{BD}=2$ cm이고, $\overline{AD}$를 지름으로 하는 원의 둘레의 길이가 $5\pi$ cm일 때, 색칠한 부분의 넓이는?

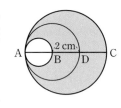

① $6\pi$ cm$^2$    ② $8\pi$ cm$^2$    ③ $10\pi$ cm$^2$
④ $12\pi$ cm$^2$    ⑤ $14\pi$ cm$^2$

**094** 그림과 같이 지름의 길이가 $2x+2y$인 원에 지름의 길이가 각각 $2x$, $2y$인 반원을 그렸을 때, 색칠한 부분의 넓이는?

① $\dfrac{x(x+y)}{2}\pi$    ② $\dfrac{y(x+y)}{2}\pi$
③ $x(x+y)\pi$    ④ $y(x+y)\pi$
⑤ $xy(x+y)\pi$

**095** 밑면의 지름의 길이가 $2(x+1)$인 원기둥의 부피가 $(x^2+2x+2y+2x^2y+4xy+1)\pi$일 때, 이 원기둥의 높이를 구하여라.

**096** 그림과 같은 육상 트랙에서 두 개의 직선 구간 중 하나의 길이는 $(ax+by)$ m이고 두 개의 곡선 구간 중 하나의 길이는 반지름의 길이가 $(x+2)$ m인 반원의 호의 길이와 같다고 한다. 전체 육상 트랙의 길이가 $\{(6+2\pi)x+10y+4\pi\}$ m라 할 때, 상수 $a$, $b$에 대하여 $a+b$의 값을 구하여라.

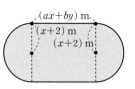

**097** 그림과 같이 정육면체와 직육면체가 있다.

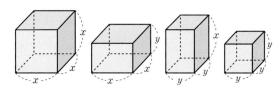

각각의 도형의 부피가 차례로 $A$, $B$, $C$, $D$일 때, 부피가 $A+3B+3C+D$인 정육면체의 한 모서리의 길이를 구하여라.

**098** $a$, $b$, $c$가 삼각형의 세 변의 길이일 때, $a^3c-a^2bc+ab^2c+ac^3-b^3c-bc^3=0$을 만족하는 삼각형은 어떤 삼각형인가?

① 정삼각형      ② 직각삼각형
③ $a=b$인 이등변삼각형    ④ $a=c$인 이등변삼각형
⑤ $b=c$인 이등변삼각형

**099** 다음 중 $xy-y-2x+2$의 인수인 것은?

① $x-2$      ② $x+1$      ③ $y-2$

④ $y+1$      ⑤ $x-y$

**100** $2x^2-4xy-x+2y$를 인수분해하여라.

**101** 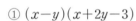 $x^2-xy-2y^2-3x-3y$를 인수분해한 것은?

① $(x-y)(x+2y-3)$

② $(x-y)(x-2y-3)$

③ $(x+y)(x-2y-3)$

④ $(x+y)(x+2y-3)$

⑤ $(x+y)(x+2y+3)$

**102** 다음 중 $a^2-ab-2a+b+1$의 인수인 것은?

① $a+1$      ② $a-1$      ③ $a+b$

④ $a+b-1$      ⑤ $a-b+1$

**103** 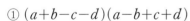 $(a+b)^2+(c+d)^2+2(ac+ad+bc+bd)$를 인수분해한 것은?

① $(a+b-c-d)(a-b+c+d)$

② $(a-b+c-d)(a+b-c-d)$

③ $(a+b+c+d)(a-b+c-d)$

④ $(a+b+c+d)^2$

⑤ $(a+b)^2(c+d)^2$

**104** 다음 중 $x^4+2x^2-3$의 인수가 <u>아닌</u> 것은?

① $x-1$      ② $x+1$      ③ $x^2-1$

④ $x^2+1$      ⑤ $x^2+3$

**105** 다음 중 $x$, $y$가 자연수일 때, $2xy-2x-y+1=3$을 만족시키는 순서쌍 $(x, y)$를 모두 고르면? (정답 2개)

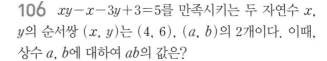

① $(1, 2)$     ② $(1, 4)$     ③ $(2, 1)$
④ $(2, 2)$     ⑤ $(2, 3)$

**106** $xy-x-3y+3=5$를 만족시키는 두 자연수 $x$, $y$의 순서쌍 $(x, y)$는 $(4, 6)$, $(a, b)$의 2개이다. 이때, 상수 $a$, $b$에 대하여 $ab$의 값은?

① $8$     ② $10$     ③ $12$
④ $14$     ⑤ $16$

**107** 두 수 $a$, $b$에 대하여 $a \circ b = ab+a+b$로 약속할 때, $(x+y) \circ (x-y)+1$을 인수분해하여라.

**108** 연산 $\langle \ \ \rangle$을 $\langle a, b \rangle = (a-b)^2$으로 약속할 때, $\langle 3x, 2y \rangle - \langle 2x, -3y \rangle$를 인수분해하면?

① $(x-5y)(x+5y)$     ② $(5x-y)(x-5y)$
③ $(5x-y)(x-y)$     ④ $(5x+y)(x-5y)$
⑤ $(5x+y)(x+5y)$

**109** $2(x+1)^2-(x+1)(y-1)-6(y-1)^2$을 인수분해하면 $(2x+ay-1)(x+by+3)$이 된다. 이때, 상수 $a$, $b$에 대하여 $a-b$의 값은?

① $-4$     ② $-1$     ③ $2$
④ $5$     ⑤ $8$

**110** $(x^2-x)^2-8(x^2-x)+12$는 $x$의 계수가 1인 4개의 일차식의 곱으로 인수분해될 때, 이 4개의 일차식의 합은?

① $2x-4$     ② $2x-2$     ③ $4x-4$
④ $4x-2$     ⑤ $4x+2$

15 DAY

**111** $(x^2-8x+12)(x^2-7x+12)-6x^2$은 이차항의 계수가 1인 두 이차식의 곱으로 인수분해될 때, 이 두 이차식의 합은?

① $2x^2-15x$
② $2x^2-15x-12$
③ $2x^2-15x+24$
④ $2x^2+15x+12$
⑤ $2x^2+15x+24$

**112** $(a-b-\sqrt{2})(2b-2a-\sqrt{8})-2a+2b$를 인수분해하면 $-2\{a-(\boxed{(가)})\}\{a-(\boxed{(나)})\}$일 때, (가)+(나)는?

① $-2b-1$
② $-2b+1$
③ $2b$
④ $2b-1$
⑤ $2b+1$

**★★**
**113** 다음 중 $x(x+1)(x+2)(x+3)+1$의 인수인 것은?

① $x^2+x+2$
② $x^2+2x+2$
③ $x^2+3x+1$
④ $x^2+4x+2$
⑤ $x^2+5x+1$

**114** $(x+1)(x+2)(x+3)(x+4)+a$가 완전제곱식이 될 때, 상수 $a$의 값은?

① 1
② 2
③ 3
④ 4
⑤ 5

**115** $(2x+1)^2-(x-2)^2=(3x+a)(x+b)$일 때, 상수 $a$, $b$에 대하여 $a+3b$의 값은?

① $-8$
② $-4$
③ 0
④ 4
⑤ 8

**116** $2(x+5)^2+5(x+5)(x-3)-3(x-3)^2$을 인수분해하면 $a(x-b)(x+c)$가 될 때, 양수 $a$, $b$, $c$에 대하여 $a+b+c$의 값은?

① 10
② 12
③ 14
④ 16
⑤ 18

**117** $x^2-y^2+3x+y+2=(x+ay+b)(x+cy+d)$
일 때, $a+b+c+d$의 값은?

(단, $a$, $b$, $c$, $d$는 상수이다.)

① 1　　　　② 2　　　　③ 3

④ 4　　　　⑤ 5

**118** $2x^2+3xy+y^2-5x-4y+3$을 인수분해하면
$(2x+ay+b)(x+cy+d)$가 된다. 이때, $a+b+c+d$
의 값은? (단, $a$, $b$, $c$, $d$는 상수이다.)

① $-2$　　　② $-1$　　　③ 0

④ 1　　　　⑤ 2

**119** $1004\times0.75^2-1004\times0.25^2$의 값은?

① 126　　　② 252　　　③ 376

④ 414　　　⑤ 502

**120** $\sqrt{504^2-496^2}$을 계산한 것은?

① $20\sqrt{2}$　　　② $20\sqrt{5}$　　　③ 40

④ $40\sqrt{2}$　　　⑤ $40\sqrt{5}$

**121** $x=\dfrac{1}{\sqrt{3}+\sqrt{2}}$, $y=\dfrac{1}{\sqrt{3}-\sqrt{2}}$일 때,
$x^2-2xy+y^2$의 값은?

① 8　　　　② 12　　　　③ 15

④ $12\sqrt{6}$　　　⑤ $15\sqrt{6}$

**122** $x=\dfrac{1}{1-\sqrt{3}}$이고, $y=\dfrac{1}{1+\sqrt{3}}$일 때, $x^2-y^2$의
값은?

① $-2$　　　② $-\sqrt{3}$　　　③ $-1$

④ $\sqrt{3}$　　　⑤ 2

**123** $(x^2-2x)^2-x^2+2x-6$을 인수분해하여라.

먼저, 공통 부분을 찾아 치환하자. [20%]

그다음, 치환한 문자를 이용하여 인수분해하자. [40%]

그래서, 원래의 식을 대입하여 정리하자. [40%]

**124** $(a-b-2)(a-b+5)-8$을 인수분해하여라.

먼저,

그다음,

그래서,

**125** $a$, $b$가 양수이고 $a^2+b^2=17$, $ab=4$일 때, $a^3b+2a^2b^2+ab^3$의 값을 구하여라.

먼저, $a+b$의 값을 구하자. [40%]

그다음, 주어진 식을 인수분해하자. [40%]

그래서, 식의 값을 구하자. [20%]

**126** $a$, $b$가 양수이고 $a^2+b^2=12$, $ab=4$일 때, $a^3+a^2b+ab^2+b^3$의 값을 구하여라.

먼저,

그다음,

그래서,

$\boxed{\text{Q} \text{스스로 서술하기}}$

**127** 연산 ⊙를 $a⊙b=a^2-b^2$으로 약속할 때, $(x^2-5)⊙(x+3)$을 인수분해하여라.

**128** $a$, $b$가 정수일 때, $ab-a-b-2=0$을 만족시키는 순서쌍 $(a, b)$를 모두 구하여라.

**129** $4+\sqrt{10}$의 소수 부분을 $a$, $4-\sqrt{10}$의 소수 부분을 $b$라 할 때, $-4a+3b+ab-12$의 값을 구하여라.

**130** $a^2(b-c)+b^2(c-a)+c^2(a-b)$를 인수분해하여라.

**131** 인수분해 공식을 이용하여 다음을 계산하여라.

$$1^2-2^2+3^2-4^2+5^2-6^2+\cdots+19^2-20^2$$

**132** 그림과 같은 직사각형을 직선 $l$을 회전축으로 하여 1회전시켰을 때, 만들어지는 입체도형의 부피를 인수분해 공식을 이용하여 구하여라.

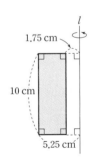

**133** $a-b=3$, $b-c=-1$일 때,
$a^2+b^2+c^2-ab-bc-ca$의 값을 구하여라.

**134** $a^2-b^2-c^2+2a+2bc+1$을 인수분해한 것은?

① $(a+b-c+1)(a-b+c+1)$
② $(a+b+c+1)(a-b-c+1)$
③ $(a+b+c-1)(a-b+c-1)$
④ $(a+b-c-1)(a-b+c-1)$
⑤ $(a+b-c-1)^2$

**135** $f(x)=\left(1-\dfrac{1}{2^2}\right)\left(1-\dfrac{1}{3^2}\right)\left(1-\dfrac{1}{4^2}\right)\cdots\left(1-\dfrac{1}{x^2}\right)$

이라 하자. $f(k)=\dfrac{11}{21}$일 때, $k$의 값은?

① 20 ② 21 ③ 22
④ 23 ⑤ 24

**136** 자연수 $2^{40}-1$은 30과 40 사이의 두 자연수에 의하여 나누어떨어진다. 이때, 이 두 자연수의 합은?

① 56 ② 58 ③ 60
④ 62 ⑤ 64

**137** $x=\dfrac{3+\sqrt{3}+\sqrt{2}}{2}$, $y=\dfrac{3-\sqrt{3}-\sqrt{2}}{2}$일 때,
$(x+y)^3(x-y)-(x-y)^3(x+y)$의 값을 구하여라.

**138** $xy=12$, $x^2y-3x+xy^2-3y=72$일 때,
$x^3-x^2y-xy^2+y^3$의 값을 구하여라.

**139** 그림과 같이 길이가 주어진 세 직육면체가 있다. (가) 직육면체의 모서리의 길이의 총합은 48이고 겉넓이는 94이다. (나), (다) 직육면체의 겉넓이를 각각 $A$, $B$라 할 때, $A+B+2x^2y^2+2xy$의 값을 구하여라.

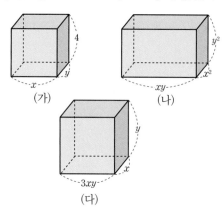

(가) (나)

(다)

**140** 그림과 같은 원뿔의 전개도가 있다. 이 원뿔의 겉넓이가 $(5x^2-10x+5)\pi$라 할 때, 원뿔의 밑면의 반지름의 길이를 $x$를 사용하여 나타내어라.

(단, $x\geq2$)

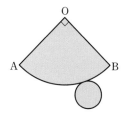

# Ⅲ 이차방정식

### 1 이차방정식의 뜻

**(1) $x$에 대한 이차방정식**

등식에서 우변에 있는 모든 항을 좌변으로 이항하여 정리하였을 때,

$$(x에 대한 이차식)=0 \quad\longrightarrow\small{미지수의 값에 따라 참이 되기도 하고 거짓이 되기도 하는 등식}$$

의 꼴로 나타내어지는 방정식을 $x$에 대한 **이차방정식**이라 한다.

　예 ① $3x-8=0,\ x^3+x^2-4x+2=0$은 좌변의 식이 $x$에 대한 이차식이 아니므로 이차
　　　방정식이 아니다.

　　② $x^2-10x+6$은 이차식이지만 등식이 아니므로 이차방정식이 아니다.

**(2) 이차방정식의 일반형**

일반적으로 $x$에 대한 이차방정식은 다음과 같이 나타낼 수 있다.

$$\boxed{\,ax^2+bx+c=0\ (단,\ a,\ b,\ c는\ 상수,\ a\neq0)\,}$$

　예 $3x^2-x-2=0,\ x^2-1=0,\ -x^2+4x=0,\ \cdots$

### 2 이차방정식의 해

　　　　　　　　　　$x=p$가 이차방정식 $ax^2+bx+c=0$의 해이면 $x=p$를
　　　　　　　　　　대입했을 때 등식이 성립한다. ⇨ $ap^2+bp+c=0$

**(1) 이차방정식의 해 (또는 근)**

이차방정식 $ax^2+bx+c=0$을 참이 되게 하는 $x$의 값

　예 이차방정식 $x^2+4x-5=0$에 $x=1$을 대입하면 $1^2+4\times1-5=0$으로 등식이 참이
　　　되므로 $x=1$은 이차방정식 $x^2+4x-5=0$의 해이다.

**(2) 이차방정식을 푼다**

이차방정식의 해를 모두 구하는 것

### 3 인수분해를 이용한 이차방정식의 풀이

**(1) $AB=0$의 성질**

두 수 또는 두 식 $A,\ B$에 대하여 $AB=0$이면 $A=0$ 또는 $B=0$이다.

**(2) 인수분해를 이용한 이차방정식의 풀이**

이차식을 두 일차식의 곱으로 나타내어 $AB=0$의 성질을 이용하여 푼다.

　예 $(x+1)(x-2)=0$이면 $x+1=0$ 또는 $x-2=0$

　　　∴ $x=-1$ 또는 $x=2$

**(3) 인수분해를 이용한 이차방정식의 풀이 순서**

(i) 주어진 방정식을 정리한다.　　⇨ $ax^2+bx+c=0$

(ii) 좌변을 인수분해한다.　　　　⇨ $(px-q)(rx-s)=0$

(iii) $AB=0$의 성질을 이용한다.　⇨ $px-q=0$ 또는 $rx-s=0$

(iv) 해를 구한다.　　　　　　　　⇨ $x=\dfrac{q}{p}$ 또는 $x=\dfrac{s}{r}$

　예 $x^2-5x+6=0$에서 좌변을 인수분해하면

　　　$(x-2)(x-3)=0$　　∴ $x=2$ 또는 $x=3$

---

· 주어진 방정식의 우변의 모든 항을 좌변으로 이항하여 정리하였을 때, 좌변이 이차식이 되는 경우에만 이차방정식이 된다.

　예 $2x^2-5x+1=2x^2-3$
　　➡ $-5x+4=0$
　　즉, $2x^2-5x+1=2x^2-3$은 이차방정식이 아니다.

· $x=p$가 이차방정식 $ax^2+bx+c=0$의 해이다.
　⇔ $x=p$를 이차방정식 $ax^2+bx+c=0$에 대입하면 등식이 성립한다.

· 이차방정식의 해는 2개 이하이다. 즉, 이차방정식의 해는 2개이거나 1개이거나 혹은 없을 수 있다.

· 이차방정식에서 미지수 $x$에 대한 특별한 조건이 없을 때는 $x$의 값의 범위를 실수 전체로 생각한다.

· $AB=0$이면 다음 세 가지 중 하나가 성립한다.
　① $A=0$ 그리고 $B=0$
　② $A\neq0$ 그리고 $B=0$
　③ $A=0$ 그리고 $B\neq0$

· **한 근을 알고 다른 한 근 구하기**
이차방정식의 계수 중 하나가 미지수일 때, 이차방정식의 한 근을 알면 미지수인 계수와 다른 한 근을 다음과 같은 순서로 구할 수 있다.
(i) 주어진 한 근을 이차방정식에 대입하여 미지수인 계수를 구한다.
(ii) 구한 미지수인 계수를 처음 이차방정식에 대입한 후 이차방정식을 풀어 다른 한 근을 구한다.

# ① 이차방정식의 뜻

[001~006] 다음 중 이차방정식인 것에는 〇표, 이차방정식이 <u>아닌</u> 것에는 ×표를 하여라.

**001** $x^2-x+2=0$  (      )

**002** $3-x^2=0$  (      )

**003** $5x^2+3x-4$  (      )

**004** $x^3-x^2+2=10x-1-2x^2+x^3$  (      )

**005** $2x^2-x=(2x+3)(x-1)$  (      )

**006** $-x^2-6x+3=2x-x^2$  (      )

# ② 이차방정식의 해

[007~010] 다음 [ ] 안의 수가 주어진 이차방정식의 해인 것에는 〇표, 해가 <u>아닌</u> 것에는 ×표를 하여라.

**007** $x^2+5x+5=0$ [ 5 ]  (      )

**008** $x^2+x-2=0$ [ $-2$ ]  (      )

**009** $x^2=x-2$ [ $-1$ ]  (      )

**010** $x(3+x)=x+3$ [ 1 ]  (      )

[011~014] $x$의 값이 $-1$, 0, 1, 2, 3일 때, 다음 이차방정식의 해를 구하여라.

**011** $(x+2)(x-3)=0$

**012** $x^2+x=0$

**013** $x^2-3x+2=0$

**014** $x(x+1)=4-2x$

[015~017] 다음 물음에 답하여라.

**015** 이차방정식 $x^2+ax+8=0$의 한 근이 $x=-1$일 때, 상수 $a$의 값을 구하여라.

**016** 이차방정식 $2x^2-3x+a=0$의 한 근이 $x=2$일 때, 상수 $a$의 값을 구하여라.

**017** 이차방정식 $x^2+5x-7=0$의 한 근이 $x=k$일 때, $k^2+5k$의 값을 구하여라.

# ③ 인수분해를 이용한 이차방정식의 풀이

[018~021] 다음 이차방정식을 풀어라.

**018** $x(x-7)=0$

**019** $(x-2)(x+5)=0$

**020** $(x+2)(3-2x)=0$

**021** $(3x+1)(4x-3)=0$

[022~027] 다음 이차방정식을 인수분해를 이용하여 풀어라.

**022** $x^2+8x+15=0$

**023** $x^2+2x-8=0$

**024** $x^2-5x-14=0$

**025** $4x^2-1=0$

**026** $3x^2+7x+2=0$

**027** $2x^2-5x+2=0$

## 4 이차방정식의 중근

**(1) 이차방정식의 중근**

이차방정식의 두 해가 중복되어 서로 같을 때, 이 근을 **중근**이라 한다.

$$(x-a)^2=0 \Rightarrow x=a \,(\text{중근})$$

중근은 두 근이 서로 같은 것이므로 근의 개수를 1개로 본다.

**(2) 중근을 가질 조건**

이차방정식이 (완전제곱식)$=0$의 꼴로 인수분해되면 이 이차방정식은 중근을 갖는다.
└▷다항식의 제곱으로 된 식 또는 이 식에 상수를 곱한 식

⇨ 이차방정식 $x^2+ax+b=0$이 중근을 가지기 위해서는 좌변이 완전제곱식이 되어야 하므로 $b=\left(\dfrac{a}{2}\right)^2$이어야 한다.

> **· 중근을 가질 조건**
> 이차방정식이 중근을 가질 조건은 (이차식)$=0$에서 이차식이 완전제곱식이 될 조건과 같다. 즉, $x^2$의 계수가 1인 이차방정식에서 (상수항)$=\left\{\dfrac{(x\text{의 계수})}{2}\right\}^2$이면 이 이차방정식은 중근을 갖는다.

## 5 제곱근을 이용한 이차방정식의 풀이

**(1)** 이차방정식 $x^2=k(k\geq0)$의 해는 $x=\pm\sqrt{k}$

**(2)** 이차방정식 $(x+p)^2=k(k\geq0)$의 해는 $x=-p\pm\sqrt{k}$
  └▷이차방정식 $(x+p)^2=k$에서 ① 해를 가질 조건 ⇨ $k\geq0$
                                      ② 해를 가지지 않을 조건 ⇨ $k<0$

**예** 이차방정식 $x^2=6$의 해는 $x=\pm\sqrt{6}$

이차방정식 $(x+1)^2=5$에서

$x+1=\pm\sqrt{5}$   ∴ $x=-1\pm\sqrt{5}$

> **·** 양수의 제곱근은 2개, 0의 제곱근은 1개이고 음수의 제곱근은 없다. 즉, $(x+p)^2=k$ 꼴의 이차방정식은
> (i) $k>0$이면 해는 2개 $(x=-p\pm\sqrt{k})$
> (ii) $k=0$이면 해는 1개(중근) $(x=-p)$
> (iii) $k<0$이면 해는 없다.

## 6 완전제곱식을 이용한 이차방정식의 풀이

이차방정식 $ax^2+bx+c=0$에서 좌변이 인수분해되지 않을 때는 완전제곱식을 이용하여 해를 구할 수 있다.

(ⅰ) 이차항의 계수 $a$로 양변을 나누어 이차항의 계수를 1로 만든다.

(ⅱ) 상수항을 우변으로 이항한다.

(ⅲ) 양변에 $\left\{\dfrac{(x\text{의 계수})}{2}\right\}^2$을 더한다.

(ⅳ) (완전제곱식)$=$(상수)의 꼴로 고친다.

(ⅴ) 제곱근을 이용하여 해를 구한다.

**예** $2x^2+10x+7=0$

$x^2+5x+\dfrac{7}{2}=0$ ── (ⅰ) $x^2$의 계수 2로 양변을 나눈다.

$x^2+5x=-\dfrac{7}{2}$ ── (ⅱ) 상수항 $\dfrac{7}{2}$을 우변으로 이항한다.

$x^2+5x+\dfrac{25}{4}=-\dfrac{7}{2}+\dfrac{25}{4}$ ── (ⅲ) 양변에 $\left(\dfrac{5}{2}\right)^2$을 더한다.

$\left(x+\dfrac{5}{2}\right)^2=\dfrac{11}{4}$ ── (ⅳ) 좌변을 완전제곱식으로 고친다.

$x+\dfrac{5}{2}=\pm\dfrac{\sqrt{11}}{2}$

∴ $x=\dfrac{-5\pm\sqrt{11}}{2}$ ── (ⅴ) 제곱근을 이용하여 해를 구한다.

> **· 이차방정식의 풀이**
>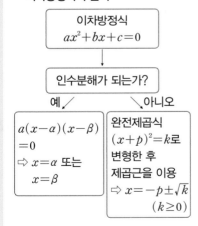

## 4 이차방정식의 중근

[028~030] 다음 이차방정식을 풀어라.

**028** $3(x-4)^2=0$

**029** $x^2+14x+49=0$

**030** $4x^2-12x+9=0$

**031** 다음 〈보기〉의 이차방정식 중 중근을 가지는 것을 모두 골라라.

─ 보기 ─
ㄱ. $(x+1)^2=0$    ㄴ. $(3x-1)^2=0$
ㄷ. $x^2-25=0$    ㄹ. $x^2+6x+9=0$
ㅁ. $x^2-4x+4=0$    ㅂ. $x^2-x-2=0$

## 5 제곱근을 이용한 이차방정식의 풀이

[032~039] 다음 이차방정식을 제곱근을 이용하여 풀어라.

**032** $3x^2-12=0$

**033** $x^2=7$

**034** $4x^2=25$

**035** $3x^2-4=0$

**036** $(x-3)^2=25$

**037** $(x+1)^2=8$

**038** $2(x+3)^2=18$

**039** $2(x-5)^2=24$

## 6 완전제곱식을 이용한 이차방정식의 풀이

[040~043] 다음 등식이 성립하도록 ☐ 안에 알맞은 것을 써넣어라. (단, $p$, $q$는 상수)

**040** $x^2+8x+\boxed{\phantom{xx}}=(x+\boxed{\phantom{xx}})^2$

**041** $2x^2-16x+\boxed{\phantom{xx}}=2(x-\boxed{\phantom{xx}})^2$

**042** $x^2+2px+\boxed{\phantom{xx}}=(x+\boxed{\phantom{xx}})^2$

**043** $x^2+qx+\boxed{\phantom{xx}}=(x+\boxed{\phantom{xx}})^2$

[044~045] 다음 이차방정식의 좌변을 완전제곱식이 되도록 고칠 때, ☐ 안에 알맞은 수를 써넣어라.

**044** $x^2+2x=2 \Rightarrow (x+\boxed{\phantom{xx}})^2=\boxed{\phantom{xx}}$

**045** $x^2-10x=-1 \Rightarrow (x-\boxed{\phantom{xx}})^2=\boxed{\phantom{xx}}$

[046~047] 다음은 완전제곱식을 이용하여 이차방정식의 해를 구하는 과정이다. ㉠~㉣에 알맞은 수를 구하여라.

**046** $x^2+4x=-1$
$x^2+4x+\boxed{㉠}=-1+\boxed{㉠}$
$(x+\boxed{㉡})^2=\boxed{㉢}$
$x+\boxed{㉡}=\pm\boxed{㉣}$
$\therefore x=-\boxed{㉡}\pm\boxed{㉣}$

**047** $3x^2-18x-12=0$
$x^2-6x=4$
$x^2-6x+\boxed{㉠}=4+\boxed{㉠}$
$(x-\boxed{㉡})^2=\boxed{㉢}$
$x-\boxed{㉡}=\pm\boxed{㉣}$
$\therefore x=\boxed{㉡}\pm\boxed{㉣}$

16 DAY

## F1 이차방정식의 뜻

기초

**048** 다음 〈보기〉에서 $x$에 대한 이차방정식인 것을 모두 고른 것은?

─**보기**─
ㄱ. $4x^2-4=3x^2+2x-1$
ㄴ. $(x-1)(x+1)=x^2+x$
ㄷ. $(x^2-2)^2=x^2+1$
ㄹ. $2x(x+3)-3(2x+1)=0$

① ㄱ, ㄴ      ② ㄱ, ㄹ      ③ ㄴ, ㄹ
④ ㄱ, ㄷ, ㄹ    ⑤ ㄴ, ㄷ, ㄹ

❋ 개념 찾기
    등식에서 우변에 있는 모든 항을 좌변으로 이항하여 정리하였을 때, ($x$에 대한 이차식)=0의 꼴로 나타내어지는 방정식을 찾는다.

**049** 다음 중 $x$에 대한 이차방정식이 <u>아닌</u> 것은?

① $x^2=0$          ② $x(x-2)=0$
③ $x^2=x+1$     ④ $3x^2+3x-1=0$
⑤ $(x+1)(x-1)=x^2-x$

**050** 이차방정식 $3(x+1)^2=2(x-1)$을 $ax^2+bx+c=0$의 꼴로 나타낼 때, 상수 $a$, $b$, $c$에 대하여 $a+b+c$의 값을 구하여라. (단, $a>0$)

**051** 방정식 $ax^2-2x=-x^2-1$이 $x$에 대한 이차방정식이 될 조건을 구하여라. (단, $a$는 상수이다.)

**052** 방정식 $-4x(ax-3)=2x^2+1$이 $x$에 대한 이차방정식일 때, 상수 $a$의 값이 될 수 <u>없는</u> 것은?

① $-2$      ② $-1$      ③ $-\dfrac{1}{2}$
④ $\dfrac{1}{2}$       ⑤ $2$

## F2 이차방정식의 해

기초

**053** 다음 중 [ ] 안의 수가 주어진 이차방정식의 해가 되는 것을 모두 고르면? (정답 2개)

① $x^2-2x=0$ [ 1 ]
② $x^2+3x+2=0$ [ 2 ]
③ $x^2-9=0$ [ $-3$ ]
④ $(x+2)(x-3)=0$ [ $-3$ ]
⑤ $2x(x-1)=4$ [ $-1$ ]

❋ Check Key
    $x=p$가 이차방정식 $ax^2+bx+c=0$의 해이다.
    ⇔ $ap^2+bp+c=0$

**054** 다음 중 $x=1$을 해로 가지는 이차방정식은?

① $x^2+1=0$        ② $x^2-2x-1=0$
③ $x^2-3=0$        ④ $x^2+3x-4=0$
⑤ $x^2-2x+3=0$

**055** 다음 〈보기〉의 이차방정식 중에서 $x=-2$를 해로 갖는 것은 모두 몇 개인지 구하여라.

─**보기**─
ㄱ. $x^2=2$           ㄴ. $(x+1)(x+2)=0$
ㄷ. $x^2-4=0$       ㄹ. $x^2+x-2=0$
ㅁ. $(x-1)^2=0$     ㅂ. $(x+2)^2=0$

**056** $x$가 $-2 \le x \le 2$인 정수일 때, 이차방정식 $x^2+3x-4=0$의 해는 모두 몇 개인가?

① 없다.      ② 1개      ③ 2개
④ 3개        ⑤ 4개

**057** $x$가 $-3$, $-2$, $-1$, $0$, $1$일 때, 이차방정식 $2x^2-18=5x$의 해를 구하여라.

## F3 이차방정식의 한 근이 주어진 경우 <sub>이해</sub>

**058** 이차방정식 $x^2+ax+a+5=0$의 한 근이 $x=-4$일 때, 상수 $a$의 값은?

① 4　　　　② 5　　　　③ 6
④ 7　　　　⑤ 8

> **✻ 접근법**
> $x^2+ax+b=0$의 한 근이 $x=k$일 때, $k^2+ak+b=0$임을 이용한다.

**059** 이차방정식 $x^2-2ax+2a=0$의 한 근이 $x=2$일 때, 상수 $a$의 값은?

① $-2$　　　② $-1$　　　③ 1
④ 2　　　　⑤ 3

**060** $x=p$가 이차방정식 $x^2+2x-4=0$의 한 근일 때, $p^2+2p$의 값은?

① $-4$　　　② $-2$　　　③ 0
④ 2　　　　⑤ 4

**061** 이차방정식 $ax^2+bx-10=0$의 두 근이 $-2$와 5일 때, 상수 $a$, $b$에 대하여 $a+b$의 값은?

① $-3$　　　② $-2$　　　③ 0
④ 2　　　　⑤ 3

**062** $x=\dfrac{1}{3}$이 이차방정식 $x^2+ax-1=0$의 근이면서 이차방정식 $bx^2+5x-2=0$의 근일 때, 상수 $a$, $b$에 대하여 $ab$의 값을 구하여라.

## F4 이차방정식의 한 근을 이용한 식의 값 구하기 <sub>이해</sub>

**063** 이차방정식 $x^2-4x-1=0$의 한 근을 $x=\alpha$라 할 때, $\left(\alpha-\dfrac{1}{\alpha}\right)(\alpha^2-4\alpha)$의 값은?

① $\dfrac{1}{4}$　　② $\dfrac{1}{2}$　　③ 1
④ 4　　　　⑤ 8

> **✻ 접근법**
> 이차방정식 $x^2+ax+b=0$의 한 근이 $x=\alpha$이고, $\alpha\neq0$일 때,
> $\alpha^2+a\alpha+b=0$이므로 양변을 $\alpha$로 나누어 식을 변형한다.
> $\Rightarrow \alpha+\dfrac{b}{\alpha}=-a$

**064** 이차방정식 $x^2-3x+1=0$의 한 근이 $\alpha$일 때, $\alpha^2+\dfrac{1}{\alpha^2}$의 값은?

① 7　　　　② 9　　　　③ 11
④ 13　　　⑤ 15

**065** $x=\alpha$가 이차방정식 $x^2+x-4=0$의 근일 때, $\alpha^5+\alpha^4-4\alpha^3-\alpha^2-\alpha+7$의 값은?

① 2　　　　② 3　　　　③ 4
④ 5　　　　⑤ 6

**066**★ 방정식 $x-\dfrac{5}{x}=7$의 두 근을 $\alpha$, $\beta$라 할 때, $(\alpha^2-7\alpha+7)(\beta^2-7\beta+3)$의 값을 구하여라.

**067**★ 이차방정식 $x^2-2x-1=0$의 한 근을 $x=\alpha$라 할 때, $\dfrac{4\alpha^4}{2\alpha+1}-\dfrac{8}{\alpha-2}$의 값을 구하여라.

16 DAY

### F5 인수분해를 이용한 이차방정식의 풀이　이해

**068** 이차방정식 $x^2+4x-12=0$의 두 근을 $a$, $b$라 할 때, $a^2+b^2$의 값은?

① 24 　　② 28 　　③ 32
④ 36 　　⑤ 40

＊ 개념 찾기
인수분해 공식을 이용하여 주어진 이차방정식을 $AB=0$의 꼴로 만들자.

**069** 이차방정식 $x^2-3x+18=2x^2$을 $(x+a)(x+b)=0$의 꼴로 나타낼 때, 상수 $a$, $b$에 대하여 $a-b$의 값은? (단, $a>b$)

① 3 　　② 6 　　③ 9
④ 12 　　⑤ 15

**070** 이차방정식 $(x+6)(x-2)=x-8$의 해는?

① $x=-4$ 또는 $x=-1$ 　　② $x=-4$ 또는 $x=1$
③ $x=-2$ 또는 $x=2$ 　　④ $x=-1$ 또는 $x=4$
⑤ $x=1$ 또는 $x=4$

**071** 이차방정식 $2x^2+3x-5=0$의 두 근의 합을 $A$, 두 근의 곱을 $B$라 할 때, $3A-B$의 값은?

① $-7$ 　　② $-2$ 　　③ 0
④ 2 　　⑤ 7

**072** 이차방정식 $6x^2+x-1=0$의 두 근이 $x=a$ 또는 $x=b$일 때, $\dfrac{b}{a}$의 값은? (단, $a>b$)

① $-\dfrac{3}{2}$ 　　② $-\dfrac{2}{3}$ 　　③ $-\dfrac{1}{6}$
④ $\dfrac{2}{3}$ 　　⑤ $\dfrac{3}{2}$

**073** 이차방정식 $x^2-x-5=\dfrac{4x-x^2}{3}$의 두 근 사이에 있는 모든 정수의 합은?

① $-1$ 　　② 0 　　③ 1
④ 2 　　⑤ 3

**074** 이차방정식 $2x^2-ax-3a-10=0$의 한 근이 $a$일 때, 양수 $a$의 값은?

① 1 　　② 2 　　③ 3
④ 4 　　⑤ 5

**075** ★ 이차방정식 $3x^2-8x+5=0$의 두 근 중 작은 근이 이차방정식 $x^2+kx-2k^2+5=0$의 한 근일 때, 모든 상수 $k$의 값의 합은?

① $-\dfrac{3}{2}$ 　　② $-1$ 　　③ $\dfrac{1}{2}$
④ 1 　　⑤ $\dfrac{3}{2}$

**076** ★ 이차방정식 $(a-1)x^2-(a^2+1)x+2(a+1)=0$의 한 근이 $x=2$일 때, 상수 $a$의 값은?

① $-2$ 　　② $-1$ 　　③ 0
④ 1 　　⑤ 2

**077** ★ 연산 ◎를 $a◎b=ab-a+1$로 약속할 때, $x◎(x-2)=2◎3$을 만족하는 양수 $x$의 값은?

① 2 　　② 3 　　③ 4
④ 5 　　⑤ 6

## F6 한 근이 주어질 때, 다른 한 근 구하기　이해

**078** 이차방정식 $x^2+ax-6=0$의 한 근이 3이고, 다른 한 근을 $b$라 할 때, 상수 $a$, $b$에 대하여 $a+b$의 값은?

① $-3$　　　② $-2$　　　③ $-1$
④ 2　　　⑤ 3

＊ 접근법
　주어진 한 근을 이차방정식에 대입하여 $a$의 값을 구하고, $a$의 값을 방정식에 대입하여 이차방정식을 푼다.

**079** 이차방정식 $x^2+2x+a=0$의 한 근이 $-3$이고, 다른 한 근이 $b$일 때, 상수 $a$, $b$에 대하여 $a-b$의 값은?

① $-8$　　　② $-4$　　　③ 0
④ 4　　　⑤ 8

**080** 이차방정식 $x^2+(a-1)x+2(a+1)=0$의 한 근이 2일 때, 다른 한 근은? (단, $a$는 상수이다.)

① $x=-2$　　② $x=-1$　　③ $x=0$
④ $x=1$　　　⑤ $x=2$

**081** 이차방정식 $x^2-(a-1)x-24=0$의 한 근이 $-4$이고, 다른 한 근이 이차방정식 $2x^2-13x+b=0$의 한 근일 때, 상수 $a$, $b$에 대하여 $ab$의 값을 구하여라.

**082** 이차방정식 $(k-1)x^2-(k^2+2k)x-3=0$의 한 근이 $-1$일 때, 다른 한 근을 구하여라.
(단, $k$는 상수이다.)

## F7 이차방정식의 중근　기초

**083** 다음 〈보기〉의 이차방정식 중에서 중근을 가지는 것을 모두 고른 것은?

─── 보기 ───
ㄱ. $(x-3)^2=9$　　　ㄴ. $6x=x^2+9$
ㄷ. $2x^2-4x+2=0$　　ㄹ. $3x^2=12$

① ㄱ, ㄴ　　② ㄱ, ㄷ　　③ ㄴ, ㄷ
④ ㄱ, ㄷ, ㄹ　　⑤ ㄴ, ㄷ, ㄹ

＊ 개념 찾기
　이차방정식이 (완전제곱식)＝0의 꼴로 나타내어지면 이 이차방정식은 중근을 갖는다.

**084** 다음 이차방정식 중 중근을 갖지 <u>않는</u> 것은?

① $x^2=0$　　　　② $x^2-2x+1=0$
③ $(2x-1)^2=0$　　④ $x(x-8)+16=0$
⑤ $x^2+14x+13=0$

**085** 다음 중 [　] 안의 수가 주어진 이차방정식의 중근이 <u>아닌</u> 것은?

① $(x+1)^2=0$ [ $-1$ ]
② $x^2+4x+4=0$ [ 2 ]
③ $4x^2-4x+1=0$ $\left[ \dfrac{1}{2} \right]$
④ $x^2-12x+36=0$ [ 6 ]
⑤ $(x+1)^2=-4x-8$ [ $-3$ ]

**086** 이차방정식 $3x^2+ax+b=0$이 중근 $x=-1$을 가질 때, 상수 $a$, $b$에 대하여 $a+b$의 값은?

① 3　　　　② 6　　　　③ 9
④ 12　　　⑤ 15

17 DAY

## F8 이차방정식이 중근을 가질 조건 　　이해

**087** 이차방정식 $x^2-6x+1+k=0$이 중근을 가지도록 하는 상수 $k$의 값은?

① 7　　　　② 8　　　　③ 9
④ 10　　　⑤ 11

**\* Check Key**
이차방정식이 중근을 가질 조건은 (이차식)=0에서 이차식이 완전제곱식이 될 조건과 같다. 즉, $x^2$의 계수가 1인 이차방정식에서
$$(상수항)=\left\{\frac{(x의\ 계수)}{2}\right\}^2$$이면 중근을 갖는다.

**088** 이차방정식 $x^2-4x+a-3=0$을 $(x+b)^2=0$의 꼴로 나타낼 때, 상수 $a$, $b$에 대하여 $a+2b$의 값은?

① 1　　　　② 3　　　　③ 5
④ 7　　　　⑤ 9

**089** 이차방정식 $x^2+2x+8-k=0$이 중근 $x=p$를 가질 때, 상수 $k$, $p$에 대하여 $k+p$의 값을 구하여라.

**090** 이차방정식 $x^2-(k+2)x+4=0$이 중근을 갖도록 하는 상수 $k$의 값이 이차방정식 $x^2+ax+3=0$의 한 근일 때, 상수 $a$의 값을 구하여라. (단, $k>0$)

**091** 한 개의 주사위를 두 번 던져 첫 번째 나온 눈의 수를 $a$, 두 번째 나온 눈의 수를 $b$라 할 때, 이차방정식 $x^2-2ax+b=0$이 중근을 가질 확률을 구하여라.

## F9 제곱근을 이용한 이차방정식의 풀이 　　기초

**092** 이차방정식 $4(x-1)^2=20$의 해가 $x=A\pm\sqrt{B}$일 때, $A+B$의 값은? (단, $A$, $B$는 유리수이다.)

① 5　　　　② 6　　　　③ 7
④ 8　　　　⑤ 9

**\* 개념 찾기**
$(x-a)^2=k(k\geq0)$의 해는 $x=a\pm\sqrt{k}$이다.

**093** 이차방정식 $4(x-1)^2=36$의 해는?

① $x=-10$ 또는 $x=8$
② $x=-8$ 또는 $x=10$
③ $x=-4$ 또는 $x=2$
④ $x=-2$ 또는 $x=4$
⑤ $x=-1$ 또는 $x=2$

**094** 이차방정식 $2(x-6)^2-7=0$의 두 근의 합은?

① $-12$　　② $-6$　　③ 3
④ 6　　　　⑤ 12

**095** 이차방정식 $(x-2)^2=k$의 두 근의 곱이 $-4$일 때, 양수 $k$의 값은?

① 2　　　　② 4　　　　③ 6
④ 8　　　　⑤ 10

**096** 다음 이차방정식 중 두 근이 모두 유리수인 것은?

① $x^2=8$　　　　　　② $2x^2-98=0$
③ $3x^2-25=0$　　　④ $(x+2)^2=10$
⑤ $2(x-1)^2=4$

**097** 이차방정식 $2(x+a)^2=10$의 해가 $x=-1\pm\sqrt{b}$ 일 때, $a+b$의 값은? (단, $a$, $b$는 유리수이다.)

① 4 　　　　② 5 　　　　③ 6
④ 7 　　　　⑤ 8

**098** 이차방정식 $(x-1)^2=a$의 한 근이 5일 때, 다른 한 근은? (단, $a$는 상수이다.)

① $x=-3$ 　　② $x=-1$ 　　③ $x=0$
④ $x=1$ 　　⑤ $x=5$

**099** 이차방정식 $3(x-2)^2+k=0$이 중근을 가질 때, 상수 $k$의 값과 그때의 중근을 각각 구하여라.

**100** 다음 중 이차방정식 $\left(x+\dfrac{1}{4}\right)^2+k-6=0$이 해를 가지기 위한 상수 $k$의 값으로 옳지 <u>않은</u> 것은?

① 3 　　　　② 4 　　　　③ 5
④ 6 　　　　⑤ 7

**★**
**101** 이차방정식 $a(x-p)^2=q$가 서로 다른 두 근을 갖기 위한 조건은?

① $a>0$ 　　② $p<0$ 　　③ $q>0$
④ $aq>0$ 　　⑤ $aq<0$

### F10 완전제곱식의 꼴로 고치기 　기초

**102** 이차방정식 $x^2-4x+2=0$을 $(x+a)^2=b$의 꼴로 나타내었을 때, 상수 $a$, $b$에 대하여 $a+b$의 값은?

① $-4$ 　　② $-2$ 　　③ 0
④ 2 　　　⑤ 4

***** 개념 찾기
$x^2+bx+c=0$
$\Rightarrow x^2+bx=-c$
$\Rightarrow x^2+bx+\left(\dfrac{b}{2}\right)^2=-c+\left(\dfrac{b}{2}\right)^2$
$\Rightarrow \left(x+\dfrac{b}{2}\right)^2=-c+\left(\dfrac{b}{2}\right)^2$

**103** 이차방정식 $x^2-8x+1=0$을 $(x-4)^2=k$의 꼴로 나타낼 때, 상수 $k$의 값은?

① 15 　　　② 16 　　　③ 17
④ 18 　　　⑤ 19

**104** 이차방정식 $(x-3)(x+5)=8$을 $(x+a)^2=b$의 꼴로 나타냈을 때, 상수 $a$, $b$에 대하여 $b-a$의 값은?

① $-25$ 　　② $-23$ 　　③ 21
④ 23 　　　⑤ 25

**105** 이차방정식 $\dfrac{1}{2}x^2-4x+a=0$을 $\dfrac{1}{2}(x+b)^2=4$의 꼴로 나타낼 때, 상수 $a$, $b$에 대하여 $ab$의 값은?

① $-16$ 　　② $-8$ 　　③ 4
④ 8 　　　⑤ 16

**F11 완전제곱식을 이용한 이차방정식의 풀이** 기초

**106** 다음은 완전제곱식을 이용하여 이차방정식 $x^2+2x-2=0$을 푸는 과정이다. 이때, 상수 $A$, $B$에 대하여 $A+B$의 값은?

> $x^2+2x-2=0$에서 상수항을 이항하면
> $x^2+2x=2$
> $x^2+2x+A^2=2+A^2$
> $(x+A)^2=B$
> $\therefore x=-A\pm\sqrt{B}$

① 3　　　　② 4　　　　③ 5
④ 6　　　　⑤ 7

* Check Key
$x^2+bx+c=0 \Rightarrow \left(x+\dfrac{b}{2}\right)^2=-c+\left(\dfrac{b}{2}\right)^2$

**107** 다음 중 이차방정식과 그 근이 잘못 짝지어진 것은?

① $(x+1)^2=5 \Rightarrow x=-1\pm\sqrt{5}$

② $3x^2=8x-2 \Rightarrow x=\dfrac{4\pm\sqrt{10}}{3}$

③ $x^2+x-1=0 \Rightarrow x=\dfrac{1\pm\sqrt{5}}{2}$

④ $2x^2+x-2=0 \Rightarrow x=\dfrac{-1\pm\sqrt{17}}{4}$

⑤ $\dfrac{1}{4}x^2+\dfrac{3}{2}x-2=0 \Rightarrow x=-3\pm\sqrt{17}$

**108** 이차방정식 $2x^2-10x+3=0$의 해가 $x=\dfrac{A\pm\sqrt{B}}{2}$일 때, $A+B$의 값은?
(단, $A$, $B$는 유리수이다.)

① 20　　　　② 22　　　　③ 24
④ 26　　　　⑤ 28

**109** 다음은 완전제곱식을 이용하여 이차방정식 $3x^2+12x-4=0$의 해를 구하는 과정이다. (가)~(마)에 들어갈 수로 옳지 **않은** 것은?

> $3x^2+12x-4=0$에서
> $x^2+\boxed{(가)}x=\boxed{(나)}$
> $(x+\boxed{(다)})^2=\boxed{(라)}$
> $\therefore x=\boxed{(마)}$

① (가) 4　　　　② (나) $\dfrac{4}{3}$　　　　③ (다) 2

④ (라) $\dfrac{8}{3}$　　　　⑤ (마) $\dfrac{-6\pm4\sqrt{3}}{3}$

**110** 다음은 완전제곱식을 이용하여 이차방정식 $2x^2-10x+1=0$의 해를 구하는 과정이다. 이때, 상수 $A$, $B$, $C$에 대하여 $A-B+C$의 값은?

> $2x^2-10x+1=0$에서 $x^2-5x+\dfrac{1}{2}=0$
> $x^2-5x+A=-\dfrac{1}{2}+A$, $(x-B)^2=C$
> $\therefore x=B\pm\sqrt{C}$

① $\dfrac{15}{2}$　　　　② $\dfrac{17}{2}$　　　　③ $\dfrac{19}{2}$

④ $\dfrac{21}{2}$　　　　⑤ $\dfrac{23}{2}$

**111** 이차방정식 $x^2-8x+k=0$을 완전제곱식을 이용하여 풀었더니 해가 $x=4\pm\sqrt{14}$이었다. 이때, 상수 $k$의 값을 구하여라.

★
**112** 이차방정식 $x^2-6ax+7=0$을 완전제곱식을 이용하여 풀었더니 해가 $x=-3\pm\sqrt{b}$이었다. 이때, 유리수 $a$, $b$에 대하여 $b-a$의 값을 구하여라.

## F12 이차방정식의 공통인 근

이해

**113** 다음 두 이차방정식의 공통인 근은?

$$x^2-8x+15=0, \qquad 2x^2-9x+9=0$$

① $x=-3$  ② $x=-\dfrac{3}{2}$  ③ $x=\dfrac{3}{2}$

④ $x=3$  ⑤ $x=5$

**＊ 접근법**
각각의 이차방정식을 푼 후 공통인 근을 찾는다.

**114** 다음 네 이차방정식의 공통인 근은?

Ⅰ. $x^2-25=0$    Ⅱ. $x^2+10x+25=0$
Ⅲ. $(x+5)(5x-1)=0$  Ⅳ. $x^2+3x-10=0$

① $x=-5$  ② $x=-1$  ③ $x=\dfrac{1}{5}$

④ $x=1$  ⑤ $x=5$

**115** 두 이차방정식 $x^2+4x-12=0$, $x^2+x-6=0$ 의 공통인 근이 이차방정식 $x^2-3mx+2=0$의 한 근일 때, 상수 $m$의 값은?

① $-2$  ② $-1$  ③ $0$
④ $1$  ⑤ $2$

**116** 두 이차방정식 $x^2+4x+a=0$, $x^2+bx-2=0$ 을 동시에 만족하는 $x$의 값이 $-2$일 때, 상수 $a$, $b$에 대하여 $a+b$의 값은?

① $-3$  ② $-1$  ③ $1$
④ $3$  ⑤ $5$

**117** 다음 두 이차방정식의 공통인 근은?

$$2x^2-11x-21=0, \qquad (x-2)^2=25$$

① $x=-6$  ② $x=-3$  ③ $x=1$
④ $x=5$  ⑤ $x=7$

**118** 두 이차방정식 $x^2-ax+b=0$, $x^2+bx-3a=0$ 의 공통인 근이 $x=3$일 때, 상수 $a$, $b$에 대하여 $b-a$의 값은?

① $-3$  ② $-1$  ③ $1$
④ $3$  ⑤ $5$

**119** 다음 세 이차방정식의 공통인 근은?

Ⅰ. $1-x^2=0$
Ⅱ. $x(x+1)=3x^2-2x-5$
Ⅲ. $(x-1)(x-6)=14$

① $x=-8$  ② $x=-1$  ③ $x=1$
④ $x=5$  ⑤ $x=8$

**★**
**120** 두 이차방정식 $x^2-x=6$, $3x^2+5x-2=0$의 공통인 근이 이차방정식 $x^2+kx+k^2-28=0$의 한 근일 때, 양수 $k$의 값은?

① $3$  ② $4$  ③ $5$
④ $6$  ⑤ $7$

17 DAY

**121** 다음 방정식이 $x$에 대한 이차방정식이 되기 위한 조건으로 옳은 것은?

$$(a^2-a-2)x^2+3ax+6=0$$

① $a \neq -1$　　　② $a \neq 0$
③ $a \neq 2$　　　④ $a \neq -1$ 또는 $a \neq 2$
⑤ $a \neq -1$이고 $a \neq 2$

**122** 방정식 $(a^2-3a)x^2+x=4x^2+ax-5$가 $x$에 대한 이차방정식이 되기 위한 조건을 구하여라.

**123** 이차방정식 $x^2-4x-3=0$의 한 근을 $a$, 이차방정식 $3x^2+6x-7=0$의 한 근을 $b$라 할 때, $(2a^2-8a+1)\left(b^2+2b-\dfrac{10}{3}\right)$의 값은?

① $-7$　　　② $-5$　　　③ $-3$
④ $1$　　　⑤ $3$

**124** 이차방정식 $x^2-5x+3=0$의 한 근을 $a$, 이차방정식 $2x^2+3x-4=0$의 한 근을 $b$라 할 때, $(a^2-5a+6)\left(b^2+\dfrac{3}{2}b+3\right)$의 값은?

① $9$　　　② $12$　　　③ $15$
④ $18$　　　⑤ $21$

**125** 이차방정식 $3x^2-12x+11=0$을 $(x-A)^2=B$ 꼴로 나타낼 때, 상수 $A$, $B$에 대하여 $AB$의 값은?

① $\dfrac{1}{3}$　　　② $\dfrac{2}{3}$　　　③ $1$
④ $\dfrac{4}{3}$　　　⑤ $\dfrac{5}{3}$

**126** 이차방정식 $3x^2-4x-6=0$을 $(x-A)^2=B$ 꼴로 나타낼 때, 상수 $A$, $B$에 대하여 $\dfrac{B}{A}$의 값은?

① $1$　　　② $\dfrac{5}{3}$　　　③ $\dfrac{7}{3}$
④ $3$　　　⑤ $\dfrac{11}{3}$

**127** 이차방정식 $(a-3)x^2+(a^2-1)x+8=0$의 한 근이 $x=-1$일 때, 상수 $a$의 값을 구하여라.

**128** 이차방정식 $(a+1)x^2-(a+2)x+a^2-3=0$의 한 근이 $x=-2$일 때, 모든 상수 $a$의 값의 합은?

① $-2$　　　② $-3$　　　③ $-4$
④ $-5$　　　⑤ $-6$

**129** 이차방정식 $x^2+6x-n=0$의 해가 모두 정수일 때, 두 자리 자연수 $n$의 최댓값을 구하여라.

**130** 이차방정식 $x^2+2x-n=0$의 해가 모두 정수일 때, 두 자리 자연수 $n$의 개수를 구하여라.

**131** 다음은 완전제곱식을 이용하여 이차방정식 $2x^2+3x-1=0$의 해를 구하는 과정의 일부분이다. 이때, $A \times B \times C \div D \div E$의 값을 구하여라.
(단, $A$, $B$, $C$, $D$, $E$는 상수이다.)

> $2x^2+3x-1=0$의 양변을 $A$로 나누면
>
> $x^2+\dfrac{3}{A}x-\dfrac{1}{A}=0$
>
> 상수항을 우변으로 이항하면 $x^2+\dfrac{3}{A}x=B$
>
> 양변에 $C$를 더하면 $x^2+\dfrac{3}{A}x+C=B+C$
>
> 좌변을 완전제곱식으로 바꾸면 $(x+D)^2=E$
>
> $\cdots$

**132** 다음은 이차방정식 $3x^2-7x+4=0$을 완전제곱식을 이용하여 푸는 과정을 나타낸 것이다. ㉠~㉢에 알맞은 수가 <u>아닌</u> 것은?

> $3x^2-7x+4=0$, $x^2-\dfrac{7}{3}x=-\dfrac{4}{3}$
>
> $x^2-\dfrac{7}{3}x+\boxed{㉠}=-\dfrac{4}{3}+\boxed{㉠}$
>
> $\left(x-\boxed{㉡}\right)^2=\boxed{㉢}$
>
> $x-\boxed{㉡}=\boxed{㉣}$
>
> $\therefore x=\boxed{㉤}$ 또는 $x=\dfrac{4}{3}$

① ㉠ : $\dfrac{49}{36}$　　② ㉡ : $-\dfrac{7}{6}$　　③ ㉢ : $\dfrac{1}{36}$

④ ㉣ : $\pm\dfrac{1}{6}$　　⑤ ㉤ : $1$

18 DAY

**133** 이차방정식 $x^2+ax-3=0$의 한 근이 3이고 다른 한 근이 이차방정식 $3x^2-8x+b=0$의 한 근일 때, 상수 $a$, $b$에 대하여 $a-b$의 값을 구하여라.

**134** 이차방정식 $2x^2+ax-15=0$의 한 근이 $\frac{5}{2}$이고 다른 한 근이 이차방정식 $x^2+2x+b=0$의 한 근일 때, 상수 $a$, $b$에 대하여 $a+b$의 값을 구하여라.

**135** 두 이차방정식 $x^2-2x-3=0$, $2x^2+ax-3=0$이 공통인 근을 가질 때, 상수 $a$의 값은?

① $-5$  ② $-3$
③ $-1$  ④ $-5$ 또는 $-3$
⑤ $-5$ 또는 $-1$

**136** 두 이차방정식 $x^2+3x-2k=0$과 $x^2+kx-6=0$이 오직 하나의 공통인 근 $x=a$를 가질 때, 상수 $a$, $k$에 대하여 $ak$의 값은?

① $-6$  ② $-4$  ③ $-2$
④ $2$  ⑤ $6$

**137** 두 식 $A=x^2-x-12$, $B=x^2+x-6$에 대하여 $B=2A$가 성립하고, $A\neq0$을 만족시키는 실수 $x$의 값은?

① $-6$  ② $-3$  ③ $3$
④ $4$  ⑤ $6$

**138** 두 식 $A=x^2-2x-3$, $B=x^2-7x-8$에 대하여 $3A=-2B$가 성립하고, $A\neq0$을 만족시키는 실수 $x$의 값은?

① $-3$  ② $-1$  ③ $1$
④ $3$  ⑤ $5$

**139** 이차방정식 $x^2+6x+k=0$이 중근을 가질 때, 이차방정식 $(k-5)x^2+4x+1=0$의 해를 구한 것은?
(단, $k$는 상수이다.)

① $x=-\dfrac{5}{2}$ (중근)  ② $x=-\dfrac{1}{2}$ (중근)

③ $x=\dfrac{1}{2}$ (중근)  ④ $x=-\dfrac{5}{2}$ 또는 $x=-\dfrac{1}{2}$

⑤ $x=-\dfrac{1}{2}$ 또는 $x=\dfrac{5}{2}$

**140** 이차방정식 $x^2-10x+a-2=0$이 중근을 가질 때, 이차방정식 $x^2-ax-28=0$의 해를 구한 것은?
(단, $a$는 상수이다.)

① $x=-1$ (중근)  ② $x=28$ (중근)

③ $x=-1$ 또는 $x=28$  ④ $x=-\dfrac{3}{4}$ 또는 $x=1$

⑤ $x=\dfrac{3}{4}$ 또는 $x=1$

**141** 이차방정식 $x^2+2x-1=0$의 한 근을 $a$라 할 때, $a+\dfrac{1}{a}$의 값을 구하여라. (단, $a>0$)

**142** 이차방정식 $x^2-5x+1=0$의 한 근을 $a$라 할 때, $a^2+a+\dfrac{1}{a}+\dfrac{1}{a^2}$의 값을 구하여라.

**143** 다음 〈보기〉에서 이차방정식 $(x-3)^2=8-k$의 근에 대한 설명으로 옳은 것을 모두 고른 것은?
(단, $k$는 상수이다.)

┌─── 보기 ───┐
ㄱ. $k=-1$이면 정수인 근을 갖는다.
ㄴ. $k=0$이면 유리수인 근을 갖는다.
ㄷ. $k=7$이면 근은 1개이다.
ㄹ. $k=10$이면 근이 존재하지 않는다.
└────────────┘

① ㄱ, ㄷ  ② ㄱ, ㄹ  ③ ㄴ, ㄷ
④ ㄷ, ㄹ  ⑤ ㄱ, ㄴ, ㄹ

**144** 다음 중 이차방정식 $(x-3)^2=k+1$의 근에 대한 설명으로 옳지 <u>않은</u> 것은? (단, $k$는 상수이다.)

① $k=-2$이면 근이 존재하지 않는다.
② $k=-1$이면 중근을 갖는다.
③ $k=0$이면 자연수인 근을 갖는다.
④ $k=1$이면 근이 2개이다.
⑤ $k=2$이면 유리수인 근을 갖는다.

18 DAY

**145** 이차방정식 $3x^2 - ax + 2a - 1 = 0$의 한 근이 1일 때, 다른 한 근을 $b$라 하자. 이때, 상수 $a$, $b$에 대하여 $a + b$의 값을 구하여라.

> **먼저,** 주어진 한 근을 이차방정식에 대입하여 $a$의 값을 구하자. 40%

> **그다음,** $a$의 값을 대입하여 이차방정식을 풀자. 40%

> **그래서,** $a + b$의 값을 구하자. 20%

**146** 이차방정식 $(a-1)x^2 - (a^2-1)x + 2(a-1) = 0$의 한 근이 2일 때, 다른 한 근을 $b$라 하자. 이때, 상수 $a$, $b$에 대하여 $a + b$의 값을 구하여라.

> **먼저,**

> **그다음,**

> **그래서,**

**147** 이차방정식 $x^2 - 8x = A$를 완전제곱식을 이용하여 풀었더니 해가 $x = B \pm \sqrt{7}$이었다. 이때, 유리수 $A$, $B$에 대하여 $B - A$의 값을 구하여라.

> **먼저,** 주어진 이차방정식을 (완전제곱식)=(상수항)의 꼴로 나타내자. 40%

> **그다음,** $A$, $B$의 값을 각각 구하자. 40%

> **그래서,** $B - A$의 값을 구하자. 20%

**148** 이차방정식 $3x^2 + 6x - 7 = 0$을 완전제곱식을 이용하여 풀었더니 해가 $x = \dfrac{A \pm \sqrt{B}}{3}$이었다. 이때, 유리수 $A$, $B$에 대하여 $B - A$의 값을 구하여라.

> **먼저,**

> **그다음,**

> **그래서,**

**149** 두 이차식 $P=x^2-3x-10$, $Q=x^2-2x-15$에 대하여 $P+Q=0$, $PQ\neq0$을 동시에 만족시키는 실수 $x$의 값을 구하여라.

**152** $x$에 대한 이차식 $f(x)$가 $f(x+1)-f(x)=2x$를 항상 만족하고 $f(0)=-1$일 때, 방정식 $f(x)=x+2$의 두 근의 합을 구하여라.

**150** 이차방정식 $x^2-px+1=0$의 두 근을 $a$, $b$라 할 때, $\left(a+\dfrac{1}{a}\right)^2+\left(b-\dfrac{1}{b}\right)^2$의 값을 상수 $p$에 대한 식으로 나타내어라.

**153** $<x>$는 자연수 $x$의 양의 약수의 개수를 나타낸다. 예를 들어, 6의 양의 약수는 1, 2, 3, 6이므로 $<6>=4$이다. 이때, $<x>^2+<x>-6=0$을 만족하는 10 이하의 자연수 $x$의 개수를 구하여라.

**151** $x>y$인 두 실수 $x$, $y$에 대하여 $x^2-2xy+y^2-2x+2y-15=0$이고, $xy=8$일 때, $x^2+y^2$의 값을 구하여라.

**154** 이차방정식 $\dfrac{1}{6}x^2+3kx+24=0$이 중근을 갖도록 하는 상수 $k$의 값을 구하고, $k$의 값에 따른 중근을 모두 구하여라.

18 DAY

**155** 연산 ★를 $a★b=ab+a-b-1$로 약속할 때, $(2x-1)★(x+2)=10$을 만족하는 $x$의 값은?

(단, $x<0$)

① $-2$      ② $-3$      ③ $-4$

④ $-5$      ⑤ $-6$

**156** 연립방정식 $\begin{cases} (a-2)x+y=1 \\ x+(7-2a)y=1 \end{cases}$ 의 해가 존재하지 않을 때, 상수 $a$의 값을 구하여라.

**157** 연산 [ ]를 $[a, b, c, d]=ad-bc$라 약속할 때, $[x-4, -x, 2, 2x+1]=-1$을 만족하는 양수 $x$의 값은?

① $1$      ② $2$      ③ $3$

④ $4$      ⑤ $5$

**158** 이차방정식 $(k-2)x^2+(k^2-8)x-2(3k-8)=0$ 의 한 근이 $x=1$일 때, 약수의 개수가 $k$개인 100보다 작은 자연수의 개수는? (단, $k$는 상수이다.)

① 4개      ② 5개      ③ 6개

④ 7개      ⑤ 8개

**159** $<x>$는 $x$보다 작은 소수의 개수를 나타낸다고 한다. 예를 들어, $<8>=4$이다. 다음 중 $<x>^2-56=<x>$를 만족하는 자연수 $x$의 값이 <u>아닌</u> 것은?

① 19      ② 20      ③ 21

④ 22      ⑤ 23

**160** 일차함수 $y=ax+2$의 그래프가 점 $(2a-1, -a^2+4)$를 지나고 제 4사분면을 지나지 않을 때, 상수 $a$의 값을 구하여라.

**161** $1 \le x < 3$일 때, 이차방정식 $2x^2=x+3[x]$의 모든 근의 합을 구하여라. (단, $[x]$는 $x$보다 크지 않은 최대의 정수이다.)

**162** 이차방정식 $x^2-ax-4b^2=0$의 한 근이 $x=a-3b$이다. $a, b$ 모두 30 이하의 자연수일 때, 순서쌍 $(a, b)$의 개수는?

① 3개      ② 4개      ③ 5개

④ 6개      ⑤ 7개

# 서울대학교 학생들이 사랑하는 교내 카페

우리 학교는 학생회관에만 식당이 두 곳 있을 정도로 교내에 음식점과 카페가 많아. 나는 그 중에서도 우리 학교만의 카페들을 소개하려고 해. 서울대학교에는 투썸 플레이스, 카페 파스쿠치와 같은 유명 브랜드의 카페들도 있지만 가장 인기 있는 건 교내 자체 브랜드인 '느티나무'라는 카페야. 카페 느티나무는 서울대학교 곳곳에 위치하고 있어서 언제 어디서든 카페에 가서 음료를 마시며 쉴 수 있어. 워낙 학교 곳곳에 있어서 각 지점들의 맛 차이를 분석하는 글이 올라오기도 해. 게다가 카페 느티나무의 대표 메뉴인 '리얼 딸기 우유'와 '생크림 쵸코와플'은 서울대 학생이라면 누구나 사랑할 만큼 뛰어난 맛을 자랑해.

서울대학교 심볼마크

글 · 사진 : **박성재**(서울대 지구환경과학과)

## 1 이차방정식의 근의 공식

(1) 이차방정식 $ax^2+bx+c=0$의 해는

$$x=\frac{-b\pm\sqrt{b^2-4ac}}{2a} \ (단, \ b^2-4ac\geq0)$$

> 근호 안이 음수가 될 수 없으므로 $b^2-4ac<0$인 경우에는 이차방정식의 해가 없다.

(2) 일차항의 계수가 짝수일 때, 이차방정식 $ax^2+2b'x+c=0$의 해는

$$x=\frac{-b'\pm\sqrt{b'^2-ac}}{a} \ (단, \ b'^2-ac\geq0)$$

참고 ※ 근의 공식 유도

$ax^2+bx+c=0 \ (a\neq0)$

$x^2+\dfrac{b}{a}x+\dfrac{c}{a}=0$ ┐ 양변을 $x^2$의 계수인 $a$로 나눈다.

$x^2+\dfrac{b}{a}x=-\dfrac{c}{a}$ ┐ 상수항을 우변으로 이항한다.

$x^2+\dfrac{b}{a}x+\left(\dfrac{b}{2a}\right)^2=-\dfrac{c}{a}+\left(\dfrac{b}{2a}\right)^2$ ┐ 양변에 $x$의 계수의 $\dfrac{1}{2}$의 제곱인 $\left(\dfrac{b}{2a}\right)^2$을 더한다.

$\left(x+\dfrac{b}{2a}\right)^2=-\dfrac{c}{a}+\dfrac{b^2}{4a^2}=\dfrac{b^2-4ac}{4a^2}$ ┐ 좌변을 완전제곱식의 꼴로 바꾸고 우변을 정리한다.

$x+\dfrac{b}{2a}=\pm\dfrac{\sqrt{b^2-4ac}}{2a}$ ┐ 제곱근의 성질을 이용한다.

$\therefore x=\dfrac{-b\pm\sqrt{b^2-4ac}}{2a}$ ┐ 해를 구한다.

- (2)의 공식을 **짝수 공식**이라 하고, 계산상의 편의를 위한 것이므로 짝수 공식이 아닌 근의 공식을 이용하여 해를 구해도 된다.

- 모든 이차방정식의 해는 근의 공식을 이용하여 구할 수 있으나 인수분해가 되는 것은 인수분해를 이용하는 것이 간단하며, 인수분해가 되지 않는 것은 근의 공식을 이용한다.

## 2 복잡한 이차방정식의 풀이

(1) **계수가 분수일 때** : 양변에 분모의 최소공배수를 곱하여 계수를 정수로 만든 다음 이차방정식을 푼다.

(2) **계수가 소수일 때** : 양변에 10의 거듭제곱을 곱하여 계수를 정수로 만든 다음 이차방정식을 푼다.

(3) **괄호가 있거나 공통 부분이 있을 때** : 괄호가 있으면 괄호를 풀고, 공통 부분이 있으면 치환하여 $ax^2+bx+c=0$의 꼴로 정리한 후 이차방정식을 푼다.

- **치환을 이용한 이차방정식의 풀이**
  예 이차방정식 $(x+1)^2-2(x+1)-3=0$에서 공통 부분인 $x+1=A$로 치환하면
  $A^2-2A-3=0$
  $(A+1)(A-3)=0$
  $\therefore A=-1 \ 또는 \ A=3$
  따라서 $x+1=-1 \ 또는$
  $x+1=3$이므로 $x=-2 \ 또는$
  $x=2$이다.

## 3 이차방정식의 근의 개수

이차방정식 $ax^2+bx+c=0$의 근의 개수는 근의 공식 $x=\dfrac{-b\pm\sqrt{b^2-4ac}}{2a}$에서 $b^2-4ac$의 부호에 의해 결정된다.

(1) $b^2-4ac>0$이면 서로 다른 2개의 근을 갖는다. ⟹ 근이 2개

$$\Rightarrow x=\frac{-b+\sqrt{b^2-4ac}}{2a}, \ x=\frac{-b-\sqrt{b^2-4ac}}{2a}$$

(2) $b^2-4ac=0$이면 한 개의 근(중근)을 갖는다. ⟹ $x=-\dfrac{b}{2a}$ 근이 1개

(3) $b^2-4ac<0$이면 근이 없다. ⟹ 근이 0개

- 이차방정식이 해를 가질 조건은 제곱근의 정의에 의하여 $b^2-4ac\geq0$ 이다.

- 이차방정식 $ax^2+2b'x+c=0$과 같이 일차항의 계수가 짝수인 경우 $b'^2-ac$의 부호로 근의 개수를 판별할 수 있다.

- 이차방정식 $ax^2+bx+c=0$이 중근을 가질 조건
  ⟹ $b^2-4ac=0$

## 1 이차방정식의 근의 공식

**001** 다음은 이차방정식 $ax^2+bx+c=0$의 근을 구하는 과정이다. ☐ 안에 알맞은 것을 써넣어라.

$a\neq 0$이므로 $ax^2+bx+c=0$의 양변을 $a$로 나누면

$x^2+\dfrac{b}{a}x+\dfrac{c}{a}=0$

$x^2+\dfrac{b}{a}x=-\dfrac{c}{a}$

$x^2+\dfrac{b}{a}x+\left(\boxed{\phantom{xx}}\right)^2=-\dfrac{c}{a}+\left(\boxed{\phantom{xx}}\right)^2$

$\left(x+\boxed{\phantom{xx}}\right)^2=\dfrac{\boxed{\phantom{xx}}}{4a^2}$

$x+\boxed{\phantom{xx}}=\pm\dfrac{\sqrt{\boxed{\phantom{xx}}}}{2a}$

$\therefore x=\dfrac{\boxed{\phantom{xx}}\pm\sqrt{\boxed{\phantom{xx}}}}{2a}$

[002~005] 다음 이차방정식을 근의 공식을 이용하여 풀어라.

**002** $x^2+5x+5=0$

**003** $3x^2-x-1=0$

**004** $2x^2+6x+3=0$

**005** $5x^2-2x-2=0$

**006** 이차방정식 $x^2+7x-5=0$의 근이 $x=\dfrac{A\pm\sqrt{B}}{2}$ 일 때, 유리수 $A$, $B$의 값을 각각 구하여라.

## 2 복잡한 이차방정식의 풀이

[007~011] 다음 이차방정식을 풀어라.

**007** $\dfrac{1}{6}x^2+\dfrac{1}{3}x-\dfrac{1}{2}=0$

**008** $0.1x^2=x-2.5$

**009** $0.3x^2+\dfrac{2}{5}x-0.1=0$

**010** $x(x-4)=x-6$

**011** $(x+3)(x-3)=2(x-4)$

[012~014] 다음 이차방정식을 풀어라.

**012** $(x-2)^2+3(x-2)-40=0$

**013** $3(x+1)^2-2(x+1)-1=0$

**014** $2(x-3)^2+7(x-3)=-6$

## 3 이차방정식의 근의 개수

**015** 이차방정식 $ax^2+bx+c=0$에 대하여 다음 표를 완성하여라.

| $ax^2+bx+c=0$ | $a$ | $b$ | $c$ | $b^2-4ac$의 값 | 근의 개수 |
|---|---|---|---|---|---|
| $x^2+x-1=0$ | | | | | |
| $-x^2+6x-9=0$ | | | | | |
| $2x^2-2x+1=0$ | | | | | |

[016~019] 다음 이차방정식의 근의 개수를 구하여라.

**016** $x^2-x+3=0$

**017** $2x^2+7=10x$

**018** $(x-1)^2=6$

**019** $4x^2+4x=-1$

### 4 이차방정식 구하기

$x=a$이면 $x-a=0$이라는 것과 $A=0$ 또는 $B=0$이면 $AB=0$이라는 성질을 이용하여 두 근을 알 때, 이차방정식을 구할 수 있다.

(1) 두 근이 $\alpha$, $\beta$이고 $x^2$의 계수가 $a$인 이차방정식은
$$a(x-\alpha)(x-\beta)=0 \Rightarrow a\{x^2-(\alpha+\beta)x+\alpha\beta\}=0$$
→두 근의 곱
→두 근의 합

(2) 중근이 $\alpha$이고 $x^2$의 계수가 $a$인 이차방정식은
$$a(x-\alpha)^2=0$$
→(완전제곱식)=0의 꼴

### 5 계수가 유리수인 이차방정식의 근

$a$, $b$, $c$가 유리수일 때, 이차방정식 $ax^2+bx+c=0$의 한 근이 $p+q\sqrt{m}$이면 다른 한 근은 $p-q\sqrt{m}$이다. (단, $p$, $q$는 유리수, $\sqrt{m}$은 무리수)
이때, 한 근 $p+q\sqrt{m}$에 대하여 다른 한 근 $p-q\sqrt{m}$을 **켤레근**이라 한다.

### 6 이차방정식의 활용

(1) **이차방정식의 활용 문제 푸는 순서**

(ⅰ) 문제의 뜻에 알맞은 수량 관계를 파악하여 구하고자 하는 것을 미지수 $x$로 놓는다.

(ⅱ) 문제의 뜻에 맞게 이차방정식을 세운다.

(ⅲ) 이차방정식을 풀어 해를 구한다.
→길이, 넓이, 시간, 거리 등은 양수여야 하고, 사람 수, 나이 등은 자연수여야 한다.

(ⅳ) 구한 해 중에서 문제의 뜻에 맞는 것을 답으로 택한다.

📕 어떤 자연수와 그 수의 제곱의 합이 56일 때, 이 수를 구해 보자.

구하고자 하는 자연수를 $x$라 하면
$$x+x^2=56$$
$$x^2+x-56=0, \ (x+8)(x-7)=0$$
$$\therefore x=-8 \text{ 또는 } x=7$$
그런데 $x$는 자연수이므로 $x=7$
따라서 구하는 자연수는 7이다.

(2) **수에 관한 문제**

① 연속하는 두 정수 : $x$, $x+1$ 또는 $x-1$, $x$

② 연속하는 세 정수 : $x-1$, $x$, $x+1$ 또는 $x$, $x+1$, $x+2$

③ 연속하는 두 홀수(짝수) : $x$, $x+2$

④ 연속하는 세 홀수(짝수) : $x$, $x+2$, $x+4$ 또는 $x-2$, $x$, $x+2$

(3) **도형에 관한 문제**

① (삼각형의 넓이)$=\dfrac{1}{2}\times$(밑변의 길이)$\times$(높이)

② (직사각형의 넓이)$=$(가로의 길이)$\times$(세로의 길이)

③ (사다리꼴의 넓이)$=\dfrac{1}{2}\times\{$(윗변의 길이)$+$(아랫변의 길이)$\}\times$(높이)

④ (반지름의 길이가 $r$인 원의 넓이)$=\pi r^2$

---

• 이차방정식의 계수가 모두 유리수라는 조건이 없으면 $p+q\sqrt{m}$이 이차방정식의 한 근일 때, 다른 한 근이 반드시 $p-q\sqrt{m}$이 되는 것은 아님에 주의한다.
📕 이차방정식
$x^2-x+\sqrt{2}(1-\sqrt{2})=0$의
두 근은 $\sqrt{2}$, $1-\sqrt{2}$이다.

• 이차방정식의 활용 문제에서 이차방정식의 해가 모두 답이 되는 것은 아니므로 이차방정식의 해를 구한 후에는 그것이 문제의 조건에 맞는지 반드시 확인해야 한다.

• 자연수 1부터 $n$까지의 합
: $\dfrac{n(n+1)}{2}$

• $n$각형의 대각선의 총 개수
: $\dfrac{n(n-3)}{2}$개

• (거리)$=$(속력)$\times$(시간)
(속력)$=\dfrac{(거리)}{(시간)}$
(시간)$=\dfrac{(거리)}{(속력)}$

• 피타고라스 정리: $\angle C=90°$인 직각삼각형 ABC에서
$c^2=a^2+b^2$

## 4 이차방정식 구하기

[020~023] 두 근 $\alpha$, $\beta$가 다음과 같은 $x$에 대한 이차방정식을 $x^2+ax+b=0$의 꼴로 나타내어라.

**020** $\alpha=2$, $\beta=5$

**021** $\alpha=-4$, $\beta=7$

**022** $\alpha=\beta=6$

**023** $\alpha=-1$, $\beta=-3$

[024~027] $x^2$의 계수 $a$와 두 근 $\alpha$, $\beta$가 다음과 같은 이차방정식을 $ax^2+bx+c=0$의 꼴로 나타내어라.

**024** $a=2$, $\alpha=4$, $\beta=6$

**025** $a=3$, $\alpha=-1$, $\beta=7$

**026** $a=-1$, $\alpha=\beta=5$

**027** $a=4$, $\alpha=-\dfrac{1}{2}$, $\beta=\dfrac{1}{4}$

## 5 계수가 유리수인 이차방정식의 근

**028** 다음은 이차방정식 $x^2+ax+1=0$의 한 근이 $2-\sqrt{3}$일 때, 유리수 $a$의 값을 구하는 과정이다. □ 안에 알맞은 수를 써넣어라.

> 이차방정식 $x^2+ax+1=0$의 모든 계수는 유리수이고 한 근이 $2-\sqrt{3}$이므로 다른 한 근은 □이다.
> 즉, 두 근이 $2-\sqrt{3}$, □이므로 이차방정식 $x^2+ax+1=0$은 이차방정식
> $\{x-(2-\sqrt{3})\}\{x-(□)\}=0$과 같다.
> 따라서 $x^2-□x+1=0$이므로 $a=□$이다.

[029~031] [ ] 안의 수가 주어진 이차방정식의 한 근일 때, 유리수 $a$의 값을 구하여라.

**029** $x^2+ax-1=0$ [ $-1+\sqrt{2}$ ]

**030** $x^2-ax-1=0$ [ $-2-\sqrt{5}$ ]

**031** $x^2-ax+13=0$ [ $4-\sqrt{3}$ ]

## 6 이차방정식의 활용

**032** 다음은 연속하는 두 자연수의 곱이 42일 때, 이 두 자연수의 합을 구하는 과정이다. □ 안에 알맞은 것을 써넣어라.

> 연속하는 두 자연수 중 작은 수를 $x$라 하면
> 큰 수는 □이므로
> $x(□)=42$
> 이 식을 정리하면
> □$=0$
> 이 이차방정식의 좌변을 인수분해하면
> □$=0$
> $\therefore$ $x=$□ 또는 $x=$□
> 그런데 $x>0$이므로
> $x=$□
> 따라서 연속하는 두 자연수는 □, □이므로 이 두 자연수의 합은 □이다.

**033** 가로의 길이, 세로의 길이가 각각 5 m, 4 m인 직사각형의 가로, 세로의 길이를 똑같은 길이만큼 늘였더니 처음보다 넓이가 10 m²만큼 늘어났을 때, 다음 물음에 답하여라.

(1) 늘인 길이를 $x$ m라 할 때, $x$에 대한 이차방정식을 $x^2+ax+b=0$의 꼴로 나타내어라.

(2) (1)의 이차방정식을 풀어라.

(3) 늘인 길이를 구하여라.

**034** 지면에서 초속 60 m의 속력으로 똑바로 위로 쏘아 올린 물체의 $x$초 후의 높이가 $(60x-5x^2)$ m일 때, 다음 물음에 답하여라.

(1) 물체가 다시 지면에 떨어지는 것은 물체를 쏘아 올린 지 몇 초 후인지 구하여라.

(2) 물체의 높이가 처음으로 175 m가 되는 것은 물체를 쏘아 올린 지 몇 초 후인지 구하여라.

## G1 이차방정식의 근의 공식

기초

**035** 이차방정식 $2x^2-7x+4=0$의 근이 $x=\dfrac{A\pm\sqrt{B}}{4}$일 때, $A+B$의 값은?

(단, $A$, $B$는 유리수이다.)

① 3      ② 10      ③ 17

④ 24      ⑤ 31

＊ 개념 찾기
(1) 이차방정식 $ax^2+bx+c=0$의 해는
$$x=\frac{-b\pm\sqrt{b^2-4ac}}{2a}\ (단,\ b^2-4ac\geq0)$$
(2) 이차방정식 $ax^2+2b'x+c=0$의 해는
$$x=\frac{-b'\pm\sqrt{b'^2-ac}}{a}\ (단,\ b'^2-ac\geq0)$$

**036** 다음은 이차방정식 $3x^2+7x+1=0$의 해를 근의 공식을 이용하여 구하는 과정이다. (가), (나), (다)에 들어갈 수를 바르게 나열한 것은?

$$x=\frac{-\boxed{(나)}\pm\sqrt{\boxed{(나)}^2-4\times\boxed{(가)}\times\boxed{(다)}}}{2\times\boxed{(가)}}$$

| | (가) | (나) | (다) |
|---|---|---|---|
| ① | $-3$ | 3 | 7 |
| ② | $-3$ | 7 | 1 |
| ③ | 3 | $-7$ | 1 |
| ④ | 3 | 7 | $-1$ |
| ⑤ | 3 | 7 | 1 |

**037** 이차방정식 $ax^2-2x-4=0$의 근이 $x=\dfrac{1\pm\sqrt{b}}{5}$일 때, $a+b$의 값은? (단, $a$, $b$는 유리수이다.)

① 17      ② 20      ③ 23

④ 26      ⑤ 29

## G2 복잡한 이차방정식의 풀이 I

이해

**038** 이차방정식 $\dfrac{1}{4}x^2-\dfrac{5}{6}x+\dfrac{5}{12}=0$의 해가 $x=\dfrac{A\pm\sqrt{B}}{3}$일 때, $A+B$의 값은?

(단, $A$, $B$는 유리수이다.)

① 12      ② 13      ③ 14

④ 15      ⑤ 16

＊ 접근법
(1) 계수가 분수일 때, 분모의 최소공배수를 양변에 곱하여 계수를 정수로 만든 다음 푼다.
(2) 계수가 소수일 때, 10의 거듭제곱을 양변에 곱하여 계수를 정수로 만든 다음 푼다.

**039** 이차방정식 $\dfrac{1}{3}x^2-\dfrac{5}{6}x+\dfrac{1}{2}=0$의 해는?

① $x=-3$ 또는 $x=-\dfrac{3}{2}$      ② $x=-\dfrac{3}{2}$ 또는 $x=1$

③ $x=-\dfrac{3}{2}$ 또는 $x=3$      ④ $x=-1$ 또는 $x=\dfrac{3}{2}$

⑤ $x=1$ 또는 $x=\dfrac{3}{2}$

**040** 이차방정식 $0.4x=0.3-0.5x^2$을 풀면?

① $x=\dfrac{-2\pm\sqrt{19}}{5}$      ② $x=\dfrac{-2\pm\sqrt{19}}{10}$

③ $x=\dfrac{2\pm\sqrt{19}}{5}$      ④ $x=-2\pm\sqrt{19}$

⑤ $x=2\pm\sqrt{19}$

**041** 이차방정식 $0.3x^2+0.5=x$의 두 근의 합은?

① $\dfrac{7}{3}$      ② $\dfrac{8}{3}$      ③ 3

④ $\dfrac{10}{3}$      ⑤ $\dfrac{11}{3}$

**042** 다음 이차방정식의 두 근 중 작은 근을 구하여라.

$$\frac{x^2+x}{5}-\frac{3x^2+2}{2}=-x^2-1$$

**043** 이차방정식 $0.1x^2+0.4x-1=0$의 근이 $x=-2\pm\sqrt{k}$일 때, 유리수 $k$의 값은?

① 2        ② 4        ③ 6

④ 10        ⑤ 14

**044** 이차방정식 $\frac{1}{2}x^2-\frac{1}{5}x=0.3$의 해가 $x=a$ 또는 $x=b$일 때, $a-b+ab$의 값은? (단, $a>b$)

① $-2$        ② $-1$        ③ 1

④ 2        ⑤ 3

**045** 두 이차방정식 $0.2x^2+\frac{2}{5}x-1.6=0$,

$\frac{1}{3}x^2-\frac{5}{3}x+2=0$의 공통인 근을 구하여라.

---

## G3 복잡한 이차방정식의 풀이 Ⅱ     이해

**046** 이차방정식 $\frac{x(x-1)}{5}=\frac{(x+1)(x-3)}{3}$

의 해를 구하면?

① $x=-\frac{3}{2}$ 또는 $x=5$    ② $x=-\frac{1}{2}$ 또는 $x=5$

③ $x=\frac{1}{2}$ 또는 $x=\frac{3}{2}$    ④ $x=1$ 또는 $x=3$

⑤ $x=3$ 또는 $x=5$

**＊ 접근법**

⑴ 괄호가 있는 경우 괄호를 풀고 전개하여 $ax^2+bx+c=0$의 꼴로 고친 후 인수분해 또는 근의 공식을 이용한다.

⑵ 공통 부분이 있는 경우 공통 부분을 $A$로 치환하여 인수분해 또는 근의 공식을 이용하여 $A$의 값을 구한 후, 치환한 식에 $A$의 값을 대입하여 해를 구한다.

**047** 이차방정식 $(x-1)^2=2x^2-1$의 두 근의 곱은?

① $-4$        ② $-3$        ③ $-2$

④ 1        ⑤ 2

**19** DAY

**048** 이차방정식 $3\left(x-\frac{1}{3}\right)^2+5=10\left(x-\frac{1}{3}\right)$의 해를 구하면?

① $x=\frac{5\pm\sqrt{10}}{3}$        ② $x=\frac{6\pm\sqrt{10}}{3}$

③ $x=\frac{6\pm\sqrt{15}}{3}$        ④ $x=\frac{7\pm\sqrt{10}}{3}$

⑤ $x=\frac{7\pm\sqrt{15}}{3}$

**049** 다음 이차방정식의 두 근을 $\alpha$, $\beta$라 할 때, $4\alpha - \beta$ 의 값은? (단, $\alpha < \beta$)

$$2(x+2)^2 - (3x+1)(2x-3) = 8x + 14$$

① 1          ② 2          ③ 3
④ 4          ⑤ 5

**050** 이차방정식 $3(x-1) + \dfrac{x^2+1}{4} = (x+1)(x-3)$
의 근이 $x = \dfrac{A \pm \sqrt{B}}{3}$일 때, $B - 10A$의 값을 구하여라.
(단, $A$, $B$는 유리수이다.)

**051**★ $x > y$이고 $(x-y)(x-y+4) - 12 = 0$일 때, $x - y$의 값은?

① 2          ② 3          ③ 4
④ 5          ⑤ 6

**052**★ $(a-b)^2 - (a-b) - 30 = 0$이고 $ab = -4$일 때, $a^2 + b^2$의 값은? (단, $a > b$)

① 16          ② 19          ③ 22
④ 25          ⑤ 28

---

### G4 이차방정식의 근의 개수     이해

**053** 다음 이차방정식 중에서 근이 <u>없는</u> 것을 모두 고르면? (정답 2개)

① $x^2 - 2x + 1 = 0$      ② $2x^2 = 4x + 3$
③ $x^2 - 3x + 5 = 0$      ④ $x^2 + 7x + 12 = 0$
⑤ $\dfrac{1}{3}x^2 + \dfrac{1}{2}x + 1 = 0$

＊ **Check Key**

이차방정식 $ax^2 + bx + c = 0$에서
(1) $b^2 - 4ac > 0$이면 근이 2개
(2) $b^2 - 4ac = 0$이면 근이 1개 (중근)
(3) $b^2 - 4ac < 0$이면 근이 0개

**054** 다음 이차방정식 중에서 서로 다른 두 개의 근을 갖는 것은?

① $x^2 + 2 = 0$      ② $x^2 - 4x + 4 = 0$
③ $x^2 - x + 1 = 0$      ④ $x^2 - 2x + 1 = 0$
⑤ $2x^2 - x - 1 = 0$

**055** 다음 〈보기〉에서 이차방정식 $x^2 + Ax + B = 0$ 의 근에 대한 설명으로 옳은 것을 모두 고른 것은?
(단, $A$, $B$는 상수이다.)

┌─ 보기 ─
ㄱ. $B < 0$이면 서로 다른 두 근을 갖는다.
ㄴ. $A = 0$, $B = 9$이면 중근을 갖는다.
ㄷ. $A > 0$이면 근이 없다.
└─

① ㄱ        ② ㄷ        ③ ㄱ, ㄴ
④ ㄱ, ㄷ        ⑤ ㄴ, ㄷ

**056** 다음 〈보기〉의 이차방정식 중 중근을 갖는 것을 모두 골라라.

┌─ 보기 ─
ㄱ. $4x^2 - 7x + 3 = 0$
ㄴ. $\dfrac{1}{4}x^2 - 4x + 16 = 0$
ㄷ. $3(x-1)^2 = -1$
ㄹ. $(x+2)(x-2) = 6x - 13$
└─

## G5 이차방정식이 중근을 가질 조건  <small>이해</small>

**057** 이차방정식 $x^2-2(k+2)x+k+2=0$이 중근을 가질 때, 상수 $k$의 값은?

① $-4$ 또는 $-2$   ② $-2$ 또는 $-1$
③ $-1$ 또는 $1$   ④ $-1$ 또는 $2$
⑤ $1$ 또는 $2$

* **Check Key**
  이차방정식 $ax^2+bx+c=0$에서 $b^2-4ac=0$이면 중근을 갖는다.

**058** 이차방정식 $x^2+6x-5m-1=0$이 중근을 가질 때, 상수 $m$의 값은?

① $-3$   ② $-2$   ③ $0$
④ $2$   ⑤ $3$

**059**★ 이차방정식 $(m^2-1)x^2-2(m+1)x+3=0$이 중근 $x=n$을 가질때, 상수 $m$, $n$에 대하여 $m+n$의 값을 구하여라.

**060**★ 이차방정식 $4x^2+px+9=0$이 $x=q$ 하나만을 근으로 가질 때, 상수 $p$, $q$에 대하여 $pq$의 값은?

① $-18$   ② $-12$   ③ $6$
④ $12$   ⑤ $18$

**061**★ 이차방정식 $x^2+ax+a=0$이 중근을 갖고, 그 중근이 이차방정식 $x^2+bx+b-1=0$의 한 근일 때, 상수 $a$, $b$에 대하여 $a+b$의 값을 구하여라. (단, $a\neq0$)

## G6 근의 개수에 따른 미지수의 값의 범위 구하기  <small>이해</small>

**062** 이차방정식 $3x^2-2x-k=0$이 서로 다른 두 근을 가질 때, 상수 $k$의 값의 범위는?

① $k\geq-\dfrac{1}{3}$   ② $k>-\dfrac{1}{3}$   ③ $k<-\dfrac{1}{3}$
④ $k\leq\dfrac{1}{3}$   ⑤ $k>\dfrac{1}{3}$

* **Check Key**
  이차방정식 $ax^2+bx+c=0$에서
  (1) 서로 다른 두 근을 가질 때 ⇨ $b^2-4ac>0$
  (2) 중근을 가질 때 ⇨ $b^2-4ac=0$
  (3) 근을 갖지 않을 때 ⇨ $b^2-4ac<0$

**063** 이차방정식 $2x^2-8x+k-3=0$이 서로 다른 두 근을 가질 때, 다음 중 상수 $k$의 값이 될 수 <u>없는</u> 것은?

① $4$   ② $6$   ③ $8$
④ $10$   ⑤ $12$

**064** 이차방정식 $x^2-10x+20+m=0$이 근을 갖지 <u>않을</u> 때, 상수 $m$의 값의 범위는?

① $m<-5$   ② $m>-5$   ③ $m<5$
④ $m>5$   ⑤ $m\geq5$

**065** 이차방정식 $x^2+(2k-1)x+k^2-7=0$의 해가 2개일 때, 가장 큰 정수 $k$의 값을 구하여라.

**066**★ 이차방정식 $x^2-4x+m-1=0$은 해를 갖고, 이차방정식 $(m+1)x^2+5x+10=0$은 해를 갖지 <u>않을</u> 때, 정수 $m$의 개수를 구하여라.

## G7 이차방정식 구하기   이해

**067** 이차방정식 $x^2+3x-2=0$의 두 근을 $\alpha$, $\beta$라 할 때, $x^2$의 계수가 1이고 $\alpha+\beta$, $\alpha\beta$를 두 근으로 하는 이차방정식은?

① $x^2+5x-6=0$      ② $x^2+5x+6=0$
③ $x^2-2x-3=0$      ④ $x^2-3x+2=0$
⑤ $x^2-5x+6=0$

＊ 개념 찾기
(1) 두 근이 $\alpha$, $\beta$이고 $x^2$의 계수가 $a$인 이차방정식은
　　$a(x-\alpha)(x-\beta)=0$
(2) 중근이 $\alpha$이고 $x^2$의 계수가 $a$인 이차방정식은
　　$a(x-\alpha)^2=0$

**068** 두 근이 1, 2이고 $x^2$의 계수가 1인 이차방정식이 $(x+a)(x+b)=0$일때, 상수 $a$, $b$에 대하여 $a+b$의 값은?

① $-3$      ② $-1$      ③ 0
④ 1      ⑤ 3

**069** 두 근이 $-\dfrac{1}{2}$, $\dfrac{2}{3}$이고 $x^2$의 계수가 6인 이차방정식의 $x$의 계수를 $a$, 상수항을 $b$라 할 때, $ab$의 값은?

① $-2$      ② $-1$      ③ 1
④ 2      ⑤ 6

**070** $x=-3$을 중근으로 하고 $x^2$의 계수가 $-2$인 이차방정식이 $-2x^2+ax+b=0$일 때, 상수 $a$, $b$에 대하여 $a-b$의 값은?

① $-6$      ② $-3$      ③ 0
④ 3      ⑤ 6

**071** 이차방정식 $x^2+ax+b=0$의 두 근이 $\dfrac{1}{3}$, $\dfrac{1}{2}$일 때, 이차방정식 $bx^2+ax+1=0$의 해를 구하여라.
(단, $a$, $b$는 상수이다.)

**072** 이차방정식 $4x^2+12x+k=0$이 중근을 가질 때, 다음 중 $k-5$, $-k+4$를 두 근으로 하고 $x^2$의 계수가 3인 이차방정식은? (단, $k$는 상수이다.)

① $3x^2+3x-60=0$      ② $3x^2-3x-60=0$
③ $3x^2+x-20=0$      ④ $3x^2-x+20=0$
⑤ $3x^2+x+20=0$

**073** 이차방정식 $x^2-3x+2=0$의 두 근 중 큰 근을 $x=a$라 하고 이차방정식 $2x^2-3x+1=0$의 두 근 중 작은 근을 $x=b$라 할 때, $x^2$의 계수가 2이고 $a$, $b$를 두 근으로 하는 이차방정식을 구하여라.

**★**
**074** 일차함수 $y=ax+k$의 그래프가 그림과 같을 때, $ak$를 중근으로 하고 $x^2$의 계수가 4인 이차방정식을 구하여라. (단, $a$, $k$는 상수이다.)

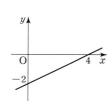

## G8 한 근이 무리수일 때, 미지수의 값 구하기  이해

**075** 이차방정식 $2x^2-ax-2=0$의 한 근이 $1+\sqrt{2}$일 때, 유리수 $a$의 값은?

① $-4$    ② $-2$    ③ $1$
④ $2$     ⑤ $4$

* **Check Key**
이차방정식 $ax^2+bx+c=0$에서 $a$, $b$, $c$가 유리수일 때, 한 근이 $p+q\sqrt{m}$이면 다른 한 근은 $p-q\sqrt{m}$이다. (단, $p$, $q$는 유리수, $\sqrt{m}$은 무리수이다.)

**076** 이차방정식 $x^2+6x+k=0$의 한 근이 $-3+\sqrt{7}$일 때, 나머지 한 근과 유리수 $k$의 값의 합은?

① $-3-\sqrt{7}$    ② $-1-\sqrt{7}$    ③ $1-\sqrt{7}$
④ $2+\sqrt{7}$     ⑤ $3+\sqrt{7}$

**077** 이차방정식 $2x^2+(m+1)x-5n=0$의 한 근이 $1-3\sqrt{2}$일 때, $m+5n$의 값은?

(단, $m$, $n$은 유리수이다.)

① $25$    ② $26$    ③ $27$
④ $28$    ⑤ $29$

**078** $5-\sqrt{3}$의 정수 부분을 $a$, 소수 부분을 $b$라 할 때, $b$는 이차방정식 $ax^2+px+q=0$의 한 근이다. 이때, 유리수 $p$, $q$에 대하여 $pq$의 값을 구하여라.

## G9 두 근의 차 또는 비가 주어졌을 때, 미지수의 값 구하기  이해

**079** 이차방정식 $2x^2-2x+k=0$의 두 근의 차가 5일 때, 상수 $k$의 값은?

① $-12$    ② $-8$    ③ $4$
④ $8$      ⑤ $12$

* **접근법**
이차방정식 $ax^2+bx+c=0$의 두 근을 $\alpha$, $\beta$ $(\alpha>\beta)$라 할 때,
(1) 두 근의 차가 $t$이면 $\alpha-\beta=t$
(2) 두 근의 비가 $m:n$이면 $\alpha=mp$, $\beta=np$로 놓을 수 있다.

**080** 이차방정식 $x^2-4x-2a+7=0$의 두 근의 차가 2일 때, 상수 $a$의 값은?

① $0$    ② $1$    ③ $2$
④ $3$    ⑤ $4$

**081** 이차방정식 $x^2-6x+k=0$의 두 근의 비가 $1:2$일 때, 상수 $k$의 값은?

① $4$     ② $6$     ③ $8$
④ $10$    ⑤ $12$

**082** 이차방정식 $x^2+ax+b=0$의 두 근의 차가 4이고, 큰 근이 작은 근의 3배일 때, 상수 $a$, $b$에 대하여 $a+b$의 값은?

① $2$    ② $3$    ③ $4$
④ $5$    ⑤ $6$

**083** 이차방정식 $x^2-2(k+1)x+4k=0$의 두 근의 비가 $5:4$일 때, 모든 상수 $k$의 값의 합을 구하여라.

## G10 잘못 보고 푼 이차방정식    이해

**084** $x^2$의 계수가 1인 어떤 이차방정식을 $x$의 계수를 잘못 보고 풀었더니 해가 1, 5이었고, 상수항을 잘못 보고 풀었더니 해가 $-2$, $-4$이었다. 이 이차방정식의 올바른 근은?

① $x=-5$ 또는 $x=-1$

② $x=-5$ 또는 $x=1$

③ $x=-1$ 또는 $x=2$

④ $x=1$ 또는 $x=2$

⑤ $x=2$ 또는 $x=5$

＊접근법
(i) 잘못 보고 푼 것을 이용하여 이차방정식을 만든다.
(ii) 제대로 본 계수, 상수항을 찾는다.
(iii) 원래의 이차방정식을 완성하여 해를 구한다.

**085** 이차방정식 $x^2+ax+b=0$을 규상이는 상수항을 잘못 보고 풀어 해가 $-3$, 5가 나왔고, 봉진이는 일차항의 계수를 잘못 보고 풀어 해가 3, $-8$이 나왔다. 이때, $ab$의 값을 구하여라. (단, $a$, $b$는 상수이다.)

**086** $x^2$의 계수가 1인 어떤 이차방정식을 푸는데 일차항의 계수를 잘못 보고 푼 지호는 $-3$, 3이라는 두 근을 얻었고, 상수항을 잘못 보고 푼 영진이는 1, 9라는 두 근을 얻었다. 이 이차방정식의 올바른 두 근을 $\alpha$, $\beta$라 할 때, $\alpha^2+\beta^2$의 값은?

① 112          ② 114          ③ 116

④ 118          ⑤ 120

## G11 수에 관련된 문제    응용

**087** 연속하는 세 홀수의 제곱의 합이 251일 때, 이 세 홀수의 합은?

① 21          ② 24          ③ 27

④ 30          ⑤ 33

＊접근법
(1) 연속하는 두 정수 : $x$, $x+1$
(2) 연속하는 세 정수 : $x-1$, $x$, $x+1$ 또는 $x$, $x+1$, $x+2$
(3) 연속하는 두 홀수(짝수) : $x$, $x+2$
(4) 연속하는 세 홀수(짝수) : $x$, $x+2$, $x+4$

**088** 연속하는 두 짝수의 곱이 168일 때, 두 짝수 중 작은 수는?

① 12          ② 14          ③ 16

④ 18          ⑤ 20

**089** 연속하는 두 자연수의 제곱의 합이 61일 때, 이 두 자연수의 합은?

① 7          ② 9          ③ 11

④ 13          ⑤ 15

**090** 연속하는 세 자연수에서 가장 큰 수의 제곱은 다른 두 수의 곱의 2배보다 20만큼 작다고 한다. 이 세 수 중 가장 큰 수는?

① 4          ② 5          ③ 6

④ 7          ⑤ 8

**091** 0이 아닌 어떤 수 $x$에 2를 더하여 제곱해야 할 것을 잘못하여 $x$에 2를 더하여 2배를 하였는데 그 결과는 같았다. 이때, $x$의 값은?

① $-2$  　　② $-1$  　　③ 1
④ 2  　　⑤ 3

**092** 차가 6이고 곱이 520인 두 자연수가 있다. 이 두 자연수의 합은?

① 28  　　② 34  　　③ 40
④ 46  　　⑤ 52

**093** ★ 다음 두 조건을 모두 만족하는 두 자리 자연수를 구하여라.

> (가) 일의 자리의 숫자는 십의 자리의 숫자의 3배이다.
> (나) 각 자리의 숫자의 곱은 처음 두 자리 자연수보다 12가 작다.

**094** ★ 자연수 $n$에 대하여
$A=n(n+1)(n+2)(n+3)+1$일 때, $A=89^2$이 되는 $n$의 값을 구하여라.

---

**G12 공식이 주어진 문제**　　응용

**095** $n$각형의 대각선의 총 개수가 $\dfrac{n(n-3)}{2}$개 일 때, 대각선이 모두 119개인 다각형은 몇 각형인가?

① 칠각형  　　② 십각형  　　③ 십이각형
④ 십사각형  　　⑤ 십칠각형

> ＊ 접근법
> (i) 주어진 식을 이용하여 이차방정식을 세운다.
> (ii) 이차방정식의 해를 구한다.
> (iii) 주어진 조건을 만족하는 답을 구한다.

**096** 자연수 1부터 $n$까지의 합은 $\dfrac{n(n+1)}{2}$이다. 합이 120이 되려면 1에서 얼마까지 더해야 하는가?

① 12  　　② 13  　　③ 14
④ 15  　　⑤ 16

**097** $n$명 중 대표 2명을 뽑는 경우의 수는 $\dfrac{n(n-1)}{2}$ 가지이다. 어떤 모임의 회원 중 대표 2명을 뽑는 경우의 수가 36가지일 때, 이 모임의 회원 수를 구하여라.

**098** 그림과 같이 공의 개수를 늘려가며 삼각형 모양을 만들 때, $n$번째에서 사용한 공의 개수는 $\dfrac{n(n+1)}{2}$개 이다. 공의 개수가 78개인 삼각형은 몇 번째 삼각형인지 구하여라.

첫 번째　　두 번째　　세 번째　　네 번째

## G13 실생활에서의 활용 문제          응용

**099** 형은 동생보다 3살이 많다. 형의 나이의 제곱은 동생의 나이의 제곱의 2배보다 2살이 더 많다고 할 때, 형과 동생의 나이의 합은?

① 13          ② 14          ③ 15
④ 16          ⑤ 17

* 접근법
(ⅰ) 문제의 뜻에 알맞은 수량 관계를 파악한다.
(ⅱ) 구하려는 것을 $x$로 놓고 이차방정식을 세운다.
(ⅲ) 이차방정식을 푼다.
(ⅳ) 구한 해 중에서 문제의 뜻에 맞는 것을 답으로 한다.

**100** 수학 책을 펼쳤더니 두 면의 쪽수의 곱이 420이었다. 이때, 두 면의 쪽수의 합은?

① 41          ② 43          ③ 45
④ 47          ⑤ 49

**101** 어느 공장에서 $n$개의 제품을 만드는 데 필요한 비용이 $\left(20+2n-\dfrac{1}{4}n^2\right)$만 원이라 한다. 15만 원의 비용을 남김없이 모두 들여서 만들 수 있는 제품의 개수를 구하여라.

**102** 지민이와 주아의 생일은 모두 5월이고, 주아의 생일은 지민이의 생일의 일주일 후라고 한다. 두 사람의 생일의 날짜의 곱이 330일 때, 두 사람의 생일의 날짜의 합은?

① 34          ② 35          ③ 36
④ 37          ⑤ 38

**103** 어느 상점에서 장난감의 가격을 정가에서 $x\,\%$를 인상한 후 다시 $x\,\%$를 할인하였더니 정가에서 9 %를 할인한 가격과 같았다. 이때, $x$의 값을 구하여라.

**104** 평면 위에 어느 세 점도 일직선 위에 있지 않은 $n$개의 점이 있을 때, 두 점을 잇는 선분의 개수는 $\dfrac{n(n-1)}{2}$개이다. 어느 세 도시도 일직선 위에 있지 않은 몇 개의 도시가 있을 때, 두 도시 사이를 직선 도로로 서로 연결하려고 한다. 필요한 도로의 수가 21개일 때, 도시는 모두 몇 개인지 구하여라.

**105** 지우개 120개를 남김없이 몇 명의 학생들에게 똑같이 나누어 주려고 한다. 한 학생이 받는 지우개의 수가 학생 수의 $\dfrac{1}{2}$보다 4만큼 크다고 할 때, 한 학생이 받는 지우개의 수는?

① 8개          ② 10개          ③ 12개
④ 14개          ⑤ 16개

**106** 강당에 378개의 의자가 배열되어 있다. 각 줄에는 같은 수의 의자가 배열되어 있고, 한 줄에 배열된 의자의 수는 줄의 개수보다 3개 더 많다고 한다. 한 줄에 배열된 의자의 수를 구하여라.

## G14 쏘아 올린 물체에 관련된 문제  응용

**107** 지면으로부터 100 m인 높이에서 초속 40 m로 똑바로 위로 던져 올린 물체의 $t$초 후의 높이는 $(-5t^2+40t+100)$ m라 한다. 이 물체가 지면에 떨어지는 것은 던져 올린 지 몇 초 후인가?

① 8초 후　　　② 9초 후　　　③ 10초 후
④ 11초 후　　　⑤ 12초 후

*★* **Check Key**
(1) 물체가 지면에 떨어질 때의 높이는 0 m이다.
(2) 위로 던져 올린 물체의 높이가 $h$ m가 되는 경우는 올라갈 때와 내려올 때 두 번 생긴다. (단, 최고 높이 제외)

**108** 열기구를 타고 지면으로부터 125 m인 높이에서 쇠공을 자유낙하시킬 때, 시간 $t$에 따른 쇠공의 높이는 $(125-5t^2)$ m라 한다. 쇠공이 지면에 떨어지는 것은 자유낙하시킨 지 몇 초 후인지 구하여라.

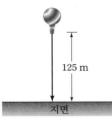

125 m

지면

**109** 로켓을 초속 20 m로 지면에서 수직으로 발사할 때, 발사한 지 $t$초 후의 로켓의 높이는 $(20t-5t^2)$ m가 된다고 한다. 이 로켓이 지면으로부터 15 m 높이에 있는 것은 발사한 지 몇 초 후인가? (정답 2개)

① 1초 후　　　② 2초 후　　　③ 3초 후
④ 4초 후　　　⑤ 5초 후

**★**
**110** 지면에서 야구공을 초속 80 m로 수직으로 던질 때, $t$초 후의 야구공의 높이는 $(80t-5t^2)$ m이다. 이때, 야구공이 높이 320 m 지점을 지난 후부터 지면에 떨어질 때까지 걸리는 시간을 구하여라.

## G15 좌표에 관련된 문제  응용

**111** 그림과 같이 일차함수의 그래프 위의 한 점 P에서 $x$축에 내린 수선의 발을 A, $y$축에 내린 수선의 발을 B라 하자. □OAPB의 넓이가 8일 때, 점 P의 좌표를 구하여라. (단, O는 원점이고, 점 P는 제 1사분면 위의 점이다.)

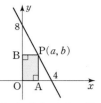

*★* **접근법**
직선 $y=mx+n$ 위의 점의 좌표는 $(a,\ ma+n)$이다.

**112** 그림과 같이 직선 $y=x$ 위의 점 D에서 $x$축에 내린 수선의 발을 A, 직선 $x=12$ 위에 내린 수선의 발을 C라 하자. 점 D는 제 1사분면 위의 점이고, 직사각형 ABCD의 넓이가 27일 때, 점 D의 좌표를 모두 구하여라. (단, 점 D의 $x$좌표는 12보다 작다.)

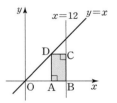

**113** 그림과 같이 직선 위의 점 A에서 $x$축에 내린 수선의 발을 B라 하자. △AOB의 넓이가 6일 때, 점 A의 좌표를 모두 구하여라. (단, O는 원점이고, 점 A는 제 1사분면 위의 점이다.)

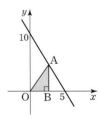

**★**
**114** 좌표평면 위의 네 점 A$(-2,\ -1)$, B$(t+3,\ -1)$, C$(t+3,\ t+2)$, D$(-2,\ t+2)$를 꼭짓점으로 하는 직사각형 ABCD의 넓이가 20이 되도록 하는 양수 $t$의 값이 $a+\sqrt{b}$일 때, $a+b$의 값을 구하여라. (단, $a$, $b$는 유리수이다.)

## G16 도형에 관련된 문제 Ⅰ    응용

**115** 그림과 같이 길이가 13 cm인 선분을 두 부분으로 나눠 각각의 길이를 한 변으로 하는 두 개의 정사각형

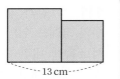

을 만들었더니 두 정사각형의 넓이의 합이 89 cm²이었다. 이때, 작은 정사각형의 한 변의 길이를 구하여라.

* **Check Key**
(1) (직사각형의 넓이)=(가로의 길이)×(세로의 길이)
(2) (사다리꼴의 넓이)=$\frac{1}{2}$×{(윗변의 길이)+(아랫변의 길이)}×(높이)
(3) (반지름의 길이가 $r$인 원의 넓이)=$\pi r^2$

**116** 어느 목장에서 둘레의 길이가 28 m이고 넓이가 48 m²인 직사각형 모양의 우리를 만들었다. 이 직사각형 모양의 우리의 가로의 길이와 세로의 길이의 차를 구하여라.

**117** 그림과 같이 밑변의 길이와 높이가 서로 같은 사다리꼴의 윗변의 길이는 6 cm이고 넓이는 56 cm²이다. 이때, 이 사다리꼴의 높이를 구하여라.

**118** 그림과 같이 ∠B=90°이고 $\overline{AB}=\overline{BC}=15$ cm인 직각이등변삼각형이 있다. 빗변 AC 위의 한 점 E에서 $\overline{BC}$, $\overline{AB}$에 내린 수선의 발을 각각 D, F라 할 때, □BDEF의 넓이가 50 cm²가 되도록 하는 $\overline{BD}$의 길이를 구하여라. (단, $\overline{BD}>\overline{DC}$)

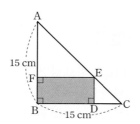

**119** 그림과 같은 △ABC에서 ∠BAC=90°, ∠ADC=90°, $\overline{AB}=\overline{DC}$, $\overline{BD}=2$ cm일 때, $\overline{AB}$의 길이를 구하여라.

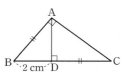

**120** 그림과 같이 ∠C=90°, $\overline{BC}=6$ cm, $\overline{AC}=8$ cm인 직각삼각형이 있다. 빗변 AB 위의 한 점 P에서 $\overline{BC}$, $\overline{AC}$에 내린 수선의 발을 각각 Q, R라 할 때, 삼각형 PQR의 넓이가 6 cm²가 되도록 하는 $\overline{PQ}$의 길이는?

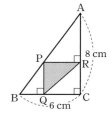

① 2 cm      ② 2.5 cm      ③ 3 cm
④ 3.5 cm      ⑤ 4 cm

**121** 그림과 같이 가로의 길이가 10 cm인 직사각형 ABCD에서 정사각형 ABFE를 잘라 내고 남은 직사각형 DEFC와 직사각형 ABCD가 닮음일 때, $\overline{AB}$의 길이를 구하여라.

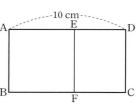

**122** 그림과 같이 중심이 $\overline{AB}$ 위에 있는 세 반원으로 이루어진 도형이 있다. 가장 큰 반원의 지름의 길이가 12 cm이고, 색칠한 부분의 넓이가 5π cm²일 때, $\overline{AC}$의 길이를 구하여라. (단, $\overline{AC}<\overline{BC}$)

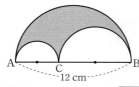

## G17 도형에 관련된 문제 Ⅱ    응용

**123** 그림과 같이 가로의 길이, 세로의 길이가 각각 24 cm, 20 cm인 직사각형에서 가로의 길이는 매초 1 cm씩 줄어들고, 세로의 길이는 매초 2 cm씩 늘어날 때, 변형된 직사각형의 넓이가 처음 직사각형의 넓이와 같아지는 것은 몇 초 후인지 구하여라.

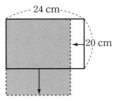

\* 접근법
   늘어나거나 줄어든 길이를 $x$에 대한 식으로 나타낸 후 도형의 넓이를 구하는 식을 세운다.

**124** 그림과 같이 가로의 길이가 4 cm, 세로의 길이가 6 cm인 직사각형의 가로와 세로의 길이를 같은 길이만큼 늘여서 넓이가 처음 넓이의 2배가 되는 직사각형을 만들려고 한다. 몇 cm를 늘여야 하는지 구하여라.

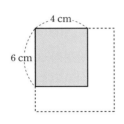

**125** 그림과 같이 어떤 원에서 반지름의 길이를 3 cm만큼 늘인 원의 넓이가 처음 원의 넓이의 2배가 되었다. 처음 원의 반지름의 길이를 구하여라.

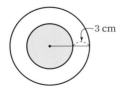

**126** 밑변의 길이와 높이가 같은 직각이등변삼각형에서 밑변의 길이는 1 cm만큼 늘이고 높이는 3 cm만큼 늘였더니 그 넓이가 처음 넓이의 2배가 되었다. 처음 직각이등변삼각형의 밑변의 길이는?

① $(3-\sqrt{7})$ cm  ② $(4-\sqrt{7})$ cm  ③ 3 cm
④ $(2+\sqrt{7})$ cm  ⑤ $(3+\sqrt{7})$ cm

## G18 도형에 관련된 문제 Ⅲ    응용

**127** 그림과 같이 가로로의 길이, 세로의 길이가 각각 36 m, 28 m인 직사각형 모양의 잔디밭에 폭이 일정한 길을 내었더니 길을 제외한 부분의 넓이가 945 m²이었다. 이때, $x$의 값을 구하여라.

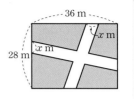

\* 접근법
   구하고자 길이를 $x$로 놓고 넓이를 구하는 식을 세운 후, 이차방정식의 해를 구한다.

**128** 너비가 24 cm인 양철판의 양쪽을 같은 길이만큼 직각으로 접어 올려서 빗금친 부분의 넓이가 64 cm²가 되도록 할 때, 양쪽을 몇 cm씩 접어 올려야 하는지 구하여라.

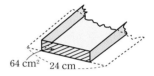

**129** 그림과 같이 가로의 길이, 세로의 길이가 각각 15 m, 10 m인 직사각형 모양의 정원이 있다. 이 정원에 폭이 일정한 ㄷ자 모양의 도로를 만들어 도로의 넓이가 72 m²가 되도록 할 때, 이 도로의 폭을 구하여라.

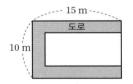

**130** 모양과 크기가 같은 직사각형 모양의 타일 8개를 넓이가 240 cm²인 직사각형 모양의 벽에 빈틈없이 늘어 놓았더니 그림과 같이 남는 부분이 생겼다. 남는 부분의 가로의 길이가 2 cm일 때, 타일의 짧은 변의 길이를 구하여라.

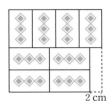

**131** 이차방정식 $0.5x^2-\dfrac{4}{3}x+\dfrac{1}{6}=0$의 해가 $x=\dfrac{4\pm\sqrt{b}}{a}$일 때, 유리수 $a$, $b$에 대하여 $a+b$의 값은?

① 13　　　　② 16　　　　③ 19
④ 22　　　　⑤ 25

**132** 이차방정식 $0.3x=0.4-0.2x^2$의 해가 $x=\dfrac{a\pm\sqrt{b}}{4}$일 때, 유리수 $a$, $b$에 대하여 $b-a$의 값은?

① 38　　　　② 40　　　　③ 42
④ 44　　　　⑤ 46

**133** 이차방정식 $x^2+ax+b=0$의 근에 대한 〈보기〉의 설명 중 항상 옳은 것을 모두 고른 것은?
(단, $a$, $b$는 상수이다.)

──── 보기 ────
ㄱ. $a=-5$, $b=6$이면 서로 다른 두 근을 갖는다.
ㄴ. $a^2-b=0$이면 중근을 갖는다.
ㄷ. $b<0$이면 근이 없다.

① ㄱ　　　　② ㄴ　　　　③ ㄱ, ㄴ
④ ㄱ, ㄷ　　　⑤ ㄴ, ㄷ

**134** 이차방정식 $\dfrac{1}{6}x^2-2x+6=0$의 근의 개수를 $a$개, 이차방정식 $3x^2-5x-2=0$의 근의 개수를 $b$개, 이차방정식 $0.2(x+1)^2=-0.4$의 근의 개수를 $c$개라 할 때, $a-b-c$의 값을 구하여라.

**135** 이차방정식 $(m^2-1)x^2+6(m+1)x+8=0$이 중근을 갖도록 하는 상수 $m$의 값을 구하여라.

**136** 이차방정식 $(m^2-1)x^2-4(m-1)x+3=0$이 중근을 갖도록 하는 상수 $m$의 값을 구하여라.

**137** 이차방정식 $x^2-2(k+1)x+k^2+4=0$이 근을 가질 때, 상수 $k$의 값의 범위는?

① $k<\dfrac{1}{2}$     ② $k\geq\dfrac{1}{2}$     ③ $k>\dfrac{2}{3}$

④ $k<\dfrac{3}{2}$     ⑤ $k\geq\dfrac{3}{2}$

**138** 이차방정식
$x^2-2(a+b-2)x+(a+b-3)^2+1=0$이 근을 가질 때, 다음 중 $a+b$의 값이 될 수 <u>없는</u> 것은?

(단, $a$, $b$는 상수이다.)

① 2     ② 3     ③ 4

④ 5     ⑤ 6

**139** 이차방정식 $x^2-3x-5=0$의 두 근의 합과 두 근의 곱이 이차방정식 $2x^2+ax+b=0$의 해일 때, 상수 $a$, $b$에 대하여 $a+b$의 값은?

① $-26$     ② $-13$     ③ $-2$

④ 13     ⑤ 26

**140** 이차방정식 $x^2-4x-7=0$의 두 근의 합과 두 근의 곱이 이차방정식 $3x^2+ax+b=0$의 해일 때, 상수 $a$, $b$에 대하여 $a-b$의 값을 구하여라.

**141** 이차방정식 $x^2-6x+k=0$의 한 근이 $3-\sqrt{2}$일 때, 유리수 $k$의 값과 다른 한 근을 구한 것은?

① $k=4$, $x=3-\sqrt{3}$     ② $k=4$, $x=2+\sqrt{3}$
③ $k=5$, $x=3+\sqrt{2}$     ④ $k=7$, $x=2+\sqrt{3}$
⑤ $k=7$, $x=3+\sqrt{2}$

**142** 이차방정식 $x^2-14x+k=0$의 한 근이 $7-\sqrt{2}$일 때, 유리수 $k$의 값과 다른 한 근을 구한 것은?

① $k=45$, $x=6+\sqrt{2}$     ② $k=45$, $x=7+\sqrt{2}$
③ $k=47$, $x=6+\sqrt{2}$     ④ $k=47$, $x=7+\sqrt{2}$
⑤ $k=47$, $x=8+\sqrt{2}$

21 DAY

**143** 이차방정식 $x^2+(2-k)x+28=0$의 두 근의 차가 3일 때, 양수 $k$의 값은?

① 7   ② 9   ③ 11
④ 13   ⑤ 15

**144** 이차방정식 $x^2-(m+2)x+8=0$의 두 근의 비가 1 : 2일 때, 모든 상수 $m$의 값의 합은?

① $-8$   ② $-4$   ③ 0
④ 4   ⑤ 8

**145** A, B 두 학생이 이차방정식 $ax^2+bx+c=0$을 푸는데 A는 $x$의 계수를 잘못 보아서 해를 $-\dfrac{5}{2}$ 또는 1로 구했고, B는 $x^2$의 계수를 잘못 보아서 해를 $\dfrac{3\pm\sqrt{29}}{2}$로 구했다. 이 이차방정식의 올바른 해를 구하여라. (단, $a$, $b$, $c$는 유리수이다.)

**146** $x^2$의 계수가 1인 어떤 이차방정식을 $x$의 계수를 잘못 보고 풀었더니 해가 $x=-3\pm\sqrt{17}$이 나왔다. 이 이차방정식의 두 근이 모두 정수일 때, 가능한 이차방정식의 개수를 구하여라.

**147** 연속하는 세 자연수가 있다. 가운데 수의 제곱은 나머지 두 수의 제곱의 차와 같을 때, 이 세 수의 합은?

① 10   ② 12   ③ 14
④ 16   ⑤ 18

**148** 연속하는 네 홀수의 제곱의 합이 1044일 때, 이 네 홀수 중 가장 큰 수는?

① 13   ② 15   ③ 17
④ 19   ⑤ 21

**149** 지면으로부터 120 m인 높이에서 어떤 물체를 초속 10 m로 똑바로 위로 던져 올렸을 때, $t$초 후의 지면으로부터의 물체의 높이는 $(-5t^2+10t+120)$ m라 한다. 이 물체가 지면에 떨어질 때까지 걸리는 시간을 구하여라.

**150** 수인이가 지면으로부터 45 m인 높이의 건물의 옥상에서 초속 40 m로 똑바로 위로 던져 올린 공의 $x$초 후의 지면으로부터의 높이는 $(-5x^2+40x+45)$ m이다. 이때, 이 공이 다시 건물의 옥상으로 떨어질 때까지 걸리는 시간은 몇 초인가?

① 1초 ② 4초 ③ 8초
④ 9초 ⑤ 11초

**151** 그림과 같이 가로의 길이, 세로의 길이가 각각 45 m, 30 m인 직사각형 모양의 땅에 폭이 일정한 길을 만들려고 한다. 길을 제외한 땅의 넓이가 675 m²가 되도록 하는 $x$의 값은?

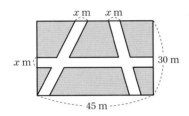

① $\dfrac{9}{2}$  ② $\dfrac{11}{2}$  ③ $\dfrac{13}{2}$

④ $\dfrac{15}{2}$  ⑤ $\dfrac{17}{2}$

**152** 가로의 길이, 세로의 길이가 각각 12 m, 9 m인 직사각형 모양의 잔디밭에 그림과 같이 길을 만들려고 한다. 길을 제외한 부분의 넓이가 45 m²가 되도록 할 때, $x$의 값은?

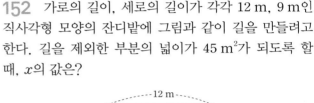
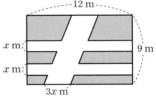

① 1  ② $\dfrac{6}{5}$  ③ $\dfrac{3}{2}$

④ $\dfrac{9}{5}$  ⑤ 2

**153** 그림과 같이 $\angle C=90°$인 직각삼각형 ABC에서 $\overline{AD}$는 $\angle A$의 이등분선이고, $\overline{AB}=4$ cm, $\overline{BD}=2$ cm일 때, $\overline{AC}$의 길이는?

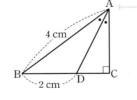

① $\dfrac{6}{5}$ cm  ② $\dfrac{8}{5}$ cm  ③ 2 cm

④ $\dfrac{12}{5}$ cm  ⑤ $\dfrac{14}{5}$ cm

**154** 그림과 같이 $\overline{AB}=13$, $\overline{AC}=15$인 삼각형 ABC에서 $\overline{AH}\perp\overline{BC}$이고 $\overline{BH}=x$, $\overline{BC}=3x-1$일 때, $\overline{AH}$의 길이는?

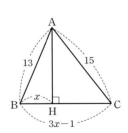

① 5  ② $4\sqrt{3}$
③ $6\sqrt{2}$  ④ $6\sqrt{3}$
⑤ 12

**155** 이차방정식 $2x^2-5x+2k-3=0$은 해를 갖고, 이차방정식 $(k+1)x^2+4x+3=0$은 해를 갖지 않도록 하는 모든 자연수 $k$의 값의 합을 구하여라.

먼저, 해를 갖는 범위를 구하자. `40%`

_____

그다음, 해를 갖지 않는 범위를 구하자. `40%`

_____

그래서, 자연수 $k$의 값의 합을 구하자. `20%`

_____

**156** 이차방정식 $x^2-2x-k+2=-2k+5$는 해를 갖고 이차방정식 $x^2+2(k-1)x+k^2+k-5=0$은 해를 갖지 않도록 하는 모든 자연수 $k$의 값의 합을 구하여라.

먼저,

_____

그다음,

_____

그래서,

_____

**157** 이차방정식 $x^2+ax+b=0$을 종국이는 $x$의 계수를 잘못 보고 풀어 두 근이 $-2$, 3이 나왔고, 하하는 상수항을 잘못 보고 풀어 두 근이 $-2$, 7이 나왔다. 이 이차방정식의 올바른 두 근의 차를 구하여라.

(단, $a$, $b$는 상수이다.)

먼저, 상수항을 구하자. `30%`

_____

그다음, $x$의 계수를 구하자. `30%`

_____

그래서, 올바른 두 근의 차를 구하자. `40%`

_____

**158** 재석이와 세호가 $x^2$의 계수가 3인 이차방정식을 풀었는데 재석이는 $x$의 계수를 잘못 보아 두 근이 $-1$, $\frac{2}{3}$로 나왔고, 세호는 상수항을 잘못 보아 두 근이 $\frac{2}{3}$, 1로 나왔다. 이 이차방정식의 올바른 두 근의 차를 구하여라.

먼저,

_____

그다음,

_____

그래서,

_____

**159** 이차방정식 $2x^2+(a+3)x+b=0$의 한 근이 $1+2\sqrt{2}$일 때, $\dfrac{b}{a}$의 값을 구하여라.

(단, $a$, $b$는 유리수이다.)

**160** 이차방정식 $x^2+(t^2-5t+6)x+t-3=0$의 두 근은 절댓값이 같고 부호가 서로 반대이다. 이때, 상수 $t$의 값을 구하여라.

**161** 이차방정식 $x^2-ax+b=0$의 두 근이 연속하는 자연수이고 두 근의 제곱의 차가 5일 때, 상수 $a$, $b$에 대하여 $(a-b)+(a-b)^2+(a-b)^3+\cdots+(a-b)^{99}$의 값을 구하여라.

**162** $x^2$의 계수가 3인 이차방정식에서 $x$의 계수를 바꾸었더니 두 근이 1과 2가 되었고, 상수항을 바꾸었더니 두 근이 4와 $-\dfrac{1}{3}$이 되었다. 처음에 주어진 이차방정식의 올바른 근을 구하여라.

**163** 직선 $mx-y+2=0$이 점 $(m+1, 2m^2)$을 지나고 제3사분면을 지나지 않을 때, 상수 $m$의 값을 구하여라.

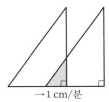

**164** 그림과 같이 밑변의 길이가 15 cm이고 높이가 20 cm인 합동인 두 직각삼각형을 완전히 포개어 놓은 후 한 직각삼각형을 분속 1 cm로 밑변과 평행하게 이동시킬 때, 겹쳐진 부분의 넓이가 24 cm²가 되는 것은 평행이동시킨 지 몇 분 후인지 구하여라.

→1 cm/분

**165** 방정식 $x^2-\sqrt{4x^2-8x+4}=\sqrt{x^2+1}$을 풀어라.

**166** 이차방정식 $x^2+(2a-2)x+a(a-2)=0$의 근이 모두 이차방정식 $(x-3)^2=-12x+4$의 두 근 사이에 있을 때, 자연수 $a$의 값을 구하여라.

**167** 주사위를 두 번 던져서 첫 번째 나온 눈의 수를 $p$, 두 번째 나온 눈의 수를 $q$라 할 때, 이차방정식 $x^2+(p+q)x+pq+1=0$의 근이 존재하지 <u>않는</u> 경우의 수는?

① 8가지      ② 10가지      ③ 12가지
④ 14가지      ⑤ 16가지

**168** 48 L짜리 큰 통에 알코올이 가득 차 있다. 다음과 같은 두 번의 시행을 하여 덜어낸 알코올의 양이 모두 18 L라 할 때, $x$의 값을 구하여라.

[시행 1] 통에서 $x$ L의 알코올을 덜어내고, 덜어낸 양만큼 물을 통에 채워 넣는다.
[시행 2] 다시 그 통에서 알코올과 물의 혼합물을 $(x+4)$ L만큼 덜어낸다.

**169** 그림과 같이 원 $O$의 둘레를 따라 시계방향으로 움직이는 점 P가 있다. 점 P는 출발한 후 $x$분 동안 $(2x^2+x)$ cm만큼 움직인다고 한다. 점 P가 처음 원 $O$의 둘레를 한 바퀴 도는 데 7분이 걸렸다면, 그 다음에 한 바퀴 도는 데는 몇 분이 걸리는지 구하여라.

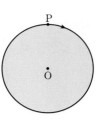

**170** 그림과 같이 한 변의 길이가 1인 정오각형 ABCDE에서 $\overline{AC}$와 $\overline{BE}$의 교점을 P라 할 때, $x$의 값을 구하여라.

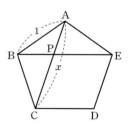

**171** 어느 전시회의 입장료를 $x$ % 인상하면 방문객의 수는 $0.5x$ % 줄어든다고 한다. 입장료 수입이 8 % 증가하려면 입장료를 몇 % 인상해야 하는가?

(단, $0<x<30$)

① 5 %      ② 10 %      ③ 15 %
④ 20 %      ⑤ 25 %

**172** 그림과 같이 한 변의 길이가 4 cm인 정사각형 ABCD의 두 변 BC, CD 위에 삼각형 AEF가 정삼각형이 되도록 두 점 E, F를 각각 잡을 때, $\overline{BE}$의 길이를 구하여라.

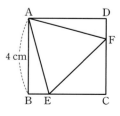

# Ⅳ 이차함수

### 1 이차함수의 뜻

함수 $y=f(x)$에서 $y$가 $x$에 대한 이차식, 즉

$$y=ax^2+bx+c \ (a, b, c는 상수, a\neq0)$$

로 나타내어질 때, 이 함수 $f$를 $x$에 대한 이차함수라 한다.

**예** $y=2x^2$, $y=-x^2+3x-1$, $y=\dfrac{1}{2}x^2+4$ ⇨ 이차함수이다.

$y=x-3$, $y=\dfrac{5}{x}$, $y=x^2-x^3+1$ ⇨ 이차함수가 아니다.

- $x$와 $y$의 값의 범위가 특별히 주어지지 않았을 때에는 $x$와 $y$의 값의 범위를 실수 전체로 한다.

### 2 이차함수 $y=x^2$의 그래프

(1) 원점 O를 지나고 아래로 볼록한 곡선이다.
(2) $y$축에 대하여 대칭이다.
(3) $x<0$일 때 : $x$의 값이 증가하면 $y$의 값은 감소한다.
  $x>0$일 때 : $x$의 값이 증가하면 $y$의 값도 증가한다.
(4) 원점을 제외하고 모두 $x$축보다 위쪽에 있다.
(5) 이차함수 $y=-x^2$의 그래프와 $x$축에 대하여 대칭이다.

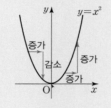

- $a\neq0$일 때 다음을 구별하여 기억하자.
  ① $ax^2+bx+c$ : $x$에 대한 이차식
  ② $ax^2+bx+c=0$
    : $x$에 대한 이차방정식
  ③ $y=ax^2+bx+c$
    : $x$에 대한 이차함수

**참고** (1) 포물선 : 이차함수 $y=x^2$, $y=-x^2$의 그래프와 같은 모양의 곡선을 포물선이라 한다.
 (2) 축 : 포물선의 대칭축을 포물선의 축이라 한다.
 (3) 꼭짓점 : 포물선과 축의 교점을 포물선의 꼭짓점이라 한다.

- 이차함수 $y=-x^2$의 그래프
  (1) 원점 O를 지나고 위로 볼록한 곡선이다.
  (2) $y$축에 대하여 대칭이다.
  (3) $x<0$일 때 : $x$의 값이 증가하면 $y$의 값도 증가한다.
    $x>0$일 때 : $x$의 값이 증가하면 $y$의 값은 감소한다.
  (4) 원점을 제외하고 모두 $x$축보다 아래쪽에 있다.

### 3 이차함수 $y=ax^2$의 그래프

(1) 원점 O를 꼭짓점으로 한다.
(2) $y$축에 대하여 대칭이다. (축의 방정식 : $x=0$)
(3) $a>0$일 때 아래로 볼록한 포물선이고, $a<0$일 때 위로 볼록한 포물선이다.
(4) $a$의 절댓값이 클수록 그래프의 폭이 좁아진다. 폭이 좁아지면 그래프는 $y$축에 가까워진다.
(5) 이차함수 $y=-ax^2$의 그래프와 $x$축에 대하여 대칭이다.

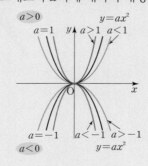

- 이차함수 $y=ax^2$의 그래프에서
  (1) $a>0$이면
    ① $x<0$에서 $x$의 값이 증가할 때 $y$의 값은 감소
    ② $x>0$에서 $x$의 값이 증가할 때 $y$의 값도 증가
  (2) $a<0$이면
    ① $x<0$에서 $x$의 값이 증가할 때 $y$의 값도 증가
    ② $x>0$에서 $x$의 값이 증가할 때 $y$의 값은 감소

**1 이차함수의 뜻**

[001~004] 다음 중 이차함수인 것에는 ○표, 이차함수가 아닌 것에는 ×표를 하여라.

**001** $y=x(x^2+2)-1$ ( )

**002** $y=4x-5$ ( )

**003** $y=(1-x)(x+3)$ ( )

**004** $y=2x(x+3)-4x^2+4$ ( )

[005~006] 다음을 $x$와 $y$ 사이의 관계식으로 나타내어라.

**005** 연속한 두 자연수 중 작은 수를 $x$라 할 때, 두 수의 곱 $y$

**006** 둘레의 길이가 20 cm이고, 세로의 길이가 $x$ cm인 직사각형의 넓이 $y\,\text{cm}^2$

[007~010] 이차함수 $f(x)=-2x^2+4x+1$에 대하여 다음 함숫값을 구하여라.

**007** $f(1)$ ㅤㅤㅤㅤ **008** $f\left(\dfrac{1}{2}\right)$

**009** $f(-2)$ ㅤㅤㅤ **010** $f(-1)+f(2)$

**2 이차함수 $y=x^2$의 그래프**

[011~014] 다음은 이차함수 $y=x^2$의 그래프에 대한 설명이다. ☐ 안에 알맞은 것을 써넣어라.

**011** 점 (☐, ☐)을 꼭짓점으로 하고, ☐을 축으로 하는 포물선이다.

**012** ☐로 볼록한 포물선이다.

**013** 원점을 제외한 모든 부분은 ☐보다 위쪽에 있다.

**014** $x<0$일 때, $x$의 값이 증가하면 $y$의 값은 ☐ 한다.

**3 이차함수 $y=ax^2$의 그래프**

[015~019] 다음은 이차함수 $y=-4x^2$의 그래프에 대한 설명이다. ☐ 안에 알맞은 것을 써넣어라.

**015** 점 (☐, ☐)을 꼭짓점으로 하고, ☐을 축으로 하는 포물선이다.

**016** ☐로 볼록한 포물선이다.

**017** 이차함수 ☐의 그래프와 $x$축에 대하여 서로 대칭이다.

**018** 점 $\left(-\dfrac{1}{2},\ ☐\right)$을 지난다.

**019** $x>0$일 때, $x$의 값이 증가하면 $y$의 값은 ☐ 한다.

[020~022] 이차함수 $y=\dfrac{3}{8}x^2$의 그래프에 대하여 다음을 구하여라.

**020** 꼭짓점의 좌표

**021** 축의 방정식

**022** 이차함수 $y=\dfrac{3}{8}x^2$의 그래프와 $x$축에 대하여 대칭인 그래프의 식

22 DAY

[023~025] 〈보기〉의 이차함수의 그래프에 대하여 다음 물음에 답하여라.

┌─ 보기 ─
ㄱ. $y=2x^2$ ㅤㅤ ㄴ. $y=-\dfrac{1}{2}x^2$ ㅤㅤ ㄷ. $y=\dfrac{1}{3}x^2$
ㄹ. $y=-2x^2$ ㅤㅤ ㅁ. $y=3x^2$ ㅤㅤ ㅂ. $y=-x^2$
└─

**023** 그래프가 아래로 볼록한 것을 모두 골라라.

**024** 그래프가 $x$축에 대하여 서로 대칭인 두 이차함수를 골라라.

**025** 그래프가 위로 볼록하면서 폭이 가장 좁은 것을 골라라.

## 4 이차함수 $y=ax^2+q$의 그래프

(1) 이차함수 $y=ax^2+q$의 그래프는 이차함수 $y=ax^2$의 그래프를 $y$축의 방향 으로 $q$만큼 평행이동한 것이다.

(2) 꼭짓점의 좌표 : $(0, q)$
 - $q>0$이면 그래프가 $y$축의 양의 방향(위쪽)으로 이동
 - $q<0$이면 그래프가 $y$축의 음의 방향(아래쪽)으로 이동

(3) 축의 방정식 : $x=0$ ($y$축)

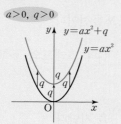
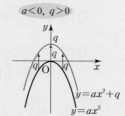

- 평행이동 : 한 도형을 일정한 방향 으로 일정한 거리만큼 이동하는 것

- 이차함수 $y=ax^2$의 그래프를 평행 이동해도 이차항의 계수 $a$는 변하 지 않으므로 그래프의 모양과 폭은 변하지 않는다.

## 5 이차함수 $y=a(x-p)^2$의 그래프

(1) 이차함수 $y=a(x-p)^2$의 그래프는 이차함수 $y=ax^2$의 그래프를 $x$축의 방 향으로 $p$만큼 평행이동한 것이다.

(2) 꼭짓점의 좌표 : $(p, 0)$

(3) 축의 방정식 : $x=p$
 - $p>0$이면 그래프가 $x$축의 양의 방향(오른쪽)으로 이동
 - $p<0$이면 그래프가 $x$축의 음의 방향(왼쪽)으로 이동

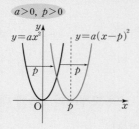
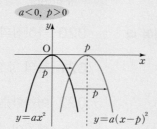

- 이차함수 $y=a(x-p)^2$의 그래프 에서
 (1) $a>0$일 때
  ① $x<p$에서 $x$의 값이 증가하 면 $y$의 값은 감소
  ② $x>p$에서 $x$의 값이 증가하 면 $y$의 값도 증가
 (2) $a<0$일 때
  ① $x<p$에서 $x$의 값이 증가하 면 $y$의 값도 증가
  ② $x>p$에서 $x$의 값이 증가하 면 $y$의 값은 감소

## 6 이차함수 $y=a(x-p)^2+q$의 그래프

(1) 이차함수 $y=a(x-p)^2+q$의 그래프는 이차함수 $y=ax^2$의 그래프를 $x$축 의 방향으로 $p$만큼, $y$축의 방향으로 $q$만큼 평행이동한 것이다.

(2) 꼭짓점의 좌표 : $(p, q)$

(3) 축의 방정식 : $x=p$

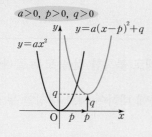
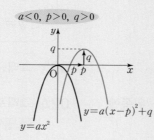

- $x$축의 방향으로 $p$만큼 평행이동하 는 경우 $x$ 대신 $x-p$를 대입하고, $y$축의 방향으로 $q$만큼 평행이동하 는 경우 $y$ 대신 $y-q$를 대입한다.

- 이차함수 $y=a(x-p)^2+q$에서 $a, p, q$의 부호
 (1) $a$의 부호 : 그래프의 모양에 따 라 결정
  ① 아래로 볼록하면 $a>0$
  ② 위로 볼록하면 $a<0$
 (2) $p, q$의 부호 : 꼭짓점의 위치에 따라 결정
  ① 제1사분면 ⇨ $p>0, q>0$
  ② 제2사분면 ⇨ $p<0, q>0$
  ③ 제3사분면 ⇨ $p<0, q<0$
  ④ 제4사분면 ⇨ $p>0, q<0$

**4** 이차함수 $y=ax^2+q$의 그래프

[026~029] 다음 이차함수의 그래프를 $y$축의 방향으로 [  ] 안의 수만큼 평행이동한 그래프의 식과 꼭짓점의 좌표를 차례로 구하여라.

**026** $y=x^2$ [ 5 ]　　**027** $y=-2x^2$ [ $-9$ ]

**028** $y=\dfrac{1}{2}x^2$ [ $-7$ ]　　**029** $y=-\dfrac{1}{4}x^2$ [ 5 ]

[030~031] 다음 이차함수의 그래프의 꼭짓점의 좌표와 축의 방정식을 각각 구하여라.

**030** $y=6x^2-2$

**031** $y=-\dfrac{1}{5}x^2+3$

**5** 이차함수 $y=a(x-p)^2$의 그래프

**032** 주어진 이차함수의 그래프를 $x$축의 방향으로 [  ] 안의 수만큼 평행이동한 이차함수의 그래프에 대하여 다음 표를 완성하여라.

|  | $y=x^2$ [ 5 ] | $y=-2x^2$ [ $-3$ ] |
|---|---|---|
| 함수식 |  |  |
| 꼭짓점의 좌표 |  |  |
| 축의 방정식 |  |  |

[033~036] 다음 이차함수의 그래프는 이차함수 $y=ax^2$의 그래프를 $x$축의 방향으로 $b$만큼 평행이동한 것이다. 이때, 상수 $a$, $b$의 값을 각각 구하여라.

**033** $y=\dfrac{1}{2}(x+6)^2$

**034** $y=-5(x+7)^2$

**035** $y=\dfrac{3}{4}(x-5)^2$

**036** $y=-\dfrac{1}{3}(x-8)^2$

**6** 이차함수 $y=a(x-p)^2+q$의 그래프

[037~040] 이차함수 $y=-\dfrac{1}{2}x^2$의 그래프를 $x$축의 방향으로 3만큼, $y$축의 방향으로 2만큼 평행이동한 그래프에 대하여 다음 물음에 답하여라.

**037** 평행이동한 함수의 식을 구하여라.

**038** 이차함수 $y=-\dfrac{1}{2}x^2$의 그래프를 이용하여 037번의 그래프를 그려라.

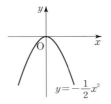

**039** 꼭짓점의 좌표를 구하여라.

**040** 축의 방정식을 구하여라.

[041~042] 다음 이차함수의 그래프를 $x$축의 방향으로 $p$만큼, $y$축의 방향으로 $q$만큼 평행이동한 그래프의 식을 구하여라.

**041** $y=3x^2$ [ $p=2$, $q=4$ ]

**042** $y=-2x^2$ [ $p=-1$, $q=-3$ ]

[043~044] 다음 이차함수의 그래프의 꼭짓점의 좌표와 축의 방정식을 각각 구하여라.

**043** $y=\dfrac{1}{3}(x-2)^2+1$

**044** $y=-2(x-5)^2-\dfrac{3}{2}$

**045** 이차함수 $y=2x^2$의 그래프를 $x$축의 방향으로 3만큼, $y$축의 방향으로 $-7$만큼 평행이동하면 점 $(1, k)$를 지날 때, $k$의 값을 구하여라.

## H1 이차함수의 뜻
기초

**046** 다음 중 이차함수가 <u>아닌</u> 것은?

① $y=3x^2$
② $y=x^2-x-(x-1)^2$
③ $y=-x^2+3x+4$
④ $y=x(x-1)$
⑤ $y=2(x-3)^2+3$

* 개념 찾기

함수 $y=f(x)$에서 $y=ax^2+bx+c$($a$, $b$, $c$는 상수, $a\neq0$)의 꼴로 나타내어지면 이 함수 $f$를 $x$에 대한 이차함수라 한다.

---

**047** 다음 〈보기〉에서 $y$가 $x$에 대한 이차함수인 것을 모두 고른 것은?

보기
ㄱ. $y=x^2+3$          ㄴ. $y=-2x+1$
ㄷ. $y=(x+2)^2-x^2$     ㄹ. $y=(2x+3)^2-2x^2$
ㅁ. $y=\dfrac{1}{x^2}$          ㅂ. $y=x(3x-1)+x$

① ㄱ, ㄴ, ㄷ
② ㄱ, ㄷ, ㅁ
③ ㄱ, ㄹ, ㅂ
④ ㄴ, ㄷ, ㅂ
⑤ ㄷ, ㄹ, ㅁ

---

**048** 다음 중 $y$가 $x$에 대한 이차함수인 것은?

① 밑변의 길이가 5, 높이가 $2x$인 삼각형의 넓이 $y$
② 한 변의 길이가 $x$인 정사각형의 둘레의 길이 $y$
③ 넓이가 20인 직사각형의 가로의 길이 $x$와 세로의 길이 $y$
④ 밑변의 길이가 $x$, 높이가 4인 평행사변형의 넓이 $y$
⑤ 아랫변의 길이가 6, 윗변의 길이가 $x$, 높이가 $4x$인 사다리꼴의 넓이 $y$

---

**049** 함수 $y=4x^2+1-2x(ax+1)$이 이차함수일 때, 다음 중 상수 $a$의 값이 될 수 <u>없는</u> 것은?

① $-2$
② $-1$
③ $1$
④ $2$
⑤ $3$

---

## H2 이차함수의 함숫값
기초

**050** 이차함수 $f(x)=x^2-2x+3$에서 $f(1)+f(2)$의 값은?

① $-1$
② $1$
③ $2$
④ $3$
⑤ $5$

* Check Key

이차함수 $f(x)=ax^2+bx+c$에서 $x=k$일 때의 함숫값
$\Rightarrow f(k)=ak^2+bk+c$

---

**051** 이차함수 $f(x)=2x^2-5x+1$에서 $f(a)=8$일 때, 정수 $a$의 값은?

① $-2$
② $-1$
③ $1$
④ $2$
⑤ $3$

---

**052** 이차함수 $f(x)=ax^2+5x-2$에서 $f(-1)=-10$, $f(2)=b$일 때, 상수 $a$, $b$에 대하여 $ab$의 값은?

① $6$
② $8$
③ $10$
④ $12$
⑤ $14$

---

**053** 이차함수 $f(x)=3x^2+ax-b$에 대하여 $f(-2)=1$, $f(3)=6$일 때, $f(-1)$의 값은?
(단, $a$, $b$는 상수이다.)

① $-10$
② $-5$
③ $0$
④ $5$
⑤ $10$

## H3 이차함수 $y=ax^2$의 그래프  기초

**054** 다음 중 이차함수 $y=ax^2$의 그래프에 대한 설명으로 옳지 <u>않은</u> 것은? (단, $a$는 상수이다.)

① 꼭짓점은 원점이다.
② 점 $(2, 4a)$를 지난다.
③ $a$의 절댓값이 작을수록 폭이 좁아진다.
④ $a>0$이면 아래로 볼록하고, $a<0$이면 위로 볼록하다.
⑤ $y=ax^2$의 그래프와 $y=-ax^2$의 그래프는 $x$축에 대하여 서로 대칭이다.

＊ 개념 찾기
이차함수 $y=ax^2$의 그래프의 성질
(1) 꼭짓점의 좌표 : $(0, 0)$
(2) $y$축에 대하여 대칭인 포물선이다. (축의 방정식 : $x=0$)
(3) $a>0$일 때 아래로 볼록하고, $a<0$일 때 위로 볼록하다.
(4) $a$의 절댓값이 클수록 그래프의 폭이 좁아진다.
(5) 이차함수 $y=-ax^2$의 그래프와 $x$축에 대하여 대칭이다.

**055** 다음 〈보기〉의 이차함수의 그래프 중에서 $x$축에 대하여 서로 대칭인 것끼리 짝을 지어라.

─── 보기 ───
ㄱ. $y=x^2$   ㄴ. $y=-\dfrac{1}{2}x^2$   ㄷ. $y=\dfrac{5}{2}x^2$
ㄹ. $y=-\dfrac{2}{5}x^2$   ㅁ. $y=-2x^2$   ㅂ. $y=2x^2$

**056** 다음 이차함수의 그래프 중에서 위로 볼록하면서 폭이 가장 넓은 것은?

① $y=-3x^2$   ② $y=-x^2$   ③ $y=-\dfrac{1}{4}x^2$
④ $y=\dfrac{1}{2}x^2$   ⑤ $y=\dfrac{2}{3}x^2$

**057** 다음 〈보기〉의 이차함수 중 그 그래프의 폭이 좁은 것부터 차례로 나열한 것은?

─── 보기 ───
ㄱ. $y=3x^2$   ㄴ. $y=-\dfrac{1}{2}x^2$   ㄷ. $y=-5x^2$
ㄹ. $y=\dfrac{1}{3}x^2$   ㅁ. $y=-x^2$   ㅂ. $y=\dfrac{3}{4}x^2$

① ㄱ, ㅂ, ㄹ, ㄴ, ㅁ, ㄷ
② ㄷ, ㄱ, ㅁ, ㅂ, ㄴ, ㄹ
③ ㄷ, ㄱ, ㅁ, ㅂ, ㄹ, ㄴ
④ ㄹ, ㄴ, ㅂ, ㅁ, ㄱ, ㄷ
⑤ ㄹ, ㄴ, ㅂ, ㅁ, ㄷ, ㄱ

**058** 그림은 두 이차함수 $y=2x^2$과 $y=-x^2$의 그래프이다. 다음 이차함수의 그래프 중 이 두 그래프 사이에 있지 <u>않는</u> 것은?

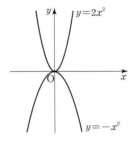

① $y=-\dfrac{3}{2}x^2$   ② $y=-\dfrac{1}{2}x^2$   ③ $y=\dfrac{1}{2}x^2$
④ $y=x^2$   ⑤ $y=\dfrac{3}{2}x^2$

**059** 이차함수 $y=ax^2$의 그래프가 두 점 $(-2, 6)$, $(4, b)$를 지날 때, 상수 $a$, $b$에 대하여 $ab$의 값은?

① $-24$   ② $-12$   ③ $12$
④ $24$   ⑤ $36$

22 DAY

**060** 다음 중 이차함수 $y=-\dfrac{1}{3}x^2$의 그래프에 대한 설명으로 옳은 것은?

① 점 $(-3, 3)$을 지난다.
② 축의 방정식은 $y=0$이다.
③ 아래로 볼록한 포물선이다.
④ 어떤 $x$의 값에 대하여도 $y \geq 0$이다.
⑤ $x>0$일 때, $x$의 값이 증가하면 $y$의 값은 감소한다.

**061** 그림은 모두 원점이 꼭짓점인 포물선이고, ⓐ와 ⓑ는 각각 이차함수 $y=2x^2$, $y=-2x^2$의 그래프이다. $0<a<2$일 때, 이차함수 $y=ax^2$의 그래프로 옳은 것을 골라라.

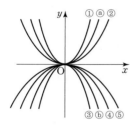

**062** ★ 그림은 네 이차함수 $y=-2x^2$, $y=-\dfrac{1}{4}x^2$, $y=\dfrac{1}{4}x^2$, $y=2x^2$의 그래프를 좌표평면 위에 나타낸 것이다. 포물선 ㉠이 점 $(-5, a)$를 지날 때, $a$의 값을 구하여라.

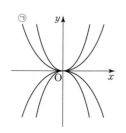

---

**H4 이차함수 $y=ax^2$의 식 구하기**   이해

**063** 그림과 같이 원점을 꼭짓점으로 하고 점 $(3, 2)$를 지나는 포물선을 그래프로 하는 이차함수의 식은?

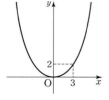

① $y=\dfrac{2}{3}x^2$   ② $y=\dfrac{2}{9}x^2$

③ $y=\dfrac{3}{2}x^2$   ④ $y=4x^2$

⑤ $y=9x^2$

＊ 접근법 ⋯⋯⋯⋯⋯⋯⋯⋯⋯⋯⋯⋯⋯⋯⋯⋯⋯⋯⋯⋯
원점을 꼭짓점으로 하는 이차함수의 그래프의 식은 $y=ax^2$ 꼴이므로 그래프가 지나는 점의 좌표를 대입하면 $a$의 값을 구할 수 있다.

**064** 원점을 꼭짓점으로 하고 $y$축을 축으로 하는 포물선이 두 점 $(2, 8)$, $(-1, k)$를 지날 때, $k$의 값은?

① $-4$   ② $-2$   ③ $2$
④ $4$   ⑤ $6$

**065** 이차함수 $y=f(x)$의 그래프가 그림과 같을 때, $f(6)$의 값을 구하여라. (단, $f(0)=0$)

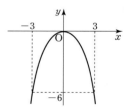

**066** ★ 원점을 꼭짓점으로 하고 점 $(2, -3)$을 지나는 포물선과 $x$축에 대하여 대칭인 포물선이 점 $(k, 12)$를 지날 때, 음수 $k$의 값을 구하여라.

## H5 이차함수 $y=ax^2+q$의 그래프  기초

**067** 다음 중 이차함수 $y=3x^2-1$의 그래프에 대한 설명으로 옳지 <u>않은</u> 것은?

① 아래로 볼록한 포물선이다.

② 축의 방정식은 $x=0$이다.

③ 꼭짓점의 좌표는 $(0, -1)$이다.

④ 점 $(1, 3)$을 지난다.

⑤ $y=3x^2$의 그래프를 $y$축의 방향으로 $-1$만큼 평행이동한 것이다.

---

✻ 개념 찾기

(1) 이차함수 $y=ax^2+q$의 그래프는 이차함수 $y=ax^2$의 그래프를 $y$축의 방향으로 $q$만큼 평행이동한 것이다.

(2) 꼭짓점의 좌표 : $(0, q)$

(3) 축의 방정식 : $y$축 $(x=0)$

---

**068** 다음 이차함수의 그래프 중 이차함수 $y=x^2+2$의 그래프를 평행이동하여 완전히 포갤 수 있는 것은?

① $y=2x^2+1$   ② $y=\dfrac{3}{2}x^2+1$   ③ $y=x^2$

④ $y=-\dfrac{1}{2}x^2+2$ ⑤ $y=-x^2+2$

**069** 이차함수 $y=-3x^2$의 그래프를 $y$축의 방향으로 $q$만큼 평행이동하면 점 $(2, -8)$을 지난다. 이때, 이 그래프의 꼭짓점의 좌표를 구하여라.

**070** 그림과 같이 $y$축을 축으로 하는 포물선을 그래프로 하는 이차함수의 식은?

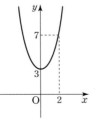

① $y=x^2+3$   ② $y=x^2+7$

③ $y=2x^2+3$   ④ $y=\dfrac{5}{2}x^2-3$

⑤ $y=(x-3)^2$

**071** 이차함수 $y=2x^2+3$의 그래프를 $y$축의 방향으로 $k$만큼 평행이동하면 이차함수 $y=2x^2-4$의 그래프와 일치한다고 한다. 이때, $k$의 값은?

① $-4$   ② $-5$   ③ $-6$

④ $-7$   ⑤ $-8$

**072** 이차함수 $y=ax^2+q$의 그래프가 그림과 같을 때, $a$, $q$의 부호는?

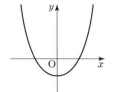

① $a>0$, $q>0$   ② $a>0$, $q<0$

③ $a<0$, $q>0$   ④ $a<0$, $q<0$

⑤ $a>0$, $q=0$

**073** $a<0$, $q<0$일 때, 다음 중 이차함수 $y=-ax^2-q$의 그래프로 적당한 것은?

①

②

③

④

⑤

**074** 이차함수 $y=ax^2+q$의 그래프를 $y$축의 방향으로 3만큼 평행이동하였더니 $y=ax^2-3$의 그래프와 완전히 포개어졌다. 이차함수 $y=ax^2-3$의 그래프가 점 $(2, 5)$를 지날 때, 상수 $a$, $q$에 대하여 $a+q$의 값을 구하여라.

**075** 이차함수 $y=-ax^2+q$의 그래프가 그림과 같을 때, 다음 중 항상 옳은 것은?

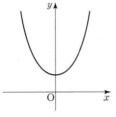

① $a>0$　　　② $q<0$
③ $aq<0$　　　④ $a-q>0$
⑤ $a+q<0$

**076** 그림은 두 이차함수 $y=2x^2$, $y=2x^2+5$의 그래프를 나타낸 것이다. 이때, $y$축에 평행한 선분 AB의 길이는?

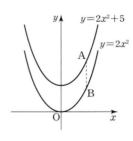

① 1　　　② 2　　　③ 3
④ 4　　　⑤ 5

**077** 이차함수 $y=-2x^2+3$의 그래프를 $y$축의 방향으로 $a$만큼 평행이동한 그래프 위의 두 점 $(2, 1)$, $(-1, b)$를 지나는 직선의 방정식이 $y=mx+n$일 때, $m+n$의 값을 구하여라. (단, $a$, $b$, $m$, $n$은 상수이다.)

## H6 이차함수 $y=a(x-p)^2$의 그래프　기초

**078** 이차함수 $y=-(x+3)^2$의 그래프에 대한 〈보기〉의 설명 중 옳은 것을 모두 골라라.

━━ 보기 ━━
ㄱ. 꼭짓점의 좌표는 $(3, 0)$이고, 직선 $x=3$을 축으로 하는 포물선이다.
ㄴ. 이차함수 $y=-x^2$의 그래프를 $x$축의 방향으로 $-3$만큼 평행이동한 것이다.
ㄷ. 이차함수 $y=(x+3)^2$의 그래프와 $y$축에 대하여 대칭이다.
ㄹ. 점 $(0, -9)$를 지난다.

＊ 개념 찾기
(1) 이차함수 $y=a(x-p)^2$의 그래프는 이차함수 $y=ax^2$의 그래프를 $x$축의 방향으로 $p$만큼 평행이동한 것이다.
(2) 꼭짓점의 좌표 : $(p, 0)$
(3) 축의 방정식 : $x=p$

**079** 다음 중 이차함수 $y=-\dfrac{1}{2}(x+2)^2$의 그래프로 옳은 것은?

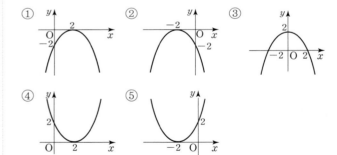

**080** 이차함수 $y=3x^2$의 그래프와 모양이 같고 꼭짓점의 좌표가 $(2, 0)$인 그래프가 나타내는 이차함수의 식이 $y=a(x-p)^2$일 때, 상수 $a$, $p$에 대하여 $a+p$의 값은?

① 1　　　② 2　　　③ 3
④ 4　　　⑤ 5

**081** 이차함수 $y=a(x-p)^2$의 그래프가 그림과 같을 때, $a$, $p$의 부호를 각각 구하여라.

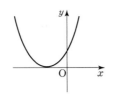

**082** 그림과 같이 점 $(2, 0)$을 꼭짓점으로 하고 점 $(0, 2)$를 지나는 이차함수의 그래프가 두 점 $(-3, m)$, $(3, n)$을 지날 때, $m-n$의 값을 구하여라.

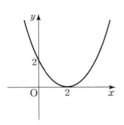

**083** 이차함수 $y=a(x-p)^2$의 그래프는 축의 방정식이 $x=-3$이고, 점 $(-2, 2)$를 지난다. 이때, 상수 $a$, $p$에 대하여 $ap$의 값은?

① $-6$        ② $-4$        ③ $-2$
④ $2$         ⑤ $4$

**084** 일차함수 $y=ax+p$의 그래프가 그림과 같을 때, 다음 중 이차함수 $y=a(x-p)^2$의 그래프로 알맞은 것은?

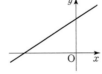

① 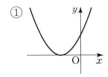   ② 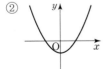   ③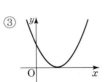

④ 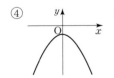   ⑤

---

### H7 이차함수 $y=a(x-p)^2+q$의 그래프의 평행이동  이해

**085** 이차함수 $y=-(x+2)^2+1$의 그래프를 $x$축의 방향으로 $p$만큼, $y$축의 방향으로 $q$만큼 평행이동하면 이차함수 $y=-x^2$의 그래프와 완전히 포개어진다. 이때, $p+q$의 값은?

① $-1$        ② $0$         ③ $1$
④ $2$         ⑤ $3$

* **Check Key**
  이차함수 $y=a(x-p)^2+q$의 그래프를 $x$축의 방향으로 $p'$만큼, $y$축의 방향으로 $q'$만큼 평행이동하면 $y=a(x-p-p')^2+q+q'$

**086** 이차함수 $y=3(x-2)^2+2$의 그래프를 $x$축의 방향으로 $-1$만큼, $y$축의 방향으로 $-1$만큼 평행이동한 그래프가 나타내는 이차함수의 식은?

① $y=3(x-1)^2-1$        ② $y=3(x-1)^2+1$
③ $y=3(x-1)^2+3$        ④ $y=3(x+3)^2-1$
⑤ $y=3(x+3)^2+1$

**087** 다음 중 이차함수 $y=(x+1)^2+1$의 그래프를 $x$축의 방향으로 4만큼, $y$축의 방향으로 2만큼 평행이동한 그래프가 지나는 점은?

① $(-1, 1)$     ② $(1, 2)$      ③ $(2, 3)$
④ $(4, 4)$      ⑤ $(5, 8)$

**088** 이차함수 $y=2(x-1)^2+3$의 그래프를 $x$축의 방향으로 2만큼, $y$축의 방향으로 $-1$만큼 평행이동한 그래프가 점 $(1, m)$을 지날 때, $m$의 값을 구하여라.

**H8 이차함수의 그래프의 꼭짓점의 좌표와 축의 방정식** 이해

**089** 이차함수 $y=-(x+3)^2$의 그래프를 $x$축의 방향으로 $-3$만큼, $y$축의 방향으로 4만큼 평행이동한 그래프의 꼭짓점의 좌표를 $(p, q)$, 축의 방정식을 $x=m$이라 할 때, $p-2q-3m$의 값은?

① $-4$　　　② $-2$　　　③ 0

④ 2　　　⑤ 4

＊ 개념 찾기
이차함수 $y=a(x-p)^2+q$의 그래프의 꼭짓점의 좌표는 $(p, q)$이고 축의 방정식은 $x=p$이다.

**090** 이차함수 $y=\dfrac{2}{3}(x-2)^2$의 그래프의 축의 방정식이 $x=p$, 이차함수 $y=-4\left(x+\dfrac{5}{4}\right)^2+3$의 그래프의 축의 방정식이 $x=q$일 때, $p+4q$의 값을 구하여라.

**091** 다음 조건을 모두 만족하는 포물선을 그래프로 하는 이차함수의 식은?

(가) 축의 방정식이 $x=-2$이다.
(나) 점 $(-4, 1)$을 지난다.
(다) 이차함수 $y=\dfrac{1}{2}x^2$의 그래프를 평행이동한 것이다.

① $y=-\dfrac{1}{2}(x+2)^2+1$　　② $y=-\dfrac{1}{2}(x-2)^2-3$

③ $y=\dfrac{1}{2}(x+2)^2-3$　　④ $y=\dfrac{1}{2}(x+2)^2-1$

⑤ $y=\dfrac{1}{2}(x-2)^2-1$

**092** 다음 이차함수 중 그 그래프의 꼭짓점이 제3사분면 위에 있는 것은?

① $y=5x^2$
② $y=-2x^2+3$
③ $y=3(x-1)^2$
④ $y=(x-1)^2-7$
⑤ $y=-2(x+4)^2-3$

**093** 이차함수 $y=-a(x-p)^2+3$의 그래프가 직선 $x=-1$을 축으로 하고, 점 $(0, 4)$를 지날 때, 상수 $a, p$에 대하여 $a+p$의 값은?

① $-3$　　　② $-2$　　　③ $-1$

④ 1　　　⑤ 2

**094** 이차함수 $y=a(x-p)^2+q$의 그래프는 꼭짓점의 좌표가 $(-2, 6)$이고, 점 $(4, 2)$를 지난다. 이때, 상수 $a, p, q$에 대하여 $a+p+q$의 값은?

① $\dfrac{11}{3}$　　　② $\dfrac{34}{9}$　　　③ $\dfrac{35}{9}$

④ 4　　　⑤ $\dfrac{37}{9}$

**095** 이차함수 $y=4x^2-5$의 그래프를 $x$축의 방향으로 $k$만큼, $y$축의 방향으로 $k+2$만큼 평행이동한 그래프의 꼭짓점이 직선 $y=-x+9$ 위에 있을 때, $k$의 값은?

① $-6$　　　② $-3$　　　③ 1

④ 3　　　⑤ 6

**096** 이차함수 $y=-\dfrac{1}{2}x^2$의 그래프와 모양이 같고 꼭짓점의 좌표가 $(-2, 3)$인 포물선의 식은?

① $y=\dfrac{1}{2}(x-2)^2+3$

② $y=\dfrac{1}{2}(x-3)^2+2$

③ $y=-\dfrac{1}{2}(x+2)^2+3$

④ $y=-\dfrac{1}{2}(x+3)^2-2$

⑤ $y=-2(x+2)^2-3$

**097** 이차함수 $y=a(x-p)^2+q$의 그래프가 그림과 같을 때, 상수 $a$, $p$, $q$에 대하여 $a+p+q$의 값은?

① $-8$ ② $-7$

③ $-6$ ④ $-5$

⑤ $-4$

**098** 이차함수 $y=x^2+1$의 그래프를 $x$축의 방향으로 $m+3$만큼, $y$축의 방향으로 $n-3$만큼 평행이동시킨 그래프의 꼭짓점의 좌표가 $(2, 3)$이다. 이때, $m-n$의 값은?

① $0$ ② $-2$ ③ $-4$

④ $-6$ ⑤ $-8$

 **099** 이차함수 $y=(a+1)(x-2)^2-a^2+3a+3$의 그래프의 꼭짓점의 좌표가 $(2, -1)$일 때, 상수 $a$의 값을 구하여라.

---

**H9** 이차함수 $y=a(x-p)^2+q$의 그래프에서 증가·감소하는 범위    이해

**100** 이차함수 $y=\dfrac{2}{3}(x+3)^2-1$의 그래프에서 $x$의 값이 증가할 때 $y$의 값도 증가하는 $x$의 값의 범위는?

① $x>-6$ ② $x<-3$ ③ $x>-3$

④ $x<-1$ ⑤ $x<3$

✽ 개념 찾기

이차함수 $y=a(x-p)^2+q$의 그래프에서

(1) $a>0$일 때, $x>p$이면 $x$의 값이 증가할 때 $y$의 값도 증가하고 $x<p$이면 $x$의 값이 증가할 때 $y$의 값은 감소한다.

(2) $a<0$일 때, $x>p$이면 $x$의 값이 증가할 때 $y$의 값은 감소하고 $x<p$이면 $x$의 값이 증가할 때 $y$의 값도 증가한다.

**101** 이차함수 $y=-(x-2)^2+5$의 그래프에서 $x$의 값이 증가할 때 $y$의 값도 증가하는 $x$의 값의 범위는?

① $x>-2$ ② $x<2$ ③ $x>2$

④ $x<5$ ⑤ $x>5$

**102** 이차함수 $y=2x^2$의 그래프를 $x$축의 방향으로 1만큼, $y$축의 방향으로 3만큼 평행이동한 그래프에서 $x$의 값이 증가할 때 $y$의 값은 감소하는 $x$의 값의 범위는?

① $x>-1$ ② $x>1$ ③ $x<1$

④ $x>3$ ⑤ $x<3$

**103** 일차함수 $y=ax+b$의 그래프가 그림과 같을 때, 이차함수 $y=a(x-b)^2-ab$의 그래프에서 $x$의 값이 증가할 때 $y$의 값도 증가하는 $x$의 값의 범위는? (단, $a$, $b$는 상수이다.)

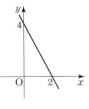

① $x>-4$ ② $x>-2$ ③ $x>2$

④ $x<4$ ⑤ $x>4$

**H10 이차함수 $y=a(x-p)^2+q$의 그래프의 대칭이동**　이해

**104** 이차함수 $y=-3(x+2)^2+4$의 그래프를 $x$축에 대하여 대칭이동시킨 그래프를 나타내는 이차함수의 식은?

① $y=3(x+2)^2-4$ ② $y=3(x+2)^2+4$

③ $y=3(x-2)^2-4$ ④ $y=3(x-2)^2+4$

⑤ $y=\dfrac{1}{3}(x-2)^2-4$

＊ 개념 찾기

이차함수 $y=a(x-p)^2+q$의 그래프를

(1) $x$축에 대하여 대칭이동한 그래프의 식 : $y$ 대신 $-y$를 대입한다.
$\Rightarrow -y=a(x-p)^2+q$ ∴ $y=-a(x-p)^2-q$

(2) $y$축에 대하여 대칭이동한 그래프의 식 : $x$ 대신 $-x$를 대입한다.
$\Rightarrow y=a(-x-p)^2+q$ ∴ $y=a(x+p)^2+q$

**105** 이차함수 $y=2(x+1)^2-3$의 그래프를 $y$축에 대하여 대칭이동시킨 그래프의 꼭짓점의 좌표를 구하여라.

**106** 이차함수 $y=-3(x+1)^2-2$의 그래프를 $x$축에 대하여 대칭이동한 그래프가 점 $(3, a)$를 지날 때, $a$의 값을 구하여라.

**107** 이차함수 $y=x^2$의 그래프를 $x$축에 대하여 대칭이동한 후 $x$축의 방향으로 $-3$만큼, $y$축의 방향으로 6만큼 평행이동시켰더니 $y=a(x-p)^2+q$의 그래프가 되었다. 이때, 상수 $a$, $p$, $q$에 대하여 $apq$의 값을 구하여라.

**108**★ 이차함수 $y=2(x+1)^2-3$의 그래프의 꼭짓점을 A라 하고, 이 그래프를 $x$축, $y$축에 대하여 대칭이동한 두 그래프의 꼭짓점을 각각 B, C라 하자. 이때, $\triangle$ABC의 넓이를 구하여라.

**H11 이차함수 $y=a(x-p)^2+q$의 그래프 그리기**　기초

**109** 다음 중 이차함수 $y=-(x+2)^2+2$의 그래프는?

①

②

③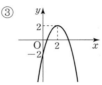

④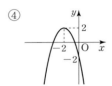

⑤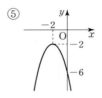

＊ 접근법

이차함수 $y=a(x-p)^2+q$의 그래프 그리기

(ⅰ) 꼭짓점 $(p, q)$를 표시한다.

(ⅱ) $x=0$일 때의 $y$의 값을 구하여 $y$축과의 교점을 표시한다.

(ⅲ) $x=p$를 축으로 하고 $a>0$이면 아래로 볼록, $a<0$이면 위로 볼록한 포물선을 그린다.

**110** 이차함수 $y=-3(x-1)^2-1$의 그래프가 지나지 <u>않는</u> 사분면을 모두 구하여라.

**111** 다음 이차함수의 그래프 중 $x$축과 만나지 <u>않는</u> 것은?

① $y=2x^2$ ② $y=-3x^2+1$

③ $y=-2(x+1)^2$ ④ $y=2(x+1)^2+3$

⑤ $y=3(x-2)^2-4$

**112**★ 이차함수 $y=a(x-1)^2+2$의 그래프가 모든 사분면을 지날 때, 정수 $a$의 값을 구하여라.

## H12 이차함수 $y=a(x-p)^2+q$의 그래프의 성질 〔이해〕

**113** 다음 중 이차함수 $y=-2(x-1)^2+3$의 그래프에 대한 설명으로 옳은 것은?

① 아래로 볼록하다.

② 꼭짓점의 좌표는 $(-1, 3)$이다.

③ $y$축과 점 $(0, 1)$에서 만난다.

④ $y=-2x^2$의 그래프를 $x$축의 방향으로 $-1$만큼, $y$축의 방향으로 3만큼 평행이동한 것이다.

⑤ $x>1$일 때, $x$의 값이 증가하면 $y$의 값도 증가한다.

\* 개념 찾기

(1) 이차함수 $y=a(x-p)^2+q$의 그래프는 이차함수 $y=ax^2$의 그래프를 $x$축의 방향으로 $p$만큼, $y$축의 방향으로 $q$만큼 평행이동한 것이다.

(2) 꼭짓점의 좌표 : $(p, q)$  (3) 축의 방정식 : $x=p$

**114** 다음 〈보기〉에서 이차함수 $y=a(x-p)^2+q$의 그래프에 대한 설명으로 옳은 것을 모두 골라라.

─── 보기 ───

ㄱ. 직선 $x=p$에 대하여 대칭이다.

ㄴ. $a$의 절댓값이 클수록 포물선의 폭은 좁아진다.

ㄷ. $a>0$일 때, $x>p$이면 $x$의 값이 증가할 때 $y$의 값은 감소한다.

**115** ★ 다음 중 옳지 <u>않은</u> 것을 모두 고르면? (정답 2개)

① 두 이차함수 $y=3x^2+2$와 $y=-3(x-1)^2+4$의 그래프의 폭은 서로 같다.

② 이차함수 $y=-x^2+5$의 그래프의 축의 방정식은 $x=5$이다.

③ 이차함수 $y=2(x+3)^2-6$의 그래프는 점 $(-1, 2)$를 지난다.

④ 이차함수 $y=-\dfrac{1}{3}(x-4)^2+3$의 그래프는 제 2사분면을 지나지 않는다.

⑤ 이차함수 $y=-\dfrac{1}{2}(x-2)^2-7$의 그래프를 $y$축에 대하여 대칭이동한 그래프의 식은 $y=\dfrac{1}{2}(x-2)^2+7$이다.

## H13 이차함수 $y=a(x-p)^2+q$의 그래프에서 $a, p, q$의 부호 〔이해〕

**116** 이차함수 $y=a(x-p)^2+q$의 그래프가 그림과 같을 때, $a, p, q$의 부호를 구하여라.

\* Check Key

이차함수 $y=a(x-p)^2+q$의 그래프에서

(1) $\begin{cases} \text{아래로 볼록} \Rightarrow a>0 \\ \text{위로 볼록} \Rightarrow a<0 \end{cases}$

(2) 꼭짓점 $(p, q)$가 위치한 사분면의 부호에 맞게 $p, q$의 부호가 정해진다.

**117** 이차함수 $y=a(x-p)^2+q$의 그래프가 그림과 같을 때, 다음 중 옳지 <u>않은</u> 것을 모두 고르면? (정답 2개)

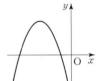

① $ap>0$  ② $aq<0$

③ $pq>0$  ④ $apq>0$

⑤ $a+p>0$

**118** 이차함수 $y=a(x+p)^2+q$의 그래프가 그림과 같을 때, $a-p-q$의 부호를 구하여라.

**119** ★ 이차함수 $y=a(x+p)^2+q$의 그래프가 그림과 같을 때, 다음 중 일차함수 $y=apx+pq$의 그래프는?

①
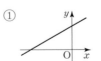
②

③

④
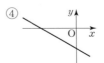
⑤

★★ 상급 문제

**120** 이차함수 $y=ax^2$의 그래프가 이차함수 $y=-\frac{1}{5}x^2$의 그래프보다 폭이 좁고 이차함수 $y=-3x^2$의 그래프보다 폭이 넓다고 한다. 이때, 모든 음의 정수 $a$의 값의 합을 구하여라.

**121** 이차함수 $y=ax^2$의 그래프가 이차함수 $y=-\frac{1}{3}x^2$의 그래프보다 폭이 좁고 이차함수 $y=4x^2$의 그래프보다 폭이 넓다고 한다. 이때, 모든 음의 정수 $a$의 값의 합을 구하여라.

**122** 그림과 같이 직선 $y=16$이 $y$축 및 두 이차함수 $y=ax^2$, $y=x^2$의 그래프와 만나는 점을 각각 A, B, C, D, E라 하자. $\overline{AB}=\overline{BC}=\overline{CD}=\overline{DE}$일 때, 상수 $a$의 값을 구하여라.

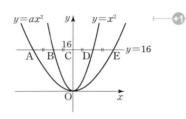

**123** 그림과 같이 직선 $y=25$가 $y$축 및 두 이차함수 $y=\frac{1}{2}ax^2$, $y=x^2$의 그래프와 만나는 점을 각각 A, B, C, D, E라 하자. $\overline{AB}=\overline{BC}=\overline{CD}=\overline{DE}$일 때, 상수 $a$의 값을 구하여라.

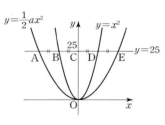

**124** 이차함수 $y=a(x-p)^2+q$의 그래프는 그림과 같이 $x$축과 두 점에서 만나고, 직선 $y=2$와 한 점에서 만난다. 이때, 상수 $a$, $p$, $q$에 대하여 $2a-p+q$의 값은?

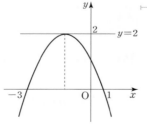

① 0　　　　② 2　　　　③ 4
④ 6　　　　⑤ 8

**125** 이차함수 $y=a(x-p)^2+q$의 그래프는 그림과 같이 $x$축과 두 점에서 만나고, 직선 $y=-3$과 한 점에서 만난다. 이때, 상수 $a$, $p$, $q$에 대하여 $a+p+q$의 값은?

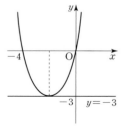

① $-\frac{17}{4}$　　　② $-\frac{1}{4}$　　　③ $\frac{1}{4}$
④ $\frac{17}{4}$　　　⑤ $\frac{23}{4}$

**126** 축의 방정식이 $x=2$이고, 두 점 $(1, 1)$, $(0, 3)$을 지나는 포물선을 그래프로 하는 이차함수의 식을 $y=a(x-p)^2+q$라 할 때, $a+p-q$의 값은?

(단, $a$, $p$, $q$는 상수이다.)

① 1  ② $\dfrac{4}{3}$  ③ $\dfrac{5}{3}$

④ 2  ⑤ $\dfrac{7}{3}$

**127** 축의 방정식이 $x=-3$이고, 두 점 $(-2, 4)$, $(0, 5)$를 지나는 포물선을 그래프로 하는 이차함수의 식을 $y=a(x+p)^2+q$라 할 때, $a-p+2q$의 값은?

(단, $a$, $p$, $q$는 상수이다.)

① $\dfrac{33}{8}$  ② $\dfrac{9}{2}$  ③ $\dfrac{39}{8}$

④ $\dfrac{21}{4}$  ⑤ $\dfrac{45}{8}$

**128** 기울기가 $\dfrac{1}{2}$이고 이차함수 $y=\dfrac{1}{3}(x+1)^2-\dfrac{5}{2}$의 그래프의 꼭짓점을 지나는 직선의 방정식을 구하여라.

**129** 이차함수 $y=-\dfrac{1}{2}(x+1)^2+\dfrac{3}{2}$의 그래프의 꼭짓점과 이 함수의 그래프가 $y$축과 만나는 점을 지나는 직선의 방정식을 구하여라.

**130** 이차함수 $y=a(x-p)^2+q$의 그래프가 그림과 같을 때, 다음 중 이차함수 $y=q(x-a)^2+p$의 그래프로 알맞은 것은?

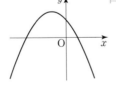

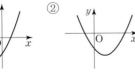

① 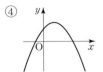 ② ③

④  ⑤

**131** 이차함수 $y=a(x-p)^2+q$의 그래프가 그림과 같을 때, 다음 중 이차함수 $y=q(x-a)^2+p$의 그래프로 알맞은 것은?

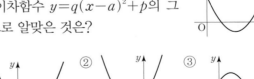

① 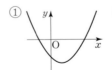 ②  ③

④ 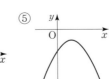 ⑤

**132** 그림과 같이 꼭짓점의 좌표가 $(2,\ 4)$이고 점 $(-1,\ 0)$을 지나는 포물선을 그래프로 하는 이차함수의 식을 $y=a(x-p)^2+q$라 할 때, 상수 $a$, $p$, $q$에 대하여 $a+p+q$의 값을 구하여라.

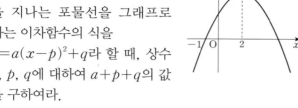

**먼저,** 꼭짓점의 좌표를 이용하여 $p$, $q$의 값을 구하자. `40%`

**그다음,** $a$의 값을 구하자. `40%`

**그래서,** $a+p+q$의 값을 구하자. `20%`

**133** 그림은 꼭짓점의 좌표가 $(-3,\ -4)$이고 점 $(0,\ 5)$를 지나는 이차함수 $y=a(x-p)^2+q$의 그래프이다. 이때, 상수 $a$, $p$, $q$에 대하여 $a+p+q$의 값을 구하여라.

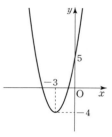

**먼저,**

**그다음,**

**그래서,**

**134** 이차함수 $y=(x+a)^2-2a-3$의 그래프의 꼭짓점이 제 4사분면 위에 있을 때, 정수 $a$의 값을 구하여라.

**먼저,** 꼭짓점의 $x$좌표의 범위에 맞는 $a$의 값의 범위를 정하자. `40%`

**그다음,** 꼭짓점의 $y$좌표의 범위에 맞는 $a$의 값의 범위를 정하자. `40%`

**그래서,** 정수 $a$의 값을 구하자. `20%`

**135** 이차함수 $y=(x-a)^2+a-2$의 그래프의 꼭짓점이 제 4사분면 위에 있을 때, 정수 $a$의 값을 구하여라.

**먼저,**

**그다음,**

**그래서,**

**136** 그림과 같이 두 이차함수 $y=2x^2-18$과 $y=a(x-b)^2$의 그래프가 서로의 꼭짓점을 지날 때, 상수 $a$, $b$에 대하여 $a+b$의 값을 구하여라. (단, $b>0$)

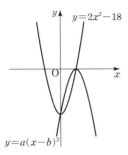

**137** 이차함수 $y=\dfrac{1}{2}x^2-k$의 그래프가 $x$축과 두 점 A, B에서 만난다. 이때, $\overline{AB}$의 길이가 정수가 되는 모든 상수 $k$의 값의 합을 구하여라.
(단, $k$는 $k<20$인 자연수이다.)

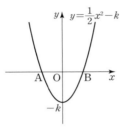

**138** 이차함수 $y=x^2$의 그래프를 $x$축의 방향으로 $2k$만큼 평행이동한 그래프가 $x$축과 만나는 점을 A, $y$축과 만나는 점을 B라 하자. 삼각형 OAB의 넓이가 32일 때, 양수 $k$의 값을 구하여라. (단, O는 원점이다.)

**139** 이차함수 $y=(x-p)^2+q$의 그래프가 점 $(4, -2)$를 지나고, 꼭짓점이 직선 $y=-3x$ 위에 있을 때, 상수 $p$, $q$에 대하여 $p+q$의 값을 모두 구하여라.

**140** 이차함수 $y=(x-m)^2-m^2-4m+3$의 그래프를 $x$축의 방향으로 $m$만큼, $y$축의 방향으로 $2m$만큼 평행이동시키면 $x$축과 한 점에서 만날 때, 음수 $m$의 값을 구하여라.

**141** 이차함수 $y=a(x-p)^2+q$의 그래프가 그림과 같을 때, 일차함수 $y=\dfrac{q}{a}x+\dfrac{a}{p}$의 그래프가 지나지 <u>않는</u> 사분면을 구하여라.

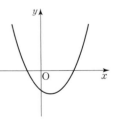

**142** $(a^2-4)x^2+3x+(a^2+a-6)y^2-2y=0$에서 $y$ 가 $x$에 대한 이차함수가 되도록 하는 상수 $a$의 값은?

① $-3$      ② $-2$     ③ $1$

④ $2$     ⑤ $3$

**143** 이차함수 $y=\dfrac{1}{4}(x-2)^2-4$의 그래프를 직선 $y=-2$에 대하여 대칭이동시킨 그래프의 꼭짓점의 좌표를 구하여라.

**144** 이차함수 $y=-a(x+p)^2+q$의 그래프가 제 1, 3, 4사분면만 지날 때, 다음 중 항상 옳은 것은?

① $a+p<0$     ② $pq>0$     ③ $ap^2+q>0$

④ $apq>0$     ⑤ $q-p<0$

**145** 그림에서 사각형 ABCD는 정사각형이고, □ABCD의 각 변은 $x$축 또는 $y$축에 평행하다. 두 점 A, D는 이차함수 $y=2x^2$의 그래프 위의 점이고, 두 점 B, C는 이차함수 $y=-x^2+5$의 그래프 위의 점일 때, □ABCD의 넓이를 구하여라.

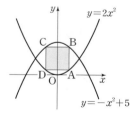

**146** 두 이차함수 $y=-\left(x-\dfrac{1}{2}\right)^2-\dfrac{7}{4}$, $y=x^2+ax+b$ 의 그래프가 만나는 두 점이 모두 직선 $y=2x-8$ 위에 있을 때, 상수 $a$, $b$에 대하여 $a+b$의 값은?

① $-27$     ② $-23$     ③ $-19$

④ $-15$     ⑤ $-11$

**147** 그림과 같이 점 $(1, -1)$을 꼭짓점으로 하고 원점을 지나는 이차함수의 그래프와 직선 $y=2$의 교점의 $x$좌표를 각각 $\alpha$, $\beta$라 할 때, $\dfrac{\beta}{\alpha}+\dfrac{\alpha}{\beta}$의 값을 구하여라.

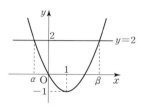

**148** 그림과 같이 직사각형 ABCD의 한 꼭짓점 C와 대각선 BD 위의 점 P는 이차함수 $y=\dfrac{1}{2}x^2$ $(x>0)$의 그래프 위의 점이고, $\overline{PD}:\overline{PB}=2:1$, 두 점 A, B 는 $x$축 위에 있다. 점 P의 $x$좌표를 $a$라 할 때, 직사각형 ABCD가 정사각형이 되도록 하는 $a$의 값을 구하여라.

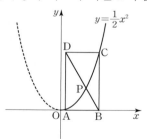

# 우주에 닿을 때까지, 전파망원경

연세대학교 심볼마크

청송대 뒤쪽으로 가면 무언가 희고 큰 접시같이 생긴 물체가 우우웅~ 소리를 내며 계속 움직이는 것을 확인할 수 있어. 가까이 다가가면 그 압도적인 크기에 놀라게 되는 이 물체의 이름은 연세대학교 전파망원경으로, KVN이라고도 해. KVN은 Korea VLBI Network의 약자로, 우리말로는 '한국우주전파관측망'이라 불려. 더 자세히 설명하자면, KVN은 한국천문연구원 주관으로 한국에 최초로 세워진, 망원경 여러 대를 사용하여 관측하는 전파간섭계야. 즉 연세대학교에 있는 전파망원경은 우리나라에 딱 3대 있는 전파망원경 중 하나라는 소리! 이 전파망원경은 제주의 탐라대, 울산의 울산대에 위치하는 전파망원경들과 네트워크로 연결되어 어마어마한 성능과 효능을 자랑한다고 해. 그 성능이 무려 허블 망원경의 열 배에 달한다고 하니, 충분히 연세인들의 자랑거리가 될 만한 곳!

글 · 사진 : **방은비**(연세대 노어노문학과)

## 1 이차함수 $y=ax^2+bx+c$의 그래프

이차함수 $y=ax^2+bx+c$의 그래프는 $y=a(x-p)^2+q$의 꼴로 고쳐서 그린다.

(1) 꼭짓점의 좌표 : $\left(-\dfrac{b}{2a},\ -\dfrac{b^2-4ac}{4a}\right)$　(2) 축의 방정식 : $x=-\dfrac{b}{2a}$

(3) $y$축과의 교점의 좌표 : $(0,\ c)$

↳ $y=ax^2+bx+c$의 그래프와 $x$축과의 교점의 $x$좌표 ⇨ 이차방정식 $ax^2+bx+c=0$의 두 근

## 2 이차함수 $y=ax^2+bx+c$의 그래프에서 $a$, $b$, $c$의 부호

(1) $a$의 부호 : 그래프의 모양에 따라 결정

① 아래로 볼록 ⇨ $a>0$　② 위로 볼록 ⇨ $a<0$

(2) $b$의 부호 : 축의 위치에 따라 결정

① 축이 $y$축의 왼쪽에 있으면

⇨ $a$와 $b$는 같은 부호 $ab>0$

② 축이 $y$축과 일치하면 ⇨ $b=0$ $ab=0$

③ 축이 $y$축의 오른쪽에 있으면

⇨ $a$와 $b$는 다른 부호 $ab<0$

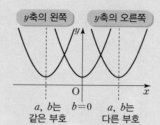

$y$축의 왼쪽　　$y$축의 오른쪽

$a$, $b$는　　$b=0$　　$a$, $b$는
같은 부호　　　　　다른 부호

(3) $c$의 부호 : $y$축과의 교점의 위치에 따라 결정

① $y$축과의 교점이 $x$축보다 위쪽에 있으면 ⇨ $c>0$

② $y$축과의 교점이 원점이면 ⇨ $c=0$

③ $y$축과의 교점이 $x$축보다 아래쪽에 있으면 ⇨ $c<0$

## 3 이차함수의 식 구하기

(1) 꼭짓점 $(p, q)$와 그래프 위의 다른 한 점이 주어질 때

( ⅰ ) 이차함수의 식을 $y=a(x-p)^2+q$로 놓는다.

( ⅱ ) 주어진 다른 한 점의 좌표를 식에 대입하여 $a$의 값을 구한다.

(2) 축의 방정식 $x=p$와 그래프 위의 두 점이 주어질 때

( ⅰ ) 이차함수의 식을 $y=a(x-p)^2+q$로 놓는다.

( ⅱ ) 주어진 두 점의 좌표를 각각 식에 대입하여 $a$와 $q$의 값을 구한다.

(3) 그래프 위의 서로 다른 세 점이 주어질 때

( ⅰ ) 이차함수의 식을 $y=ax^2+bx+c$로 놓는다.

( ⅱ ) 주어진 세 점의 좌표를 각각 식에 대입하여 $a$, $b$, $c$의 값을 구한다.

↳ 세 점 중 $x$좌표가 0인 점이 있으면 이를 먼저 대입하여 $c$의 값을 구한다.

(4) $x$축과의 두 교점 $(\alpha, 0)$, $(\beta, 0)$과 다른 한 점이 주어질 때

( ⅰ ) 이차함수의 식을 $y=a(x-\alpha)(x-\beta)$로 놓는다.

( ⅱ ) 나머지 한 점의 좌표를 대입하여 $a$의 값을 구한다.

## 4 이차함수의 활용

( ⅰ ) 문제의 내용을 파악하여 두 변수 $x$, $y$를 정한다.

( ⅱ ) 주어진 조건에 맞게 $x$, $y$의 관계식을 만든다. 이때, $x$의 값의 범위에 주의한다.

( ⅲ ) 식을 정리하거나 그래프를 이용하여 답을 구한다.

( ⅳ ) 구한 답이 문제의 조건에 맞는지를 확인한다.

---

• $y=ax^2+bx+c$의 꼴을 이차함수의 **일반형**이라 하고, $y=a(x-p)^2+q$의 꼴을 이차함수의 **표준형**이라 한다.

• $y=ax^2+bx+c$
$=a\left(x^2+\dfrac{b}{a}x\right)+c$
$=a\left(x^2+\dfrac{b}{a}x+\dfrac{b^2}{4a^2}-\dfrac{b^2}{4a^2}\right)+c$
$=a\left(x+\dfrac{b}{2a}\right)^2-\dfrac{b^2}{4a}+c$
$=a\left(x+\dfrac{b}{2a}\right)^2-\dfrac{b^2-4ac}{4a}$

• $y=ax^2+bx+c$
$=a\left(x+\dfrac{b}{2a}\right)^2-\dfrac{b^2-4ac}{4a}$ 이므로

축의 방정식은 $x=-\dfrac{b}{2a}$이다.

① 축이 $y$축의 왼쪽에 위치하면

$-\dfrac{b}{2a}<0$, 즉 $ab>0$이므로

$a$, $b$는 같은 부호이다.

② 축이 $y$축의 오른쪽에 위치하면

$-\dfrac{b}{2a}>0$, 즉 $ab<0$이므로

$a$, $b$는 다른 부호이다.

• **축의 방정식에 따른 이차함수의 식**

① 축의 방정식이 $x=0$인 경우
: $y=ax^2+q$

② 축의 방정식이 $x=p$인 경우
: $y=a(x-p)^2+q$

• 일반적으로 먼저 변하는 양을 $x$로, $x$에 따라 변하는 양을 $y$로 놓는다.

• 길이, 높이, 넓이, 시간 등에 해당하는 수는 양수임에 주의한다.

**1 이차함수 $y=ax^2+bx+c$의 그래프**

[001~002] 다음은 주어진 이차함수를 $y=a(x-p)^2+q$의 꼴로 고치는 과정이다. □ 안에 알맞은 수를 써넣어라.

**001**
$$y=-x^2+2x-4=-(x^2-2x)-4$$
$$=-(x^2-2x+\boxed{\phantom{0}}-\boxed{\phantom{0}})-4$$
$$=-(x-\boxed{\phantom{0}})^2-\boxed{\phantom{0}}$$

**002**
$$y=3x^2-12x+5=3(x^2-4x)+5$$
$$=3(x^2-4x+\boxed{\phantom{0}}-\boxed{\phantom{0}})+5$$
$$=3(x-\boxed{\phantom{0}})^2-\boxed{\phantom{0}}$$

[003~004] 다음 이차함수의 식을 $y=a(x-p)^2+q$의 꼴로 고쳐라.

**003** $y=2x^2+4x-1$

**004** $y=-3x^2+2x+1$

[005~006] 다음 이차함수의 그래프의 꼭짓점의 좌표와 축의 방정식을 차례로 구하여라.

**005** $y=x^2-8x+10$

**006** $y=-\dfrac{1}{2}x^2-2x+1$

**2 이차함수 $y=ax^2+bx+c$의 그래프에서 $a$, $b$, $c$의 부호**

**007** 다음은 이차함수 $y=ax^2+bx+c$의 그래프에서 $a$, $b$, $c$의 부호를 정하는 과정이다. □ 안에는 알맞은 것을, ○ 안에는 알맞은 부등호를 써넣어라.

그림과 같은 이차함수
$y=ax^2+bx+c$의 그래프에서 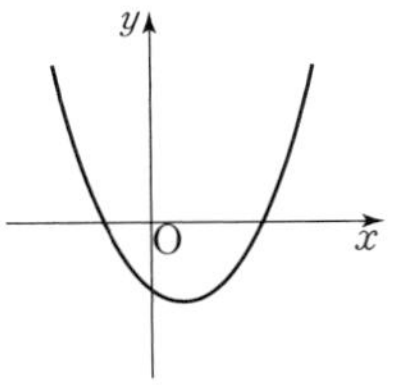
(1) 그래프의 모양이 아래로
   볼록하므로 $a \bigcirc 0$이다.
(2) 그래프의 축이 $y$축의 오른쪽
   에 있으므로 $a$와 $b$의 부호는
   $\boxed{\phantom{00}}$, 즉, $a \bigcirc 0$이므로 $b \bigcirc 0$이다.
(3) 그래프가 $y$축과 만나는 점 $(0, c)$가 $x$축보다 아래쪽에 있으므로 $c \bigcirc 0$이다.

**3 이차함수의 식 구하기**

[008~010] 다음과 같은 포물선을 그래프로 하는 이차함수의 식을 $y=a(x-p)^2+q$의 꼴로 나타내어라.

**008** 꼭짓점의 좌표가 $(1, 2)$이고, 점 $(2, 1)$을 지나는 포물선

**009** 꼭짓점의 좌표가 $(-2, 4)$이고, 점 $(0, -4)$를 지나는 포물선

**010** 축의 방정식이 $x=2$이고, 두 점 $(1, -5)$와 $(-1, 3)$을 지나는 포물선

[011~013] 다음과 같은 포물선을 그래프로 하는 이차함수의 식을 $y=ax^2+bx+c$의 꼴로 나타내어라.

**011** 세 점 $(-1, 2)$, $(0, 2)$, $(1, -4)$를 지나는 포물선

**012** 세 점 $(0, 1)$, $(1, 4)$, $(4, 1)$을 지나는 포물선

**013** $x$축과 두 점 $(-1, 0)$, $(2, 0)$에서 만나고, 점 $(0, -1)$을 지나는 포물선

**4 이차함수의 활용**

**014** 다음 □ 안에 알맞은 수를 써넣어라.

한 변의 길이가 8인 정사각형의 가로의 길이는 $x$만큼 줄이고, 세로의 길이는 $2x$만큼 늘여서 만든 직사각형의 넓이를 $y$라 하면
$$y=\boxed{\phantom{0}}x^2+\boxed{\phantom{0}}x+\boxed{\phantom{0}}$$
따라서 $x=2$일 때, 새로 만든 직사각형의 넓이는 $\boxed{\phantom{0}}$이다.

**015** 지면에서 초속 30 m로 똑바로 위로 쏘아 올린 물체의 $x$초 후의 높이를 $y$ m라 하면 $y=-5x^2+30x$인 관계가 성립한다. 쏘아 올린 지 3초 후의 이 물체의 높이는 몇 m인지 구하여라.

25 DAY

## I 1 이차함수 $y=ax^2+bx+c$를 $y=a(x-p)^2+q$의 꼴로 변형하기

기초

**016** 다음은 이차함수 $y=-2x^2+8x-5$를 $y=a(x-p)^2+q$의 꼴로 고치는 과정이다. (가)~(마)에 들어갈 수로 옳지 **않은** 것은?

$$y=-2x^2+8x-5$$
$$=-2(x^2-\boxed{(가)}\,x)-5$$
$$=-2(x-\boxed{(나)})^2+\boxed{(다)}-5$$
$$=-2(x-\boxed{(라)})^2+\boxed{(마)}$$

① (가) : 4   ② (나) : 2   ③ (다) : 4
④ (라) : 2   ⑤ (마) : 3

* 개념 찾기

$y=ax^2+bx+c$를 $y=a(x-p)^2+q$ 꼴로 변형하기
(i) $x^2$의 계수로 이차항과 일차항을 묶는다.
(ii) $\left[\dfrac{(x의\ 계수)}{2}\right]^2$을 더하고 뺀다.
(iii) 완전제곱식의 꼴로 만든다.
(iv) 상수항을 계산한다.

**017** 이차함수 $y=-2x^2+12x-1$을 $y=a(x-p)^2+q$의 꼴로 나타낼 때, $a+p+q$의 값을 구하여라. (단, $a$, $p$, $q$는 상수이다.)

**018** 이차함수 $y=3x^2+6x+1$의 그래프와 이차함수 $y=3(x-p)^2+q$의 그래프가 일치할 때, $p-q$의 값을 구하여라. (단, $p$, $q$는 상수이다.)

**019** 이차함수 $y=x^2-ax-1$의 그래프는 점 $(1, -4)$를 지나고, $y=(x-b)^2+c$의 꼴로 나타낼 수 있다고 한다. 이때, $a+b+c$의 값을 구하여라.
(단, $a$, $b$, $c$는 상수이다.)

## I 2 이차함수 $y=ax^2+bx+c$의 그래프의 꼭짓점과 축의 방정식

이해

**020** 이차함수 $y=x^2-4x+k$의 그래프가 점 $(3, -1)$을 지날 때, 이 그래프의 꼭짓점의 좌표는? (단, $k$는 상수이다.)

① $(-2, -4)$   ② $(-2, -2)$   ③ $(1, -4)$
④ $(2, -2)$   ⑤ $(2, 2)$

* 접근법

이차함수 $y=ax^2+bx+c$를 $y=a(x-p)^2+q$의 꼴로 고친다.
⇨ 꼭짓점의 좌표 : $(p, q)$, 축의 방정식 : $x=p$

**021** 이차함수 $y=-2x^2+px-3$의 그래프의 꼭짓점의 좌표가 $(-1, q)$일 때, 상수 $p$, $q$에 대하여 $p+q$의 값을 구하여라.

**022** 다음 이차함수 중 그래프의 꼭짓점이 제4사분면 위에 있는 것은?

① $y=-x^2+2$          ② $y=3(x+1)^2$
③ $y=-x^2-2x$          ④ $y=x^2-4x-3$
⑤ $y=-x^2+6x+1$

**023** 다음 〈보기〉의 이차함수의 그래프를 한 좌표평면 위에 그렸을 때, 축이 가장 왼쪽에 있는 것부터 순서대로 나열하여라.

─ 보기 ─
ㄱ. $y=5x^2-1$          ㄴ. $y=-3(x-1)^2$
ㄷ. $y=\dfrac{1}{3}(x+2)^2+1$   ㄹ. $y=-x^2+5x-2$
ㅁ. $y=-\dfrac{1}{2}x^2+2x-4$

**024** 이차함수 $y=x^2+ax+1$의 그래프의 축의 방정식이 $x=-1$일 때, 상수 $a$의 값은?

① 1 　　　　② 2 　　　　③ 3
④ 4 　　　　⑤ 5

**025** 두 이차함수 $y=x^2-4x+5$, $y=-x^2-2px+q$의 그래프의 꼭짓점이 일치할 때, 상수 $p$, $q$에 대하여 $pq$의 값은?

① $-6$ 　　　② $-3$ 　　　③ 3
④ 6 　　　　⑤ 9

**026** 이차함수 $y=x^2+4kx+4k^2+2k-3$의 꼭짓점이 제 2사분면 위에 있기 위한 가장 작은 정수 $k$의 값을 구하여라.

**027** 이차함수 $y=x^2-4x+k$의 그래프의 꼭짓점이 직선 $2x+3y-1=0$ 위에 있을 때, 상수 $k$의 값은?

① 1 　　　　② 2 　　　　③ 3
④ 4 　　　　⑤ 5

**028** 일차함수 $y=ax+b$의 그래프가 그림과 같을 때, 이차함수 $y=ax^2+bx-1$의 그래프의 꼭짓점은 몇 사분면 위에 있는가?

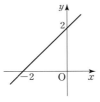

① 제 1 사분면 　　② 제 2 사분면
③ 제 3 사분면 　　④ 제 4 사분면
⑤ $x$축

## I 3 이차함수 $y=ax^2+bx+c$의 그래프의 평행이동
이해

**029** 이차함수 $y=-\dfrac{1}{2}x^2-2x-4$의 그래프는 이차함수 $y=-\dfrac{1}{2}x^2$의 그래프를 $x$축의 방향으로 $a$만큼, $y$축의 방향으로 $b$만큼 평행이동한 것일 때, $a+b$의 값을 구하여라.

* 접근법
$y=ax^2+bx+c=a\left(x+\dfrac{b}{2a}\right)^2-\dfrac{b^2-4ac}{4a}$로 고친 후, 평행이동한 것을 파악한다.

**030** 이차함수 $y=-x^2$의 그래프를 평행이동한 그래프가 그림과 같을 때, 평행이동한 이차함수의 식을 $y=ax^2+bx+c$의 꼴로 나타내어라.

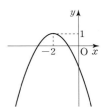

**031** 어떤 이차함수의 그래프를 $x$축의 방향으로 1만큼, $y$축의 방향으로 2만큼 평행이동하였더니 이차함수 $y=2(x-3)^2+5$의 그래프와 일치하였다. 처음 이차함수의 식은?

① $y=2x^2-8x+1$ 　　② $y=2x^2-8x+11$
③ $y=2x^2+8x+1$ 　　④ $y=2x^2+8x+5$
⑤ $y=2x^2+8x+11$

**032** 이차함수 $y=x^2-6x+2$의 그래프를 $x$축의 방향으로 1만큼 평행이동하면 점 $(2, k)$를 지날 때, 상수 $k$의 값을 구하여라.

**033** 이차함수 $y=a(x-2)^2-3$의 그래프를 $x$축의 방향으로 $-4$만큼, $y$축의 방향으로 2만큼 평행이동시킨 이차함수의 식을 $y=-3x^2+px+q$라 할 때, 상수 $a$, $p$, $q$에 대하여 $a+p-q$의 값을 구하여라.

25<sub>DAY</sub>

## I4 이차함수 $y=ax^2+bx+c$의 그래프에서 증가·감소하는 범위 <sub></sub> 이해

**034** 이차함수 $y=-3x^2+6x+4$의 그래프에서 $x$의 값이 증가할 때 $y$의 값도 증가하는 $x$의 값의 범위는?

① $x>-1$  ② $x<1$  ③ $x>1$
④ $x<7$  ⑤ $x>7$

* 접근법
주어진 이차함수의 식을 $y=a(x-p)^2+q$의 꼴로 고친 후, 축 $x=p$를 기준으로 증가하거나 감소하는 $x$의 값의 범위를 찾는다.

**035** 이차함수 $y=\dfrac{1}{3}x^2-4x+11$의 그래프에서 $x$의 값이 증가할 때 $y$의 값도 증가하는 $x$의 값의 범위를 구하여라.

**036** 점 $(2, 7)$을 지나는 이차함수 $y=2x^2+mx-5$의 그래프에서 $x$의 값이 증가할 때 $y$의 값은 감소하는 $x$의 값의 범위를 구하여라.
(단, $m$은 상수이다.)

**037** ★ 이차함수 $y=-2x^2-8mx-4m^2+2$의 그래프에서 $x<-2$이면 $x$의 값이 증가할 때 $y$의 값도 증가하고 $x>-2$이면 $x$의 값이 증가할 때 $y$의 값은 감소한다. 이때, 이 이차함수의 그래프의 꼭짓점의 $y$좌표는?
(단, $m$은 상수이다.)

① $-2$  ② $0$  ③ $2$
④ $4$  ⑤ $6$

## I5 이차함수 $y=ax^2+bx+c$의 그래프가 축과 만나는 점 <sub></sub> 이해

**038** 이차함수 $y=-2x^2-6x+8$의 그래프가 $x$축과 만나는 두 점의 $x$좌표가 $p$, $q$이고, $y$축과 만나는 점의 $y$좌표가 $k$일 때, $p+q+k$의 값은?

① $-5$  ② $-3$  ③ $-1$
④ $3$  ⑤ $5$

* Check Key
(1) 이차함수 $y=ax^2+bx+c$의 그래프가 $x$축과 만나는 점의 좌표는 $y=0$이 되는 $x$의 값이 $\alpha$, $\beta$일 때, $(\alpha, 0)$, $(\beta, 0)$이 된다.
(2) 이차함수 $y=ax^2+bx+c$가 $y$축과 만나는 점의 좌표는 $x=0$이 되는 $y$의 값이 $c$이므로 $(0, c)$가 된다.

**039** 이차함수 $y=x^2+bx+c$의 그래프의 꼭짓점의 좌표가 $(-1, 3)$일 때, 이 그래프가 $y$축과 만나는 점의 좌표는? (단, $b$, $c$는 상수이다.)

① $(0, 1)$  ② $(0, 2)$  ③ $(0, 3)$
④ $(0, 4)$  ⑤ $(0, 5)$

**040** 이차함수 $y=x^2+2x+k+2$의 그래프가 $x$축과 서로 다른 두 점에서 만나게 되는 상수 $k$의 값의 범위를 구하여라.

**041** 이차함수 $y=-x^2-x+20$의 그래프가 $x$축과 만나는 두 점 사이의 거리는?

① $6$  ② $7$  ③ $8$
④ $9$  ⑤ $10$

**042** ★ 이차함수 $y=-x^2+2x+a$의 그래프가 $x$축과 서로 다른 두 점 A, B에서 만난다. $\overline{AB}=4$일 때, 상수 $a$의 값을 구하여라.

## I6 이차함수 $y=ax^2+bx+c$의 그래프 그리기  기초

**043** 다음 중 이차함수 $y=-x^2-4x-5$의 그래프는?

①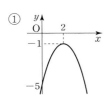

②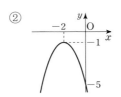

③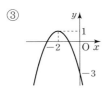

④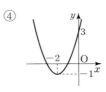

⑤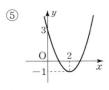

* 접근법

이차함수 $y=ax^2+bx+c$를 $y=a(x-p)^2+q$ 꼴로 고치고 꼭짓점 $(p, q)$를 좌표평면에 잡은 후 $a>0$일 때는 아래로 볼록, $a<0$일 때는 위로 볼록하게 그래프를 그린다.
$y$축과 만나는 점의 좌표는 $(0, c)$가 되는 것도 빠뜨리지 말자.

**044** 이차함수 $y=3x^2-12x+2$의 그래프가 지나지 않는 사분면은?

① 제1사분면  ② 제2사분면  ③ 제3사분면
④ 제4사분면  ⑤ 없다.

**045** 이차함수 $y=ax^2-6ax-13$의 그래프가 점 $(2, 3)$을 지날 때, 이 그래프가 지나는 사분면을 모두 말하여라. (단, $a$는 상수이다.)

## I7 이차함수 $y=ax^2+bx+c$의 그래프의 성질  이해

**046** 다음 〈보기〉에서 이차함수 $y=x^2-4x+5$의 그래프에 대한 설명으로 옳은 것의 개수는?

─ 보기 ─

ㄱ. 축의 방정식은 $x=2$이다.
ㄴ. 꼭짓점의 좌표는 $(2, 1)$이다.
ㄷ. $x>2$일 때, $x$의 값이 증가하면 $y$의 값은 감소한다.
ㄹ. 평행이동하면 이차함수 $y=x^2$의 그래프와 겹쳐진다.
ㅁ. 이차함수 $y=-x^2+4x-5$의 그래프와 $y$축에 대하여 대칭이다.

① 1개  ② 2개  ③ 3개
④ 4개  ⑤ 5개

* **Check Key**

이차함수 $y=ax^2+bx+c$의 그래프에서 $a$의 절댓값이 같은 이차함수의 그래프들은 평행이동 및 대칭이동에 의해 겹쳐질 수 있다.

**047** 다음 중 이차함수 $y=ax^2+bx+c$의 그래프에 대한 설명으로 옳지 않은 것은? (단, $a$, $b$, $c$는 상수이다.)

① 이차함수 $y=ax^2$의 그래프를 평행이동하면 겹쳐진다.
② $a<0$이면 위로 볼록하고, $a>0$이면 아래로 볼록하다.
③ 이차함수 $y=-ax^2-bx-c$의 그래프와 $x$축에 대하여 대칭이다.
④ 축의 방정식은 $x=\dfrac{b}{2a}$이다.
⑤ $y$축과의 교점의 좌표는 $(0, c)$이다.

**048** 다음 중 이차함수 $y=-2x^2+12x-9$의 그래프에 대한 설명으로 옳은 것을 모두 고르면? (정답 2개)

① 이차함수 $y=-x^2$의 그래프보다 폭이 넓다.
② 직선 $x=3$을 축으로 한다.
③ 꼭짓점의 좌표는 $(3, -9)$이다.
④ $x>3$일 때, $x$의 값이 증가하면 $y$의 값은 감소한다.
⑤ 제3사분면을 지나지 않는다.

25 DAY

## I8 이차함수의 그래프로 이루어진 삼각형의 넓이 <sub></sub> 응용

**049** 그림은 이차함수 $y=-x^2+2x+3$의 그래프이다. 이 그래프가 $x$축과 만나는 두 점을 각각 A, B라 하고 꼭짓점을 C라 할 때, $\triangle$ABC의 넓이를 구하여라.

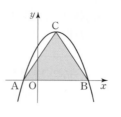

＊ Check Key

이차함수 $y=ax^2+bx+c$의 그래프와 $x$축의 교점의 $x$좌표
⇨ 이차방정식 $ax^2+bx+c=0$의 해

**050** 그림과 같이 이차함수 $y=x^2-6x+5$의 그래프가 $x$축과 만나는 두 점을 각각 A, B라 하고 $y$축과 만나는 점을 C라 할 때, $\triangle$ABC의 넓이를 구하여라.

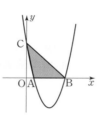

**051** 그림과 같이 이차함수 $y=x^2+4x-5$의 그래프의 꼭짓점을 A, $y$축과 만나는 점을 B라 할 때, $\triangle$ABO의 넓이를 구하여라.
(단, O는 원점이다.)

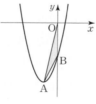

**052** 그림은 이차함수 $y=-\dfrac{1}{4}x^2+bx+3$의 그래프이다. 꼭짓점을 A, $x$축의 음의 부분과 만나는 점을 B라 할 때, $\triangle$ABO의 넓이를 구하여라. (단, O는 원점이고, $b$는 상수이다.)

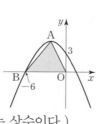

**053** 그림과 같이 이차함수 $y=-2x^2+4x+16$의 그래프와 $x$축과의 교점을 각각 A, B, $y$축과의 교점을 C라 하고, 꼭짓점을 D라 하자. $\triangle$ABC의 넓이를 $S_1$, $\triangle$ABD의 넓이를 $S_2$라 할 때, $\dfrac{S_2}{S_1}$의 값을 구하여라.

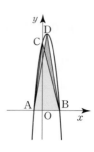

**054** 그림과 같이 이차함수 $y=\dfrac{1}{2}x^2-2x$의 그래프의 꼭짓점을 P, $x$축과 양의 부분에서 만나는 점을 A라 하자. 제1사분면에 있는 그래프 위의 점 B에 대하여 $\triangle$OPA : $\triangle$OAB$=1:3$일 때 점 B의 좌표를 구하여라. (단, O는 원점이다.)

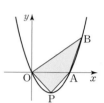

**055** 그림과 같이 이차함수 $y=x^2+6x+10$의 그래프의 꼭짓점을 A, 직선 $y=17$과의 교점을 각각 P, Q라 할 때, $\triangle$AQP의 넓이를 구하여라.

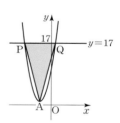

**056** 그림과 같이 두 이차함수 $y=x^2+a$, $y=-\dfrac{1}{2}x^2+b$의 그래프가 $x$축 위의 두 점 B, D에서 만난다. 두 점 A, C는 각 그래프의 꼭짓점일 때, $\square$ABCD의 넓이를 구하여라.
(단, $a$, $b$는 상수이다.)

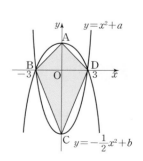

## I 9 이차함수 $y=ax^2+bx+c$의 그래프에서 $a$, $b$, $c$의 부호

이해

**057** 이차함수 $y=ax^2+bx+c$의 그래프가 그림과 같을 때, 다음 중 옳은 것을 모두 고르면? (정답 2개)

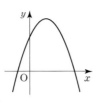

① $a>0$      ② $b>0$

③ $c<0$      ④ $a-b-c>0$

⑤ $abc<0$

\* 개념 찾기

이차함수 $y=ax^2+bx+c$의 그래프에서

(1) 아래로 볼록하면 $a>0$, 위로 볼록하면 $a<0$

(2) 축이 $y$축의 왼쪽에 있으면 $a$와 $b$의 부호는 같고, 축이 $y$축에 있으면 $b=0$, 축이 $y$축의 오른쪽에 있으면 $a$와 $b$의 부호는 서로 다르다.

(3) $y$축과의 교점의 위치가 $x$축보다 위쪽에 있으면 $c>0$, $x$축에 있으면 $c=0$, $x$축보다 아래쪽에 있으면 $c<0$

**058** 이차함수 $y=ax^2+bx+c$의 그래프가 그림과 같을 때, $a$, $b$, $c$의 부호를 구하여라.

**059** 이차함수 $y=ax^2+bx+c$의 그래프가 그림과 같을 때, 다음 중 옳은 것은?

① $ab>0$      ② $ac>0$

③ $\dfrac{c}{b}<0$      ④ $a+b+c<0$

⑤ $a-\dfrac{1}{2}b+\dfrac{1}{4}c<0$

**060** $a<0$, $b>0$, $c<0$일 때, 이차함수 $y=-ax^2+bx-ac$의 그래프의 꼭짓점은 제 몇 사분면 위에 있는지 구하여라.

**061** 그림은 일차함수 $y=ax+b$의 그래프이다. 다음 중 이차함수 $y=x^2+ax+ab$의 그래프로 알맞은 것은?

① 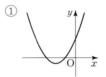    ② 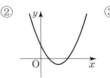    ③

④ 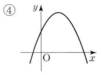    ⑤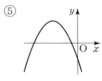

**062** 이차함수 $y=ax^2+bx+c$의 그래프가 그림과 같을 때, 다음 중 이차함수 $y=-bx^2-cx+a$의 그래프로 알맞은 것은?

① 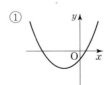    ② 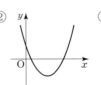    ③

④     ⑤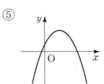

26 DAY

**I 10 이차함수의 그래프의 활용** 응용

**063** 그림에서 ㉠과 ㉡은 각각 이차함수 $y=-x^2$과 $y=-x^2+2x$의 그래프이다. ㉠, ㉡과 직선 $x=1$로 둘러싸인 부분의 넓이를 구하여라.

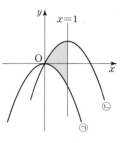

＊접근법
이차항의 계수가 같은 두 이차함수의 그래프로 둘러싸인 부분의 넓이는 넓이의 일부분을 적절하게 나누어 평행이동하면 쉽게 구할 수 있다.

**064** 그림은 두 이차함수 $y=5x^2-10x$, $y=5x^2-20x+15$의 그래프이다. 이때, 색칠한 부분의 넓이는? (단, 점 P와 점 Q는 각 그래프의 꼭짓점이다.)

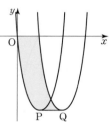

① 4 　　② 5
③ 6 　　④ 7
⑤ 8

**065** 그림과 같이 이차함수 $y=x^2$의 그래프와 일차함수 $y=2x+3$의 그래프가 만나는 두 점 A, B에서 $x$축에 내린 수선의 발을 각각 C, D라 할 때, 사각형 ACDB의 넓이는?

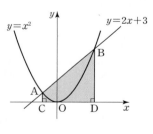

① 10 　　② 15 　　③ 20
④ 25 　　⑤ 30

**I 11 꼭짓점과 다른 한 점을 알 때, 이차함수의 식 구하기** 이해

**066** 그림과 같은 포물선을 그래프로 하는 이차함수의 식은?

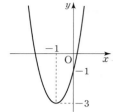

① $y=x^2-2x-1$
② $y=x^2+2x-1$
③ $y=2x^2-4x+1$
④ $y=2x^2+4x-1$
⑤ $y=2x^2+4x+1$

＊접근법
꼭짓점 $(p, q)$와 다른 한 점이 주어질 때
(i) 이차함수의 식을 $y=a(x-p)^2+q$로 놓는다.
(ii) 주어진 다른 한 점의 좌표를 식에 대입하여 $a$의 값을 구한다.

**067** 다음 중 그래프의 축이 $y$축과 평행하고, 꼭짓점의 좌표가 $(3, 0)$이며 점 $(5, 2)$를 지나는 이차함수의 식은?

① $y=\frac{1}{2}x^2+6x+9$ 　　② $y=\frac{1}{2}x^2-3x+\frac{9}{2}$
③ $y=2x^2+12x+18$ 　　④ $y=2x^2-12x-9$
⑤ $y=3x^2+2x-\frac{1}{3}$

**068** 이차함수 $y=ax^2+bx+c$의 그래프가 그림과 같을 때, 상수 $a$, $b$, $c$에 대하여 $abc$의 값은?

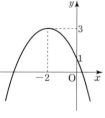

① 1 　　② 2
③ 4 　　④ 6
⑤ 8

**069** 꼭짓점의 좌표가 $(-1, 4)$이고, 점 $(1, 0)$을 지나는 포물선이 $x$축과 만나는 두 점 사이의 거리를 구하여라.

**I 12 축의 방정식과 두 점을 알 때, 이차함수의 식 구하기** 이해

**070** 축의 방정식이 $x=-1$이고, 두 점 $(-2, 6)$, $(1, 12)$를 지나는 포물선이 $y$축과 만나는 점의 좌표를 구하여라.

＊ 접근법
축의 방정식 $x=p$와 두 점이 주어질 때
(i) 이차함수의 식을 $y=a(x-p)^2+q$로 놓는다.
(ii) 주어진 두 점의 좌표를 각각 식에 대입하여 $a$와 $q$의 값을 구한다.

**071** 축의 방정식이 $x=0$이고, 두 점 $(-1, 2)$, $(2, -4)$를 지나는 포물선이 점 $(1, k)$를 지난다. 이때, $k$의 값은?

① $-4$  ② $-1$  ③ $1$
④ $2$  ⑤ $4$

**072** 축의 방정식이 $x=-2$이고, 꼭짓점이 $x$축 위에 있으며 점 $(-1, 5)$를 지나는 포물선을 그래프로 하는 이차함수의 식은?

① $y=5x^2+20x+20$  ② $y=5x^2-20x+20$
③ $y=5x^2-20x-20$  ④ $y=-5x^2+20x+20$
⑤ $y=-5x^2-20x-20$

**073** 직선 $x=-2$를 축으로 하고, 두 점 $(-3, 2)$, $(1, 4)$를 지나는 포물선을 $x$축의 방향으로 2만큼, $y$축의 방향으로 $-1$만큼 평행이동한 포물선을 그래프로 하는 이차함수의 식은?

① $y=4x^2-3$  ② $y=4x^2+3$
③ $y=\frac{1}{4}x^2+\frac{3}{4}$  ④ $y=\frac{1}{4}x^2+2x+\frac{9}{4}$
⑤ $y=\frac{1}{4}x^2-x+\frac{15}{4}$

**I 13 세 점을 알 때, 이차함수의 식 구하기** 이해

**074** 세 점 $(0, -2)$, $(1, 2)$, $(2, 4)$를 지나는 포물선을 그래프로 하는 이차함수의 식을 $y=ax^2+bx+c$의 꼴로 나타내어라.

＊ 접근법
세 점이 주어질 때,
(i) 이차함수의 식을 $y=ax^2+bx+c$로 놓는다.
(ii) 세 점의 좌표를 각각 식에 대입하여 $a$, $b$, $c$의 값을 구한다.

**075** 그림은 이차함수 $y=ax^2+bx+c$의 그래프이다. 이때, 상수 $a$, $b$, $c$에 대하여 $4a+b+c$의 값을 구하여라.

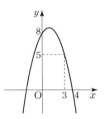

**076** 이차함수 $y=ax^2+bx+c$의 그래프가 세 점 $(0, -1)$, $(1, 4)$, $(-1, -2)$를 지날 때, 이 이차함수의 그래프의 축의 방정식은? (단, $a$, $b$, $c$는 상수이다.)

① $x=-\frac{3}{2}$  ② $x=-\frac{3}{4}$  ③ $x=-\frac{1}{2}$
④ $x=\frac{3}{4}$  ⑤ $x=\frac{3}{2}$

**077** 이차함수 $y=ax^2+bx+c$의 그래프가 그림과 같을 때, 이 그래프의 꼭짓점의 좌표를 구하여라.
(단, $a$, $b$, $c$는 상수이다.)

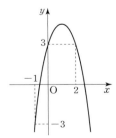

26 DAY

**I 14** $x$축과의 두 교점을 알 때, 이차함수의 식 구하기 <sub>이해</sub>

**078** 이차함수 $y=ax^2+bx+c$의 그래프가 그림과 같을 때, 상수 $a$, $b$, $c$에 대하여 $abc$의 값을 구하여라.

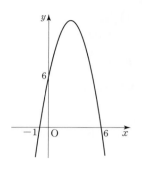

\* **접근법**

$x$축과의 교점 $(\alpha, 0)$, $(\beta, 0)$과 다른 한 점이 주어질 때

(i) 이차함수의 식을 $y=a(x-\alpha)(x-\beta)$로 놓는다.

(ii) 나머지 한 점의 좌표를 대입하여 $a$의 값을 구한다.

**079** $x$축과 만나는 두 점의 좌표가 $(-3, 0)$, $(2, 0)$이고, $y$축과 만나는 점의 좌표가 $(0, -6)$인 포물선을 그래프로 하는 이차함수의 그래프의 꼭짓점의 좌표를 구하여라.

**080** 이차함수 $y=ax^2+bx+c$의 그래프가 $x$축과 만나는 점의 $x$좌표는 각각 $-2$, $3$이고, 점 $(-1, -2)$를 지난다. 이 이차함수의 그래프가 $y$축과 만나는 점의 $y$좌표는?

① $-1$        ② $-2$        ③ $-3$
④ $-4$        ⑤ $-5$

**081** ★ 이차함수 $y=ax^2+bx+c$의 그래프는 $x$축과 두 점 $(-2, 0)$, $(4, 0)$에서 만나고, 꼭짓점이 직선 $y=-x+2$ 위에 있을 때, 상수 $a$, $b$, $c$에 대하여 $a+2b+3c$의 값을 구하여라.

**I 15** 이차함수의 활용 I <sub>응용</sub>

**082** 지면으로부터 20 m인 높이에서 초속 30 m로 똑바로 위로 던져 올린 물체의 $t$초 후의 높이를 $h$ m라 하면 $h=-5t^2+30t+20$인 관계가 성립한다. 이때, 물체의 높이가 65 m가 되는 것은 위로 던져 올린 지 몇 초 후인지 구하여라.

\* **접근법**

식이 주어지는 경우는 미지수가 나타내는 것을 파악하고, 주어진 조건을 식에 대입하여 푼다.

**083** 지면으로부터 55 m인 높이에서 초속 50 m로 똑바로 위로 쏘아 올린 물체의 $t$초 후의 높이를 $h$ m라 하면 $h=-5t^2+50t+55$가 성립한다. 이 물체가 지면에 떨어지는 것은 쏘아 올린 지 몇 초 후인가?

① 3초 후        ② 8초 후        ③ 11초 후
④ 15초 후        ⑤ 20초 후

**084** ★ 지면에서 초속 35 m로 똑바로 위로 쏘아 올린 공의 $x$초 후의 높이를 $y$ m라 하면 $y=35x-5x^2$인 관계가 성립한다고 한다. 이 공의 높이가 50 m 이상인 것은 몇 초 동안인지 구하여라.

**085** 어느 공장에서 하루에 제품 $x$개를 생산할 때의 이익을 $y$만 원이라 하면 $y=-\dfrac{1}{10}x^2+10x-50$인 관계가 성립한다고 한다. 이익이 200만 원이 되려면 하루에 몇 개의 제품을 생산해야 하는지 구하여라.

## I 16 이차함수의 활용 II

**086** 밑변의 길이가 28 cm이고 높이가 36 cm 인 삼각형에서 밑변의 길이는 매초 2 cm씩 늘어나고 높이는 매초 1 cm씩 줄어든다. 삼각형의 넓이가 625 cm²가 되는 때는 몇 초 후인가?

① 9초 후    ② 11초 후    ③ 13초 후
④ 15초 후   ⑤ 17초 후

* **접근법**
변의 길이가 매초 $a$의 속력으로 늘어날 때 (또는 줄어들 때) $t$초 후에는 변의 길이가 $at$ (또는 $-at$)만큼 변화됨을 이용한다.

**087** 그림의 정사각형 ABCD 에서 점 P는 $\overline{\text{AD}}$ 위로 매초 1 cm의 속력으로 점 A에서 점 D로 움직이고, 점 Q는 $\overline{\text{AB}}$ 위를 매초 2 cm의 속력으로 점 B에서 점 A로 움직인다. 두 점 P, Q가 동시에 출발할 때, 3초 후의 삼각형 APQ의 넓이는?

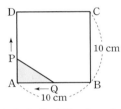

① $\dfrac{9}{2}$ cm²    ② 5 cm²    ③ $\dfrac{11}{2}$ cm²

④ 6 cm²    ⑤ $\dfrac{13}{2}$ cm²

**088** 길이가 18인 선분 AB 위에 점 P를 잡고 그림과 같이 $\overline{\text{AP}}$, $\overline{\text{PB}}$를 각각 직각을 낀 한 변으로 하는 두 직각이등변삼각형을 만들었다. 두 직각이등변삼각형의 넓이의 합이 82가 될 때의 선분 AP의 길이를 구하여라.
(단, $\overline{\text{AP}} > \overline{\text{PB}}$)

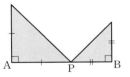

**089** 길이가 16인 선분 AB 위에 한 점 P를 잡아 $\overline{\text{AP}}$, $\overline{\text{PB}}$ 를 각각 지름으로 하는 두 원을 만들려고 한다. 두 원의 넓이의 합이 $32\pi$가 될 때, $\overline{\text{AP}}$의 길이를 구하여라.

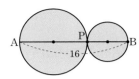

**090** 너비가 20 cm인 구리판을 접어서 그림과 같이 색칠된 단면의 모양이 직사각형인 물받이를 만들려고 한다. 물받이의 높이를 $x$ cm, 단면의 넓이를 $y$ cm²라 할 때, $y=50$일 때의 $x$의 값은?

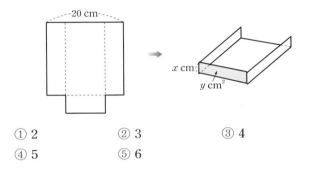

① 2    ② 3    ③ 4
④ 5    ⑤ 6

**091** 그림과 같이 직선 $l$ 위를 움직이는 점 P가 있다. 점 P에서 $x$축에 내린 수선의 발을 Q라 할 때, △POQ의 넓이가 $\dfrac{4}{3}$일 때의 점 P의 좌표를 모두 고르면?
(단, O는 원점이고, 점 P는 제 1 사분면 위의 점이다.)
(정답 2개)

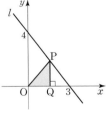

① $\left(\dfrac{1}{2}, \dfrac{10}{3}\right)$    ② $\left(1, \dfrac{8}{3}\right)$    ③ $\left(\dfrac{3}{2}, 2\right)$

④ $\left(2, \dfrac{4}{3}\right)$    ⑤ $\left(\dfrac{5}{2}, \dfrac{2}{3}\right)$

**092** 두 이차함수 $y=-x^2-4x-1$과 $y=\dfrac{2}{3}x^2+ax+b$의 그래프의 꼭짓점이 같을 때, 상수 $a$, $b$에 대하여 $b-2a$의 값을 구하여라.

**093** 두 이차함수 $y=-x^2+6x-8$과 $y=\dfrac{1}{2}x^2+ax+b$의 그래프의 꼭짓점이 같을 때, 상수 $a$, $b$에 대하여 $2a+b$의 값을 구하여라.

**094** 일차함수 $y=ax+b$의 그래 프가 그림과 같을 때, 이차함수 $y=x^2-ax-b$의 그래프의 꼭짓점은 제 몇 사분면 위에 있는지 구하여라. (단, $a$, $b$는 상수이다.)

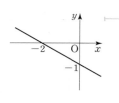

**095** 일차함수 $y=ax+b$의 그래프가 그림과 같을 때, 이차함수 $y=ax^2+bx+1$의 그래프의 꼭짓점은 제 몇 사분면 위에 있는가? (단, $a$, $b$는 상수이다.)

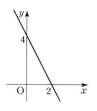

① 제 1사분면  　② 제 2사분면  　③ 제 3사분면
④ 제 4사분면  　⑤ $x$축 위

**096** 그림은 이차함수 $y=-x^2+4x+2$의 그래프이다. 이 그래프가 $x$축과 만나는 두 점을 A, B라 할 때, 두 점 A, B 사이의 거리를 구하여라.

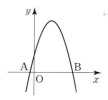

**097** 이차함수 $y=x^2-6x+k$의 그래프가 $x$축과 두 점 A, B에서 만나고 $\overline{AB}=2\sqrt{10}$일 때, 상수 $k$의 값을 구하여라.

098 이차함수 $y=x^2-x+1-k$의 그래프가 $x$축과 서로 다른 두 점에서 만나기 위한 상수 $k$의 값의 범위는?

① $k<-\dfrac{3}{4}$　　② $k>-\dfrac{3}{4}$　　③ $k<\dfrac{3}{4}$

④ $k>\dfrac{3}{4}$　　⑤ $k>\dfrac{5}{4}$

099 이차함수 $y=-\dfrac{1}{2}x^2+2x-a$의 그래프가 항상 $x$축보다 아래쪽에 있도록 하는 상수 $a$의 값의 범위는?

① $a<-2$　　② $a>-2$　　③ $0<a<2$

④ $a<2$　　⑤ $a>2$

100 이차함수 $y=ax^2+bx+c$의 그래프의 꼭짓점의 좌표가 $(-3, 4)$이고, 그래프가 제1사분면을 지나지 않을 때, $a$의 값의 범위를 구하여라.
(단, $a$, $b$, $c$는 상수이다.)

101 이차함수 $y=a(x-2)^2-5$의 그래프가 모든 사분면을 지나도록 하는 정수 $a$의 값을 구하여라.

102 그림과 같이 이차함수 $y=ax^2+bx+c$의 그래프가 두 점 $(-4, 0)$, $(0, 0)$을 지날 때, 다음 중 옳은 것은?

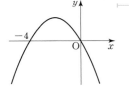

① $ab<0$　　② $abc>0$

③ $a+b+c>0$　　④ $a-b+c<0$

⑤ $4a-2b+c>0$

103 이차함수 $y=ax^2+bx+c$의 그래프가 그림과 같을 때, 다음 중 이차함수 $y=cx^2+ax-b$의 그래프로 알맞은 것은?

① 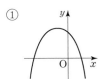　　② 　　③

④ 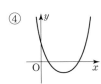　　⑤

**104** 이차함수 $y=ax^2+bx+c$의 그래프가 세 점 $(0, 2)$, $(1, 3)$, $(-1, 5)$를 지날 때, 상수 $a$, $b$, $c$에 대하여 $abc$의 값을 구하여라.

> **먼저,** $c$의 값을 구하자.    30%

---

> **그다음,** $a$, $b$의 값을 각각 구하자.    50%

---

> **그래서,** $abc$의 값을 구하자.    20%

---

**105** 이차함수 $y=ax^2+bx+c$의 그래프가 세 점 $(-2, 0)$, $(5, -7)$, $(0, 8)$을 지날 때, 상수 $a$, $b$, $c$에 대하여 $abc$의 값을 구하여라.

> **먼저,**

---

> **그다음,**

---

> **그래서,**

---

**106** 그림은 $x$축과 두 점 $(-3, 0)$, $(1, 0)$에서 만나고 꼭짓점의 $y$좌표가 $-4$인 이차함수 $y=ax^2+bx+c$의 그래프이다. 이때, 상수 $a$, $b$, $c$에대하여 $a-b-c$의 값을 구하여라.

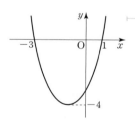

> **먼저,** $x$축 위의 두 점을 지나는 이차함수의 식을 세우자.    30%

---

> **그다음,** $a$의 값을 구하자.    40%

---

> **그래서,** $a-b-c$의 값을 구하자.    30%

---

**107** 이차함수 $y=ax^2+bx+c$의 그래프가 그림과 같이 $x$축과 두 점 $(1, 0)$, $(4, 0)$에서 만나고 $y$축과 점 $(0, -4)$에서 만난다. 이때, 상수 $a$, $b$, $c$에 대하여 $a-b-c$의 값을 구하여라.

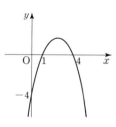

> **먼저,**

---

> **그다음,**

---

> **그래서,**

---

**108** 그림과 같은 이차함수의 그래프와 $y$축에 대하여 대칭인 그래프가 나타내는 이차함수의 식을 $y=ax^2+bx+c$라 할 때, 상수 $a$, $b$, $c$에 대하여 $a+b+c$의 값을 구하여라.

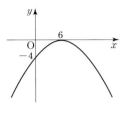

**109** 그림은 직선 $x=2$를 축으로 하는 이차함수 $y=ax^2+bx+c$의 그래프를 나타낸 것이다. 이때, 상수 $a$, $b$, $c$에 대하여 $abc$의 값을 구하여라.

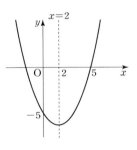

**110** 한 개에 100원씩 팔면 400개가 팔리는 어떤 상품이 있다. 이 상품의 한 개당 가격을 $2x$원 올리면 $5x$개가 적게 팔린다고 한다. 이 상품의 총 판매 금액이 42250원이 되도록 하려면 한 개당 판매 가격을 얼마로 하면 되는지 구하여라.

**111** 그림과 같이 이차함수 $y=x^2+2x-3$의 그래프와 $x$축과의 두 교점을 A, B라 하고, $y$축과의 교점을 C라 하자. 점 C를 지나는 직선 $y=mx-n$이 △ACB의 넓이를 이등분할 때, $mn$의 값을 구하여라. (단, $m$, $n$은 상수이다.)

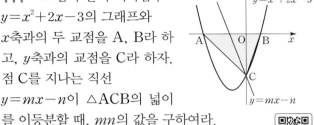

**112** 이차함수 $y=-x^2+4x+5$의 그래프를 $x$축의 방향으로 $k$만큼, $y$축의 방향으로 $k+4$만큼 평행이동하였더니 처음 그래프와 $y$축에서 만났다. 이때, 양수 $k$의 값을 구하여라.

**113** 그림과 같이 가로의 길이가 24 cm, 세로의 길이가 16 cm인 직사각형에서 가로의 길이를 $x$ cm만큼 줄이고, 세로의 길이를 $2x$ cm만큼 늘여서 만든 직사각형의 넓이를 $y$ cm$^2$라 한다. $y=312$일 때의 $x$의 값을 구하여라.

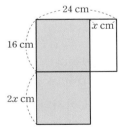

**최고난도 만점 문제**

**114** 다음 두 이차함수의 그래프의 꼭짓점이 $x$축에 대하여 서로 대칭일 때, 상수 $a$, $b$에 대하여 $a+b$의 값을 구하여라.

$$y=2x^2-8ax+8a^2-3b$$
$$y=x^2+6bx+9b^2+a-3$$

**115** 그림과 같이 꼭짓점이 P인 이차함수 $y=-x^2+bx+c$의 그래프가 $x$축과 두 점 A, B에서 만나고, 직선 $x+y=4$와 두 점 B, C에서 만날 때, △PAB의 넓이를 구하여라. (단, $b$, $c$는 상수이고, 점 C는 $y$축 위의 점이다.)

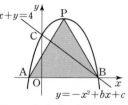

**116** 그림은 포물선의 일부분이다. 길이가 40 cm인 $\overline{AB}$의 중점 M에서 꼭짓점 C까지의 거리가 16 cm일 때, 점 M으로부터 5 cm만큼 떨어진 점 H에서 포물선까지의 거리인 $\overline{DH}$의 길이를 구하여라.

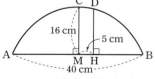

**117** 그림과 같이 두 이차함수 $y=x^2+4x+3$, $y=-x^2-2x+3$의 그래프가 $x$축 위의 점 P와 $y$축 위의 점 Q에서 만난다. 선분 PQ와 만나고 $y$축에 평행한 직선을 그어 두 함수의 그래프와 만나는 점을 각각 R, S라 하자. 사각형 PSQR의 넓이가 $\frac{27}{4}$일 때의 점 R의 $x$좌표를 구하여라.

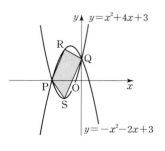

**118** 두 점 $(-1,\ 0)$, $(1,\ 8)$을 지나는 이차함수의 그래프의 꼭짓점의 $x$좌표는 정수이고 $y$좌표는 $-1$일 때, 이 이차함수의 식을 구하여라.

**119** 그림과 같이 이차함수 $y=x^2-4x-12$의 그래프가 $x$축의 양의 부분과 만나는 점을 A, 꼭짓점을 B, $y$축과 만나는 점을 C라 할 때, △BAC의 넓이를 구하여라.

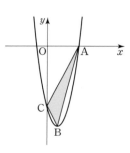

**120** 둘레의 길이가 400 m인 그림과 같은 트랙이 있다. 직사각형 ABCD의 넓이가 $\frac{19200}{\pi}$ m²일 때의 $\overline{AD}$의 길이는? (단, 트랙의 양쪽 곡선은 반원의 호이고 트랙의 직선 코스의 길이가 곡선 코스의 길이보다 길다.)

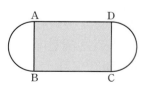

① 100 m ② 110 m ③ 120 m
④ 130 m ⑤ 140 m

# 이과생들의 쉼터, 애기능 동산

애기능은 이과캠퍼스의 과학도서관 뒤에 있는 동산이야. 애기능이라는 이름이 신기하지? 원래 조선시대에 원빈 홍씨의 능이 있었던 곳이래. 원빈 홍씨가 어린나이에 후궁으로 들어왔는데 14살 때 어린나이에 요절했데. 그래서 애기능이라는 이름이 붙었다고 해. 산책로와 벤치가 있어서 공부하다가 나와서 산책하기 좋아. 산책로 주변에는 학기 초에는 벚꽃이 피어서 다같이 나와서 사진을 찍어. 그리고 우리학교의 교화인 철쭉이 심어져있어서 애기능이 붉게 물드는데 무척 예뻐.

고려대학교 심볼마크

글 : **정혜원**(고려대 수학과)/사진 : 디카츄의 사진창고

# 서울대학교의 대표 운동장,

# 대운동장과 기숙사 운동장

서울대학교에는 운동장이 두 곳이 있어. 학교 정문으로 들어오자마자 보이는 대운동장과 기숙사 앞에 위치한 기숙사 운동장, 이렇게 두 곳이지. 우선 대운동장은 말 그대로 거대한 잔디 운동장과 그 주위를 둘러싼 트랙으로 이루어져 있어. 그래서 이른 아침이나 저녁 시간대에는 항상 구슬땀을 흘리고 있는 운동 동아리 학생들을 구경할 수 있고 가족 단위로 소풍 오기에도 좋아서 주말에는 아이들이 뛰어노는 모습이 많이 보여. 총장배 축구대회 등 많은 대회가 열리는 장소이기도 하지. 다음으로 기숙사 운동장은 대운동장과 비교하면 크기가 좀 작기는 하지만 마찬가지로 잔디 운동장이라서 주로 축구 연습 하는 곳으로 쓰여. 그리고 너무 크지 않은 규모 덕분에 각 학과의 체육대회 장소로도 애용돼.

서울대학교 심볼마크

글 · 사진 : **박성재**(서울대 지구환경과학과)

memo

memo

◉ (주)수경출판사의 모든 교재에는 가 있습니다.

◉ 교재의 **마인드 트리** 5개를 모아서 보내주시는 모든 분께 선물을 드립니다.

◉ 각각 다른 교재의 **마인드 트리**를 모아 주셔야 됩니다.

》 다음 교재 중 1권과 개념정리 노트 1권을 드립니다.
- 형상기억 수학공식집(중1)
- 형상기억 수학공식집(중등 종합)
- 보카 레슨 Level **1**          중 1권 +  개념정리
- 보카 레슨 Level **2**                   노트 1권
- 보카 레슨 Level **3**

◉ 보내실 곳 : 서울시 영등포구 양평로 21길 26(양평동 5가) IS비즈타워 807호
　　　　　　 (주)수경출판사 (우 07207)

◉ 언제든지 엽서에 붙이거나, 편지 봉투에 넣어 보내 주세요.

*오려서 보내 주세요.

자이스토리 중등 수학3(상)

## Mind Tree

### 5개를 모아 보내 주세요!

(각각 다른 교재로)

풀이나 스카치 테이프를 이용해 붙여 주세요.

우 편 봉 함 엽 서

### 보내는 사람

*주소 _____

*이름 _____　　*학년 (중 ____. 고 ____)

□ □ □ □ □

우표

### 받는 사람

서울시 영등포구 양평로 21길 26(양평동 5가)
IS비즈타워 807호
(주)수경출판사 교재 기획실

0 7 2 0 7

**자이스토리** 중등 수학3(상)

*오려서 보내 주세요.

자이스토리 중등 수학3(상)

5. 이 책에서 추가되어야 할 점이 있다면 무엇입니까?

_____

_____

_____

6. 최근 본인이 크게 도움을 받은 책이 있다면?(또는 가장 인기있는 교재는?)

교재명 : _____ 과목 : _____

_____

_____

7. 내가 원하는 교재가 있다면?

_____

_____

_____

_____

이름 :                   연락처 :               이메일 :

학 교 :                학 년 :

# Fighting!

외롭고 고된 자신과 싸움의 시간이 힘드셨죠?
꾹 참고 이겨내고 있는
당신의 모습에 경의를 보냅니다.
합격은 당신의 것입니다.

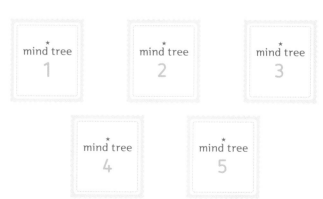

❄ **마인드 트리**를 붙이고 원하는 교재를 체크하세요.

| mind ★ tree 1 | mind ★ tree 2 | mind ★ tree 3 |
| mind ★ tree 4 | mind ★ tree 5 | |

※ 원하는 교재를 **1권** 체크

| ☐ 형상기억 수학공식집 [중1] | ☐ 형상기억 수학공식집 [중등 종합] | ☐ 보카 레슨 [Level 1] | ☐ 보카 레슨 [Level 2] | ☐ 보카 레슨 [Level 3] |

개념 * 유형 * 서술형으로 중등 수학 완성!

중등 자이스토리

xistory stands for extra intensive story for
an entrance examination for a university.

개념 유형 서술형

해 설 편

중등
수학3(상)

자이스토리 동영상 강의 – 유튜브 채널
'셀프수학'

자이스토리·수경출판사

# 수학 공식과 개념을 머릿속에 사진으로 저장!

# 형상기억 수학 공식집

**[고등 수학 공식집]**
- [인문계용] 수학 Ⅰ + 수학 Ⅱ + 확률과 통계
- [자연계용] 수학 Ⅰ + 수학 Ⅱ + 확률과 통계
  + 미적분 + 기하

**[중등 수학 공식집]**
- [학년편] 중 2 수학 / 중 3 수학
- [종합편] 3개년 수학 종합 (중 1 + 중 2 + 중 3)

## ❶ 개념의 압축 정리 + 공식의 형상화

내신 + 수능 대비를 위한 교과서 핵심 개념과 공식을 쉽게 공부할 수 있도록 압축 정리하였습니다. 또, 추상적인 개념이나 공식을 형상화하여 머릿속에 확실히 각인시킵니다.

## ❷ 한 권으로 끝내는 개념 + 공식 총정리

수학은 연계 + 계통 학습이 매우 중요합니다. 초등부터 고등까지 수학 개념의 연계 과정을 알 수 있게 단계별로 관련 내용을 정리하여 개념의 이해를 돕고, 확장 개념에 대한 수학적 사고력을 높여줍니다.

## ❸ 공식을 문제에 적용하는 훈련으로 수학 실력 완성

수학 공식은 단순히 외우기만 해서는 안 됩니다. 핵심 개념 문제와 종합 연습 문제를 통해 문제에 어떻게 적용하고 풀어야 하는지를 단계별로 학습하면 공식과 개념을 한 층 더 깊게 이해 할 수 있어 수학 실력이 쑥쑥 오릅니다.

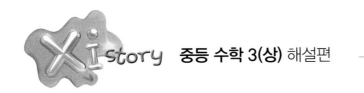

# Contents

## Ⓐ 제곱근과 무리수

문제편 p. 12

[개념 체크]

001 $\pm 6$ 002 $\pm \dfrac{5}{8}$ 003 $\pm 0.7$ 004 $\pm 9$ 005 $\pm 0.25$

006 $\pm \dfrac{1}{12}$ 007 $\pm \sqrt{3}$ 008 $\sqrt{2}$ 009 $0.5$ 010 $-\sqrt{6}$

011 $5$ 012 $-4$ 013 $\dfrac{2}{7}$ 014 $-0.6$ 015 $2$

016 $6$ 017 $4$ 018 $2a$ 019 $2a$ 020 $1-a$

021 $1$ 022 $\sqrt{5}<\sqrt{8}$ 023 $0.2<\sqrt{0.2}$

024 $-\sqrt{3}<-\sqrt{2}$ 025 $-0.1>-\sqrt{0.1}$ 026 무

027 무 028 유 029 유 030 무 031 유

032 $\times$ 033 $\bigcirc$ 034 $\bigcirc$ 035 $\times$

036 $2+\sqrt{15}<6$ 037 $-2+\sqrt{3}<1+\sqrt{3}$

038 $5-\sqrt{5}>3-\sqrt{5}$

[유형 다지기]

039 ③ 040 ⑤ 041 ① 042 ③ 043 ④

044 (1) $\pm 6$ (2) $2$ (3) $5$ 045 ④ 046 ② 047 ③

048 $\sqrt{10}$ cm 049 ③ 050 ④ 051 ② 052 $\sqrt{130}$ cm

053 ② 054 $\sqrt{73}$ cm 055 ④ 056 ③ 057 ④

058 ⑤ 059 ② 060 $3x$ 061 ③ 062 $-a+b$

063 ㄴ, ㄷ 064 ③ 065 ④ 066 $-a-b$ 067 ②

068 $-2x$ 069 $42$ 070 ⑤ 071 ② 072 ④

073 ② 074 ③ 075 ① 076 (1) 5개 (2) 18

077 $-3$ 078 $1$ 079 ④ 080 ④ 081 ③

082 ①, ⑤ 083 $1+\sqrt{2}$ 084 ① 085 ④ 086 $7$

087 ③, ⑤ 088 ④ 089 $3+\sqrt{2}$ 090 $2+\sqrt{5}$

091 P : $3-\sqrt{5}$, Q : $3+\sqrt{5}$

092 P : $-3+\sqrt{5}$, Q : $1-\sqrt{10}$ 093 ② 094 ②

095 ⑤ 096 ㄱ, ㄹ 097 ④ 098 ② 099 ②

100 ④ 101 $P, Q, R$ 102 $3$ 103 ② 104 ③

[잘 틀리는 유형 훈련]

105 $12$ 106 $-15$ 107 $167$ 108 $113$ 109 $-2a$

110 $0$ 111 ② 112 ⑤ 113 ⑤ 114 ④

115 $31$ 116 $50$ 117 ② 118 ② 119 ④

120 ② 121 $3$ 122 $9$ 123 ④ 124 ②

125 ③ 126 ④ 127 ③, ④ 128 ④, ⑤

[서술형 다지기]

129 $-6$ 130 $-2$ 131 $96$ 132 $75$ 133 $1$

134 $\dfrac{1}{a}+1$ 135 $3$ 136 $13$ 137 $B<A<C$

138 $6$

[최고난도 만점 문제]

139 4개 140 ② 141 $8$ 142 $11$ 143 $625$

144 $7$ 145 ㄴ, ㄷ

## Ⓑ 근호를 포함한 식의 계산

문제편 p. 30

[개념 체크]

001 $\sqrt{6}$ 002 $-6\sqrt{21}$ 003 $\sqrt{5}$ 004 $-\sqrt{\dfrac{1}{3}}$ 005 $\sqrt{15}$

006 $\sqrt{\dfrac{1}{6}}$ 007 $3\sqrt{2}$ 008 $-3\sqrt{3}$ 009 $\dfrac{\sqrt{7}}{4}$ 010 $\dfrac{\sqrt{2}}{10}$

011 $\dfrac{\sqrt{6}}{2}$ 012 $-\dfrac{\sqrt{15}}{5}$ 013 $\dfrac{\sqrt{3}}{2}$ 014 $-\dfrac{\sqrt{2}}{2}$ 015 $\dfrac{\sqrt{2}}{2}$

016 $\dfrac{\sqrt{3}}{2}$ 017 $6$ 018 $\dfrac{8}{3}$ 019 $3\sqrt{3}$ 020 $5\sqrt{5}$

021 $-2\sqrt{3}$ 022 $7\sqrt{2}$ 023 $\sqrt{10}+6$ 024 $\sqrt{5}+\sqrt{2}$

025 $5\sqrt{2}+6\sqrt{3}$ 026 $\dfrac{15}{2}$ 027 $\sqrt{10}+\sqrt{15}$

028 $3\sqrt{6}$ 029 $1.005$ 030 $1.153$ 031 $1.257$ 032 $1.304$

033 $46.26$ 034 $146.3$ 035 $0.1463$ 036 $0.04626$

[유형 다지기]

037 ② 038 ⑤ 039 ③ 040 $48$ 041 ③

042 ⑤ 043 $2\sqrt{7}, 3\sqrt{5}, 4\sqrt{3}$ 044 $\dfrac{2}{3}$ 045 ①

046 ⑤ 047 ② 048 ⑤ 049 ⑤ 050 ④

051 ② 052 ② 053 ④ 054 $\dfrac{\sqrt{3}}{2}$ 055 ①

056 $-36\sqrt{3}$ 057 ② 058 ①, ⑤ 059 ③ 060 $\sqrt{6}$ cm

061 ④ 062 $\dfrac{12\sqrt{13}}{13}$ cm 063 ③ 064 ④

065 $32\sqrt{3}$ cm² 066 $2\sqrt{6}$ cm 067 ④ 068 ③

069 $5\sqrt{5}$ cm² 070 $12$ 071 ⑤ 072 $3\sqrt{2}$ cm²

073 ② 074 $10$ 075 ④ 076 $-3$ 077 ③

078 ③ 079 $5+\sqrt{3}$ 080 ① 081 ② 082 $8-3\sqrt{6}$

083 ② 084 ③ 085 ② 086 ① 087 ①

088 $\dfrac{3\sqrt{2}+7\sqrt{5}}{2}$ 089 ④ 090 $\dfrac{5\sqrt{6}}{6}$ 091 ④

092 $(8\sqrt{3}+16)$ cm 093 $\dfrac{6+3\sqrt{2}}{2}$ 094 $3$

095 $\dfrac{9\sqrt{6}+9\sqrt{2}}{2}$ 096 $\dfrac{\sqrt{2}+2\sqrt{3}}{6}$ 097 ④

098 (1) $9.763$ (2) $485$ 099 $0.7355$ 100 ④

101 (1) $233$ (2) $269$ 102 ④ 103 (1) $187.1$ (2) $0.05916$

104 ④ 105 ④ 106 ⑤ 107 ⑤ 108 $\sqrt{14}+1$

109 $\dfrac{7\sqrt{6}}{6}$ 110 ③ 111 $C<A<B$ 112 $1-2\sqrt{2}$

113 ②, ⑤ 114 $2-5\sqrt{5}$ 115 ⑤ 116 ③ 117 ⑤

**118** ⑤    **119** ④    **120** $20+10\sqrt{2}$    **121** $13\sqrt{10}$

**122** ④    **123** ②    **124** $\dfrac{1}{3}$    **125** $\dfrac{1}{2}$    **126** $2\sqrt{3}$

**127** $2+\sqrt{2}$    **128** 12    **129** $\dfrac{190}{3}$    **130** ③    **131** ①

**132** 0.1584    **133** 3.8175    **134** $32\sqrt{7}$    **135** $9\sqrt{3}$    **136** $3\sqrt{3}-5$

**137** $-\sqrt{2}+\sqrt{5}-1$    **138** $24\sqrt{5}\pi\ \text{cm}^3$

**139** $(18+12\sqrt{14})\pi\ \text{cm}^2$    **140** $2\sqrt{10}-6$    **141** $2\sqrt{2}-2$

[서술형 다지기]

**142** $7\sqrt{10}$    **143** $5\sqrt{2}$    **144** $\dfrac{\sqrt{2}}{2}$    **145** $\dfrac{13\sqrt{6}}{18}$    **146** $\dfrac{1}{50}$

**147** 3    **148** $7\sqrt{6}$    **149** $12+15\sqrt{2}+12\sqrt{3}$

**150** $A<B<C$    **151** $(40\sqrt{3}+16\sqrt{2})\ \text{cm}^3$

[최고난도 만점 문제]

**152** ③    **153** $-\dfrac{2}{7}$    **154** $8\sqrt{3}$    **155** 6    **156** ④

**157** ②

## C 곱셈 공식

문제편 p. 50

[개념 체크]

**001** $ab+a+3b+3$    **002** $2ab-5a+6b-15$

**003** $2x-xy-2+y$    **004** $2xy-4x+3y-6$

**005** $x^2+4x+4$    **006** $4a^2+4ab+b^2$

**007** $9a^2-12ab+4b^2$    **008** $4x^2-4xy+y^2$    **009** $a^2-4b^2$

**010** $9a^2-b^2$   **011** $x^2+3x+2$    **012** $2x^2+3x-2$

**013** $\sqrt{6}-2$   **014** $9+4\sqrt{5}$   **015** $3\sqrt{3}-2\sqrt{6}$    **016** $12+8\sqrt{3}$

**017** 2, 200, 4, 2704    **018** 4, 800, 16, 9216

**019** 100, 100, 10000, 9996

**020** 200, 100, 20000, 3, 20497    **021** ×    **022** ○

**023** ○    **024** ×    **025** 3    **026** $\sqrt{5}$

[유형 다지기]

**027** ③    **028** ②    **029** ②

**030** $4a^2+5ab+12a-6b^2-9b$

**031** ④    **032** ③    **033** 4    **034** 2    **035** ③

**036** ③    **037** ③    **038** ④    **039** $25a^2-30a+9$

**040** ④    **041** $a^2-36$   **042** ①    **043** 33    **044** $x^8-256$

**045** ①    **046** ①    **047** ⑤    **048** 38    **049** ③

**050** ①    **051** ①    **052** ②    **053** ③    **054** ④

**055** $-1$    **056** 5    **057** $a^2-b^2$   **058** ①

**059** $ab-ac-bc+c^2$    **060** $4\ \text{m}^2$    **061** ②    **062** ①

**063** ①    **064** ②    **065** ⑤    **066** 5    **067** 6

**068** ②    **069** ③

**070** $A=x-10,\ B=x-2,\ C=x^2-8x$    **071** ⑤

**072** ④    **073** $55+2\sqrt{5}$    **074** ⑤    **075** ㄴ, ㄷ

**076** ①    **077** ①    **078** ②    **079** ⑤    **080** $9-4\sqrt{5}$

**081** ①    **082** ②    **083** $-18-8\sqrt{6}$    **084** ①

**085** 8    **086** $9-5\sqrt{2}$   **087** ①    **088** ②    **089** ⑤

**090** ②    **091** $12-3\sqrt{13}$    **092** ④    **093** ④

**094** ③    **095** ①    **096** 9991    **097** 2940    **098** 2

**099** ④    **100** ②    **101** ④    **102** 100    **103** ④

**104** ④    **105** ④    **106** ⑤    **107** ④    **108** ②

**109** ④    **110** ⑤    **111** 3    **112** ⑤

[잘 틀리는 유형 훈련]

**113** ①    **114** ④    **115** $-2$    **116** 18    **117** ③

**118** ①    **119** 95    **120** $\dfrac{22}{7}$    **121** ㄱ, ㄷ   **122** ㄱ, ㄴ

**123** $-1+3\sqrt{2}$    **124** $\dfrac{5+3\sqrt{5}}{2}$    **125** 6

**126** 9    **127** $3\sqrt{2}$    **128** $2\sqrt{2}+1$   **129** $12\sqrt{2}+14\sqrt{3}$

**130** $7+2\sqrt{6}$   **131** $-4$    **132** 208    **133** 820    **134** $\dfrac{3}{7}$

**135** $\dfrac{5\sqrt{3}+9}{2}$    **136** $6+\sqrt{5}$

[서술형 다지기]

**137** 63    **138** 321    **139** $a^8-a^4+16$

**140** $x^8+x^4y^4+y^8$    **141** $-\dfrac{4}{3}$    **142** $\dfrac{4}{3}$    **143** $-10$

**144** 33    **145** $(8-4\sqrt{2})\ \text{cm}$    **146** $9x^2+y^2+x^2y^2+9$

[최고난도 만점 문제]

**147** 11    **148** ③    **149** 20    **150** $\dfrac{-10+6\sqrt{2}}{7}$

**151** $x=\dfrac{1}{8},\ y=-\dfrac{1}{24}$    **152** 4    **153** $-\dfrac{1}{k}$    **154** 4

**155** $\dfrac{20}{13}\ \text{cm}$

## D 인수분해

문제편 p. 70

[개념 체크]

**001** 인수    **002** 인수, 인수분해    **003** ㄴ    **004** ㄱ

**005** ㄹ    **006** ㄷ    **007** $x$    **008** $xy$    **009** $2a$

**010** $3m^2$   **011** $2b^2(3a-4)$    **012** $-3xy^2(1-3xy)$

**013** $x^2(x-y+z)$    **014** $-2a^2b(2ab-6+b)$

**015** $(a+2)^2$   **016** $(x-7)^2$   **017** $(3a-1)^2$    **018** $(x-8y)^2$

**019** 16    **020** 36    **021** 18    **022** 6

023 $(a+8)(a-8)$　024 $(2x+7y)(2x-7y)$

025 $(6a+b)(6a-b)$　026 $-(x+5)(x-5)$　027 3, 5

028 4, 6　029 $(x+2y)(x-5y)$　030 $(a+4b)(a-3b)$

031 2, 2, 1, 2, 2, 1, 6x　032 2x, 2y, 2, $-3xy$, $-4xy$

033 $(2a+1)(a+2)$　034 $(3x-2)(4x+1)$

035 $(2a-3b)(a+2b)$　036 $2(x-y)(2x-3y)$

[유형 다지기]

037 ③　038 ㄱ, ㄴ, ㄹ, ㅂ　039 ⑤　040 ①, ④

041 $(x-5)(a+2b+c)$　042 ④　043 ⑤

044 $\left(\frac{5}{3}a-\frac{9}{2}b\right)^2$　045 ㄱ, ㄷ　046 ③　047 ⑤

048 ②　049 14　050 ④　051 30　052 ④

053 ②　054 ②　055 $2x$　056 5　057 ①

058 ③　059 $\left(\frac{1}{3}a+\frac{1}{2}b\right)\left(\frac{1}{3}a-\frac{1}{2}b\right)$　060 ④

061 ③　062 ④　063 ③　064 24　065 ⑤

066 $(a+b-2)(a-b)$　067 ④　068 ③　069 ③

070 ②　071 ③　072 ④　073 ⑤　074 ②

075 0　076 ②　077 ④　078 $\frac{1}{4}(x+2)(3x-4)$

079 ①　080 ①　081 ③　082 ②, ④　083 ⑤

084 11　085 ⑤　086 ①　087 ③　088 $x-2$

089 ①　090 $-1$　091 ③　092 ④

093 $(x-2)(x-3)$　094 ②　095 16　096 0

097 ③　098 $4a+12$　099 $(x+1)(x+3)$　100 ⑤

101 $3a+2b$　102 $(4x-5)$ m　103 ⑤　104 $2a-1$

105 24 cm　106 $x(x+10)\pi$　107 ①　108 ⑤

109 $12x+8$

[잘 틀리는 유형 훈련]

110 ③　111 ③　112 ③　113 ④　114 ③

115 ⑤　116 $2x-5$　117 ②　118 ①

119 최댓값 : 49, 최솟값 : 14　120 ②　121 ②

122 ④　123 7　124 ①　125 ①　126 ⑤

127 18　128 ⑤　129 ⑤　130 $(x+2)(3x+8)$

131 $(x^2+1)(y^2+1)(x+1)(x-1)$　132 5　133 11

[서술형 다지기]

134 $-2x$　135 $-a+5$　136 $2x-3$　137 $6x-8$　138 2

139 5　140 $-7$　141 35　142 29

143 $4x+10y$

[최고난도 만점 문제]

144 ④　145 $5a$　146 $-3$　147 ④

148 $(6x+1)(x-1)$　149 $2(a-b-3)$　150 ③

151 20개

## E 인수분해의 활용

문제편 **p. 88**

[개념 체크]

001 $(a+3b)(x+y)$　002 $(2x+3)(y-1)$

003 $(x+z)(y+z)$　004 $ab(2a-1)^2$

005 $x(x-1)$　006 $(x+4)^2$

007 $(a+b-2)^2$　008 $x(x-6)$

009 $(x+2)(x-1)$　010 $(2a-2b-1)(a-b+3)$

011 $y+1$, $y+1$, $y+1$, $y+1$　012 $y-b$, $y-b$, $y-b$

013 $x+y$, $x+y$, $x+y$　014 $(2a-1)(2a+b-1)$

015 $(x-3)(x-y-3)$　016 750　017 9600　018 900

019 7　020 6000　021 $-3$　022 400　023 $8\sqrt{3}$

024 100

[유형 다지기]

025 ⑤　026 $(a-b)(x-y)$　027 ②, ④　028 ④

029 ①　030 ①　031 $-2$　032 ②　033 $-3$

034 ③　035 ③　036 $-5$　037 ②

038 $-2(2x+3)(x+9)$　039 ②, ③　040 ④

041 $(x+1)(x+3)(x-1)(x-3)$　042 ①

043 $\left(x-\frac{1}{x}-2\right)^2$　044 4　045 ③

046 $2x^2-4x-11$　047 13　048 $-3$　049 ①

050 ③　051 $a+1$　052 ②　053 ⑤　054 $-2$

055 ①　056 ④　057 ②　058 ①　059 4

060 ④　061 $(x-3y+1)^2$　062 ⑤　063 ②

064 ①　065 $a(a-b)(a-c)$　066 ②

067 $(a+1)(b+1)(c+1)$　068 ③　069 ③

070 ④　071 5417　072 ③　073 $-128$　074 ②

075 9100　076 ②　077 2651　078 ①　079 ②

080 ④　081 ⑤　082 ②　083 ②　084 ④

085 ⑤　086 165　087 ②　088 ③　089 6

090 ②　091 ③　092 ③　093 ③　094 ④

095 $2y+1$　096 8　097 $x+y$　098 ③

[잘 틀리는 유형 훈련]

099 ③　100 $(x-2y)(2x-1)$　101 ③　102 ②

103 ④　104 ④　105 ②, ④　106 ⑤

107 $(x+y+1)(x-y+1)$　108 ④　109 ④

110 ④　111 ③　112 ④　113 ③　114 ①

115 ⑤　116 ③　117 ③　118 ①　119 ⑤

120 ⑤　121 ①　122 ④

## [서술형 다지기]

**123** $(x^2-2x+2)(x+1)(x-3)$

**124** $(a-b+6)(a-b-3)$    **125** $100$    **126** $24\sqrt{5}$

**127** $(x+2)(x-1)(x^2-x-8)$

**128** $(2, 4), (0, -2), (4, 2), (-2, 0)$    **129** $-10$

**130** $(a-b)(b-c)(a-c)$    **131** $-210$    **132** $245\pi \ \mathrm{cm}^3$

## [최고난도 만점 문제]

**133** $7$    **134** ①    **135** ②    **136** ⑤    **137** $-6\sqrt{2}$

**138** $128$    **139** $2700$    **140** $x-1$

# Ⓕ 이차방정식의 풀이
문제편 p. 106

## [개념 체크]

**001** ○    **002** ○    **003** ×    **004** ○    **005** ×

**006** ×    **007** ×    **008** ○    **009** ×    **010** ○

**011** $x=3$    **012** $x=-1$ 또는 $x=0$    **013** $x=1$ 또는 $x=2$

**014** $x=1$    **015** $9$    **016** $-2$    **017** $7$

**018** $x=0$ 또는 $x=7$    **019** $x=-5$ 또는 $x=2$

**020** $x=-2$ 또는 $x=\dfrac{3}{2}$    **021** $x=-\dfrac{1}{3}$ 또는 $x=\dfrac{3}{4}$

**022** $x=-5$ 또는 $x=-3$    **023** $x=-4$ 또는 $x=2$

**024** $x=-2$ 또는 $x=7$    **025** $x=-\dfrac{1}{2}$ 또는 $x=\dfrac{1}{2}$

**026** $x=-2$ 또는 $x=-\dfrac{1}{3}$    **027** $x=\dfrac{1}{2}$ 또는 $x=2$

**028** $x=4$ (중근)    **029** $x=-7$ (중근)

**030** $x=\dfrac{3}{2}$ (중근)    **031** ㄱ, ㄴ, ㄹ, ㅁ    **032** $x=\pm 2$

**033** $x=\pm\sqrt{7}$    **034** $x=\pm\dfrac{5}{2}$    **035** $x=\pm\dfrac{2\sqrt{3}}{3}$

**036** $x=-2$ 또는 $x=8$    **037** $x=-1\pm 2\sqrt{2}$

**038** $x=-6$ 또는 $x=0$    **039** $x=5\pm 2\sqrt{3}$    **040** $16, 4$

**041** $32, 4$    **042** $p^2, p$    **043** $\dfrac{q^2}{4}, \dfrac{q}{2}$    **044** $1, 3$

**045** $5, 24$    **046** ㉠ : $4$, ㉡ : $2$, ㉢ : $3$, ㉣ : $\sqrt{3}$

**047** ㉠ : $9$, ㉡ : $3$, ㉢ : $13$, ㉣ : $\sqrt{13}$

## [유형 다지기]

**048** ②    **049** ⑤    **050** $12$    **051** $a\ne -1$    **052** ③

**053** ③, ⑤    **054** ④    **055** $4$개    **056** ②    **057** $x=-2$

**058** ④    **059** ④    **060** ⑤    **061** ②    **062** $8$

**063** ④    **064** ①    **065** ②    **066** $96$    **067** $4$

**068** ⑤    **069** ④    **070** ④    **071** ②    **072** ①

**073** ④    **074** ⑤    **075** ③    **076** ⑤    **077** ③

---

**078** ①    **079** ②    **080** ③    **081** $18$    **082** $x=-\dfrac{3}{5}$

**083** ③    **084** ⑤    **085** ②    **086** ③    **087** ②

**088** ②    **089** $6$    **090** $-\dfrac{7}{2}$    **091** $\dfrac{1}{18}$    **092** ②

**093** ④    **094** ⑤    **095** ④    **096** ②    **097** ③

**098** ①    **099** $k=0, x=2$ (중근)    **100** ⑤    **101** ④

**102** ②    **103** ①    **104** ④    **105** ①    **106** ②

**107** ③    **108** ③    **109** ④    **110** ③    **111** $2$

**112** $3$    **113** ④    **114** ①    **115** ④    **116** ⑤

**117** ⑤    **118** ①    **119** ②    **120** ④

## [잘 틀리는 유형 훈련]

**121** ⑤    **122** $a\ne -1$이고 $a\ne 4$    **123** ①    **124** ③

**125** ②    **126** ⑤    **127** $-2$    **128** ④    **129** $91$

**130** $7$개    **131** $\dfrac{12}{17}$    **132** ②    **133** $9$    **134** $-2$

**135** ⑤    **136** ④    **137** ⑤    **138** ⑤    **139** ②

**140** ③    **141** $2\sqrt{2}$    **142** $28$    **143** ②    **144** ⑤

## [서술형 다지기]

**145** $-\dfrac{11}{3}$    **146** $3$    **147** $13$    **148** $33$    **149** $-\dfrac{5}{2}$

**150** $2p^2-4$    **151** $41$    **152** $2$    **153** $4$개

**154** $k=\dfrac{4}{3}$일 때 $x=-12$ (중근), $k=-\dfrac{4}{3}$일 때 $x=12$ (중근)

## [최고난도 만점 문제]

**155** ③    **156** $\dfrac{5}{2}$    **157** ③    **158** ①    **159** ①

**160** $1$    **161** $\dfrac{7}{2}$    **162** ④

# Ⓖ 이차방정식의 활용
문제편 p. 126

## [개념 체크]

**001** $\dfrac{b}{2a}, \dfrac{b}{2a}, \dfrac{b}{2a}, b^2-4ac, \dfrac{b}{2a}, b^2-4ac, -b, b^2-4ac$

**002** $x=\dfrac{-5\pm\sqrt{5}}{2}$    **003** $x=\dfrac{1\pm\sqrt{13}}{6}$

**004** $x=\dfrac{-3\pm\sqrt{3}}{2}$    **005** $x=\dfrac{1\pm\sqrt{11}}{5}$

**006** $A=-7, B=69$    **007** $x=-3$ 또는 $x=1$

**008** $x=5$ (중근)    **009** $x=\dfrac{-2\pm\sqrt{7}}{3}$

**010** $x=2$ 또는 $x=3$    **011** $x=1\pm\sqrt{2}$

**012** $x=-6$ 또는 $x=7$    **013** $x=-\dfrac{4}{3}$ 또는 $x=0$

**014** $x=1$ 또는 $x=\dfrac{3}{2}$

**015**

| $ax^2+bx+c=0$ | $a$ | $b$ | $c$ | $b^2-4ac$ 의 값 | 근의 개수 |
|---|---|---|---|---|---|
| $x^2+x-1=0$ | 1 | 1 | $-1$ | 5 | 2개 |
| $-x^2+6x-9=0$ | $-1$ | 6 | $-9$ | 0 | 1개 |
| $2x^2-2x+1=0$ | 2 | $-2$ | 1 | $-4$ | 0개 |

**016** 0개　**017** 2개　**018** 2개　**019** 1개

**020** $x^2-7x+10=0$　**021** $x^2-3x-28=0$

**022** $x^2-12x+36=0$　**023** $x^2+4x+3=0$

**024** $2x^2-20x+48=0$　**025** $3x^2-18x-21=0$

**026** $-x^2+10x-25=0$　**027** $4x^2+x-\dfrac{1}{2}=0$

**028** $2+\sqrt{3}$, $2+\sqrt{3}$, $2+\sqrt{3}$, 4, $-4$　**029** 2　　**030** $-4$

**031** 8

**032** $x+1$, $x+1$, $x^2+x-42$, $(x+7)(x-6)$, $-7$, 6. 6, 6, 7, 13

**033** (1) $x^2+9x-10=0$　(2) $x=-10$ 또는 $x=1$　(3) 1 m

**034** (1) 12초 후　(2) 5초 후

**[유형 다지기]**

**035** ④　**036** ⑤　**037** ④　**038** ④　**039** ⑤

**040** ①　**041** ④　**042** $x=0$　**043** ⑤　**044** ③

**045** $x=2$　**046** ①　**047** ④　**048** ②　**049** ⑤

**050** 3　**051** ①　**052** ⑤　**053** ③, ⑤　**054** ⑤

**055** ①　**056** ㄴ, ㄹ　**057** ②　**058** ②　**059** 3

**060** ①　**061** 7　**062** ②　**063** ⑤　**064** ④

**065** 7　**066** 6개　**067** ②　**068** ①　**069** ④

**070** ⑤　**071** $x=2$ 또는 $x=3$　**072** ①

**073** $2x^2-5x+2=0$　**074** $4x^2+8x+4=0$　**075** ⑤

**076** ②　**077** ⑤　**078** $-36$　**079** ①　**080** ③

**081** ③　**082** ③　**083** $\dfrac{41}{20}$　**084** ①　**085** 48

**086** ④　**087** ③　**088** ①　**089** ③　**090** ⑤

**091** ①　**092** ④　**093** 39　**094** 8　**095** ⑤

**096** ④　**097** 9명　**098** 12번째　**099** ⑤　**100** ①

**101** 10개　**102** ④　**103** 30　**104** 7개　**105** ②

**106** 21개　**107** ③　**108** 5초 후　**109** ①, ③　**110** 8초

**111** $(2, 4)$　**112** $(3, 3)$, $(9, 9)$　**113** $(2, 6)$, $(3, 4)$

**114** 17　**115** 5 cm　**116** 2 m　**117** 8 cm　**118** 10 cm

**119** $(1+\sqrt{5})$ cm　**120** ⑤　**121** $(-5+5\sqrt{5})$ cm

**122** 2 cm　**123** 14초 후　**124** 2 cm　**125** $(3+3\sqrt{2})$ cm

**126** ④　**127** 1　**128** 4 cm 또는 8 cm　**129** 2 m

**130** 4 cm

**[잘 틀리는 유형 훈련]**

**131** ②　**132** ④　**133** ①　**134** $-1$　**135** $-17$

**136** 7　**137** ⑤　**138** ①　**139** ①　**140** 93

**141** ⑤　**142** ④　**143** ④　**144** ②

**145** $x=-1$ 또는 $x=\dfrac{5}{2}$　　**146** 4개　**147** ②

**148** ④　**149** 6초　**150** ③　**151** ④　**152** ③

**153** ④　**154** ⑤

**[서술형 다지기]**

**155** 6　**156** 7　**157** 7　**158** $\dfrac{7}{3}$　**159** 2

**160** 2　**161** $-1$　**162** $x=\dfrac{2}{3}$ 또는 $x=3$　**163** $-1$

**164** 9분 후

**[최고난도 만점 문제]**

**165** $x=\dfrac{-3-\sqrt{21}}{2}$ 또는 $x=\dfrac{3+\sqrt{5}}{2}$　　**166** 4

**167** ⑤　**168** 8　**169** 3분　**170** $\dfrac{1+\sqrt{5}}{2}$

**171** ④　**172** $(8-4\sqrt{3})$ cm

# H 이차함수와 그래프(1)
문제편 p. 150

**[개념 체크]**

**001** ×　**002** ×　**003** ○　**004** ○　**005** $y=x^2+x$

**006** $y=-x^2+10x$　**007** 3　**008** $\dfrac{5}{2}$　**009** $-15$

**010** $-4$　**011** 0, 0, $y$축　**012** 아래　**013** $x$축

**014** 감소　**015** 0, 0, $y$축　**016** 위　**017** $y=4x^2$

**018** $-1$　**019** 감소　**020** $(0, 0)$　**021** $x=0$

**022** $y=-\dfrac{3}{8}x^2$　**023** ㄱ, ㄷ, ㅁ　**024** ㄱ, ㄹ

**025** ㄹ　**026** $y=x^2+5$, $(0, 5)$　**027** $y=-2x^2-9$, $(0, -9)$

**028** $y=\dfrac{1}{2}x^2-7$, $(0, -7)$　　**029** $y=-\dfrac{1}{4}x^2+5$, $(0, 5)$

**030** 꼭짓점의 좌표 : $(0, -2)$, 축의 방정식 : $x=0$

**031** 꼭짓점의 좌표 : $(0, 3)$, 축의 방정식 : $x=0$

**032**

| | $y=x^2$ [ 5 ] | $y=-2x^2$ [ $-3$ ] |
|---|---|---|
| 함수식 | $y=(x-5)^2$ | $y=-2(x+3)^2$ |
| 꼭짓점의 좌표 | $(5, 0)$ | $(-3, 0)$ |
| 축의 방정식 | $x=5$ | $x=-3$ |

**033** $a=\dfrac{1}{2}$, $b=-6$　**034** $a=-5$, $b=-7$

**035** $a=\dfrac{3}{4}$, $b=5$　**036** $a=-\dfrac{1}{3}$, $b=8$

037 $y=-\dfrac{1}{2}(x-3)^2+2$    038

039 $(3, 2)$

040 $x=3$

041 $y=3(x-2)^2+4$

042 $y=-2(x+1)^2-3$

043 꼭짓점의 좌표 : $(2, 1)$, 축의 방정식 : $x=2$

044 꼭짓점의 좌표 : $\left(5, -\dfrac{3}{2}\right)$, 축의 방정식 : $x=5$

045 1

[유형 다지기]

| | | | | |
|---|---|---|---|---|
| 046 ② | 047 ③ | 048 ⑤ | 049 ④ | 050 ⑤ |
| 051 ② | 052 ④ | 053 ① | 054 ③ | 055 ㅁ과 ㅂ |
| 056 ③ | 057 ② | 058 ① | 059 ⑤ | 060 ⑤ |
| 061 ② | 062 $\dfrac{25}{4}$ | 063 ② | 064 ④ | 065 $-24$ |
| 066 $-4$ | 067 ④ | 068 ③ | 069 $(0, 4)$ | 070 ① |
| 071 ④ | 072 ② | 073 ③ | 074 $-4$ | 075 ② |
| 076 ⑤ | 077 3 | 078 ㄴ, ㄹ | 079 ② | 080 ⑤ |
| 081 $a>0, p<0$ | | 082 12 | 083 ① | 084 ④ |
| 085 ③ | 086 ② | 087 ④ | 088 10 | 089 ⑤ |
| 090 $-3$ | 091 ④ | 092 ⑤ | 093 ② | 094 ③ |
| 095 ⑤ | 096 ③ | 097 ② | 098 ④ | 099 4 |
| 100 ③ | 101 ② | 102 ③ | 103 ④ | 104 ① |
| 105 $(1, -3)$ | | 106 50 | 107 18 | 108 6 |
| 109 ④ | 110 제1, 2사분면 | 111 ④ | 112 $-1$ | |
| 113 ③ | 114 ㄱ, ㄴ | 115 ②, ⑤ | 116 $a>0, p<0, q<0$ | |
| 117 ③, ⑤ | 118 $a-p-q>0$ | 119 ② | | |

[잘 틀리는 유형 훈련]

| | | | | |
|---|---|---|---|---|
| 120 $-3$ | 121 $-6$ | 122 $\dfrac{1}{4}$ | 123 $\dfrac{1}{2}$ | 124 ② |
| 125 ① | 126 ⑤ | 127 ③ | 128 $y=\dfrac{1}{2}x-2$ | |
| 129 $y=-\dfrac{1}{2}x+1$ | | 130 ① | 131 ③ | |

[서술형 다지기]

| | | | | |
|---|---|---|---|---|
| 132 $\dfrac{50}{9}$ | 133 $-6$ | 134 $-1$ | 135 1 | 136 1 |
| 137 28 | 138 2 | 139 $-18, -4$ | | 140 $-3$ |
| 141 제3사분면 | | | | |

[최고난도 만점 문제]

| | | | | |
|---|---|---|---|---|
| 142 ① | 143 $(2, 0)$ | 144 ③ | 145 4 | 146 ⑤ |
| 147 $-4$ | 148 $2\sqrt{3}-2$ | | | |

[개념 체크]

| | |
|---|---|
| 001 1, 1, 1, 3 | 002 4, 4, 2, 7 |
| 003 $y=2(x+1)^2-3$ | 004 $y=-3\left(x-\dfrac{1}{3}\right)^2+\dfrac{4}{3}$ |
| 005 $(4, -6), x=4$ | 006 $(-2, 3), x=-2$ |
| 007 $>$, 다르다, $>$, $<$, $<$ | 008 $y=-(x-1)^2+2$ |
| 009 $y=-2(x+2)^2+4$ | 010 $y=(x-2)^2-6$ |
| 011 $y=-3x^2-3x+2$ | 012 $y=-x^2+4x+1$ |
| 013 $y=\dfrac{1}{2}x^2-\dfrac{1}{2}x-1$ | 014 $-2, 8, 64, 72$    015 45 m |

[유형 다지기]

| | | | | |
|---|---|---|---|---|
| 016 ③ | 017 18 | 018 1 | 019 1 | 020 ④ |
| 021 $-5$ | 022 ④ | 023 ㄷ, ㄱ, ㄴ, ㅁ, ㄹ | | 024 ② |
| 025 ④ | 026 2 | 027 ③ | 028 ③ | 029 $-4$ |
| 030 $y=-x^2-4x-3$ | | 031 ② | 032 $-3$ | 033 $-2$ |
| 034 ② | 035 $x>6$ | 036 $x<-\dfrac{1}{2}$ | 037 ⑤ | 038 ④ |
| 039 ④ | 040 $k<-1$ | 041 ④ | 042 3 | 043 ② |
| 044 ③ | 045 제1, 3, 4사분면 | 046 ③ | 047 ④ | |
| 048 ②, ④ | 049 8 | 050 10 | 051 5 | 052 12 |
| 053 $\dfrac{9}{8}$ | 054 $(6, 6)$ | 055 64 | 056 $\dfrac{81}{2}$ | 057 ②, ⑤ |
| 058 $a>0, b>0, c<0$ | | 059 ④ | 060 제3사분면 | |
| 061 ② | 062 ③ | 063 1 | 064 ② | 065 ③ |
| 066 ④ | 067 ② | 068 ① | 069 4 | 070 $(0, 6)$ |
| 071 ④ | 072 ① | 073 ③ | 074 $y=-x^2+5x-2$ | |
| 075 6 | 076 ② | 077 $(1, 5)$ | 078 $-30$ | |
| 079 $\left(-\dfrac{1}{2}, -\dfrac{25}{4}\right)$ | | 080 ③ | 081 3 | 082 3초 후 |
| 083 ③ | 084 3초 | 085 50개 | 086 ② | 087 ④ |
| 088 10 | 089 8 | 090 ④ | 091 ②, ④ | |

[잘 틀리는 유형 훈련]

| | | | |
|---|---|---|---|
| 092 $\dfrac{1}{3}$ | 093 $-\dfrac{1}{2}$ | 094 제2사분면 | 095 ① |
| 096 $2\sqrt{6}$ | 097 $-1$ | 098 ④ | 099 ⑤    100 $a\le-\dfrac{4}{9}$ |
| 101 1 | 102 ⑤ | 103 ⑤ | |

[서술형 다지기]

| | | | | |
|---|---|---|---|---|
| 104 $-4$ | 105 $-16$ | 106 2 | 107 $-2$ | 108 $-\dfrac{49}{9}$ |
| 109 20 | 110 130원 | 111 $-9$ | 112 1 | 113 18 |

[최고난도 만점 문제]

| | | | | |
|---|---|---|---|---|
| 114 $\dfrac{1}{3}$ | 115 $\dfrac{125}{8}$ | 116 15 cm | 117 $-\dfrac{3}{2}$ | |
| 118 $y=x^2+4x+3$ | | 119 24 | 120 ③ | |

# A 제곱근과 무리수

개념 체크 001~038 정답은 p. 2에 있습니다.

**유형 다지기** 학교시험+학력평가                        문제편 p. 14

**039** 답 ③
① 144의 제곱근은 $\pm\sqrt{144}=\pm\sqrt{12^2}=\pm12$야. ← NO!
② $-2$의 제곱근은 없어. ← NO!
③ 제곱근 25는 $\sqrt{25}=\sqrt{5^2}=5$야. ← OK!
④ 0의 제곱근은 0이야. ← NO!
⑤ 9의 음의 제곱근은 $-\sqrt{9}=-\sqrt{3^2}=-3$이야. ← NO!

**040** 답 ⑤
$x$가 $a$의 제곱근이면 $x^2=a$ 또는 $x=\pm\sqrt{a}$야.

**041** 답 ①
$x^2=81$이면 $x=\pm\sqrt{81}=\pm\sqrt{9^2}=\pm9$
① $x=9$이면 $x$의 제곱근은 $\pm\sqrt{9}=\pm\sqrt{3^2}=\pm3$
  $x=-9$이면 $x$는 음수이므로 $x$의 제곱근은 없어.

**042** 답 ③
ㄱ. 11의 제곱근은 $\pm\sqrt{11}$이므로 $-\sqrt{11}$은 11의 음의 제곱근이야.
                                                        (참)
ㄴ. $4^2=16$의 제곱근은 $\pm4$야. (거짓)
ㄷ. 제곱하여 0.3이 되는 수는 $\sqrt{0.3}$, $-\sqrt{0.3}$으로 2개가 있어. (거짓)
ㄹ. $1.\dot{7}=\dfrac{17-1}{9}=\dfrac{16}{9}$의 제곱근은 $\pm\dfrac{4}{3}$, 즉 $\pm1.\dot{3}$이야. (참)
따라서 옳지 않은 것은 ㄴ, ㄷ이야.

**043** 답 ④
$(-7)^2=49$의 양의 제곱근은 7이므로 $A=7$
$\sqrt{625}=\sqrt{25^2}=25$의 음의 제곱근은 $-5$이므로 $B=-5$
$\therefore A+B=7+(-5)=2$

**044** 답 (1) $\pm6$  (2) $2$  (3) $5$
(1) 36의 제곱근은 $\pm\sqrt{36}=\pm\sqrt{6^2}=\pm6$이야.
(2) $\sqrt{16}=4$이므로 4의 양의 제곱근은 $\sqrt{4}=\sqrt{2^2}=2$야.
(3) $\sqrt{(-25)^2}=\sqrt{25^2}=25$이므로 제곱근 25는 $\sqrt{25}=\sqrt{5^2}=5$야.

**오답피하기**
$a$의 제곱근과 제곱근 $a$를 혼동하는 사람이 많아. 둘 다 $\sqrt{a}$가 나오는 건 알겠는데, $\pm$ 부호가 어느 쪽에 붙는지 헷갈려서 잘 틀릴 수 있어. 이럴 때는 하나만 알고 있자. 제곱근 $a$를 말하는 순서대로 기호로 나타내면 제곱근 $a$, 즉 $\sqrt{a}$가 되어 $\pm$ 부호가 필요 없게 되지? 그러면 $a$의 제곱근에 부호가 붙는 건 헷갈리지 않을 거야.

**045** 답 ④
64의 제곱근은 $\pm8$이므로 $a=8$, $b=-8$
$\sqrt{a-b}=\sqrt{8+8}=\sqrt{16}=\sqrt{4^2}=4$이므로
4의 제곱근은 $\pm\sqrt{4}=\pm\sqrt{2^2}=\pm2$야.

**046** 답 ②
처음의 정사각형 모양의 색종이를 그림과 같이 접으면 새로 만들어진 정사각형의 넓이는 처음 정사각형 모양의 색종이의 넓이의 $\dfrac{1}{2}$이 되지?

따라서 새로 만들어진 정사각형의 넓이가 50 cm²일 때, 처음의 정사각형 모양의 색종이의 넓이는 2배이므로 100 cm²야.
(정사각형의 넓이)$=$(한 변의 길이)²이므로 구하는 색종이의 한 변의 길이를 $x$ cm라 하면 $x^2=100$
$\therefore x=\pm\sqrt{100}=\pm\sqrt{10^2}=\pm10$
이때, 길이는 양수이므로 접기 전 색종이의 한 변의 길이는 10 cm야.

**047** 답 ③
삼각형 BCD는 $\angle C=90°$인 직각삼각형이므로 피타고라스 정리에 의해
$$\overline{BD}=\sqrt{\overline{BC}^2+\overline{CD}^2}$$
$$=\sqrt{4^2+(\sqrt{5})^2}$$
$$=\sqrt{16+5}=\sqrt{21}\,(\text{cm})$$

**048** 답 $\sqrt{10}$ cm
삼각형 ABC는 $\angle B=90°$인 직각삼각형이므로 피타고라스 정리에 의해
$$\overline{AC}=\sqrt{\overline{AB}^2+\overline{BC}^2}$$
$$=\sqrt{2^2+(\sqrt{6})^2}$$
$$=\sqrt{4+6}=\sqrt{10}\,(\text{cm})$$

**049** 답 ③
삼각형 ABC는 $\angle B=90°$인 직각이등변삼각형이므로 피타고라스 정리에 의해
$$\overline{AC}=\sqrt{\overline{AB}^2+\overline{BC}^2}$$
$$=\sqrt{1^2+1^2}=\sqrt{2}$$
삼각형 ACD는 $\angle C=90°$인 직각삼각형이므로 피타고라스 정리에 의해
$$\overline{AD}=\sqrt{\overline{AC}^2+\overline{CD}^2}$$
$$=\sqrt{(\sqrt{2})^2+1^2}$$
$$=\sqrt{2+1}=\sqrt{3}$$
삼각형 ADE는 $\angle D=90°$인 직각삼각형이므로 피타고라스 정리에 의해
$$\overline{AE}=\sqrt{\overline{AD}^2+\overline{DE}^2}$$
$$=\sqrt{(\sqrt{3})^2+1^2}$$
$$=\sqrt{3+1}=\sqrt{4}=2$$

**050** 답 ④
사각형 ABCD는 한 변의 길이가 9 cm인 정사각형이므로
$\overline{BE}=\overline{AB}-\overline{AE}=9-4=5\,(\text{cm})$
$\overline{BF}=\overline{AE}=4\,(\text{cm})$
삼각형 EBF는 $\angle B=90°$인 직각삼각형이므로 피타고라스 정리에 의해
$$\overline{EF}=\sqrt{\overline{BE}^2+\overline{BF}^2}$$
$$=\sqrt{5^2+4^2}=\sqrt{25+16}=\sqrt{41}\,(\text{cm})$$

## 051 답 ②

삼각형 ABC는 $\angle B=90°$인 직각삼각형이므로 피타고라스 정리에 의해
$$\overline{AC}=\sqrt{\overline{AB}^2+\overline{BC}^2}$$
$$=\sqrt{5^2+2^2}=\sqrt{25+4}=\sqrt{29}$$
삼각형 ACD는 $\angle C=90°$인 직각삼각형이므로 피타고라스 정리에 의해
$$\overline{AD}=\sqrt{\overline{AC}^2+\overline{CD}^2}$$
$$=\sqrt{(\sqrt{29})^2+2^2}=\sqrt{29+4}=\sqrt{33}$$

## 052 답 $\sqrt{130}$ cm

마름모 ABCD의 두 대각선 AC와 BD는 각각 서로를 수직이등분해.
즉, $\angle AOB=90°$이고, $\overline{AO}=\dfrac{1}{2}\overline{AC}=\dfrac{1}{2}\times14=7\,(\text{cm})$,
$\overline{BO}=\dfrac{1}{2}\overline{BD}=\dfrac{1}{2}\times18=9\,(\text{cm})$야.
이때, 삼각형 ABO는 $\angle AOB=90°$인 직각삼각형이므로 피타고라스 정리에 의해
$$\overline{AB}=\sqrt{\overline{AO}^2+\overline{BO}^2}$$
$$=\sqrt{7^2+9^2}=\sqrt{49+81}=\sqrt{130}\,(\text{cm})$$
따라서 마름모 ABCD의 한 변의 길이는 $\sqrt{130}$ cm야.

## 053 답 ②

그림에서 삼각형 FGH는 $\angle G=90°$인 직각삼각형이므로 피타고라스 정리에 의해
$$\overline{FH}=\sqrt{(\sqrt{5})^2+3^2}$$
$$=\sqrt{5+9}=\sqrt{14}\,(\text{cm})$$
또, 삼각형 BFH는 $\angle F=90°$인 직각삼각형이므로 피타고라스 정리에 의해
$$\overline{BH}=\sqrt{\overline{FH}^2+\overline{BF}^2}=\sqrt{(\sqrt{14})^2+(\sqrt{3})^2}=\sqrt{14+3}=\sqrt{17}\,(\text{cm})$$
따라서 주어진 직육면체의 대각선의 길이는 $\sqrt{17}$ cm야.

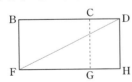

## 054 답 $\sqrt{73}$ cm

주어진 직육면체의 전개도는 그림과 같아.

즉, 점 F와 점 D를 잇는 최단 거리는 선분 FD의 길이와 같으므로
$$\overline{FD}=\sqrt{\overline{FH}^2+\overline{HD}^2}$$
$$=\sqrt{(\overline{FG}+\overline{GH})^2+\overline{HD}^2}$$
$$=\sqrt{(6+2)^2+3^2}$$
$$=\sqrt{8^2+3^2}=\sqrt{64+9}=\sqrt{73}\,(\text{cm})$$

## 055 답 ④

① $\sqrt{2^2}=2 \leftarrow$ NO!
② $\sqrt{(-3)^2}=\sqrt{9}=\sqrt{3^2}=3 \leftarrow$ NO!
③ $(-\sqrt{2})^2=(-\sqrt{2})\times(-\sqrt{2})=(\sqrt{2})^2=2 \leftarrow$ NO!
④ $-(\sqrt{3})^2=-(\sqrt{3}\times\sqrt{3})=-3 \leftarrow$ OK!
⑤ $-\sqrt{(-2)^2}=-\sqrt{4}=-\sqrt{2^2}=-2 \leftarrow$ NO!

③과 ④가 헷갈리지? 똑같이 제곱을 한 것이니까 답도 비슷하게 나와야 하는데 ③은 양수, ④는 음수가 나왔어.
그 차이는 제곱의 범위가 다르기 때문이야. 제곱의 범위는 괄호로 묶인 부분이야. ③의 경우 괄호가 $-\sqrt{2}$를 싸고 있으니까 제곱하면 $-$가 두 번 곱해져서 양수가 나오지만, ④의 경우 괄호가 $-$를 제외한 $\sqrt{3}$만을 싸고 있어서 $-$와 상관없기 때문에 음수가 나오는 거야.

## 056 답 ③

① $\sqrt{4}=\sqrt{2^2}=2 \leftarrow$ OK!
② $(\sqrt{0.5})^2=0.5 \leftarrow$ OK!
③ $(-\sqrt{6})^2=(\sqrt{6})^2=6 \leftarrow$ NO!
④ $-\sqrt{\left(\dfrac{1}{2}\right)^2}=-\dfrac{1}{2} \leftarrow$ OK!
⑤ $-\sqrt{(-7)^2}=-\sqrt{7^2}=-7 \leftarrow$ OK!

## 057 답 ④

① $\sqrt{10^2}=10$
② $\sqrt{(-10)^2}=\sqrt{100}=\sqrt{10^2}=10$
③ $(-\sqrt{10})^2=(\sqrt{10})^2=10$
④ $-(\sqrt{10})^2=-10$
⑤ $(\sqrt{10})^2=10$
따라서 그 값이 나머지 넷과 다른 것은 ④야.

## 058 답 ⑤

$$A=\sqrt{169}-3\sqrt{(-2)^4}+\sqrt{(-3)^2\times5^2}-\sqrt{(-6)^2}$$
$$=\sqrt{13^2}-3\times\sqrt{4^2}+3\times5-6$$
$$=13-12+15-6$$
$$=10$$
$$B=\sqrt{(-24)^2}\times\left(\sqrt{\dfrac{1}{6}}\right)^2-(-\sqrt{10})^2\div(-\sqrt{2})^2$$
$$=24\times\dfrac{1}{6}-10\div2$$
$$=4-5=-1$$
$$\therefore A-B=10-(-1)=11$$

## 059 답 ②

$a<0$이므로 $-a>0$이지?
① $(-\sqrt{-a})^2=\sqrt{(-a)^2}=-a \leftarrow$ OK!
② $\sqrt{a^2}=-a \leftarrow$ NO!
③ $-\sqrt{(-a)^2}=-(-a)=a \leftarrow$ OK!
④ $\sqrt{(-a)^2}=-a \leftarrow$ OK!
⑤ $-\sqrt{a^2}=-(-a)=a \leftarrow$ OK!
따라서 옳지 않은 것은 ②야.

## 060 답 $3x$

$x>0$에서 $-x<0$이므로
$$\sqrt{(-x)^2}=-(-x)=x$$
$x>0$에서 $2x>0$이므로
$$\sqrt{(2x)^2}=2x$$
$$\therefore \sqrt{(-x)^2}+\sqrt{(2x)^2}=x+2x=3x$$

## 061 답 ③

① $\sqrt{a^2}=a$

② $\sqrt{9a^2}=\sqrt{(3a)^2}=3a$

③ $-4a<0$이므로 $\sqrt{(-4a)^2}=-(-4a)=4a$

④ $-6a<0$이므로 $\dfrac{\sqrt{(-6a)^2}}{2}=\dfrac{-(-6a)}{2}=\dfrac{6a}{2}=3a$

⑤ $-5a<0$이므로 $-\sqrt{(-5a)^2}=-\{-(-5a)\}=-5a$

따라서 $a>0$이므로 그 값이 가장 큰 것은 ③이야.

## 062 답 $-a+b$

$ab<0$이므로 $a$, $b$의 부호는 서로 반대야. 그런데 $a<b$이므로 $a<0$, $b>0$이 되겠지?

$\therefore$ (주어진 식)$=-\sqrt{(-3b)^2}+\sqrt{(9a)^2}-\sqrt{(-8a)^2}+\sqrt{(4b)^2}$
$=-\{-(-3b)\}+(-9a)-(-8a)+4b$
$=-3b-9a+8a+4b$
$=-a+b$

## 063 답 ㄴ, ㄷ

'제곱' 나무에 $a^2$이 피었으므로 뿌리에서 흡수한 영양분은 $a^2$의 제곱근, 즉 $\pm\sqrt{a^2}=\pm a$지? 양수 $a$에 대하여

ㄱ. $\dfrac{\sqrt{(-2a)^2}}{4}=\dfrac{-(-2a)}{4}=\dfrac{2a}{4}=\dfrac{a}{2}$

ㄴ. $-\dfrac{\sqrt{4a^2}}{2}=-\dfrac{\sqrt{(2a)^2}}{2}=-\dfrac{2a}{2}=-a$

ㄷ. $2\sqrt{\left(\dfrac{a}{2}\right)^2}=2\times\dfrac{a}{2}=a$

ㄹ. $-\dfrac{\sqrt{16a^2}}{2}=-\dfrac{\sqrt{(4a)^2}}{2}=-\dfrac{4a}{2}=-2a$

따라서 뿌리에서 흡수한 영양분인 것은 ㄴ, ㄷ이야.

## 064 답 ③

$-2<a<3$에서 $a+2>0$, $a-3<0$

$\therefore \sqrt{(a+2)^2}+\sqrt{(a-3)^2}=a+2-(a-3)$
$=a+2-a+3=5$

## 065 답 ④

$0<x<2$에서 $x+2>0$, $x-2<0$

$\therefore$ (주어진 식)$=x+2-\{-(x-2)\}$
$=x+2+x-2$
$=2x$

## 066 답 $-a-b$

$a>b>0$에서 $a-b>0$, $a+b>0$, $b-a<0$이지?

$\therefore$ (주어진 식)$=(a-b)-(a+b)-\{-(b-a)\}$
$=a-b-a-b+b-a$
$=-a-b$

## 067 답 ②

$x<-1$에서 $x+1<0$, $x-3<0$이므로

$\sqrt{(x+1)^2}+\sqrt{(x-3)^2}=-(x+1)-(x-3)$
$=-x-1-x+3$
$=-2x+2$

따라서 $-2x+2=12$이므로

$-2x=10$  $\therefore x=-5$

## 068 답 $-2x$

$xy<0$에서 $x$, $y$의 부호는 서로 반대이고, $x-y<0$에서 $x<y$이므로 $x<0$이고 $y>0$이지?

즉, $-x>0$, $x-2<0$, $x-y<0$,

$2-x+y=2+(-x)+y>0$이므로

$(\sqrt{-x})^2+\sqrt{(x-2)^2}+\sqrt{(x-y)^2}-\sqrt{(2-x+y)^2}$
$=-x-(x-2)-(x-y)-(2-x+y)$
$=-x-x+2-x+y-2+x-y=-2x$

### 오답피해기

근호 안의 수가 양수인지 음수인지 찾아서 계산하기가 까다롭지?

이럴 땐, 절댓값을 이용하는 것이 편리해.

예를 들어, $\sqrt{(x-1)^2}-\sqrt{(x-2)^2}$ (단, $1<x<2$)은 $|x-1|-|x-2|$와 같은 식이야.

이때, $1<x<2$이므로 $x-1>0$이고 $x-2<0$에서 주어진 식은 $x-1-(2-x)=2x-3$이 되지.

## 069 답 42

$168=2^3\times3\times7$이므로 $\sqrt{168x}=\sqrt{2^3\times3\times7\times x}$

여기서 $2^3\times3\times7\times x$가 제곱인 수가 되기 위해서는 소인수의 지수가 모두 짝수가 되어야 하므로 가장 작은 자연수 $x$는

$x=2\times3\times7=42$

## 070 답 ⑤

$12=2^2\times3$이므로 $\sqrt{12a}=\sqrt{2^2\times3\times a}$

즉, $a=3\times$(제곱인 수)이면 근호가 없어지고 $\sqrt{12a}$는 자연수가 되겠지?

그런데 $10<a<50$이므로 $a$의 값은 $3\times2^2$, $3\times3^2$, $3\times4^2$에서 12, 27, 48이야.

따라서 구하는 모든 자연수 $a$의 값의 합은 $12+27+48=87$

## 071 답 ②

$90=2\times3^2\times5$이므로 $\sqrt{\dfrac{90}{x}}=\sqrt{\dfrac{2\times3^2\times5}{x}}$

여기서 자연수 $k$에 대하여 $x=2\times5\times k^2$이면 근호가 없어지지?

즉, $\sqrt{\dfrac{90}{x}}=\sqrt{\dfrac{2\times3^2\times5}{2\times5\times k^2}}=\dfrac{3}{k}$

그런데 $\sqrt{\dfrac{90}{x}}$, 즉 $\dfrac{3}{k}$이 자연수가 되어야 하므로 $k$는 3의 약수이어야 해.

따라서 3의 약수는 1, 3의 2개, 즉 $k$의 개수가 2개이므로 구하는 자연수 $x$의 개수도 2개야.

## 072 답 ④

$\sqrt{13+x}$가 자연수가 되려면 $13+x$는 13보다 큰 제곱인 수가 되어야 하므로

$13+x=16$, 25, 36, 49, 64, $\cdots$

$\therefore x=3$, 12, 23, 36, 51, $\cdots$

## 073 답 ②

$\sqrt{18-a}$가 자연수가 되려면 $18-a$가 제곱인 수가 되어야 해.

$18-a$는 18보다 작은 수이고, 18보다 작은 제곱인 수는 16, 9, 4, 1이므로 $a=2$, 9, 14, 17이 돼.

따라서 가장 작은 자연수 $a=2$일 때, $\sqrt{18-a}=\sqrt{16}=4$가 되어 자연수가 돼.

## 074 답 ③

① $\sqrt{4}>\sqrt{3}$이므로 $2>\sqrt{3}$ ← NO!

② $\sqrt{(-2)^2}=\sqrt{4}=\sqrt{2^2}$ ← NO!

③ $\sqrt{8}>\sqrt{7}$이므로 $-\sqrt{8}<-\sqrt{7}$ ← OK!

④ $\sqrt{15}<\sqrt{16}$이므로 $\sqrt{15}<4$  ∴ $-\sqrt{15}>-4$ ← NO!

⑤ $\sqrt{0.6}>\sqrt{0.36}$이므로 $\sqrt{0.6}>0.6$ ← NO!

## 075 답 ①

① $\sqrt{9}<\sqrt{10}$이므로 $3<\sqrt{10}$ ← NO!

② $\sqrt{\frac{1}{5}}<\sqrt{\frac{1}{4}}$이므로 $\sqrt{\frac{1}{5}}<\frac{1}{2}$ ← OK!

③ $\sqrt{7}>\sqrt{6}$이므로 $-\sqrt{7}<-\sqrt{6}$ ← OK!

④ $\sqrt{14}<\sqrt{16}$이므로 $\sqrt{14}<4$ ← OK!

⑤ $\sqrt{0.3}>\sqrt{0.04}$이므로 $\sqrt{0.3}>0.2$ ← OK!

## 076 답 (1) 5개 (2) 18

(1) $2\leq\sqrt{x}<3$의 각 변을 제곱하면 $4\leq x<9$

$x$는 자연수이므로 4, 5, 6, 7, 8의 5개야.

(2) $3<\sqrt{2x+1}<4$의 각 변을 제곱하면 $9<2x+1<16$

각 변에서 1을 빼면 $8<2x<15$

각 변을 2로 나누면 $4<x<\frac{15}{2}=7.5$

따라서 자연수 $x$는 5, 6, 7이므로 구하는 모든 $x$의 값의 합은

$5+6+7=18$이야.

## 077 답 $-3$

$(-\sqrt{2})^2=2$, $\sqrt{\frac{9}{4}}=\frac{3}{2}$

2와 $\sqrt{6}$에서 $2=\sqrt{4}<\sqrt{6}$

$-\sqrt{7}$과 $-3$에서 $\sqrt{7}<\sqrt{9}=3$이므로 $-\sqrt{7}>-3$

∴ $-3<-\sqrt{7}<0<\sqrt{\frac{9}{4}}=\frac{3}{2}<(-\sqrt{2})^2=2<\sqrt{6}$

따라서 가장 큰 수 $a=\sqrt{6}$, 가장 작은 수 $b=-3$이므로

$a^2-b^2=(\sqrt{6})^2-(-3)^2=6-9=-3$

## 078 답 1

$0<x<1$이므로 각 변에 $x$를 곱하면 $0<x^2<x$ … ㉠

또, $0<x<1$이므로 각 변을 $\sqrt{x}$로 나누면 $0<\sqrt{x}<\frac{1}{\sqrt{x}}$ … ㉡

그리고 $0<x<1$이므로 $x<\sqrt{x}$에서 $\frac{1}{x}>\frac{1}{\sqrt{x}}$ … ㉢

㉠, ㉡, ㉢에 의해 $\frac{1}{x}>\frac{1}{\sqrt{x}}>\sqrt{x}>x>x^2$

따라서 큰 수부터 차례로 나열하였을 때, 왼쪽에서 두 번째에 오는 수 $\frac{1}{\sqrt{x}}$과 세 번째에 오는 수 $\sqrt{x}$를 곱하면 $\frac{1}{\sqrt{x}}\times\sqrt{x}=1$이야.

**[다른 풀이]**

$0<x<1$을 만족하는 특정한 수 $x=\frac{1}{4}$을 대입해서 대소를 비교하는 게 훨씬 빨라.

$\sqrt{x}=\sqrt{\frac{1}{4}}=\frac{1}{2}$, $x^2=\left(\frac{1}{4}\right)^2=\frac{1}{16}$, $\frac{1}{x}=\frac{1}{\frac{1}{4}}=4$, $\frac{1}{\sqrt{x}}=\frac{1}{\frac{1}{2}}=2$

즉, $4>2>\frac{1}{2}>\frac{1}{4}>\frac{1}{16}$이므로 $\frac{1}{x}>\frac{1}{\sqrt{x}}>\sqrt{x}>x>x^2$

(이하 동일)

## 079 답 ④

순환하지 않는 무한소수는 무리수이므로 무리수를 찾아보자.

① $-\sqrt{(-2)^2}=-2$ ← 유리수

② $\sqrt{0.16}=\sqrt{0.4^2}=0.4$ ← 유리수

③ $\sqrt{\frac{25}{4}}=\sqrt{\left(\frac{5}{2}\right)^2}=\frac{5}{2}$ ← 유리수

④ $\sqrt{15}$는 $\sqrt{9}<\sqrt{15}<\sqrt{16}$, 즉 $3<\sqrt{15}<4$인 무리수야.

⑤ $\sqrt{0.\dot{1}}=\sqrt{\frac{1}{9}}=\sqrt{\left(\frac{1}{3}\right)^2}=\frac{1}{3}$ ← 유리수

## 080 답 ④

① 【반례】 $0.\dot{1}=\frac{1}{9}$은 무한소수이지만 유리수야. ← NO!

② 【반례】 $\frac{1}{9}=0.1111\cdots$은 유리수이지만 무한소수야. ← NO!

③ 유리수이면서 동시에 무리수인 수는 존재하지 않아. ← NO!

④ 순환소수는 모두 분수 꼴로 나타낼 수 있지? ← OK!

⑤ 【반례】 $\sqrt{4}=2$와 같이 근호를 사용하여 나타내어진 수라도 유리수일 수 있어. ← NO!

## 081 답 ③

$\sqrt{0.\dot{4}}=\sqrt{\frac{4}{9}}=\frac{2}{3}$, $0.\dot{5}=\frac{5}{9}$, $\sqrt{0.25}=\sqrt{0.5^2}=0.5$, $(-\sqrt{5})^2=5$는 유리수야.

나머지 $-\sqrt{0.1}$, $5-\sqrt{5}$, $\sqrt{(-\pi)^2}=\pi$는 무리수이므로 유리수가 아닌 것은 모두 3개야.

## 082 답 ①, ⑤

① (0.016의 음의 제곱근)$=-\sqrt{0.016}$ ← 무리수

② $\sqrt{\frac{4}{49}}=\sqrt{\left(\frac{2}{7}\right)^2}=\frac{2}{7}$ ← 유리수

③ $144=12^2$이므로

(넓이가 144인 정사각형의 한 변의 길이)$=12$ ← 유리수

④ $9\pi=3^2\times\pi$이므로

(넓이가 $9\pi$인 원의 반지름의 길이)$=3$ ← 유리수

⑤ (반지름의 길이가 1인 원의 둘레의 길이)$=2\pi\times1=2\pi$ ← 무리수

## 083 답 $1+\sqrt{2}$

$\triangle$DBC는 $\overline{BC}=\overline{CD}=1$인 직각이등변삼각형이므로 피타고라스 정리에 의해 $\overline{BD}=\sqrt{\overline{BC}^2+\overline{CD}^2}=\sqrt{1^2+1^2}=\sqrt{2}$

즉, $\overline{BP}=\overline{BD}=\sqrt{2}$이므로 점 P에 대응하는 수는 점 B에 대응하는 수에 $\sqrt{2}$를 더한 것과 같지?

따라서 점 B에 대응하는 수는 1이므로 점 P에 대응하는 수는 $1+\sqrt{2}$야.

## 084 답 ①

$\triangle$ABC는 $\angle B=90°$인 직각삼각형이므로 피타고라스 정리에 의해 $\overline{CA}=\sqrt{\overline{AB}^2+\overline{BC}^2}=\sqrt{1^2+1^2}=\sqrt{2}$

즉, $\overline{CP}=\overline{CA}=\sqrt{2}$이므로 점 P에 대응하는 수는 점 C에 대응하는 수에서 $\sqrt{2}$를 뺀 것과 같지?

따라서 점 C에 대응하는 수는 $-1$이므로 점 P에 대응하는 수는 $-1-\sqrt{2}$야.

## 085 답 ④

$\triangle$ABC는 $\angle$B=90°인 직각삼각형이므로 피타고라스 정리에 의해
$$\overline{AC}=\sqrt{\overline{AB}^2+\overline{BC}^2}=\sqrt{1^2+1^2}=\sqrt{2}$$
이때, 점 A에 대응하는 수가 1이고, $\overline{AP}=\overline{AQ}=\overline{AC}=\sqrt{2}$에서
점 P에 대응하는 수는 점 A에 대응하는 수에서 $\sqrt{2}$를 **뺀** 것이므로
$1-\sqrt{2}$이고 점 Q에 대응하는 수는 점 A에 대응하는 수에 $\sqrt{2}$를 더
한 것이므로 $1+\sqrt{2}$야.
$$\therefore a=1-\sqrt{2},\ b=1+\sqrt{2}$$

## 086 답 7

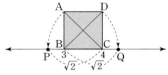

$\overline{AC}$, $\overline{BD}$는 각각 두 직각삼각형 ABC와 BCD의 빗변이므로 피타
고라스 정리에 의해
$$\overline{CA}=\sqrt{\overline{AB}^2+\overline{BC}^2}=\sqrt{1^2+1^2}=\sqrt{2}\quad\therefore\overline{CP}=\overline{CA}=\sqrt{2}$$
$$\overline{BD}=\sqrt{\overline{BC}^2+\overline{CD}^2}=\sqrt{1^2+1^2}=\sqrt{2}\quad\therefore\overline{BQ}=\overline{BD}=\sqrt{2}$$
따라서 점 P에 대응하는 수는 $4-\sqrt{2}$, 점 Q에 대응하는 수는
$3+\sqrt{2}$이므로 $(4-\sqrt{2})+(3+\sqrt{2})=7$

## 087 답 ③, ⑤

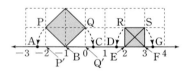

① 그림에서 $\overline{BP}$, $\overline{BQ}$는 각각 두 직각삼각형 PP′B와 QBQ′의 빗
   변이므로 피타고라스 정리에 의해
   $$\overline{BP}=\sqrt{1^2+1^2}=\sqrt{2},\ \overline{BQ}=\sqrt{1^2+1^2}=\sqrt{2}$$
   따라서 $\overline{BA}=\overline{BP}=\sqrt{2}$이고, $\overline{BC}=\overline{BQ}=\sqrt{2}$이므로
   $\overline{AB}=\overline{BC}$야. (참)
② 그림에서 $\overline{FR}$, $\overline{ES}$는 각각 두 직각삼각형 REF와 SEF의 빗변
   이므로 피타고라스 정리에 의해
   $$\overline{FR}=\sqrt{1^2+1^2}=\sqrt{2},\ \overline{ES}=\sqrt{1^2+1^2}=\sqrt{2}$$
   따라서 $\overline{FD}=\overline{FR}=\sqrt{2}$이고, $\overline{EG}=\overline{ES}=\sqrt{2}$이므로
   $\overline{FD}=\overline{EG}$야. (참)
③ $\overline{BC}=\sqrt{2}$, $\overline{EF}=3-2=1$이므로 $\overline{BC}\neq\overline{EF}$야. (거짓)
④ 점 A에 대응하는 수는 $-1$에서 $\sqrt{2}$를 **뺀** 것이므로 $-1-\sqrt{2}$ (참)
⑤ 점 G에 대응하는 수는 2에서 $\sqrt{2}$를 더한 것이므로 $2+\sqrt{2}$ (거짓)

## 088 답 ④

한 변의 길이가 1인 직각이등변삼각형의 빗변의 길이는 피타고라
스 정리에 의해 $\sqrt{1^2+1^2}=\sqrt{2}$
즉, 수직선에서 $-1+\sqrt{2}$에 대응하는 점은 $-1$에 대응하는 점에서
$\sqrt{2}$만큼 오른쪽으로 이동한 것이므로 점 D야.

## 089 답 $3+\sqrt{2}$

닮음비가 3 : 1이므로 양수 $a$에 대하여 큰 정사각형의 한 변의 길
이를 $3a$, 작은 정사각형의 한 변의 길이를 $a$로 놓을 수 있지?
두 정사각형의 넓이의 합이 10이므로 $(3a)^2+a^2=10$

$10a^2=10\quad\therefore a^2=1$
즉, $a$는 1의 양의 제곱근이므로 $a=1$이야.

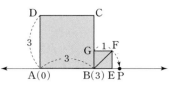

$\triangle$FBE는 $\overline{BE}=\overline{EF}=1$인 직각이등변삼각형이므로 피타고라스 정
리에 의해
$$\overline{BF}=\sqrt{\overline{BE}^2+\overline{EF}^2}=\sqrt{1^2+1^2}=\sqrt{2}$$
따라서 $\overline{BP}=\overline{BF}=\sqrt{2}$이므로 점 P에 대응하는 수는 점 B에 대응
하는 수 3에 $\sqrt{2}$를 더한 수인 $3+\sqrt{2}$야.

## 090 답 $2+\sqrt{5}$

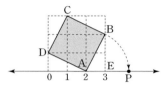

그림에서 삼각형 BAE는 직각삼각형이므로 피타고라스 정리에 의해
$$\overline{AB}=\sqrt{\overline{AE}^2+\overline{BE}^2}=\sqrt{1^2+2^2}=\sqrt{5}$$
따라서 점 P에 대응하는 수는 점 A에 대응하는 수 2에 $\sqrt{5}$를 더한
것이므로 $2+\sqrt{5}$야.

## 091 답 P : $3-\sqrt{5}$, Q : $3+\sqrt{5}$

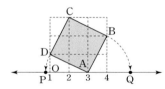

그림의 정사각형 ABCD에서 두 변 AB와 AD의 길이는 각각 직
각을 낀 두 변의 길이가 1, 2인 직각삼각형의 빗변의 길이와 같아.
따라서 피타고라스 정리에 의해
$$\overline{AB}=\overline{AD}=\sqrt{1^2+2^2}=\sqrt{5}$$
따라서 점 P에 대응하는 수는 점 A에 대응하는 수 3에서 $\sqrt{5}$를 **뺀**
것이므로 $3-\sqrt{5}$이고, 점 Q에 대응하는 수는 점 A에 대응하는 수
3에 $\sqrt{5}$를 더한 것이므로 $3+\sqrt{5}$야.

## 092 답 P : $-3+\sqrt{5}$, Q : $1-\sqrt{10}$

(ⅰ) 점 P에 대응하는 수를 구하자.
   정사각형 ABCD의 한 변의 길이는 직각을 낀 두 변의 길이가
   각각 1, 2인 직각삼각형의 빗변의 길이와 같으므로
   $$\overline{CD}=\sqrt{1^2+2^2}=\sqrt{5}$$
   따라서 $\overline{CP}=\overline{CD}=\sqrt{5}$이므로 수직선 위의 점 P에 대응하는 수
   는 $-3$에서 $\sqrt{5}$를 더한 $-3+\sqrt{5}$야.
(ⅱ) 점 Q에 대응하는 수를 구하자.
   정사각형 EFGH의 한 변의 길이는 직각을 낀 두 변의 길이가
   각각 1, 3인 직각삼각형의 빗변의 길이와 같으므로
   $$\overline{EF}=\sqrt{1^2+3^2}=\sqrt{10}$$
   따라서 수직선 위의 점 Q에 대응하는 수는 1에서 $\sqrt{10}$을 **뺀**
   $1-\sqrt{10}$이야.

## 093 답 ②

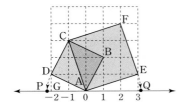

$\overline{AD}$는 직각을 낀 두 변의 길이가 각각 1, 2인 직각삼각형의 빗변의 길이와 같으므로 피타고라스 정리에 의해
$$\overline{AD}=\sqrt{1^2+2^2}=\sqrt{5}$$
$\overline{AE}$는 직각을 낀 두 변의 길이가 각각 1, 3인 직각삼각형의 빗변의 길이와 같으므로 피타고라스 정리에 의해
$$\overline{AE}=\sqrt{1^2+3^2}=\sqrt{10}$$
① $\overline{AP}=\overline{AD}=\sqrt{5}$, $\overline{AC}=\overline{AE}=\sqrt{10}$ ← NO!
② $\overline{AQ}=\overline{AE}=\overline{AC}=\sqrt{10}$ ← OK!
③ 점 P에 대응하는 수는 0에서 $\sqrt{5}$를 뺀 것이므로 $-\sqrt{5}$ ← NO!
④ 점 Q에 대응하는 수는 0에서 $\sqrt{10}$을 더한 것이므로 $\sqrt{10}$ ← NO!
⑤ (□ABCD의 넓이)$=(\sqrt{5})^2=5$
(□AEFC의 넓이)$=(\sqrt{10})^2=10$
따라서 □AEFC의 넓이는 □ABCD의 넓이의 2배야. ← NO!

## 094 답 ②

① $\dfrac{1}{2}$, $\dfrac{1}{3}$, $\dfrac{1}{4}$, …과 같이 무수히 많은 유리수가 있어. ← OK!
② $-100$과 $100$ 사이의 정수는 $-99$, $-98$, …, $0$, …, $98$, $99$의 199개가 있어. ← NO!
③ 서로 다른 두 무리수 사이에는 무수히 많은 무리수가 있어. ← OK!
④ 모든 실수는 수직선 위에 빠짐없이 나타낼 수 있지? ← OK!
⑤ 서로 다른 무리수 $\sqrt{2}$, $\sqrt{2}+1$에 대하여 $\sqrt{2}+0.1$, $\sqrt{2}+0.11$, $\sqrt{2}+0.2$, …와 같이 무수히 많은 무리수가 존재해. ← OK!

## 095 답 ⑤

① 서로 다른 두 유리수 사이에는 무수히 많은 무리수가 존재해. ← NO!
② 【반례】 $\dfrac{1}{5}=0.2$, $\dfrac{1}{4}=0.25$이므로 $0.23461915\cdots$같은 순환하지 않는 무한소수, 즉 무리수가 존재해. ← NO!
③ 【반례】 $2<\dfrac{9}{4}<3$에서 $\sqrt{2}<\dfrac{3}{2}<\sqrt{3}$과 같이 $\sqrt{2}$와 $\sqrt{3}$ 사이에 유리수가 존재해. ← NO!
④ 1에 가장 가까운 무리수는 알 수 없어. ← NO!
⑤ 유리수(무리수)에 대응하는 점만으로는 수직선을 완전히 메울 수 없어. ← OK!

## 096 답 ㄱ, ㄹ

ㄱ. $\sqrt{9}<\sqrt{10}<\sqrt{16}$에서 $3<\sqrt{10}<4$이므로 3과 $\sqrt{10}$ 사이에는 자연수가 없어. (참)
ㄴ. 무리수인 $\pi$는 수직선 위에 나타낼 수 있어. (거짓)
ㄷ. $\sqrt{1}<\sqrt{2}<\sqrt{4}$에서 $1<\sqrt{2}<2$이므로 $-1$과 $\sqrt{2}$ 사이에 있는 정수는 0, 1의 2개야. (거짓)
ㄹ. 서로 다른 두 유리수 사이에는 무수히 많은 유리수가 있어. (참)
ㅁ. 【반례】 서로 다른 두 무리수 $\sqrt{2}$와 $-\sqrt{2}$의 합은 0인데 0은 유리수야. (거짓)
따라서 옳은 것은 ㄱ, ㄹ이야.

## 097 답 ④

① $(\sqrt{10}-1)-2=\sqrt{10}-3=\sqrt{10}-\sqrt{9}>0$
∴ $\sqrt{10}-1>2$ ← OK!
② $(\sqrt{5}+1)-3=\sqrt{5}-2=\sqrt{5}-\sqrt{4}>0$
∴ $\sqrt{5}+1>3$ ← OK!
③ $(\sqrt{2}+1)-3=\sqrt{2}-2=\sqrt{2}-\sqrt{4}<0$
∴ $\sqrt{2}+1<3$ ← OK!
④ $(3+\sqrt{5})-(\sqrt{5}+\sqrt{8})=3-\sqrt{8}=\sqrt{9}-\sqrt{8}>0$
∴ $3+\sqrt{5}>\sqrt{5}+\sqrt{8}$ ← NO!
⑤ $(2-\sqrt{7})-(1-\sqrt{7})=1>0$
∴ $2-\sqrt{7}>1-\sqrt{7}$ ← OK!

## 098 답 ②

① $(\sqrt{15}+1)-5=\sqrt{15}-4=\sqrt{15}-\sqrt{16}<0$
∴ $\sqrt{15}+1<5$ ← OK!
② $(8+\sqrt{2})-9=\sqrt{2}-1=\sqrt{2}-\sqrt{1}>0$
∴ $8+\sqrt{2}>9$ ← NO!
③ $\left(\sqrt{\dfrac{1}{3}}-2\right)-\left(\sqrt{\dfrac{1}{5}}-2\right)=\sqrt{\dfrac{1}{3}}-\sqrt{\dfrac{1}{5}}>0$
∴ $\sqrt{\dfrac{1}{3}}-2>\sqrt{\dfrac{1}{5}}-2$ ← OK!
④ $(-1+\sqrt{6})-(-3+\sqrt{6})=-1+\sqrt{6}+3-\sqrt{6}=2>0$
∴ $-1+\sqrt{6}>-3+\sqrt{6}$ ← OK!
⑤ $(-\sqrt{10}-3)-(-\sqrt{10}-\sqrt{7})=-\sqrt{10}-3+\sqrt{10}+\sqrt{7}$
$=\sqrt{7}-3=\sqrt{7}-\sqrt{9}<0$
∴ $-\sqrt{10}-3<-\sqrt{10}-\sqrt{7}$ ← OK!

## 099 답 ②

① $(\sqrt{10}+1)-4=\sqrt{10}-3=\sqrt{10}-\sqrt{9}>0$
∴ $\sqrt{10}+1 \,>\, 4$
② $(\sqrt{3}+\sqrt{5})-(\sqrt{5}+2)=\sqrt{3}-2=\sqrt{3}-\sqrt{4}<0$
∴ $\sqrt{3}+\sqrt{5} \,<\, \sqrt{5}+2$
③ $(-\sqrt{17}-\sqrt{12})-(-4-\sqrt{17})=-\sqrt{12}+4=-\sqrt{12}+\sqrt{16}>0$
∴ $-\sqrt{17}-\sqrt{12} \,>\, -4-\sqrt{17}$
④ $(6-\sqrt{8})-3=3-\sqrt{8}=\sqrt{9}-\sqrt{8}>0$
∴ $6-\sqrt{8} \,>\, 3$
⑤ $(\sqrt{6}-\sqrt{(-2)^2})-(-3+\sqrt{6})=\sqrt{6}-2+3-\sqrt{6}=1>0$
∴ $\sqrt{6}-\sqrt{(-2)^2} \,>\, -3+\sqrt{6}$
따라서 ○ 안에 들어갈 부등호가 나머지 넷과 다른 것은 ②야.

## 100 답 ④

$a-b=(\sqrt{3}+\sqrt{5})-(\sqrt{5}+1)=\sqrt{3}-1>0$  ∴ $a>b$
$c-a=(3+\sqrt{3})-(\sqrt{3}+\sqrt{5})=3-\sqrt{5}=\sqrt{9}-\sqrt{5}>0$  ∴ $c>a$
∴ $c>a>b$

## 101 답 $P$, $Q$, $R$

우선 세 반지름의 길이의 대소 관계를 알아 보자.
$(3+\sqrt{2})-4=-1+\sqrt{2}>0$이므로 $3+\sqrt{2}>4$
$4-(5-\sqrt{2})=-1+\sqrt{2}>0$이므로 $4>5-\sqrt{2}$
∴ $3+\sqrt{2}>4>5-\sqrt{2}$
따라서 원의 넓이는 반지름의 길이가 클수록 커지므로 넓이가 가장 큰 원부터 차례로 $P$, $Q$, $R$야.

## 102 답 3

주어진 수 중 음수는 $-\sqrt{6}$, $-\sqrt{7}-1$이지?

이때, $-\sqrt{7}<-\sqrt{6}$이므로 $-\sqrt{7}-1<-\sqrt{6}$이야.

이제 세 양수 $3+\sqrt{6}$, $\sqrt{6}+\sqrt{7}$, $\sqrt{7}+2$의 대소를 비교해 보자.

$(3+\sqrt{6})-(\sqrt{6}+\sqrt{7})=3-\sqrt{7}=\sqrt{9}-\sqrt{7}>0$

$\therefore 3+\sqrt{6}>\sqrt{6}+\sqrt{7}$

$(\sqrt{6}+\sqrt{7})-(\sqrt{7}+2)=\sqrt{6}-2=\sqrt{6}-\sqrt{4}>0$

$\therefore \sqrt{6}+\sqrt{7}>\sqrt{7}+2$

즉, $-\sqrt{7}-1<-\sqrt{6}<\sqrt{7}+2<\sqrt{6}+\sqrt{7}<3+\sqrt{6}$이야.

따라서 주어진 수들을 수직선 위에 나타낼 때, 가장 오른쪽에 있는 수는 $3+\sqrt{6}$이고, 왼쪽에서 두 번째에 있는 수는 $-\sqrt{6}$이므로 두 수의 합은 $(3+\sqrt{6})+(-\sqrt{6})=3$이야.

## 103 답 ②

① $\sqrt{5}<\sqrt{6}<\sqrt{7}$ ← OK!

② $\dfrac{\sqrt{7}}{4}=0.6615$이므로

$\sqrt{5}+\dfrac{\sqrt{7}}{4}=2.236+0.6615=2.8975>\sqrt{7}$ ← NO!

③ $\sqrt{5}=\dfrac{\sqrt{5}+\sqrt{5}}{2}<\dfrac{\sqrt{5}+\sqrt{6}}{2}<\dfrac{\sqrt{7}+\sqrt{7}}{2}=\sqrt{7}$ ← OK!

④ $\sqrt{5}=\dfrac{\sqrt{5}+\sqrt{5}}{2}<\dfrac{\sqrt{6}+\sqrt{7}}{2}<\dfrac{\sqrt{7}+\sqrt{7}}{2}=\sqrt{7}$ ← OK!

⑤ $\dfrac{\sqrt{5}+\sqrt{7}}{2}=\dfrac{2.236+2.646}{2}=2.441$이므로

$\sqrt{5}<\dfrac{\sqrt{5}+\sqrt{7}}{2}<\sqrt{7}$ ← OK!

## 104 답 ③

자연수 10과 11 사이에 있는 무리수 $\sqrt{n}$을 찾기 위해 10과 11을 근호를 사용하여 나타내 보자.

$10=\sqrt{10^2}=\sqrt{100}$, $11=\sqrt{11^2}=\sqrt{121}$

따라서 자연수 10과 11 사이에 있는 무리수 $\sqrt{n}$은 $\sqrt{101}$, $\sqrt{102}$, $\sqrt{103}$, $\cdots$, $\sqrt{120}$의 20개가 있어.

## 잘 틀리는 유형 훈련 +1up

p. 22

## 105 답 12

**1st** 양수 $a$의 제곱근은 $\pm\sqrt{a}$지?

25의 제곱근은 $\pm\sqrt{25}=\pm5$이므로

$A=\pm5$

또, $7^2$의 제곱근은 $\pm\sqrt{7^2}=\pm7$이므로

$B=\pm7$

**2nd** 구하는 것은 $A-B$의 값 중 가장 큰 값이야.

다음과 같이 $A-B$를 표로 나타내어 가장 큰 값을 찾자.

| $A$ | 5 | 5 | $-5$ | $-5$ |
|---|---|---|---|---|
| $B$ | 7 | $-7$ | 7 | $-7$ |
| $A-B$ | $-2$ | 12 | $-12$ | 2 |

따라서 $A-B$의 값 중 가장 큰 값은 12야.

## 106 답 $-15$

**1st** 양수 $a$의 제곱근은 $\pm\sqrt{a}$지?

81의 제곱근은 $\pm\sqrt{81}=\pm9$이므로

$A=\pm9$

또, $(-6)^2=6^2$의 제곱근은 $\pm\sqrt{6^2}=\pm6$이므로

$B=\pm6$

**2nd** 구하는 것은 $B-A$의 값 중 가장 작은 값이야.

다음과 같이 $B-A$를 표로 나타내어 가장 작은 값을 찾자.

| $B$ | 6 | $-6$ | 6 | $-6$ |
|---|---|---|---|---|
| $A$ | 9 | 9 | $-9$ | $-9$ |
| $B-A$ | $-3$ | $-15$ | 15 | 3 |

따라서 $B-A$의 값 중 가장 작은 값은 $-15$야.

## 107 답 167

**1st** 순환소수를 분수로 고치자.

$1.0\dot{2}=\dfrac{102-10}{90}=\dfrac{92}{90}=\dfrac{46}{45}$, $0.\dot{4}=\dfrac{4}{9}$

이므로 주어진 식에 대입하면

$\sqrt{\dfrac{46}{45}\times\dfrac{b}{a}}=\dfrac{4}{9}\ \cdots\ \bigcirc$

**2nd** 양변을 제곱하여 근호를 없애자.

$\bigcirc$의 양변을 제곱하면 $\left(\sqrt{\dfrac{46}{45}\times\dfrac{b}{a}}\right)^2=\left(\dfrac{4}{9}\right)^2$

$\dfrac{46}{45}\times\dfrac{b}{a}=\dfrac{16}{81}$   $\therefore \dfrac{b}{a}=\dfrac{16}{81}\times\dfrac{45}{46}=\dfrac{40}{207}$

따라서 $a=207$, $b=40$이므로

$a-b=207-40=167$

## 108 답 113

**1st** 순환소수를 분수로 고치자.

$1.0\dot{6}=\dfrac{106-10}{90}=\dfrac{96}{90}=\dfrac{16}{15}$, $0.\dot{2}=\dfrac{2}{9}$

이므로 주어진 식에 대입하면

$\sqrt{\dfrac{16}{15}\times\dfrac{b}{a}}=\dfrac{2}{9}\ \cdots\ \bigcirc$

**2nd** 양변을 제곱하여 근호를 없애자.

$\bigcirc$의 양변을 제곱하면 $\left(\sqrt{\dfrac{16}{15}\times\dfrac{b}{a}}\right)^2=\left(\dfrac{2}{9}\right)^2$

$\dfrac{16}{15}\times\dfrac{b}{a}=\dfrac{4}{81}$   $\therefore \dfrac{b}{a}=\dfrac{4}{81}\times\dfrac{15}{16}=\dfrac{5}{108}$

따라서 $a=108$, $b=5$이므로

$a+b=108+5=113$

## 109 답 $-2a$

**1st** $0<a<1$이면 $\dfrac{1}{a}>1$이지?

$0<a<1<\dfrac{1}{a}$이므로

$a-\dfrac{1}{a}<0,\ a+\dfrac{1}{a}>0$

**2nd** $\sqrt{x^2}$은 $x\geq0$인 경우에는 $x$이고, $x<0$인 경우에는 $-x$야.

$\therefore \sqrt{\left(a-\dfrac{1}{a}\right)^2}-\sqrt{\left(a+\dfrac{1}{a}\right)^2}=-\left(a-\dfrac{1}{a}\right)-\left(a+\dfrac{1}{a}\right)$

$\qquad\qquad =-a+\dfrac{1}{a}-a-\dfrac{1}{a}=-2a$

**오답피하기**

$0<a<1$에서 $a$가 양수이므로 $a-\dfrac{1}{a}$, $a+\dfrac{1}{a}$이 둘 다 양수라고 착각하고 문제를 풀면 안 돼. $a>1$일 때 $a-\dfrac{1}{a}$, $a+\dfrac{1}{a}$은 둘 다 양수이지만 $0<a<1$일 때 $a-\dfrac{1}{a}$은 음수야.

그리고 $\sqrt{a^2}=a$라 하면 안 돼. 왜냐하면 $a$가 양수이면 이것이 가능한데, $a$가 음수이면 앞에 음의 부호 $-$를 꼭 붙여주어야 해. 예를 들어, $a$가 2라면 $\sqrt{2^2}=2$라서 $\sqrt{a^2}=a$라고 표현할 수 있어. 그런데 $a$가 $-2$라면 $\sqrt{(-2)^2}=2$라서 $\sqrt{a^2}=-a$로 표현해야 하는 거야. $-a$와 같이 음의 부호 $-$가 붙었다고 해서 음수라고 생각하면 크게 잘못 알고 있는 거니까 주의하자.

## 110 답 $0$

**1st** $0<a<1$이면 $\dfrac{1}{a}>1$이지?

$0<a<1<\dfrac{1}{a}$이므로

$a-\dfrac{1}{a}<0,\ a+\dfrac{1}{a}>0$

**2nd** $\sqrt{x^2}$은 $x\geq0$인 경우에는 $x$이고, $x<0$인 경우에는 $-x$야.

$\sqrt{\left(-a-\dfrac{1}{a}\right)^2}=\sqrt{\left\{-\left(a+\dfrac{1}{a}\right)\right\}^2}=\sqrt{\left(a+\dfrac{1}{a}\right)^2}$이므로

(주어진 식)$=\sqrt{\left(a-\dfrac{1}{a}\right)^2}-\sqrt{\left(a+\dfrac{1}{a}\right)^2}+\sqrt{(2a)^2}$

$\qquad\qquad =-\left(a-\dfrac{1}{a}\right)-\left(a+\dfrac{1}{a}\right)+2a$

$\qquad\qquad =-a+\dfrac{1}{a}-a-\dfrac{1}{a}+2a=0$

**오답피하기**

$0<a<1$일 때 $a-\dfrac{1}{a}$의 부호를 결정하기 어렵다면 $a=\dfrac{1}{2}$로 놓으면 쉬워.

즉, $a-\dfrac{1}{a}=\dfrac{1}{2}-2=-\dfrac{3}{2}$이니까 음수가 되지?

따라서 $0<a<1$일 때, $a-\dfrac{1}{a}<0$이야.

## 111 답 ②

**1st** $a\geq0$인 경우는 $\sqrt{a^2}=a$, $a<0$인 경우는 $\sqrt{a^2}=-a$지?

ㄱ. $x<0$인 경우 $x-2<0$이므로

$A=\sqrt{(x-2)^2}-\sqrt{x^2}=-(x-2)-(-x)$

$\quad=-x+2+x=2$ (거짓)

ㄴ. $0\leq x<2$인 경우 $x-2<0$이므로

$A=\sqrt{(x-2)^2}-\sqrt{x^2}=-(x-2)-x$

$\quad=-x+2-x=-2x+2$ (거짓)

ㄷ. $x\geq2$인 경우 $x-2\geq0$이므로

$A=\sqrt{(x-2)^2}-\sqrt{x^2}=(x-2)-x$

$\quad=x-2-x=-2$ (참)

따라서 옳은 것은 ㄷ뿐이야.

## 112 답 ⑤

**1st** $a\geq0$인 경우는 $\sqrt{a^2}=a$, $a<0$인 경우는 $\sqrt{a^2}=-a$야.

ㄱ. $x<-1$인 경우 $x+1<0$, $x-1<0$이므로

$A=\sqrt{(x+1)^2}-\sqrt{(x-1)^2}$

$\quad=-(x+1)-\{-(x-1)\}$

$\quad=-x-1+x-1=-2$ (참)

ㄴ. $-1\leq x<1$인 경우 $x+1\geq0$, $x-1<0$이므로

$A=\sqrt{(x+1)^2}-\sqrt{(x-1)^2}$

$\quad=(x+1)-\{-(x-1)\}$

$\quad=x+1+x-1=2x$ (참)

ㄷ. $x\geq1$인 경우 $x+1>0$, $x-1\geq0$이므로

$A=\sqrt{(x+1)^2}-\sqrt{(x-1)^2}$

$\quad=(x+1)-(x-1)$

$\quad=x+1-x+1=2$ (참)

따라서 ㄱ, ㄴ, ㄷ 모두 옳아.

## 113 답 ⑤

**1st** $\sqrt{3n}$이 자연수가 되려면 $3n$이 제곱인 수가 되어야 해.

$\sqrt{3n}$이 자연수가 되어야 하므로 근호 안의 $3n$에서

$n=3\times a^2$ ($a$의 자연수)의 꼴이면 되지?

$1\leq n\leq100$이므로 $1\leq3\times a^2\leq100$을 만족하는 $a$의 값은

$a=1,\ 2,\ 3,\ 4,\ 5$야.

따라서 자연수 $n$의 개수는 $3(=3\times1^2)$, $12(=3\times2^2)$,

$27(=3\times3^2)$, $48(=3\times4^2)$, $75(=3\times5^2)$로 5개야.

**[다른 풀이]**

$n$은 100 이하의 자연수이므로 $1\leq n\leq100$

각 변에 3을 곱하면 $3\leq3n\leq300$

$\therefore \sqrt{3}\leq\sqrt{3n}\leq\sqrt{300}$

이때, $17^2=289$, $18^2=324$이므로

$17^2<300<18^2$, $17<\sqrt{300}<18$

$\therefore 2\leq\sqrt{3n}\leq17$

$\sqrt{3n}$이 자연수가 되어야 하므로

$\sqrt{3n}=2,\ 3,\ 4,\ 5,\ \cdots,\ 17$

$3n=4,\ 9,\ 16,\ 25,\ \cdots,\ 289$

여기서 3의 배수만 구하면 $9,\ 36,\ 81,\ 144,\ 225$

따라서 자연수 $n$의 개수는 $3,\ 12,\ 27,\ 48,\ 75$로 5개야.

## 114 답 ④

**1st** $\sqrt{2n}$이 자연수가 되려면 $2n$이 제곱인 수가 되어야 해.

$\sqrt{2n}$이 자연수가 되어야 하므로 근호 안의 $2n$에서

$n=2\times a^2$ ($a$는 자연수)의 꼴이면 되지?

$1\leq n\leq100$이므로 $1\leq2\times a^2\leq100$을 만족하는 $a$의 값은

$a=1,\ 2,\ 3,\ \cdots,\ 7$이야.

따라서 자연수 $n$은 $2(=2\times1^2)$, $8(=2\times2^2)$,

$18(=2\times3^2)$, $32(=2\times4^2)$, $50(=2\times5^2)$, $72(=2\times6^2)$,

$98(=2\times7^2)$로 7개야.

**[다른 풀이]**

$n$은 100 이하의 자연수이므로 $1 \le n \le 100$

각 변에 2를 곱하면 $2 \le 2n \le 200$

$\therefore \sqrt{2} \le \sqrt{2n} \le \sqrt{200}$

이때, $14^2 = 196$, $15^2 = 225$이므로

$14^2 < 200 < 15^2$, $14 < \sqrt{200} < 15$

$\therefore 2 \le \sqrt{2n} \le 14$

$\sqrt{2n}$이 자연수가 되어야 하므로

$\sqrt{2n} = 2, 3, 4, 5, \cdots, 14$

$2n = 4, 9, 16, 25, \cdots, 196$

여기서 2의 배수만 구하면 4, 16, 36, 64, 100, 144, 196

따라서 자연수 $n$의 개수는 2, 8, 18, 32, 50, 72, 98로 7개야.

## 115  답 31

**1st** 15보다 작은 제곱인 수를 구하자.

$\sqrt{15-x}$가 자연수이기 위해서는 $15-x$가 제곱인 수이어야 해.

$x$가 자연수이므로 $15-x$는 15보다 작은 자연수이고, 15보다 작은 제곱인 수는 1, 4, 9야.

**2nd** $15-x$가 제곱인 수가 되는 자연수 $x$를 구하자.

$15-x$가 1, 4, 9가 되는 $x$는 $x=14$, 11, 6

따라서 모든 자연수 $x$의 값의 합은

$14+11+6=31$

## 116  답 50

**1st** 20보다 작은 제곱인 수를 구하자.

$\sqrt{20-x}$가 자연수이기 위해서는 $20-x$가 제곱인 수이어야 해.

$x$가 자연수이므로 $20-x$는 20보다 작은 자연수이고, 20보다 작은 제곱인 수는 1, 4, 9, 16이야.

**2nd** $20-x$가 제곱인 수가 되는 자연수 $x$를 구하자.

$20-x$가 1, 4, 9, 16이 되는 $x$는 $x=19$, 16, 11, 4

따라서 모든 자연수 $x$의 값의 합은

$19+16+11+4=50$

## 117  답 ②

**1st** 15가 어떤 두 제곱인 수 사이에 있는지 생각해 보자.

$3.5^2 = 12.25$, $4^2 = 16$이므로 $3.5^2 < 15 < 4^2$

$3.5 < \sqrt{15} < 4$  $\therefore -4 < -\sqrt{15} < -3.5$

즉, $-\sqrt{15}$는 정수 $-4$에 가장 가깝지?

$\therefore a = -4$

**2nd** 54가 어떤 두 제곱인 수 사이에 있는지 생각해 보자.

$7^2 = 49$, $7.5^2 = 56.25$이므로 $7^2 < 54 < 7.5^2$

$\therefore 7 < \sqrt{54} < 7.5$

즉, $\sqrt{54}$는 정수 7에 가장 가깝지?

$\therefore b = 7$

$\therefore a+b = -4+7 = 3$

## 118  답 ②

**1st** 23이 어떤 두 제곱인 수 사이에 있는지 생각해 보자.

$4.5^2 = 20.25$, $5^2 = 25$이므로 $4.5^2 < 23 < 5^2$

$4.5 < \sqrt{23} < 5$  $\therefore -5 < -\sqrt{23} < -4.5$

즉, $-\sqrt{23}$은 정수 $-5$에 가장 가깝지?

$\therefore a = -5$

**2nd** 61이 어떤 두 제곱인 수 사이에 있는지 생각해 보자.

$7.5^2 = 56.25$, $8^2 = 64$이므로 $7.5^2 < 61 < 8^2$

$\therefore 7.5 < \sqrt{61} < 8$

즉, $\sqrt{61}$은 정수 8에 가장 가깝지?

$\therefore b = 8$

$\therefore b-a = 8-(-5) = 13$

## 119  답 ④

**1st** 주어진 부등식의 각 변을 제곱하여 근호를 없애자.

$5 \le \sqrt{3x+1} < 8$의 각 변을 제곱하여 정리하면

$5^2 \le (\sqrt{3x+1})^2 < 8^2$

$25 \le 3x+1 < 64$

각 변에서 1을 빼면 $24 \le 3x < 63$

각 변을 3으로 나누면 $8 \le x < 21$

즉, 부등식을 만족하는 자연수 $x$는 8, 9, 10, $\cdots$, 20이므로 가장 큰 값은 $a=20$이고 가장 작은 값은 $b=8$이야.

**2nd** $ab$의 값을 소인수분해해 보자.

$\sqrt{abc} = \sqrt{20 \times 8 \times c} = \sqrt{160c}$이고 $160 = 2^5 \times 5$이므로 $\sqrt{2^5 \times 5 \times c}$가 자연수가 되려면 근호 안의 소인수의 지수가 모두 짝수여야 하지?

따라서 가장 작은 자연수 $c = 2 \times 5 = 10$

## 120  답 ②

**1st** 주어진 부등식의 각 변을 제곱하여 근호를 없애자.

$4 < \sqrt{3x} \le \sqrt{80}$의 각 변을 제곱하여 정리하면

$4^2 < (\sqrt{3x})^2 \le (\sqrt{80})^2$

$16 < 3x \le 80$

각 변을 3으로 나누면 $\dfrac{16}{3} < x \le \dfrac{80}{3}$

즉, 부등식을 만족하는 자연수 $x$는 6, 7, 8, $\cdots$, 26이야.

**2nd** $\sqrt{2x}$가 자연수가 되도록 하는 $x$의 조건을 알아야 해.

$\sqrt{2x}$가 자연수가 되려면 $x = 2 \times (\text{자연수})^2$이어야 하지?

따라서 자연수 $x$는 $2 \times 2^2 = 8$, $2 \times 3^2 = 18$이므로 구하는 모든 자연수 $x$의 값의 합은 $8+18 = 26$

## 121  답 3

**1st** $\sqrt{123}$이 어떤 연속하는 두 자연수 사이에 있는지 생각해 보자.

$\sqrt{121} < \sqrt{123} < \sqrt{144}$이고 $\sqrt{121} = 11$, $\sqrt{144} = 12$이므로 $11 < \sqrt{123} < 12$야.

즉, $\sqrt{123}$ 이하의 자연수는 1, 2, 3, $\cdots$, 11이므로 $f(123) = 11$

**2nd** $\sqrt{68}$이 어떤 연속하는 두 자연수 사이에 있는지 생각해 보자.

$\sqrt{64} < \sqrt{68} < \sqrt{81}$이고 $\sqrt{64} = 8$, $\sqrt{81} = 9$이므로 $8 < \sqrt{68} < 9$지?

즉, $\sqrt{68}$ 이하의 자연수는 1, 2, 3, $\cdots$, 8이므로 $f(68) = 8$

$\therefore f(123) - f(68) = 11 - 8 = 3$

**오답피하기**

$\sqrt{x}$ 이하의 자연수를 구할 때는 $x$와 가장 가까운 제곱인 수를 2개 찾아 $x$의 값의 범위를 나타내면 돼.

예를 들어, $\sqrt{10}$ 이하의 자연수를 구하려면 $9 < 10 < 16$, 즉 $\sqrt{9} < \sqrt{10} < \sqrt{16}$이므로 $3 < \sqrt{10} < 4$가 되는 거야.

따라서 $\sqrt{10}$ 이하의 자연수는 1, 2, 3이라는 것을 알 수 있어.

## 122 답 9

**1st** $\sqrt{40}$이 어떤 연속하는 두 자연수 사이에 있는지 생각해 보자.
$\sqrt{36}<\sqrt{40}<\sqrt{49}$이고 $\sqrt{36}=6$, $\sqrt{49}=7$이므로
$6<\sqrt{40}<7$이야.
즉, $\sqrt{40}$ 이하의 소수는 2, 3, 5이므로
$f(40)=3$
**2nd** $\sqrt{180}$이 어떤 연속하는 두 자연수 사이에 있는지 생각해 보자.
마찬가지로 $\sqrt{169}<\sqrt{180}<\sqrt{196}$이고
$\sqrt{169}=13$, $\sqrt{196}=14$이므로 $13<\sqrt{180}<14$지?
즉, $\sqrt{180}$ 이하의 소수는 2, 3, 5, 7, 11, 13이므로
$f(180)=6$
$\therefore f(40)+f(180)=3+6=9$

## 123 답 ④

**1st** 직각삼각형의 빗변의 길이는 피타고라스 정리를 이용해서 구할 수 있어.

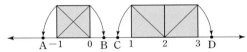

직각을 끼고 있는 두 변의 길이가 각각 1, 1인 직각이등변삼각형의 빗변의 길이는 피타고라스 정리에 의해 $\sqrt{1^2+1^2}=\sqrt{2}$야.
ㄱ. 점 A에 대응하는 수는 0에서 직각이등변삼각형의 빗변의 길이 $\sqrt{2}$를 뺀 수이므로 $-\sqrt{2}$야. (참)
ㄴ. 점 B에 대응하는 수는 $-1$에서 직각이등변삼각형의 길이 $\sqrt{2}$를 더한 수이므로 $-1+\sqrt{2}$, 즉 $\sqrt{2}-1$이야. (참)
**2nd** 길이를 구하기 위해서 각 점에 대응하는 수를 구해야겠지?
ㄷ. $\overline{AC}$의 길이는 점 C에 대응하는 수에서 점 A에 대응하는 수를 빼면 되지?
점 C에 대응하는 수는 2에서 직각이등변삼각형의 빗변의 길이 $\sqrt{2}$를 뺀 것이므로 $2-\sqrt{2}$야.
$\therefore \overline{AC}=(2-\sqrt{2})-(-\sqrt{2})=2$ (참)
ㄹ. $\overline{BD}$의 길이는 점 D에 대응하는 수에서 점 B에 대응하는 수를 빼면 되지?
점 D에 대응하는 수는 2에서 직각이등변삼각형의 빗변의 길이 $\sqrt{2}$를 더한 것이므로 $2+\sqrt{2}$야.
$\therefore \overline{BD}=(2+\sqrt{2})-(\sqrt{2}-1)=3$ (거짓)
따라서 옳은 것은 ㄱ, ㄴ, ㄷ이야.

**오답피하기**

이런 유형의 문제를 잘 틀리는 이유는 점에 대응하는 수를 구하는 과정에서 실수를 하기 때문이야. 점에 대응하는 수를 잘 구하기 위해서는 기준이 되는 수를 정확히 정해야 해.
또, 수직선 위에서 두 점 사이의 거리, 즉 선분의 길이를 구할 때는 대응하는 두 수를 비교하여 큰 수에서 작은 수를 빼면 구할 수 있어.

## 124 답 ②

**1st** 직각삼각형의 빗변의 길이는 피타고라스 정리를 이용해서 구할 수 있어.

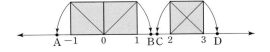

직각을 끼고 있는 두 변의 길이가 각각 1, 1인 직각이등변삼각형의 빗변의 길이는 피타고라스 정리에 의해 $\sqrt{1^2+1^2}=\sqrt{2}$야.
ㄱ. 점 A에 대응하는 수는 0에서 직각이등변삼각형의 빗변의 길이 $\sqrt{2}$를 뺀 수이므로 $-\sqrt{2}$야. (참)
ㄴ. 점 B에 대응하는 수는 0에서 직각이등변삼각형의 빗변의 길이 $\sqrt{2}$를 더한 수이므로 $\sqrt{2}$이야. (거짓)
**2nd** 길이를 구하기 위해서 각 점에 대응하는 수를 구해야겠지?
ㄷ. $\overline{BD}$의 길이는 점 D에 대응하는 수에서 점 B에 대응하는 수를 빼면 되지?
점 D에 대응하는 수는 2에서 직각이등변삼각형의 빗변의 길이 $\sqrt{2}$를 더한 수이므로 $2+\sqrt{2}$야.
$\therefore \overline{BD}=(2+\sqrt{2})-\sqrt{2}=2$ (거짓)
ㄹ. $\overline{AC}$의 길이는 점 C에 대응하는 수에서 점 A에 대응하는 수를 빼면 되지?
점 C에 대응하는 수는 3에서 직각이등변삼각형의 빗변의 길이 $\sqrt{2}$를 뺀 수이므로 $3-\sqrt{2}$야.
$\therefore \overline{AC}=(3-\sqrt{2})-(-\sqrt{2})=3$ (참)
따라서 옳지 않은 것은 ㄴ, ㄷ이야.

## 125 답 ③

**1st** $\sqrt{5}$와 $\sqrt{10}$의 값이 주어졌으니까 각 선택지의 값들을 차근차근 구해 보자.
① $\sqrt{10}-0.4=3.162-0.4=2.762 \leftarrow$ OK!
② $\sqrt{5}+0.1=2.236+0.1=2.336 \leftarrow$ OK!
③ $\sqrt{5}+1=2.236+1=3.236>3.162=\sqrt{10} \leftarrow$ NO!
④ $\sqrt{5}<\sqrt{8}<\sqrt{10} \leftarrow$ OK!
⑤ $\dfrac{\sqrt{5}+\sqrt{10}}{2}<\dfrac{2.236+3.162}{2}=2.699 \leftarrow$ OK!

## 126 답 ④

**1st** 두 양수 $a$, $b$에 대하여 $a<b$이면 $\sqrt{a}<\sqrt{b}$임을 이용하자.
① $2=\sqrt{4}<\sqrt{5}<\sqrt{9}=3 \leftarrow$ OK!
② $2=\sqrt{4}<\sqrt{6}<\sqrt{9}=3 \leftarrow$ OK!
③ $2=\sqrt{4}<\sqrt{7}<\sqrt{9}=3 \leftarrow$ OK!
④ $2=\sqrt{4}<\sqrt{8}<\sqrt{9}=3$에서 $1<\sqrt{8}-1<2$이므로 $\sqrt{8}-1$은 1과 2 사이의 수야. $\leftarrow$ NO!
⑤ $2<\sqrt{6}<3$, $2<\sqrt{8}<3$이므로
$4<\sqrt{6}+\sqrt{8}<6$
$\therefore 2<\dfrac{\sqrt{6}+\sqrt{8}}{2}<3 \leftarrow$ OK!

## 127 답 ③, ④

**1st** 선택지에 주어진 수들이 조건을 모두 만족시키는지 확인해.
① $0.85+\sqrt{10}=0.85+3.162=4.012>4 \leftarrow$ NO!
② $4-\dfrac{\sqrt{10}}{2}=4-\dfrac{3.162}{2}=4-1.581=2.419<\sqrt{10} \leftarrow$ NO!
③ $\dfrac{4+\sqrt{10}}{2}=\dfrac{4+3.162}{2}=\dfrac{7.162}{2}=3.581$이므로
$\sqrt{10}<\dfrac{4+\sqrt{10}}{2}<4 \leftarrow$ OK!
④ $\sqrt{10}<\sqrt{15}<\sqrt{16}=4 \leftarrow$ OK!
⑤ $\dfrac{5+\sqrt{10}}{2}=\dfrac{5+3.162}{2}=\dfrac{8.162}{2}=4.081>4 \leftarrow$ NO!

A

## 128  답 ④, ⑤

**1st** 선택지에 주어진 수들이 조건을 모두 만족시키는지 확인해.

① $\sqrt{10} > \sqrt{9} = 3 \leftarrow$ NO!

② $\dfrac{\sqrt{3}+3}{2} = \dfrac{1.732+3}{2} = \dfrac{4.732}{2} = 2.366 < \sqrt{6} \leftarrow$ NO!

③ $3 - \dfrac{\sqrt{3}}{2} = 3 - \dfrac{1.732}{2} = 3 - 0.866 = 2.134 < \sqrt{6} \leftarrow$ NO!

④ $\sqrt{6} + \dfrac{1}{2} = 2.449 + 0.5 = 2.949$이므로

$\qquad \sqrt{6} < \sqrt{6} + \dfrac{1}{2} < 3 \leftarrow$ OK!

⑤ $\dfrac{\sqrt{3}+\sqrt{6}+1}{2} = \dfrac{1.732+2.449+1}{2} = \dfrac{5.181}{2} = 2.5905$이므로

$\qquad \sqrt{6} < \dfrac{\sqrt{3}+\sqrt{6}+1}{2} < 3 \leftarrow$ OK!

## 🖋 서술형 다지기

**[ 129-130 채점기준표 ]**

| Ⅰ | $A$의 값을 구한다. | 40% |
|---|---|---|
| Ⅱ | $B$의 값을 구한다. | 40% |
| Ⅲ | $A-B$ 또는 $A+B$의 값을 구한다. | 20% |

## 129  답 $-6$

**먼저,** $A$의 값을 구하자.
$4^2$의 음의 제곱근은 $-\sqrt{4^2} = -4$ $\qquad \therefore A = -4$ … Ⅰ

**그다음,** $B$의 값을 구하자.
$\sqrt{(-4)^2} = 4$이므로 4의 양의 제곱근은 $\sqrt{4} = 2$
$\therefore B = 2$ … Ⅱ

**그래서,** $A-B$의 값을 구하자.
$\therefore A-B = (-4) - 2 = -6$ … Ⅲ

## 130  답 $-2$

**먼저,** $A$의 값을 구하자.
$(-3)^2$의 양의 제곱근은 $\sqrt{(-3)^2} = \sqrt{3^2} = 3$ $\qquad \therefore A = 3$ … Ⅰ

**그다음,** $B$의 값을 구하자.
$\sqrt{(-25)^2} = 25$이므로 25의 음의 제곱근은 $-\sqrt{25} = -5$
$\therefore B = -5$ … Ⅱ

**그래서,** $A+B$의 값을 구하자.
$\therefore A+B = 3 + (-5) = -2$ … Ⅲ

**[ 131-132 채점기준표 ]**

| Ⅰ | 근호 안이 제곱인 수가 되도록 하는 $n$의 조건을 찾는다. | 40% |
|---|---|---|
| Ⅱ | $n$의 값의 범위를 적용한다. | 20% |
| Ⅲ | 조건을 만족시키는 $n$의 값을 구한다. | 40% |

## 131  답 96

**먼저,** 근호 안이 제곱인 수가 되게 하는 $n$의 조건을 찾자.
$54 = 2 \times 3^3$이므로 $\sqrt{54n} = \sqrt{2 \times 3^3 \times n}$이고 자연수가 되기 위해서는
근호 안의 수가 제곱인 수가 되어야 한다.
$\therefore n = 2 \times 3 \times m^2 = 6 \times m^2$ (단, $m$은 자연수) … Ⅰ

**그다음,** $n$의 값의 범위를 구하자.
$n \leq 100$이므로 $n = 6 \times m^2 \leq 100$ … Ⅱ

**그래서,** 답을 구하자.
이를 계산하면 $m^2 \leq \dfrac{100}{6} = 16.66\cdots$이므로 최대가 되는 $m = 4$이다.
$\therefore n = 6 \times m^2 = 6 \times 4^2 = 96 \leq 100$
따라서 구하는 가장 큰 자연수 $n$의 값은 96이다. … Ⅲ

## 132  답 75

**먼저,** 근호 안이 제곱인 수가 되게 하는 $n$의 조건을 찾자.
$48 = 2^4 \times 3$이므로 $\sqrt{48n} = \sqrt{2^4 \times 3 \times n}$이고 자연수가 되기 위해서는
근호 안의 수가 제곱인 수가 되어야 한다.
$\therefore n = 3 \times m^2$ (단, $m$은 자연수) … Ⅰ

**그다음,** $n$의 값의 범위를 구하자.
$n \leq 100$이므로 $n = 3 \times m^2 \leq 100$ … Ⅱ

**그래서,** 답을 구하자.
이를 계산하면 $m^2 \leq \dfrac{100}{3} = 33.33\cdots$이고 최대가 되는 $m = 5$이다.
$\therefore n = 3 \times m^2 = 3 \times 5^2 = 75 \leq 100$
따라서 구하는 가장 큰 자연수 $n$의 값은 75이다. … Ⅲ

## 133  답 1

$1 < x < 2$이므로 $x-1 > 0$이다.
$\therefore \sqrt{(x-1)^2} = x-1$ … Ⅰ
$1 < x < 2$이므로 $x-2 < 0$이다.
$\therefore \sqrt{(x-2)^2} = -(x-2) = -x+2$ … Ⅱ
$\therefore \sqrt{(x-1)^2} + \sqrt{(x-2)^2} = (x-1) + (-x+2) = 1$ … Ⅲ

**[ 채점기준표 ]**

| Ⅰ | $\sqrt{(x-1)^2}$을 간단히 한다. | 40% |
|---|---|---|
| Ⅱ | $\sqrt{(x-2)^2}$을 간단히 한다. | 40% |
| Ⅲ | 주어진 식을 간단히 한다. | 20% |

## 134  답 $\dfrac{1}{a} + 1$

$0 < a < 1$에서 $\dfrac{1}{a} > 1$이므로 … Ⅰ
$a - \dfrac{1}{a} < 0$, $a + \dfrac{1}{a} > 0$, $1 - \dfrac{1}{a} < 0$ … Ⅱ
$\therefore$ (주어진 식) $= -\left(a - \dfrac{1}{a}\right) + \left(a + \dfrac{1}{a}\right) - \left\{-\left(1 - \dfrac{1}{a}\right)\right\}$
$\qquad\qquad = -a + \dfrac{1}{a} + a + \dfrac{1}{a} + 1 - \dfrac{1}{a} = \dfrac{1}{a} + 1$ … Ⅲ

**[ 채점기준표 ]**

| Ⅰ | $\dfrac{1}{a}$의 값의 범위를 구한다. | 30% |
|---|---|---|
| Ⅱ | $a - \dfrac{1}{a}$, $a + \dfrac{1}{a}$, $1 - \dfrac{1}{a}$의 값의 범위를 구한다. | 40% |
| Ⅲ | 주어진 식을 간단히 한다. | 30% |

## 135  답 3

$9 < \sqrt{10x^2} < 10$의 각 변을 제곱하면
$81 < 10x^2 < 100$ … Ⅰ
각 변을 10으로 나누면
$8.1 < x^2 < 10$ … Ⅱ
8.1과 10 사이의 제곱인 수는 9이므로
$x^2 = 9$ $\qquad \therefore x = 3$ … Ⅲ

## 136  답 13

$\sqrt{59+x}=y$에서 $y$가 자연수이므로 $59+x$는 제곱인 수이다.

이때, 59보다 큰 제곱수는 64, 81, 100, …이므로

$59+x=64,\ 81,\ 100,\ \cdots$

$\therefore x=5,\ 22,\ 41,\ \cdots$  ⋯ I

즉, 가장 작은 $x$의 값은 $a=5$이고, 그때의 $y$의 값은

$\sqrt{59+5}=\sqrt{64}=8=b$  ⋯ II

$\therefore a+b=5+8=13$  ⋯ III

## 137  답 $B<A<C$

$A-B=(\sqrt{7}+\sqrt{5})-(2+\sqrt{7})$

$\quad=\sqrt{5}-2=\sqrt{5}-\sqrt{4}>0$

$\therefore A>B$  ⋯ I

$A-C=(\sqrt{7}+\sqrt{5})-(3+\sqrt{5})$

$\quad=\sqrt{7}-3=\sqrt{7}-\sqrt{9}<0$

$\therefore A<C$  ⋯ II

$\therefore B<A<C$  ⋯ III

## 138  답 6

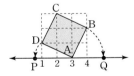

두 변 AB와 AD의 길이는 직각을 낀 두 변의 길이가 각각 1, 2인 직각삼각형의 빗변의 길이와 같다.

따라서 피타고라스 정리에 의해

$\overline{AB}=\overline{AD}=\sqrt{1^2+2^2}=\sqrt{5}$  ⋯ I

$\overline{AQ}=\overline{AB}$, $\overline{AP}=\overline{AD}$이므로 점 P에 대응하는 수는 $3-\sqrt{5}$이고, 점 Q에 대응하는 수는 $3+\sqrt{5}$이다.

$\therefore p=3-\sqrt{5},\ q=3+\sqrt{5}$  ⋯ II

$\therefore p+q=(3-\sqrt{5})+(3+\sqrt{5})=6$  ⋯ III

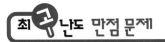
## 139  답 4개

**1st** 먼저 486을 소인수분해해 보자.

486을 소인수분해하면 $486=2\times3^5$

$486\times a\times b=2\times3^5\times a\times b$가 제곱인 수가 되어야 하므로 가장 작은 자연수 $a\times b=2\times3$이지?

**2nd** $a\times b=6$이 되는 $a$, $b$의 값을 찾아보자.

따라서 $a\times b=6$이 될 수 있는 순서쌍 $(a,\ b)$는 $(1,\ 6)$, $(2,\ 3)$, $(3,\ 2)$, $(6,\ 1)$로 4개야.

## 140  답 ②

**1st** 주어진 부등식을 이용해서 각 선택지의 근호 안의 식의 값의 범위를 찾아야 해.

$-2<a<b<0\ \cdots(*)$에서

$(*)$의 각 변에 2를 더하면 $0<a+2<b+2<2\ \cdots$ ㉠

$(*)$의 각 변에 $-2$를 더하면 $-4<a-2<b-2<-2<0\ \cdots$ ㉡

㉡의 각 변에 $-1$을 곱하면 부등호의 방향이 바뀌므로

$0<2<2-b<2-a<4\ \cdots$ ㉢

㉠, ㉡, ㉢에 의해

$a-2<b-2<0<a+2<b+2<2-b<2-a\ \cdots$ ㉣

**2nd** 선택지의 식들의 근호를 없애 보자.

① $-\sqrt{(a-2)^2}=-\{-(a-2)\}=a-2\ (\because$ ㉡$)$

② $\sqrt{(2-a)^2}=2-a\ (\because$ ㉢$)$

③ $\sqrt{(a+2)^2}=a+2\ (\because$ ㉠$)$

④ $-\sqrt{(b-2)^2}=-\{-(b-2)\}=b-2\ (\because$ ㉡$)$

⑤ $\sqrt{(b+2)^2}=b+2\ (\because$ ㉠$)$

따라서 ㉣에 의해 그 값이 가장 큰 것은 ②야.

## 141  답 8

**1st** 먼저 세 정사각형의 한 변의 길이를 각각 구하자.

$S_1=2$이고, $S_1:S_2:S_3=1:2:4$이므로

$S_1:S_2:S_3=1:2:4=2:4:8$에 의해 $S_2=4$, $S_3=8$이야.

넓이가 $m$인 정사각형의 한 변의 길이는 $\sqrt{m}$이므로

□ABCD의 한 변의 길이는 $\sqrt{2}$

□ECFG의 한 변의 길이는 $\sqrt{4}=2$

□HFIJ의 한 변의 길이는 $\sqrt{8}$

**2nd** $\overline{AC}$와 $\overline{FJ}$의 길이를 구하자.

□ABCD는 정사각형이므로 마름모라 할 수 있지?

$\overline{AC}=a$라 하면

(□ABCD의 넓이)$=\dfrac{1}{2}\times$(두 대각선의 길이의 곱)이므로

$\dfrac{1}{2}\times a\times a=2$, $a^2=4$

즉, $a$는 4의 양의 제곱근이므로 $a=2$

같은 방법으로 $\overline{FJ}=b$라 하면

$\dfrac{1}{2}\times b\times b=8$, $b^2=16$

즉, $b$는 16의 양의 제곱근이므로 $b=4$

**3rd** 선분들의 길이의 합을 구하자.

따라서 $\overline{AC}=2$, $\overline{CF}=2$, $\overline{FJ}=4$이므로

$\overline{AC}+\overline{CF}+\overline{FJ}=2+2+4=8$

## 142 답 11

**1st** 주어진 수가 어떤 경우에 가장 큰 정수가 될 수 있는지 알아 보자.
$\sqrt{78-2x}-\sqrt{37+3y}$가 가장 큰 정수가 되기 위해서는 $\sqrt{78-2x}$는 최대의 정수이어야 하고, 빼는 수인 $\sqrt{37+3y}$는 최소의 정수이어야 해.

**2nd** 근호가 포함된 수가 정수가 되기 위해서는 근호 안의 수가 제곱인 수가 되어야 하지?
먼저 $\sqrt{78-2x}$가 정수가 되는 자연수 $x$를 구하자.
$78-2x$는 78보다 작은 제곱인 수가 되어야 하므로
가장 큰 제곱인 수는 64에서
$78-2x=64$, $2x=14$
$\therefore x=7$
이번엔 $\sqrt{37+3y}$가 정수가 되는 자연수 $y$를 구하자.
$37+3y$는 37보다 큰 제곱인 수가 되어야 하므로
가장 작은 제곱인 수는 49에서
$37+3y=49$, $3y=12$
$\therefore y=4$
$\therefore x+y=7+4=11$

**오답피하기**

> 이 문제는 나오는 결과가 정수여야 하니까 근호 안이 제곱인 수이어야 하는 것까지는 알고 있지만 구하는 것이 두 근호의 차가 가장 큰 정수가 되어야 하는 것에서 감 잡기 힘들지?
> 각 근호가 가지는 정수들을 하나하나 나열해 보는 게 중요해.

## 143 답 625

**1st** $\sqrt{x}$에 $x$ 대신 1, 2, 3, 4, 5, 6, 7, 8, 9, …를 하나씩 넣어서 $I(x)$의 값을 구해 보자.
$I(x)=(\sqrt{x}$보다 크지 않은 최대의 정수)라 하므로
$I(1)=(\sqrt{1}$보다 크지 않은 최대의 정수$)=1$
$I(2)=(\sqrt{2}$보다 크지 않은 최대의 정수$)=1$
$I(3)=(\sqrt{3}$보다 크지 않은 최대의 정수$)=1$
$I(4)=(\sqrt{4}=2$보다 크지 않은 최대의 정수$)=2$
$I(5)=(\sqrt{5}$보다 크지 않은 최대의 정수$)=2$
$I(6)=(\sqrt{6}$보다 크지 않은 최대의 정수$)=2$
$\vdots$
$I(9)=(\sqrt{9}=3$보다 크지 않은 최대의 정수$)=3$
$\vdots$

**2nd** $I(x)$의 값의 규칙을 찾아 보자.
$I(1)=I(2)=I(3)=1 \leftarrow$ 3개!
$I(4)=I(5)=\cdots=I(8)=2 \leftarrow$ 5개!
$I(9)=I(10)=\cdots=I(15)=3 \leftarrow$ 7개!
$I(16)=I(17)=\cdots=I(24)=4 \leftarrow$ 9개!
$I(25)=I(26)=\cdots=I(35)=5 \leftarrow$ 11개!
$I(36)=I(37)=\cdots=I(48)=6 \leftarrow$ 13개!
$I(49)=I(50)=\cdots=I(63)=7 \leftarrow$ 15개!
$I(64)=I(65)=\cdots=I(80)=8 \leftarrow$ 17개!
$I(81)=I(82)=\cdots=I(99)=9 \leftarrow$ 19개!
$I(100)=10$
$\therefore I(1)+I(2)+I(3)+\cdots+I(100)$
$=1\times3+2\times5+3\times7+4\times9+5\times11$
$\qquad\qquad +6\times13+7\times15+8\times17+9\times19+10$
$=625$

## 144 답 7

**1st** 넓이가 $m$인 정사각형의 한 변의 길이는 $\sqrt{m}$임을 이용하자.

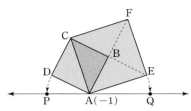

정사각형 ABCD의 넓이가 3이므로 한 변의 길이는 $\sqrt{3}$이지?
즉, $\overline{AD}=\sqrt{3}$이므로 $\overline{AP}=\overline{AD}=\sqrt{3}$이야.

**2nd** □AEFC의 넓이를 이용하여 $\overline{AE}$의 길이를 구하자.
$\triangle ABC=\dfrac{3}{2}$이므로
□$AEFC=4\triangle ABC=4\times\dfrac{3}{2}=6$
즉, 넓이가 6인 정사각형의 한 변의 길이는 $\sqrt{6}$이므로
$\overline{AE}=\sqrt{6}$
$\therefore \overline{AQ}=\overline{AE}=\sqrt{6}$

**3rd** 주어진 식의 값을 구하자.
따라서 $a=-1-\sqrt{3}$, $b=-1+\sqrt{6}$이므로
$(a+\sqrt{3})^2+(b+1)^2=\{(-1-\sqrt{3})+\sqrt{3}\}^2+\{(-1+\sqrt{6})+1\}^2$
$\qquad\qquad\qquad =(-1)^2+(\sqrt{6})^2$
$\qquad\qquad\qquad =1+6=7$

## 145 답 ㄴ, ㄷ

**1st** 점 A와 점 P 사이의 거리를 구하자.
점 A와 점 P 사이의 거리는 원의 둘레의 길이와 같아.
반지름의 길이가 1인 원의 둘레의 길이는
$2\pi\times1=2\pi$
$\therefore k=0+2\pi=2\pi$

**2nd** 이제 $k$의 값을 알았으니 옳은 것을 찾을 수 있겠지?
ㄱ. $\dfrac{1}{2}k=\dfrac{1}{2}\times2\pi=\pi$는 무리수이므로
$\dfrac{1}{2}k$는 $\dfrac{a}{b}(a, b$는 정수, $b\neq0)$의 꼴로 나타낼 수 없어. (거짓)
ㄴ. $\pi-\dfrac{1}{2}k=\pi-\pi=0(\because$ ㄱ$)$이므로 $\pi-\dfrac{1}{2}k$는 유리수야. (참)
ㄷ. $2k+1=2\times2\pi+1=4\pi+1$은 무리수야. (참)
ㄹ. $k-\sqrt{2}=2\pi-\sqrt{2}$는 무리수지? 그런데 무리수는 실수이므로
$k-\sqrt{2}$에 대응하는 점은 수직선 위에 나타낼 수 있어. (거짓)
따라서 옳은 것은 ㄴ, ㄷ이야.

# Ⓑ 근호를 포함한 식의 계산

**개념 체크 001~036** 정답은 p. 2에 있습니다.

**유형 다지기** 학교시험+학력평가 　　　　　문제편 p. 32

## 037 답 ②

① $\sqrt{3} \times \sqrt{27} = \sqrt{3 \times 27} = \sqrt{81} = 9$ ← NO!

② $\sqrt{70} \div \sqrt{7} = \sqrt{70 \div 7} = \sqrt{10}$ ← OK!

③ $\sqrt{3} \times \sqrt{5} \times \sqrt{15} = \sqrt{3 \times 5 \times 15} = \sqrt{225} = 15$ ← NO!

④ $-\dfrac{\sqrt{26}}{\sqrt{2}} = -\sqrt{\dfrac{26}{2}} = -\sqrt{13}$ ← NO!

⑤ $2\sqrt{30} \div 6\sqrt{5} = 2\sqrt{30} \times \dfrac{1}{6\sqrt{5}} = \dfrac{1}{3} \times \sqrt{\dfrac{30}{5}} = \dfrac{\sqrt{6}}{3}$ ← NO!

## 038 답 ⑤

$2\sqrt{22} \times (-5\sqrt{3}) \times \left(-\sqrt{\dfrac{1}{11}}\right)$

$= 2 \times (-5) \times (-1) \times \sqrt{22 \times 3 \times \dfrac{1}{11}} = 10\sqrt{6}$

## 039 답 ③

① $\sqrt{48} \div \sqrt{12} = \sqrt{\dfrac{48}{12}} = \sqrt{4} = 2$

② $\sqrt{3} \times \sqrt{2} = \sqrt{3 \times 2} = \sqrt{6}$

③ $\dfrac{\sqrt{40}}{\sqrt{5}} \times \sqrt{3} = \sqrt{\dfrac{40}{5} \times 3} = \sqrt{24}$

④ $\dfrac{\sqrt{35}}{\sqrt{6}} \div \dfrac{\sqrt{7}}{\sqrt{12}} = \sqrt{\dfrac{35}{6}} \times \sqrt{\dfrac{12}{7}} = \sqrt{\dfrac{35}{6} \times \dfrac{12}{7}} = \sqrt{10}$

⑤ $2\sqrt{24} \div 3\sqrt{6} = 2\sqrt{24} \times \dfrac{1}{3\sqrt{6}} = \dfrac{2}{3} \times \sqrt{\dfrac{24}{6}} = \dfrac{2}{3} \times \sqrt{4} = \dfrac{4}{3}$

이때, $\dfrac{4}{3} < 2 < \sqrt{6} < \sqrt{10} < \sqrt{24}$이므로 가장 큰 값은 ③이야.

## 040 답 48

$\sqrt{3} \times \sqrt{\dfrac{8}{21}} \times \sqrt{\dfrac{63}{4}} = \sqrt{3 \times \dfrac{8}{21} \times \dfrac{63}{4}} = \sqrt{18} = \sqrt{a}$

$\therefore a = 18$

$\dfrac{\sqrt{30}}{\sqrt{2}} \div \dfrac{\sqrt{45}}{\sqrt{8}} = \sqrt{\dfrac{30}{2}} \times \sqrt{\dfrac{8}{45}} = \sqrt{\dfrac{30}{2} \times \dfrac{8}{45}} = \sqrt{\dfrac{8}{3}} = \sqrt{b}$

$\therefore b = \dfrac{8}{3}$

$\therefore ab = 18 \times \dfrac{8}{3} = 48$

## 041 답 ③

ㄱ. $\sqrt{28} = \sqrt{2^2 \times 7} = 2\sqrt{7}$ (거짓)

ㄴ. $\sqrt{\dfrac{216}{12}} = \sqrt{18} = \sqrt{3^2 \times 2} = 3\sqrt{2}$ (참)

ㄷ. $\sqrt{0.56} = \sqrt{\dfrac{56}{100}} = \sqrt{\dfrac{14}{25}} = \sqrt{\dfrac{14}{5^2}} = \dfrac{\sqrt{14}}{5}$ (참)

ㄹ. $\sqrt{96} = \sqrt{4^2 \times 6} = 4\sqrt{6}$ (거짓)

따라서 옳은 것은 ㄴ, ㄷ이야.

## 042 답 ⑤

$\sqrt{90} = \sqrt{3^2 \times 10} = 3\sqrt{10} = 3\sqrt{a}$ 　 $\therefore a = 10$

$\sqrt{320} = \sqrt{8^2 \times 5} = 8\sqrt{5} = b\sqrt{5}$ 　 $\therefore b = 8$

$\therefore \sqrt{ab} = \sqrt{80} = \sqrt{4^2 \times 5} = 4\sqrt{5}$

## 043 답 $2\sqrt{7}, \ 3\sqrt{5}, \ 4\sqrt{3}$

$2\sqrt{7} = \sqrt{2^2 \times 7} = \sqrt{28}$, 　 $4\sqrt{3} = \sqrt{4^2 \times 3} = \sqrt{48}$,

$3\sqrt{5} = \sqrt{3^2 \times 5} = \sqrt{45}$이므로

$\sqrt{28} < \sqrt{45} < \sqrt{48}$ 　 $\therefore 2\sqrt{7} < 3\sqrt{5} < 4\sqrt{3}$

## 044 답 $\dfrac{2}{3}$

$\dfrac{2}{\sqrt{5}} = \sqrt{\dfrac{4}{5}}$, $\dfrac{\sqrt{2}}{\sqrt{5}} = \sqrt{\dfrac{2}{5}}$, $\dfrac{\sqrt{3}}{2} = \sqrt{\dfrac{3}{4}}$, $\dfrac{\sqrt{5}}{3} = \sqrt{\dfrac{5}{9}}$

이때, $\dfrac{2}{5}\left(=\dfrac{72}{180}\right) < \dfrac{5}{9}\left(=\dfrac{100}{180}\right) < \dfrac{3}{4}\left(=\dfrac{135}{180}\right) < \dfrac{4}{5}\left(=\dfrac{144}{180}\right)$

이므로 $\dfrac{\sqrt{2}}{\sqrt{5}} < \dfrac{\sqrt{5}}{3} < \dfrac{\sqrt{3}}{2} < \dfrac{2}{\sqrt{5}}$

따라서 가장 작은 것부터 차례로 나열했을 때, 두 번째 수와 네 번째 수의 곱은

$\dfrac{\sqrt{5}}{3} \times \dfrac{2}{\sqrt{5}} = \dfrac{2}{3}$

## 045 답 ①

$\sqrt{3000} = \sqrt{100 \times 30} = 10\sqrt{30}$이므로 $\sqrt{30}$의 10배야.

$\therefore x = 10$

$\sqrt{\dfrac{0.05}{10}} = \sqrt{\dfrac{5}{100} \times \dfrac{1}{10}} = \sqrt{\dfrac{5}{1000}} = \sqrt{\dfrac{50}{10000}} = \dfrac{\sqrt{50}}{100}$이므로

$\sqrt{50}$의 $\dfrac{1}{100}$배야.

$\therefore y = \dfrac{1}{100}$

## 046 답 ⑤

$\sqrt{24} = \sqrt{2^3 \times 3} = \sqrt{2^3} \times \sqrt{3} = \sqrt{2 \times 2 \times 2} \times \sqrt{3}$

$= (\sqrt{2} \times \sqrt{2} \times \sqrt{2}) \times \sqrt{3} = (\sqrt{2})^3 \times \sqrt{3} = a^3 b$

## 047 답 ③

$\sqrt{1.75} = \sqrt{\dfrac{175}{100}} = \sqrt{\dfrac{5^2 \times 7}{2^2 \times 5^2}} = \dfrac{\sqrt{7}}{2} = \dfrac{a}{2}$

## 048 답 ⑤

$\sqrt{300} = \sqrt{2^2 \times 3 \times 5^2} = (\sqrt{2})^2 \times \sqrt{3} \times (\sqrt{5})^2 = 2ab^2$

## 049 답 ⑤

① $\sqrt{30} = \sqrt{100 \times 0.3} = 10\sqrt{0.3} = 10a$ ← OK!

② $\sqrt{0.003} = \sqrt{\dfrac{0.3}{100}} = \dfrac{a}{10}$ ← OK!

③ $\sqrt{300} = \sqrt{3 \times 100} = 10\sqrt{3} = 10b$ ← OK!

④ $\sqrt{0.03} = \sqrt{\dfrac{3}{100}} = \dfrac{b}{10}$ ← OK!

⑤ $\sqrt{0.00003} = \sqrt{\dfrac{0.3}{10000}} = \dfrac{a}{100}$ ← NO!

## 050 답 ④

$12=5+7=(\sqrt{5})^2+(\sqrt{7})^2=a^2+b^2$이므로
$\sqrt{12}=\sqrt{a^2+b^2}$

**오답피하기**

제곱근을 처음 접하게 되면 생소한 느낌이 들어서 쉬운 문제인데도 어렵게 느껴지는 경우가 있어. 아직 제곱근이란 개념에 익숙하지 않아서 그런 거니까 여러 가지 유형의 제곱근과 관련된 문제를 많이 풀어 보자.

## 051 답 ③

$\sqrt{0.9}=\sqrt{\dfrac{9}{10}}=\dfrac{\sqrt{9}}{\sqrt{10}}=\dfrac{3}{\sqrt{10}}=\dfrac{3\sqrt{10}}{\sqrt{10}\times\sqrt{10}}=\dfrac{3\sqrt{10}}{10}$

이것이 $k\sqrt{10}$이어야 하므로

$k=\dfrac{3}{10}$

## 052 답 ②

$\dfrac{5a^3}{b}=\dfrac{5\times(\sqrt{2})^3}{\sqrt{3}}=\dfrac{5\times 2\sqrt{2}}{\sqrt{3}}$

$=\dfrac{10\sqrt{2}}{\sqrt{3}}=\dfrac{10\sqrt{2}\times\sqrt{3}}{\sqrt{3}\times\sqrt{3}}=\dfrac{10\sqrt{6}}{3}$

이것이 $\dfrac{p\sqrt{6}}{q}$이므로 $p=10$, $q=3$

∴ $p+q=10+3=13$

## 053 답 ④

$\dfrac{5\sqrt{a}}{3\sqrt{15}}=\dfrac{5\sqrt{a}\times\sqrt{15}}{3\sqrt{15}\times\sqrt{15}}=\dfrac{5\sqrt{15a}}{45}=\dfrac{\sqrt{15a}}{9}$

이때, $\dfrac{\sqrt{15a}}{9}=\dfrac{\sqrt{105}}{9}$이므로

$15a=105$  ∴ $a=7$

## 054 답 $\dfrac{\sqrt{3}}{2}$

$\dfrac{10}{\sqrt{75}}=\dfrac{10}{\sqrt{5^2\times 3}}=\dfrac{10}{5\sqrt{3}}=\dfrac{2}{\sqrt{3}}=\dfrac{2\sqrt{3}}{3}$

즉, $\dfrac{2\sqrt{3}}{3}=a\sqrt{3}$이므로 $a=\dfrac{2}{3}$

$\dfrac{6}{\sqrt{24}}=\dfrac{6}{\sqrt{2^2\times 6}}=\dfrac{6}{2\sqrt{6}}=\dfrac{3}{\sqrt{6}}=\dfrac{3\sqrt{6}}{6}=\dfrac{\sqrt{6}}{2}$

즉, $\dfrac{\sqrt{6}}{2}=b\sqrt{6}$이므로 $b=\dfrac{1}{2}$

∴ $\sqrt{\dfrac{b}{a}}=\sqrt{\dfrac{1}{2}\div\dfrac{2}{3}}=\sqrt{\dfrac{3}{4}}=\dfrac{\sqrt{3}}{2}$

## 055 답 ①

$4\sqrt{3}\div 2\sqrt{6}\times(-\sqrt{12})=\dfrac{4\sqrt{3}}{2\sqrt{6}}\times(-2\sqrt{3})$

$=\dfrac{2}{\sqrt{2}}\times(-2\sqrt{3})$

$=\dfrac{-4\sqrt{3}}{\sqrt{2}}=\dfrac{-4\sqrt{6}}{2}=-2\sqrt{6}$

## 056 답 $-36\sqrt{3}$

$2\sqrt{3}\times(-\sqrt{18})\div\dfrac{\sqrt{2}}{6}=2\sqrt{3}\times(-3\sqrt{2})\times\dfrac{6}{\sqrt{2}}$

$=-36\sqrt{3}$

## 057 답 ②

$(\text{주어진 식})=\left(-\dfrac{12}{3\sqrt{5}}\right)\times\dfrac{\sqrt{3}}{\sqrt{8}}\times\dfrac{2}{\sqrt{6}}$

$=\left(-\dfrac{4}{\sqrt{5}}\right)\times\dfrac{\sqrt{3}}{2\sqrt{2}}\times\dfrac{2}{\sqrt{6}}$

$=-\dfrac{2}{\sqrt{5}}=-\dfrac{2\sqrt{5}}{5}$

즉, $-\dfrac{2\sqrt{5}}{5}=k\sqrt{5}$이므로

$k=-\dfrac{2}{5}$

## 058 답 ①, ⑤

① $2\sqrt{12}\times 3\sqrt{3}\div\sqrt{2}=4\sqrt{3}\times 3\sqrt{3}\times\dfrac{1}{\sqrt{2}}$

$=\dfrac{36}{\sqrt{2}}=18\sqrt{2}\leftarrow\text{NO!}$

② $\sqrt{28}\div\sqrt{35}\times(-\sqrt{20})=2\sqrt{7}\times\dfrac{1}{\sqrt{35}}\times(-2\sqrt{5})$

$=-4\leftarrow\text{OK!}$

③ $(-2\sqrt{18})\times\sqrt{32}\div(-\sqrt{6})=(-6\sqrt{2})\times 4\sqrt{2}\times\left(-\dfrac{1}{\sqrt{6}}\right)$

$=\dfrac{48}{\sqrt{6}}=8\sqrt{6}\leftarrow\text{OK!}$

④ $\sqrt{\dfrac{8}{3}}\div\dfrac{\sqrt{40}}{\sqrt{2}}\div\dfrac{\sqrt{5}}{9}=\dfrac{2\sqrt{2}}{\sqrt{3}}\times\dfrac{\sqrt{2}}{2\sqrt{10}}\times\dfrac{9}{\sqrt{5}}$

$=\dfrac{18}{\sqrt{150}}=\dfrac{18}{5\sqrt{6}}$

$=\dfrac{18\sqrt{6}}{30}=\dfrac{3\sqrt{6}}{5}\leftarrow\text{OK!}$

⑤ $\dfrac{7\sqrt{2}}{4}\div\left(-\dfrac{\sqrt{11}}{\sqrt{30}}\right)\times\dfrac{\sqrt{33}}{3\sqrt{5}}=\dfrac{7\sqrt{2}}{4}\times\left(-\dfrac{\sqrt{30}}{\sqrt{11}}\right)\times\dfrac{\sqrt{33}}{3\sqrt{5}}$

$=-\dfrac{7\sqrt{180}}{12\sqrt{5}}=-\dfrac{42\sqrt{5}}{12\sqrt{5}}$

$=-\dfrac{7}{2}\leftarrow\text{NO!}$

따라서 옳지 않은 것은 ①, ⑤야.

## 059 답 ③

직사각형 ABCD의 가로와 세로의 길이가 각각 4 cm, 2 cm지? 이때, △BCD가 직각삼각형이므로 피타고라스 정리를 적용하면

$\overline{BD}^2=\overline{BC}^2+\overline{CD}^2=4^2+2^2=20$

∴ $\overline{BD}=\sqrt{20}=2\sqrt{5}(\text{cm})$

이때, 정사각형의 한 변의 길이를 $x$ cm라 하면 대각선의 길이는 $\sqrt{2}x$ cm이므로 한 변의 길이가 $\overline{BD}=2\sqrt{5}$ cm인 정사각형의 대각선의 길이는 $\sqrt{2}\times 2\sqrt{5}=2\sqrt{10}(\text{cm})$야.

## 060 답 $\sqrt{6}$ cm

한 변의 길이가 $x$인 정사각형의 대각선의 길이는 $\sqrt{2}x$이므로 대각선의 길이가 $2\sqrt{3}$ cm인 정사각형 ABCD의 한 변의 길이를 $a$ cm라 하면

$\sqrt{2}a=2\sqrt{3}$

∴ $a=\dfrac{2\sqrt{3}}{\sqrt{2}}=\dfrac{2\sqrt{6}}{2}=\sqrt{6}$

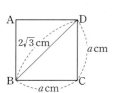

오답|피하기
정사각형의 대각선의 길이 공식이 생각나지 않는다면?
피타고라스 정리를 이용해 대각선의 길이를 구하는 공식을 유도해
봐. 정사각형은 네 변의 길이가 모두 같으므로 $a$라 두고, 정사각형
의 이웃한 두 변과 대각선으로 이루어진 삼각형은 직각삼각형이므
로 대각선의 길이를 $l$이라 하면 $l=\sqrt{a^2+a^2}=\sqrt{2a^2}=\sqrt{2}a$야.

## 061  답 ④

원 모양을 넘지 않으면서 만들 수 있는 가장 큰
정사각형은 그림과 같이 지름을 대각선으로 하
고 원에 내접하는 정사각형이야.

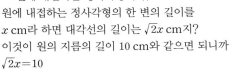

원에 내접하는 정사각형의 한 변의 길이를
$x$ cm라 하면 대각선의 길이는 $\sqrt{2}x$ cm지?
이것이 원의 지름의 길이 10 cm와 같으면 되니까
$$\sqrt{2}x=10$$
$$\therefore x=\frac{10}{\sqrt{2}}=\frac{10\sqrt{2}}{2}=5\sqrt{2}$$

## 062  답 $\dfrac{12\sqrt{13}}{13}$ cm

먼저, 직사각형 ABCD의 대각선 BD의
길이를 구하자.

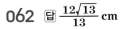

직각삼각형 ABD에서 피타고라스 정리
를 적용하면
$$\overline{BD}^2=\overline{AB}^2+\overline{AD}^2=4^2+6^2=52$$
$$\therefore \overline{BD}=\sqrt{52}=2\sqrt{13}\,(cm)$$
이것을 $\overline{AH}=\dfrac{\overline{AB}\times\overline{AD}}{\overline{BD}}\cdots(*)$에 대입하면
$$\overline{AH}=\frac{4\times6}{2\sqrt{13}}=\frac{12}{\sqrt{13}}=\frac{12\sqrt{13}}{13}\,(cm)$$

오답|피하기
$(*)$가 어떻게 나왔는지 원리를 알아보자.
직각삼각형 ABD의 넓이를 구하는 방법
은 두 가지야.

하나는 $\angle A=90°$이므로 밑변의 길이와
높이를 각각 $\overline{AB}$, $\overline{AD}$라 하면
$$\triangle ABD=\frac{1}{2}\times\overline{AB}\times\overline{AD}\cdots\text{㉠}$$
또, 하나는 밑변의 길이를 $\overline{BD}$, 높이를 $\overline{AH}$라 하면
$$\triangle ABD=\frac{1}{2}\times\overline{BD}\times\overline{AH}\cdots\text{㉡}$$
㉠=㉡이니까
$$\triangle ABD=\frac{1}{2}\times\overline{AB}\times\overline{AD}=\frac{1}{2}\times\overline{BD}\times\overline{AH}$$
$$\overline{AB}\times\overline{AD}=\overline{BD}\times\overline{AH}\qquad\therefore \overline{AH}=\frac{\overline{AB}\times\overline{AD}}{\overline{BD}}$$

## 063  답 ③

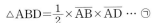

한 변의 길이가 $a$인 정삼각형의 높이는 $\dfrac{\sqrt{3}}{2}a$지?
따라서 한 변의 길이가 $2\sqrt{6}$ cm인 정삼각형의 높이는
$$\frac{\sqrt{3}}{2}\times2\sqrt{6}=\sqrt{18}=3\sqrt{2}\,(cm)야.$$

오답|피하기
정삼각형의 높이와 넓이를 구하는 공식을
그냥 외우고 있으면 편리하겠지만 항상
왜 그렇게 나왔는지 알고 있어야 공식을
잊어도 다시 유도할 수 있어.

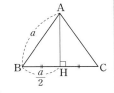

먼저, 높이인 $\overline{AH}$의 길이를 구하자.
그림에서 직각삼각형 ABH에 피타고라
스 정리를 적용하면
$$\overline{AB}^2=\overline{BH}^2+\overline{AH}^2$$
$$a^2=\left(\frac{a}{2}\right)^2+\overline{AH}^2$$
$$\overline{AH}^2=\frac{3}{4}a^2\qquad\therefore \overline{AH}=\frac{\sqrt{3}}{2}a$$
다음, 정삼각형 ABC의 넓이를 구하자.
정삼각형 ABC의 높이가 $\overline{AH}=\dfrac{\sqrt{3}}{2}a$이고 밑변의 길이는
$\overline{BC}=a$이므로
$$\triangle ABC=\frac{1}{2}\times\overline{BC}\times\overline{AH}=\frac{1}{2}\times a\times\frac{\sqrt{3}}{2}a=\frac{\sqrt{3}}{4}a^2$$

## 064  답 ④

정삼각형 ADE의 넓이를 구하기 위해
필요한 것은 $\triangle ADE$의 한 변의 길이야.
그런데 정삼각형 ADE의 한 변의 길이
는 정삼각형 ABC의 높이와 같으니까
결국 $\triangle ABC$의 높이를 구하면 되겠지?

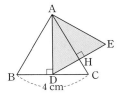

정삼각형 ABC의 한 변의 길이가 4 cm
이므로
$$\overline{AD}=\frac{\sqrt{3}}{2}\times4=2\sqrt{3}\,(cm)$$
따라서 정삼각형 ADE의 넓이는
$$\triangle ADE=\frac{\sqrt{3}}{4}\times(2\sqrt{3})^2=\frac{\sqrt{3}}{4}\times12=3\sqrt{3}\,(cm^2)$$

## 065  답 $32\sqrt{3}$ cm²

정삼각형의 한 변의 길이를 $a$ cm라 하면
$$\frac{\sqrt{3}}{2}a=4\sqrt{6}\qquad\therefore a=4\sqrt{6}\times\frac{2}{\sqrt{3}}=8\sqrt{2}$$
따라서 한 변의 길이가 $8\sqrt{2}$ cm인 정삼각형의 넓이는
$$\frac{\sqrt{3}}{4}\times(8\sqrt{2})^2=\frac{\sqrt{3}}{4}\times128=32\sqrt{3}\,(cm^2)$$

## 066  답 $2\sqrt{6}$ cm

$\square ABCD$는 $\overline{AB}=2\sqrt{2}$ cm, $\angle A=120°$인 마름모지?
그림과 같이 두 점 A, C를 연결하
면 $\triangle ABC$는 $\overline{AB}=\overline{BC}=2\sqrt{2}$ cm

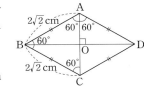

인 이등변삼각형이고
$\angle ABC=180°-120°=60°$이므로
$\triangle ABC$는 한 변의 길이가 $2\sqrt{2}$ cm
인 정삼각형이지.
즉, 두 대각선의 교점을 O라 하면
$$\overline{BO}=\frac{\sqrt{3}}{2}\times2\sqrt{2}=\sqrt{6}\,(cm)$$
$$\therefore \overline{BD}=2\overline{BO}=2\sqrt{6}\,(cm)$$

B

## 067 답 ④

$\overline{AG}=\sqrt{6^2+4^2+(4\sqrt{2})^2}$
$=\sqrt{36+16+32}=\sqrt{84}=2\sqrt{21}$

## 068 답 ③

대각선의 길이가 12 cm인 정육면체의 한 모서리의 길이를 $a$ cm라 하면

$\sqrt{3}a=12$  ∴ $a=\dfrac{12}{\sqrt{3}}=4\sqrt{3}$

따라서 정육면체의 한 모서리의 길이는 $4\sqrt{3}$ cm야.

## 069 답 $5\sqrt{5}$ cm²

$\overline{AE}=x$ cm라 하면 $\overline{AG}=3\sqrt{5}$ cm이므로

$\sqrt{4^2+2^2+x^2}=3\sqrt{5}$

$\sqrt{20+x^2}=\sqrt{45}$

$20+x^2=45$, $x^2=25$

즉, $x$는 25의 양의 제곱근이므로 $x=5$

따라서 $\overline{EG}=\sqrt{4^2+2^2}=\sqrt{20}=2\sqrt{5}$ (cm)이므로

$\triangle AEG=\dfrac{1}{2}\times2\sqrt{5}\times5=5\sqrt{5}$ (cm²)

## 070 답 12

주어진 정육면체의 한 모서리의 길이를 $a$라 하면 정육면체의 대각선의 길이가 $\sqrt{6}$이므로

$\sqrt{3}a=\sqrt{6}$  ∴ $a=\sqrt{2}$

즉, 주어진 정육면체의 한 모서리의 길이가 $\sqrt{2}$이고 구하는 겉넓이는 한 변의 길이가 $\sqrt{2}$인 정사각형 6개의 합이므로

(정육면체의 겉넓이)$=(\sqrt{2})^2\times6=12$

## 071 답 ⑤

주어진 정사면체의 한 모서리의 길이를 $a$라 하면

$\dfrac{\sqrt{6}}{3}a=2\sqrt{3}$  ∴ $a=2\sqrt{3}\times\dfrac{3}{\sqrt{6}}=3\sqrt{2}$

즉, 주어진 정사면체의 한 모서리의 길이는 $3\sqrt{2}$이므로 이 정사면체의 부피를 $V$라 하면

$V=\dfrac{\sqrt{2}}{12}\times(3\sqrt{2})^3=\dfrac{\sqrt{2}}{12}\times27\times2\sqrt{2}=9$

## 072 답 $3\sqrt{2}$ cm²

한 모서리의 길이가 $a$인 정사면체의 높이는 $\dfrac{\sqrt{6}}{3}a$이므로

$\overline{AH}=\dfrac{\sqrt{6}}{3}\times6=2\sqrt{6}$ (cm)

한 변의 길이가 $a$인 정삼각형의 높이는 $\dfrac{\sqrt{3}}{2}a$이므로

정삼각형 BCD에서 $\overline{BM}=\dfrac{\sqrt{3}}{2}\times6=3\sqrt{3}$ (cm)

이때, 점 H는 $\triangle$BCD의 무게중심이므로

$\overline{BH}:\overline{HM}=2:1$에서

$\overline{HM}=\dfrac{1}{3}\overline{BM}=\dfrac{1}{3}\times3\sqrt{3}=\sqrt{3}$ (cm)

∴ $\triangle AHM=\dfrac{1}{2}\times\overline{AH}\times\overline{HM}$
$=\dfrac{1}{2}\times2\sqrt{6}\times\sqrt{3}=3\sqrt{2}$ (cm²)

## 073 답 ②

정사면체의 한 모서리의 길이를 $x$ cm라 하자.

점 H는 $\triangle$BCD의 무게중심이므로 $\overline{BM}$을 2 : 1로 나누지?

즉, $\overline{BH}=2$ cm이므로

$\overline{BM}=\dfrac{3}{2}\overline{BH}=\dfrac{3}{2}\times2=3$ (cm)

이때, $\triangle$BCD는 정삼각형이고 $\overline{BM}$은 정삼각형 BCD의 높이이므로

$\dfrac{\sqrt{3}}{2}x=3$  ∴ $x=2\sqrt{3}$

따라서 정사면체의 한 모서리의 길이가 $2\sqrt{3}$ cm이므로

(정사면체의 부피)$=\dfrac{\sqrt{2}}{12}\times(2\sqrt{3})^3$
$=\dfrac{\sqrt{2}}{12}\times8\times3\sqrt{3}$
$=2\sqrt{6}$ (cm³)

## 074 답 10

$8\sqrt{2}+3\sqrt{5}-\sqrt{18}+\sqrt{20}=8\sqrt{2}+3\sqrt{5}-3\sqrt{2}+2\sqrt{5}$
$=5\sqrt{2}+5\sqrt{5}$

이것이 $a\sqrt{2}+b\sqrt{5}$이어야 하므로 $a=5$, $b=5$

∴ $a+b=5+5=10$

### 오답피하기

$a$와 $b$가 유리수라는 조건은 매우 중요해.

$8\sqrt{2}+3\sqrt{5}-\sqrt{18}+\sqrt{20}$을 정리하면 $5\sqrt{2}+5\sqrt{5}$가 되고 이것이 $a\sqrt{2}+b\sqrt{5}$라고 하니까 바로 $a=5$, $b=5$가 나오는 것이 상식이겠지?

하지만 $a$, $b$가 유리수라는 조건이 빠진다면 어떻게 될까? 이때는 $a=\dfrac{5\sqrt{5}}{\sqrt{2}}$, $b=\dfrac{5\sqrt{2}}{\sqrt{5}}$도 답이 될 수 있어. 즉, $a$, $b$가 무리수가 될 수 있지? 이렇게 수학에서는 조건이 매우 중요한 역할을 한다는 거 잘 기억하고, 조건을 충분히 이용하자.

## 075 답 ④

$\sqrt{8}+\sqrt{32}-\sqrt{50}=2\sqrt{2}+4\sqrt{2}-5\sqrt{2}=\sqrt{2}$

## 076 답 $-3$

$\sqrt{192}-\sqrt{24}-\sqrt{54}-\sqrt{108}=8\sqrt{3}-2\sqrt{6}-3\sqrt{6}-6\sqrt{3}$
$=2\sqrt{3}-5\sqrt{6}=a\sqrt{3}+b\sqrt{6}$

따라서 $a=2$, $b=-5$이므로

$a+b=2+(-5)=-3$

## 077 답 ③

$\sqrt{48}-\sqrt{50}+4\sqrt{32}+3\sqrt{12}$
$=4\sqrt{3}-5\sqrt{2}+16\sqrt{2}+6\sqrt{3}$
$=11\sqrt{2}+10\sqrt{3}=a\sqrt{2}+b\sqrt{3}$

따라서 $a=11$, $b=10$이므로

$a-b=11-10=1$

## 078 답 ③

$\sqrt{45}-\sqrt{20}+\sqrt{12}-2\sqrt{27}=3\sqrt{5}-2\sqrt{5}+2\sqrt{3}-6\sqrt{3}$
$=\sqrt{5}-4\sqrt{3}$
$=b-4a$

## 079 답 $5+\sqrt{3}$

$2\sqrt{3}+\dfrac{\sqrt{50}-\sqrt{6}}{\sqrt{2}}=2\sqrt{3}+\dfrac{5\sqrt{2}-\sqrt{6}}{\sqrt{2}}=2\sqrt{3}+\dfrac{(5\sqrt{2}-\sqrt{6})\times\sqrt{2}}{\sqrt{2}\times\sqrt{2}}$

$\qquad\qquad\qquad\quad=2\sqrt{3}+\dfrac{10-\sqrt{12}}{2}=2\sqrt{3}+\dfrac{10-2\sqrt{3}}{2}$

$\qquad\qquad\qquad\quad=2\sqrt{3}+5-\sqrt{3}=5+\sqrt{3}$

## 080 답 ①

$\sqrt{8}-\sqrt{3}\times\sqrt{6}+\sqrt{40}\div\sqrt{5}=2\sqrt{2}-\sqrt{18}+\sqrt{8}$

$\qquad\qquad\qquad\qquad\qquad\quad=2\sqrt{2}-3\sqrt{2}+2\sqrt{2}$

$\qquad\qquad\qquad\qquad\qquad\quad=\sqrt{2}$

## 081 답 ②

$\sqrt{(-6)^2}+(-2\sqrt{3})^2-\sqrt{3}\left(\sqrt{27}+\dfrac{3\sqrt{2}}{\sqrt{3}}\right)$

$=6+12-\sqrt{3}\left(3\sqrt{3}+\dfrac{3\sqrt{6}}{3}\right)=18-\sqrt{3}(3\sqrt{3}+\sqrt{6})$

$=18-9-3\sqrt{2}=9-3\sqrt{2}$

**오답피하기**

제곱근의 사칙연산을 할 때, 계산이 어려운 이유는 식이 너무 복잡해 보이기 때문이야. 제곱근과 사칙연산의 기호가 뒤죽박죽 섞여 있는 것처럼 보일 때 명심해야 할 것은 기본에 충실해야 한다는 거야. 처음 사칙연산을 배울 때와 마찬가지로 곱하기, 나누기 기호를 찾아 계산할 순서를 정하고 괄호로 묶자. 이렇게 하고 나면 제곱근의 사칙연산이 한결 덜 복잡하게 보일 거야.

## 082 답 $8-3\sqrt{6}$

$\dfrac{\sqrt{8}-2\sqrt{3}}{\sqrt{2}}+\dfrac{6}{\sqrt{3}}(\sqrt{3}-\sqrt{2})$

$=\dfrac{(2\sqrt{2}-2\sqrt{3})\times\sqrt{2}}{\sqrt{2}\times\sqrt{2}}+\dfrac{6\sqrt{3}}{\sqrt{3}\times\sqrt{3}}(\sqrt{3}-\sqrt{2})$

$=\dfrac{4-2\sqrt{6}}{2}+\dfrac{6\sqrt{3}}{3}(\sqrt{3}-\sqrt{2})$

$=(2-\sqrt{6})+2\sqrt{3}(\sqrt{3}-\sqrt{2})$

$=2-\sqrt{6}+6-2\sqrt{6}$

$=8-3\sqrt{6}$

## 083 답 ②

$2\sqrt{5}\left(\dfrac{1}{\sqrt{2}}-\sqrt{5}+1\right)+\dfrac{\sqrt{48}-\sqrt{30}}{\sqrt{3}}$

$=2\sqrt{5}\left(\dfrac{\sqrt{2}}{2}-\sqrt{5}+1\right)+\dfrac{(4\sqrt{3}-\sqrt{30})\times\sqrt{3}}{\sqrt{3}\times\sqrt{3}}$

$=\sqrt{10}-10+2\sqrt{5}+\dfrac{12-3\sqrt{10}}{3}$

$=\sqrt{10}-10+2\sqrt{5}+4-\sqrt{10}$

$=-6+2\sqrt{5}=a+b\sqrt{5}$

따라서 $a=-6$, $b=2$이므로

$a+b=-6+2=-4$

## 084 답 ③

$a(\sqrt{5}-1)+\sqrt{5}(\sqrt{5}-3)=a\sqrt{5}-a+5-3\sqrt{5}$

$\qquad\qquad\qquad\qquad\qquad=(a-3)\sqrt{5}+(-a+5)$

이므로 계산한 결과가 유리수가 되기 위해서는

$a-3=0$ $\quad$ ∴ $a=3$

## 085 답 ②

$\dfrac{8}{\sqrt{3}}(\sqrt{12}-4)+\sqrt{2}\left(\dfrac{a}{\sqrt{6}}-\sqrt{18}\right)=8\sqrt{4}-\dfrac{32}{\sqrt{3}}+\dfrac{a}{\sqrt{3}}-\sqrt{36}$

$\qquad\qquad\qquad\qquad\qquad\qquad\quad=16-\dfrac{1}{\sqrt{3}}(32-a)-6$

$\qquad\qquad\qquad\qquad\qquad\qquad\quad=10-\dfrac{1}{\sqrt{3}}(32-a)$

이므로 계산한 결과가 유리수가 되기 위해서는

$32-a=0$ $\quad$ ∴ $a=32$

## 086 답 ①

$\sqrt{2}(a-\sqrt{3})+b\left(\dfrac{2}{\sqrt{6}}+1\right)-\sqrt{8}$

$=a\sqrt{2}-\sqrt{6}+\dfrac{2b}{\sqrt{6}}+b-2\sqrt{2}$

$=(a-2)\sqrt{2}-\sqrt{6}+\dfrac{b\sqrt{6}}{3}+b$

$=(a-2)\sqrt{2}+\left(-1+\dfrac{b}{3}\right)\sqrt{6}+b$

이므로 계산한 결과가 유리수가 되기 위해서는

$a-2=0$, $1-\dfrac{b}{3}=0$에서 $a=2$, $b=3$

∴ $a+b=2+3=5$

## 087 답 ①

$a(\sqrt{5}-2)+4\left(\dfrac{3}{2}-\sqrt{5}\right)=b$

$a\sqrt{5}-2a+6-4\sqrt{5}=b$

$(a-4)\sqrt{5}+(-2a+6)=b$

$a$, $b$가 유리수이므로 등식의 좌변이 유리수가 되기 위해서는

$a-4=0$에서 $a=4$

따라서 $b=-2\times4+6=-2$이므로

$ab=4\times(-2)=-8$

## 088 답 $\dfrac{3\sqrt{2}+7\sqrt{5}}{2}$

$x+y=\dfrac{\sqrt{5}+\sqrt{2}}{2}+\dfrac{\sqrt{5}-\sqrt{2}}{2}=\dfrac{2\sqrt{5}}{2}=\sqrt{5}$

$x-y=\dfrac{\sqrt{5}+\sqrt{2}}{2}-\dfrac{\sqrt{5}-\sqrt{2}}{2}=\dfrac{2\sqrt{2}}{2}=\sqrt{2}$

∴ (주어진 식)$=\dfrac{\sqrt{5}+\sqrt{2}}{2}\times(\sqrt{5})^2+\dfrac{\sqrt{5}-\sqrt{2}}{2}\times(\sqrt{2})^2$

$\qquad\qquad\quad=\dfrac{5\sqrt{5}+5\sqrt{2}}{2}+\dfrac{2\sqrt{5}-2\sqrt{2}}{2}$

$\qquad\qquad\quad=\dfrac{3\sqrt{2}+7\sqrt{5}}{2}$

## 089 답 ④

$x(y+2)-y(x-3)=xy+2x-xy+3y$

$\qquad\qquad\qquad\qquad=2x+3y$

$\qquad\qquad\qquad\qquad=2\times3\sqrt{2}+3(1-2\sqrt{2})$

$\qquad\qquad\qquad\qquad=6\sqrt{2}+3-6\sqrt{2}$

$\qquad\qquad\qquad\qquad=3$

## 090 답 $\dfrac{5\sqrt{6}}{6}$

$\dfrac{a}{b}+\dfrac{b}{a}=\dfrac{a^2+b^2}{ab}=\dfrac{(\sqrt{2})^2+(\sqrt{3})^2}{\sqrt{2}\times\sqrt{3}}$

$\qquad\qquad\quad=\dfrac{5}{\sqrt{6}}=\dfrac{5\sqrt{6}}{6}$

**[다른 풀이]**

$$\frac{a}{b}+\frac{b}{a}=\frac{\sqrt{2}}{\sqrt{3}}+\frac{\sqrt{3}}{\sqrt{2}}=\frac{\sqrt{2}\times\sqrt{3}}{\sqrt{3}\times\sqrt{3}}+\frac{\sqrt{3}\times\sqrt{2}}{\sqrt{2}\times\sqrt{2}}$$

$$=\frac{\sqrt{6}}{3}+\frac{\sqrt{6}}{2}=\frac{5\sqrt{6}}{6}$$

## 091 답 ④

$$x+y=\frac{\sqrt{7}+\sqrt{5}}{2}+\frac{\sqrt{7}-\sqrt{5}}{2}=\sqrt{7}$$

$$x-y=\frac{\sqrt{7}+\sqrt{5}}{2}-\frac{\sqrt{7}-\sqrt{5}}{2}=\sqrt{5}$$

$$\therefore\ (x+y)(x-y)=\sqrt{7}\times\sqrt{5}=\sqrt{35}$$

## 092 답 $(8\sqrt{3}+16)$ cm

넓이가 $a$인 정사각형의 한 변의 길이는 $\sqrt{a}$지?

넓이가 각각 $12\ \text{cm}^2$, $16\ \text{cm}^2$인 두 정사각형의 한 변의 길이는 각각

$\sqrt{12}=2\sqrt{3}\,(\text{cm})$, $\sqrt{16}=4\,(\text{cm})$

따라서 두 정사각형의 둘레의 길이의 합은

$4\times2\sqrt{3}+4\times4=8\sqrt{3}+16\,(\text{cm})$

## 093 답 $\dfrac{6+3\sqrt{2}}{2}$

사다리꼴의 윗변의 길이가 $\sqrt{6}$, 아랫변의 길이가 $2\sqrt{3}$, 높이가 $\sqrt{3}$이므로

$$(\text{사다리꼴의 넓이})=\frac{1}{2}\times(\sqrt{6}+2\sqrt{3})\times\sqrt{3}$$

$$=\frac{\sqrt{18}+6}{2}=\frac{6+3\sqrt{2}}{2}$$

## 094 답 3

직육면체의 가로의 길이는 $\sqrt{5}+2\sqrt{2}$, 세로의 길이는 $3\sqrt{2}$, 높이는 $\sqrt{5}$이므로

$$(\text{직육면체의 부피})=(\sqrt{5}+2\sqrt{2})\times3\sqrt{2}\times\sqrt{5}$$

$$=(3\sqrt{10}+12)\times\sqrt{5}$$

$$=3\sqrt{50}+12\sqrt{5}$$

$$=15\sqrt{2}+12\sqrt{5}$$

따라서 $a=15$, $b=12$이므로

$a-b=15-12=3$

## 095 답 $\dfrac{9\sqrt{6}+9\sqrt{2}}{2}$

삼각형의 밑변의 길이는 $3\sqrt{2}+\sqrt{6}$, 높이는 $3\sqrt{3}$이므로

$$(\text{삼각형의 넓이})=\frac{1}{2}\times(3\sqrt{2}+\sqrt{6})\times3\sqrt{3}$$

$$=\frac{9\sqrt{6}+9\sqrt{2}}{2}$$

## 096 답 $\dfrac{\sqrt{2}+2\sqrt{3}}{6}$

정사각형 $D$의 넓이는 정사각형 $C$의 넓이의 3배라 하므로

정사각형 $C$의 넓이는 정사각형 $D$의 넓이의 $\dfrac{1}{3}$이야.

즉, 정사각형 $D$의 넓이가 1이므로 정사각형 $C$의 넓이는 $\dfrac{1}{3}$

또, 정사각형 $C$의 넓이는 정사각형 $B$의 넓이의 2배라 하므로

정사각형 $B$의 넓이는 정사각형 $C$의 넓이의 $\dfrac{1}{2}$이야.

즉, 정사각형 $C$의 넓이가 $\dfrac{1}{3}$이므로 정사각형 $B$의 넓이는

$$\frac{1}{3}\times\frac{1}{2}=\frac{1}{6}$$

마지막으로 정사각형 $B$의 넓이는 정사각형 $A$의 넓이의 3배라 하므로 정사각형 $A$의 넓이는 정사각형 $B$의 넓이의 $\dfrac{1}{3}$이야.

즉, 정사각형 $B$의 넓이는 $\dfrac{1}{6}$이므로 정사각형 $A$의 넓이는

$$\frac{1}{6}\times\frac{1}{3}=\frac{1}{18}$$

따라서 정사각형 $A$의 한 변의 길이는 $\sqrt{\dfrac{1}{18}}=\dfrac{1}{3\sqrt{2}}=\dfrac{\sqrt{2}}{6}$이고

정사각형 $C$의 한 변의 길이는 $\sqrt{\dfrac{1}{3}}=\dfrac{1}{\sqrt{3}}=\dfrac{\sqrt{3}}{3}$이므로

구하는 합은 $\dfrac{\sqrt{2}}{6}+\dfrac{\sqrt{3}}{3}=\dfrac{\sqrt{2}+2\sqrt{3}}{6}$

## 097 답 ④

$a=6.797$, $b=49.5$이므로

$$1000a-100b=1000\times6.797-100\times49.5$$

$$=6797-4950=1847$$

**오답피해기**

> 제곱근표를 읽기가 처음에는 굉장히 힘들 수도 있지만 우선은 제곱근표를 읽는 법을 숙지하는 것이 중요해. 처음 기계를 사용할 때 사용 설명서를 읽어야 그것을 잘 쓸 수 있는 것과 마찬가지야. 제곱근표의 가로줄과 세로줄이 무엇을 나타내는지 알게 된다면 제곱근표 읽는 것은 그야말로 식은 죽 먹기지!!

## 098 답 (1) 9.763 (2) 485

(1) $\sqrt{5.80}=2.408$, $\sqrt{54.1}=7.355$이므로

$a=2.408$, $b=7.355$

$\therefore\ a+b=2.408+7.355=9.763$

(2) $\sqrt{58}=7.616$이므로 $x=58$

$\sqrt{5.43}=2.330$이므로 $y=5.43$

$\therefore\ 100y-x=100\times5.43-58=543-58=485$

## 099 답 0.7355

$$\sqrt{0.541}=\sqrt{\frac{1}{100}\times54.1}=\frac{1}{10}\times\sqrt{54.1}$$

$$=\frac{1}{10}\times7.355=0.7355$$

## 100 답 ④

① $\sqrt{0.0003}=\sqrt{\dfrac{1}{10^4}\times3.00}=\dfrac{1}{100}\times\sqrt{3.00}\ \leftarrow\ \text{OK!}$

② $\sqrt{0.034}=\sqrt{\dfrac{1}{10^2}\times3.40}=\dfrac{1}{10}\times\sqrt{3.40}\ \leftarrow\ \text{OK!}$

③ $\sqrt{321}=\sqrt{10^2\times3.21}=10\times\sqrt{3.21}\ \leftarrow\ \text{OK!}$

④ $\sqrt{3250}=\sqrt{10^2\times32.5}=10\times\sqrt{32.5}\ \leftarrow\ \text{NO!}$

⑤ $\sqrt{34400}=\sqrt{10^4\times3.44}=100\times\sqrt{3.44}\ \leftarrow\ \text{OK!}$

## 101 답 (1) 233 (2) 269

(1) $\sqrt{x}=11.45=10\times1.145$

$=10\times\sqrt{1.31}=\sqrt{10^2\times1.31}$

$=\sqrt{131}$

이므로 $x=131$

$$\sqrt{y}=0.101=\frac{1}{10}\times1.01$$
$$=\frac{1}{10}\times\sqrt{1.02}=\sqrt{\frac{1.02}{10^2}}$$
$$=\sqrt{0.0102}$$

이므로 $y=0.0102$

$$\therefore x+10000y=131+102=233$$

(2) $z=\sqrt{7.24}=\sqrt{2^2\times1.81}$
$$=2\times\sqrt{1.81}=2\times1.345$$
$$=2.69$$
$$\therefore 100z=269$$

## 102 답 ④

$$\sqrt{0.232}=\sqrt{\frac{23.2}{100}}=\frac{\sqrt{23.2}}{10}$$
$$=\frac{1}{10}\times4.817=0.4817$$

## 103 답 (1) **187.1** (2) **0.05916**

(1) $\sqrt{35000}=\sqrt{10000\times3.5}=100\sqrt{3.5}$
$$=100\times1.871=187.1$$

(2) $\sqrt{0.0035}=\sqrt{\frac{35}{10000}}=\frac{\sqrt{35}}{100}$
$$=\frac{1}{100}\times5.916=0.05916$$

## 104 답 ④

① $\sqrt{200}=\sqrt{100\times2}=10\sqrt{2}$
$$=10\times1.414=14.14\leftarrow\text{OK!}$$

② $\sqrt{2000}=\sqrt{100\times20}=10\sqrt{20}$
$$=10\times4.472=44.72\leftarrow\text{OK!}$$

③ $\sqrt{20000}=\sqrt{10000\times2}=100\sqrt{2}$
$$=100\times1.414=141.4\leftarrow\text{OK!}$$

④ $\sqrt{0.2}=\sqrt{\frac{20}{100}}=\frac{\sqrt{20}}{10}$
$$=\frac{1}{10}\times4.472=0.4472\leftarrow\text{NO!}$$

⑤ $\sqrt{0.002}=\sqrt{\frac{20}{10000}}=\frac{\sqrt{20}}{100}$
$$=\frac{1}{100}\times4.472=0.04472\leftarrow\text{OK!}$$

## 105 답 ④

$$\frac{\sqrt{5}}{\sqrt{2}}-\frac{\sqrt{2}}{\sqrt{5}}=\frac{\sqrt{5}\times\sqrt{2}}{\sqrt{2}\times\sqrt{2}}-\frac{\sqrt{2}\times\sqrt{5}}{\sqrt{5}\times\sqrt{5}}$$
$$=\frac{\sqrt{10}}{2}-\frac{\sqrt{10}}{5}=\frac{3\sqrt{10}}{10}$$
$$=\frac{3\times3.162}{10}=\frac{9.486}{10}=0.9486$$

## 106 답 ⑤

$$\frac{\sqrt{2}+4}{\sqrt{2}}+\frac{\sqrt{3}+9}{\sqrt{3}}=\frac{(\sqrt{2}+4)\times\sqrt{2}}{\sqrt{2}\times\sqrt{2}}+\frac{(\sqrt{3}+9)\times\sqrt{3}}{\sqrt{3}\times\sqrt{3}}$$
$$=\frac{2+4\sqrt{2}}{2}+\frac{3+9\sqrt{3}}{3}=1+2\sqrt{2}+1+3\sqrt{3}$$
$$=2+2\sqrt{2}+3\sqrt{3}=2+2\times1.414+3\times1.732$$
$$=2+2.828+5.196=10.024$$

## 107 답 ⑤

$2<\sqrt{7}<3$에서 $5<\sqrt{7}+3<6$이므로
$\sqrt{7}+3$의 정수 부분은 5야.    $\therefore a=5$
$\sqrt{7}+3$의 소수 부분은 $\sqrt{7}+3$에서 정수 부분을 뺀 것과 같으므로
$b=(\sqrt{7}+3)-5=\sqrt{7}-2$
$$\therefore a-b=5-(\sqrt{7}-2)=7-\sqrt{7}$$

## 108 답 $\sqrt{14}+1$

$4<\sqrt{21}<5$이므로 $\sqrt{21}$의 정수 부분은 4야.    $\therefore a=4$
$3<\sqrt{14}<4$이므로 $\sqrt{14}$의 정수 부분은 3이야.
즉, 소수 부분은 $\sqrt{14}-3$이므로 $b=\sqrt{14}-3$
$$\therefore a+b=4+(\sqrt{14}-3)=\sqrt{14}+1$$

## 109 답 $\dfrac{7\sqrt{6}}{6}$

$\sqrt{49}<3\sqrt{6}=\sqrt{54}<\sqrt{64}$에서 $7<3\sqrt{6}<8$이므로 $3\sqrt{6}$의 정수 부분은 7이야.
$$\therefore a=7$$
또한, $3\sqrt{6}$의 소수 부분은 $3\sqrt{6}$에서 정수 부분을 뺀 것과 같으므로
$b=3\sqrt{6}-7$
$$\therefore \frac{3a}{b+7}=\frac{3\times7}{(3\sqrt{6}-7)+7}=\frac{21}{3\sqrt{6}}=\frac{7}{\sqrt{6}}=\frac{7\sqrt{6}}{6}$$

## 110 답 ③

$2<\sqrt{5}<3$에서 $\sqrt{5}$의 정수 부분은 2이고, 소수 부분은 $\sqrt{5}$에서 정수 부분을 뺀 것과 같으므로 $\sqrt{5}-2$야.
$$\therefore x=\sqrt{5}-2\cdots\text{㉠}$$
$8<\sqrt{80}<9$에서 $\sqrt{80}$의 정수 부분은 8이고, 소수 부분은 $\sqrt{80}$에서 정수 부분을 뺀 것과 같으므로 $\sqrt{80}-8$이야.
이때, ㉠의 식을 변형하면 $\sqrt{5}=x+2$이므로 $\sqrt{80}$의 소수 부분, 즉 $\sqrt{80}-8$을 $x$에 대한 식으로 나타내면
$\sqrt{80}-8=\sqrt{4^2\times5}-8=4\sqrt{5}-8$
$$=4(x+2)-8=4x$$

## 111 답 $C<A<B$

$3<\sqrt{15}<4$에서 $2<\sqrt{15}-1<3$이므로 $\sqrt{15}-1$의 정수 부분은 2야.
$$\therefore a=2$$
$1<\sqrt{3}<2$에서 $3<\sqrt{3}+2<4$이므로 $\sqrt{3}+2$의 정수 부분은 3이야.
$$\therefore b=(\sqrt{3}+2)-3=\sqrt{3}-1$$
즉, $A$, $B$, $C$의 값을 구하면
$A=\sqrt{108}-2b=6\sqrt{3}-2(\sqrt{3}-1)=4\sqrt{3}+2$
$B=\sqrt{50}+a=5\sqrt{2}+2$
$C=\sqrt{75}-ab=5\sqrt{3}-2(\sqrt{3}-1)=3\sqrt{3}+2$
그런데 $4\sqrt{3}=\sqrt{48}$, $5\sqrt{2}=\sqrt{50}$, $3\sqrt{3}=\sqrt{27}$에서
$\sqrt{27}<\sqrt{48}<\sqrt{50}$이므로 $3\sqrt{3}<4\sqrt{3}<5\sqrt{2}$
따라서 $3\sqrt{3}+2<4\sqrt{3}+2<5\sqrt{2}+2$이므로
$$C<A<B$$

## 112 답 $1-2\sqrt{2}$

$\overline{CP}=\overline{CA}=\sqrt{1^2+1^2}=\sqrt{2}$이고,
$\overline{BQ}=\overline{BD}=\sqrt{1^2+1^2}=\sqrt{2}$이므로
$p=0-\sqrt{2}=-\sqrt{2}$
$q=-1+\sqrt{2}$
$$\therefore p-q=-\sqrt{2}-(-1+\sqrt{2})=1-2\sqrt{2}$$

## 113 답 ②, ⑤

수직선 위의 세 정사각형의 대각선의 길이는 직각을 낀 두 변의 길이가 각각 1, 1인 직각이등변삼각형의 빗변의 길이와 같으므로 피타고라스 정리에 의해 $\sqrt{1^2+1^2}=\sqrt{2}$

점 A에 대응하는 수는 $-1$에서 빗변의 길이 $\sqrt{2}$를 뺀 수이므로
$-1-\sqrt{2}$

점 B에 대응하는 수는 $0$에서 빗변의 길이 $\sqrt{2}$를 뺀 수이므로
$-\sqrt{2}$

점 C에 대응하는 수는 $-2$에서 빗변의 길이 $\sqrt{2}$를 더한 수이므로
$-2+\sqrt{2}$

점 D에 대응하는 수는 $-1$에서 빗변의 길이 $\sqrt{2}$를 더한 수이므로
$-1+\sqrt{2}$

점 E에 대응하는 수는 $2$에서 빗변의 길이 $\sqrt{2}$를 뺀 수이므로
$2-\sqrt{2}$

① $\overline{AB}=-\sqrt{2}-(-1-\sqrt{2})=1$
  $\overline{BC}=-2+\sqrt{2}-(-\sqrt{2})=2\sqrt{2}-2$
  $\therefore \overline{AB}\neq\overline{BC}\leftarrow$ NO!
④ $\overline{BD}=-1+\sqrt{2}-(-\sqrt{2})=2\sqrt{2}-1\leftarrow$ NO!
⑤ $\overline{AE}=2-\sqrt{2}-(-1-\sqrt{2})=3\leftarrow$ OK!

## 114 답 $2-5\sqrt{5}$

정사각형 ABCD에서 두 변 BA와 BC의 길이는 직각을 낀 두 변의 길이가 각각 1, 2인 직각삼각형의 빗변의 길이와 같아.
따라서 피타고라스 정리에 의해
$\overline{BA}=\overline{BC}=\sqrt{1^2+2^2}=\sqrt{5}$이므로
$a=2-\sqrt{5}$, $b=2+\sqrt{5}$
$\therefore 3a-2b=3(2-\sqrt{5})-2(2+\sqrt{5})$
$\qquad\qquad=6-3\sqrt{5}-4-2\sqrt{5}$
$\qquad\qquad=2-5\sqrt{5}$

## 115 답 ⑤

① $(3\sqrt{2}-4)-(2\sqrt{5}-4)=3\sqrt{2}-2\sqrt{5}$
$\qquad\qquad\qquad\qquad\qquad=\sqrt{18}-\sqrt{20}<0$
  $\therefore 3\sqrt{2}-4<2\sqrt{5}-4\leftarrow$ NO!
② $2\sqrt{2}-(2\sqrt{7}-\sqrt{2})=3\sqrt{2}-2\sqrt{7}$
$\qquad\qquad\qquad\qquad=\sqrt{18}-\sqrt{28}<0$
  $\therefore 2\sqrt{2}<2\sqrt{7}-\sqrt{2}\leftarrow$ NO!
③ $(\sqrt{48}+1)-(3\sqrt{3}+2)=4\sqrt{3}+1-3\sqrt{3}-2$
$\qquad\qquad\qquad\qquad\qquad=\sqrt{3}-1>0$
  $\therefore \sqrt{48}+1>3\sqrt{3}+2\leftarrow$ NO!
④ $(\sqrt{20}+\sqrt{7})-(3\sqrt{5}-\sqrt{7})=2\sqrt{5}+\sqrt{7}-3\sqrt{5}+\sqrt{7}$
$\qquad\qquad\qquad\qquad\qquad\qquad=2\sqrt{7}-\sqrt{5}$
$\qquad\qquad\qquad\qquad\qquad\qquad=\sqrt{28}-\sqrt{5}>0$
  $\therefore \sqrt{20}+\sqrt{7}>3\sqrt{5}-\sqrt{7}\leftarrow$ NO!
⑤ $(\sqrt{12}-4\sqrt{2})-(\sqrt{8}-\sqrt{27})=2\sqrt{3}-4\sqrt{2}-2\sqrt{2}+3\sqrt{3}$
$\qquad\qquad\qquad\qquad\qquad\qquad=5\sqrt{3}-6\sqrt{2}$
$\qquad\qquad\qquad\qquad\qquad\qquad=\sqrt{75}-\sqrt{72}>0$
  $\therefore \sqrt{12}-4\sqrt{2}>\sqrt{8}-\sqrt{27}\leftarrow$ OK!

## 116 답 ③

① $2\sqrt{2}-(3\sqrt{2}-\sqrt{5})=-\sqrt{2}+\sqrt{5}>0$
  $\therefore 2\sqrt{2}\,\text{>}\,3\sqrt{2}-\sqrt{5}$

② $(2\sqrt{5}+2)-(8-\sqrt{5})=3\sqrt{5}-6$
$\qquad\qquad\qquad\qquad\quad=\sqrt{45}-\sqrt{36}>0$
  $\therefore 2\sqrt{5}+2\,\text{>}\,8-\sqrt{5}$
③ $(4-2\sqrt{2})-(\sqrt{32}-4)=4-2\sqrt{2}-4\sqrt{2}+4$
$\qquad\qquad\qquad\qquad\qquad=8-6\sqrt{2}$
$\qquad\qquad\qquad\qquad\qquad=\sqrt{64}-\sqrt{72}<0$
  $\therefore 4-2\sqrt{2}\,\text{<}\,\sqrt{32}-4$
④ $(\sqrt{18}-2\sqrt{3})-(\sqrt{3}-\sqrt{2})=3\sqrt{2}-2\sqrt{3}-\sqrt{3}+\sqrt{2}$
$\qquad\qquad\qquad\qquad\qquad\quad=4\sqrt{2}-3\sqrt{3}$
$\qquad\qquad\qquad\qquad\qquad\quad=\sqrt{32}-\sqrt{27}>0$
  $\therefore \sqrt{18}-2\sqrt{3}\,\text{>}\,\sqrt{3}-\sqrt{2}$
⑤ $(3\sqrt{5}-\sqrt{11})-(2\sqrt{10}-\sqrt{11})=3\sqrt{5}-2\sqrt{10}$
$\qquad\qquad\qquad\qquad\qquad\qquad=\sqrt{45}-\sqrt{40}>0$
  $\therefore 3\sqrt{5}-\sqrt{11}\,\text{>}\,2\sqrt{10}-\sqrt{11}$
따라서 부등호가 나머지 넷과 다른 것은 ③이야.

## 117 답 ⑤

$A-B=(6-2\sqrt{5})-3(2-\sqrt{3})$
$\qquad=6-2\sqrt{5}-6+3\sqrt{3}$
$\qquad=-\sqrt{20}+\sqrt{27}>0$
$\therefore A>B$
$B-C=3(2-\sqrt{3})-(2\sqrt{3}-3)$
$\qquad=6-3\sqrt{3}-2\sqrt{3}+3$
$\qquad=9-5\sqrt{3}$
$\qquad=\sqrt{81}-\sqrt{75}>0$
$\therefore B>C$
$\therefore C<B<A$

# 잘 틀리는 유형 훈련 +1UP

p. 42

## 118 답 ⑤

**1st** $b$의 값을 구하자.
$a=\dfrac{1}{\sqrt{3}}$, $\dfrac{1}{a}=\sqrt{3}$을 $b=a+\dfrac{1}{a}$에 대입하면
$b=\dfrac{1}{\sqrt{3}}+\sqrt{3}=\dfrac{\sqrt{3}}{3}+\sqrt{3}=\dfrac{4\sqrt{3}}{3}$

**2nd** $s=kt$이면 $s$는 $t$의 $k$배라 하지?
이때, $a=\dfrac{1}{\sqrt{3}}=\dfrac{\sqrt{3}}{3}$이므로
$b=\dfrac{4\sqrt{3}}{3}=4\times\dfrac{\sqrt{3}}{3}=4a$
따라서 $b$는 $a$의 4배야.

**오답피하기**

$b=\dfrac{4\sqrt{3}}{3}$에서 $b$가 $a$의 $\dfrac{4}{3}$배라고 답한 사람은 함정에 제대로 걸린 거야. $a$는 $\sqrt{3}$이 아니야. 착각하지 말자. 또, $a=\dfrac{1}{\sqrt{3}}$이므로 역수를 취해서 $b$가 $a$의 $\dfrac{3}{4}$배라고 푼 것도 마찬가지야. 실수하기 쉬우니까 조심하자.

## 119 답 ④

**1st** $b$의 값을 구하자.

$a=\dfrac{1}{\sqrt{6}}$, $\dfrac{1}{a}=\sqrt{6}$을 $b=\dfrac{1}{a}-a$에 대입하자.

$b=\sqrt{6}-\dfrac{1}{\sqrt{6}}=\sqrt{6}-\dfrac{\sqrt{6}}{6}=\dfrac{5\sqrt{6}}{6}$

**2nd** $s=kt$이면 $s$는 $t$의 $k$배라 하지?

이때, $a=\dfrac{1}{\sqrt{6}}=\dfrac{\sqrt{6}}{6}$이므로 $b=\dfrac{5\sqrt{6}}{6}=5\times\dfrac{\sqrt{6}}{6}=5a$

따라서 $b$는 $a$의 5배야.

## 120 답 $20+10\sqrt{2}$

**1st** 주어진 조건이 하나밖에 없으니 이것을 이용할 수 있도록 식을 변형해 보자.

주어진 조건 $ab=50$을 이용하기 위해서 근호 밖에 있는 $a$, $b$를 근호 안으로 가져와야 해.

$a\sqrt{\dfrac{8b}{a}}+2b\sqrt{\dfrac{a}{b}}=\sqrt{\dfrac{8a^2b}{a}}+2\sqrt{\dfrac{ab^2}{b}}$

$\qquad=\sqrt{8ab}+2\sqrt{ab}$

$\qquad=2\sqrt{2ab}+2\sqrt{ab}$

**2nd** 주어진 조건 $ab=50$을 대입하자.

$\qquad=2\sqrt{100}+2\sqrt{50}$

$\qquad=20+10\sqrt{2}$

### 오답피하기

이 문제는 주어진 조건을 이용할 수 있게 식을 적절히 변형하는 능력이 필요해. 하지만 그것이 말처럼 쉽지 않지?

우선 발상을 잘해야 해. 근호 밖의 문자가 근호 안으로 들어가기 위해서는 제곱을 해서 들어가야 해. 그러면 이 문제는 조건을 이용할 수 있게 만들어지지. 이런 수학적 도구는 자주 사용되니까 잘 알고 있자.

## 121 답 $13\sqrt{10}$

**1st** 주어진 조건이 하나밖에 없으니 이것을 이용할 수 있도록 식을 변형해 보자.

주어진 조건 $ab=10$을 사용하기 위해서 근호 밖에 있는 $a$, $b$를 근호 안으로 가져와야 해.

$a\sqrt{\dfrac{9b}{a}}+b^2\sqrt{\dfrac{a^3}{b}}=\sqrt{\dfrac{9a^2b}{a}}+\sqrt{\dfrac{a^3b^4}{b}}$

$\qquad=3\sqrt{ab}+\sqrt{(ab)^3}$

**2nd** 주어진 조건 $ab=10$을 대입하자.

$\qquad=3\sqrt{10}+\sqrt{10^3}$

$\qquad=3\sqrt{10}+10\sqrt{10}=13\sqrt{10}$

## 122 답 ④

**1st** $x$가 포함된 식에서 제곱을 이용하여 $x$의 값을 구해 보자.

먼저 $\sqrt{5}+\sqrt{x}=2\sqrt{5}$에서 $x$의 값을 구해 보자.

$\sqrt{x}=2\sqrt{5}-\sqrt{5}=\sqrt{5}$의 양변을 제곱하면 $x=5$

**2nd** $y$가 포함된 식에서 제곱을 이용하여 $y$의 값을 구해 보자.

$\sqrt{6+3y}=5\sqrt{3}$의 양변을 제곱하면

$6+3y=(5\sqrt{3})^2=75$

$3y=69$ $\quad\therefore y=23$

$\therefore y-x=23-5=18$

### 오답피하기

제곱근으로 표현된 문제에서 양변을 적절히 제곱하여 $x$, $y$의 값을 구하는 문제야. 제곱근이 좀 복잡하게 얽혀 있지? 이것을 적절히 잘 풀어야 해. 이런 유형의 문제는 모양이 복잡하므로 적절하게 변형할 수 있는 기술이 필요해. 그래서 문자와 숫자를 어느 한쪽으로 몰아서 제곱하는 방법이 필요한 거야.

## 123 답 ②

**1st** $x$가 포함된 식에서 제곱을 이용하여 $x$의 값을 구해 보자.

먼저 $3\sqrt{3}+\sqrt{2x}=7\sqrt{3}$에서 $x$의 값을 구해 보자.

$\sqrt{2x}=7\sqrt{3}-3\sqrt{3}=4\sqrt{3}$의 양변을 제곱하면

$2x=48$ $\quad\therefore x=24$

**2nd** $y$가 포함된 식에서 제곱을 이용하여 $y$의 값을 구해 보자.

$\sqrt{8+4y}=6\sqrt{5}$의 양변을 제곱하면

$8+4y=180$, $4y=172$ $\quad\therefore y=43$

$\therefore x+y=24+43=67$

## 124 답 $\dfrac{1}{3}$

**1st** 주어진 식을 간단히 해 보자.

$\sqrt{3}(4\sqrt{3}-1)+\sqrt{27}(a-\sqrt{3})=\sqrt{3}(4\sqrt{3}-1)+3\sqrt{3}(a-\sqrt{3})$

$\qquad=(12-\sqrt{3})+(3a\sqrt{3}-9)$

$\qquad=3+(3a-1)\sqrt{3}$

**2nd** 주어진 식이 유리수가 되려면 $(3a-1)\sqrt{3}$이 0이 되어야지?

$3a-1=0$ $\quad\therefore a=\dfrac{1}{3}$

### 오답피하기

이 유형의 문제는 항등식의 성질을 이용한 방법과 매우 유사하지? 예를 들어, $(2-a)x+(3-b)y=0$에서 $x$, $y$의 값에 상관없이 등식이 성립하기 위해서는 $a=2$, $b=3$이어야 해.

이것과 마찬가지로 이 문제도 $\sqrt{3}$에 대한 식으로 만들고 계수가 0이 되는 $a$를 찾는 비슷한 방법으로 풀고 있어.

## 125 답 $\dfrac{1}{2}$

**1st** 주어진 식을 간단히 해 보자.

$\sqrt{2}(4\sqrt{18}-1)+\sqrt{8}(a-\sqrt{50})=\sqrt{2}(12\sqrt{2}-1)+2\sqrt{2}(a-5\sqrt{2})$

$\qquad=24-\sqrt{2}+2\sqrt{2}a-20$

$\qquad=4+(2a-1)\sqrt{2}$

**2nd** 주어진 식이 유리수가 되려면 $(2a-1)\sqrt{2}$가 0이 되어야 하지?

$2a-1=0$ $\quad\therefore a=\dfrac{1}{2}$

### 오답피하기

많은 친구들은 근호 안에 큰 숫자가 나오면 무조건 소인수분해 등을 사용해서 작은 숫자들의 곱(또는 합)으로 쪼개야 한다고 알고 있어. 위의 풀이에서도 그렇게 해결하고 있지? 그러나

$2\times18=36=6^2$, $8\times50=400=20^2$임을 이용하여

$4\sqrt{36}-\sqrt{2}+a\sqrt{8}-\sqrt{400}=2a\sqrt{2}-\sqrt{2}+4\times6-20$

$\qquad=(2a-1)\sqrt{2}+4$

이렇게 풀 수 있어. 비슷한 유형의 문제를 푼다고 해서 한 가지 방법으로만 생각하는 것이 아니라, 다양한 문제를 많이 풀어 보면서 '사고의 유연성'을 길러야만 더 높은 곳까지 올라갈 수 있다는 거야.

B

## 126  답 $2\sqrt{3}$

**1st** 연산 기호 ◎의 정의를 이용하여 식을 전개해 보자.
$$(a◎2)-2(1◎a)=(a\sqrt{3}-2)-2(\sqrt{3}-a)$$
$$=a\sqrt{3}-2-2\sqrt{3}+2a$$
$$=(a-2)\sqrt{3}-2+2a$$
$$=b$$

**2nd** 계산 결과가 유리수가 되려면 $a-2=0$이어야 해.
이때, $a$, $b$는 모두 유리수이므로
$a-2=0$에서 $a=2$이고 $b=-2+2\times2=2$야.
$$\therefore 2b◎\sqrt{3}a=4◎2\sqrt{3}$$
$$=4\sqrt{3}-2\sqrt{3}$$
$$=2\sqrt{3}$$

## 127  답 $2+\sqrt{2}$

**1st** 연산 기호 ★의 정의를 이용하여 식을 전개해 보자.
$$(a★3)-(1★a)=\{(a+3)-3\sqrt{2}\}-\{(1+a)-a\sqrt{2}\}$$
$$=a+3-3\sqrt{2}-1-a+a\sqrt{2}$$
$$=2-(3-a)\sqrt{2}$$
$$=b$$

**2nd** 계산 결과가 유리수가 되려면 $3-a=0$이어야 해.
이때, $a$, $b$는 모두 유리수이므로
$3-a=0$에서 $a=3$이고 $b=2$야.
$$\therefore a\sqrt{2}★b=3\sqrt{2}★2$$
$$=(3\sqrt{2}+2)-2\sqrt{2}$$
$$=2+\sqrt{2}$$

## 128  답 12

**1st** 좌변을 우변과 같은 모양으로 바꿔야 해.
$$\frac{\sqrt{10}-3}{\sqrt{5}}-\sqrt{2}(2+\sqrt{10})$$
$$=\frac{(\sqrt{10}-3)\times\sqrt{5}}{\sqrt{5}\times\sqrt{5}}-\sqrt{2}(2+\sqrt{10})$$
$$=\frac{5\sqrt{2}-3\sqrt{5}}{5}-2\sqrt{2}-2\sqrt{5}$$
$$=-\sqrt{2}-\frac{13\sqrt{5}}{5}$$

**2nd** $A$, $B$가 유리수라는 것을 이용하면 $A$, $B$의 값을 구할 수 있어.
이것이 $A\sqrt{2}+B\sqrt{5}$와 같아야 하므로
$$A=-1, \ B=-\frac{13}{5}$$
$$\therefore A-5B=-1-5\times\left(-\frac{13}{5}\right)=12$$

**오답피하기**

> 이 문제의 핵심은 제곱근이 포함된 식을 간단하게 바꾸는 거야.
> 분모의 유리화 $\frac{\sqrt{b}}{\sqrt{a}}=\frac{\sqrt{ab}}{a}$에서 실수하는 경우가 많으니까 주의해야 해.
> 여기서 $A$, $B$가 유리수라는 조건이 없다면 어떻게 될까?
> $A\sqrt{2}=-\frac{13\sqrt{5}}{5}$이면 $A=-\frac{13\sqrt{10}}{10}$
> $B\sqrt{5}=-\sqrt{2}$이면 $B=-\frac{\sqrt{10}}{5}$
> 이렇게 $A$, $B$가 다르게 나올 수 있어.
> 그래서 $A$, $B$가 유리수라는 조건이 꼭 필요해.

## 129  답 $\frac{190}{3}$

**1st** 좌변을 우변과 같은 모양으로 바꿔야 해.
$$(5\sqrt{3}+2)\div\sqrt{3}-\sqrt{7}(2+\sqrt{21})$$
$$=5+\frac{2\sqrt{3}}{3}-2\sqrt{7}-7\sqrt{3}$$
$$=-\frac{19\sqrt{3}}{3}-2\sqrt{7}+5$$

**2nd** $A$, $B$, $C$가 유리수라는 것을 이용하면 $A$, $B$, $C$의 값을 구할 수 있지?
이것이 $A\sqrt{3}+B\sqrt{7}+C$이어야 하고, $A$, $B$, $C$가 유리수이니까
$$A=-\frac{19}{3}, \ B=-2, \ C=5$$
$$\therefore ABC=\left(-\frac{19}{3}\right)\times(-2)\times5=\frac{190}{3}$$

## 130  답 ③

**1st** 주어진 표의 제곱근의 값을 이용하기 위해 11.43을 적절한 두 수의 곱의 꼴로 나타내 보자.
주어진 표는 1.10부터 1.37까지의 제곱근의 값의 일부만 나타나 있지?
11.43을 적절한 두 수의 곱의 꼴로 바꾸면 $11.43=9\times1.27$
**2nd** 양수 $a$에 대하여 $\sqrt{a^2b}=a\sqrt{b}$임을 이용하여 $\sqrt{11.43}$의 값을 구하자.
$$\therefore \sqrt{11.43}=\sqrt{9\times1.27}=3\sqrt{1.27}=3\times1.127=3.381$$

**오답피하기**

> 이런 유형의 문제는 주어진 수를 적절하게 바꾸는 능력이 있어야 풀 수 있어. 그런데 쉽지 않지?
> 문제를 푸는 열쇠는 $\sqrt{a^2b}=a\sqrt{b}$를 이용하는 데 있어.
> 즉, 11.43을 어떤 제곱인 수와 주어진 표의 수를 곱한 값으로 만들어야 $\sqrt{11.43}$의 값이 나오는지 이해해야 해.
> 이 정도는 알고 있어야 이 문제를 푸는 열쇠를 찾았다고 볼 수 있어. 이 문제를 통해 알 수 있는 것은 주어진 표에 있는 값 외에도 주어진 표의 값에 제곱인 수를 곱한 값들은 얼마든지 제곱근의 값을 구할 수 있다는 거야. 이런 발상을 하는 것이 쉽지 않지만 한 번 정확히 풀면 나중에 비슷한 유형들을 풀 때 당황해하지 않을 거야.

## 131  답 ①

**1st** 주어진 표의 제곱근의 값을 이용하기 위해 452를 적절한 두 수의 곱의 꼴로 나타내 보자.
주어진 표는 1.10부터 1.37까지의 제곱근의 값의 일부만 나타나 있지?
452를 적절한 곱의 꼴로 바꾸면 $452=4\times113=4\times100\times1.13$
**2nd** $\sqrt{a^2b}=a\sqrt{b}$임을 이용하여 $\sqrt{452}$의 값을 구하자.
$$\therefore \sqrt{452}=\sqrt{4\times100\times1.13}=20\sqrt{1.13}$$
$$=20\times1.063=21.26$$

## 132  답 0.1584

**1st** 양수 $x$에 대하여 $x^2=a$를 만족하면 $x=\sqrt{a}$가 되겠지?
$1.584^2=2.51$에서 $1.584=\sqrt{2.51}$임을 알 수 있지?
**2nd** 구하는 수를 $\sqrt{2.51}$의 값을 이용할 수 있게 나타내 보자.
$$\therefore \sqrt{0.0251}=\sqrt{\frac{2.51}{100}}=\frac{\sqrt{2.51}}{10}=\frac{1}{10}\times1.584=0.1584$$

보통 $\sqrt{2.51}=1.584$로 주어지고 $\sqrt{0.0251}$의 값을 구하라고 하면 아마 쉽게 구할 수 있었을 거야.

그런데 이 문제는 제곱이 주어지고 제곱과 제곱근의 관계를 이용하여 그것을 추론해야 하지? 개념만 확실히 알고 있다면 어렵지 않게 풀 수 있지만 이런 것을 제대로 파악하지 못했다면 어려웠을 거야. 제곱과 제곱근의 관계처럼 쌍으로 생각해야 하는 것이 수학에서는 무척 많아. 예를 들어, 어떤 수와 그 수의 역수 관계 등은 어느 조건 하나가 주어지고 둘 사이의 관계를 이용하여 다른 조건을 찾아야 되는 경우가 많아. 이것을 숨겨진 조건이라고 하지. 이것을 정확히 알고 있으면 숨겨진 조건으로 문제를 쉽게 풀 수 있어.

## 133 답 3.8175

**1st** 제곱과 제곱근의 관계를 기억하자.

$1.414^2=2$에서 $\sqrt{2}=1.414$이고, $1.732^2=3$에서 $\sqrt{3}=1.732$이지?

**2nd** 분모의 유리화를 잊으면 안 돼.

$$\therefore \frac{1}{2\sqrt{2}}+\frac{6}{\sqrt{3}}=\frac{\sqrt{2}}{2\sqrt{2}\times\sqrt{2}}+\frac{6\times\sqrt{3}}{\sqrt{3}\times\sqrt{3}}=\frac{\sqrt{2}}{4}+2\sqrt{3}$$
$$=\frac{1.414}{4}+2\times1.732=0.3535+3.464=3.8175$$

## 134 답 $32\sqrt{7}$

**1st** 넓이가 $k$인 정사각형의 한 변의 길이는 $\sqrt{k}$야.

세 정사각형의 한 변의 길이를 각각 $a$, $b$, $c(a<b<c)$라 하면

$a^2=28$에서 $a=\sqrt{28}=2\sqrt{7}$

$b^2=112$에서 $b=\sqrt{112}=4\sqrt{7}$

$c^2=175$에서 $c=\sqrt{175}=5\sqrt{7}$

**2nd** 구하는 도형의 둘레의 길이를 $a$, $b$, $c$로 나타내 봐.

도형의 둘레의 길이는 $2a+2b+4c$이므로

$$2a+2b+4c=2\times2\sqrt{7}+2\times4\sqrt{7}+4\times5\sqrt{7}$$
$$=4\sqrt{7}+8\sqrt{7}+20\sqrt{7}$$
$$=32\sqrt{7}$$

## 135 답 $9\sqrt{3}$

**1st** 넓이가 $k$인 정사각형의 한 변의 길이는 $\sqrt{k}$야.

넓이가 48, 12, 3인 세 정사각형의 한 변의 길이는 각각 $\sqrt{48}=4\sqrt{3}$, $\sqrt{12}=2\sqrt{3}$, $\sqrt{3}$

**2nd** $\overline{AB}$, $\overline{BC}$의 길이를 각각 구해 보자.

$\overline{AB}=4\sqrt{3}+2\sqrt{3}=6\sqrt{3}$, $\overline{BC}=2\sqrt{3}+\sqrt{3}=3\sqrt{3}$

$$\therefore \overline{AB}+\overline{BC}=6\sqrt{3}+3\sqrt{3}$$
$$=9\sqrt{3}$$

## 136 답 $3\sqrt{3}-5$

**1st** 무리수는 정수 부분과 소수 부분으로 나뉘지?

$8<\sqrt{75}<9$이므로 $\sqrt{75}$의 정수 부분은 8이고

소수 부분은 $\sqrt{75}-8$이야.

$\therefore f(75)=\sqrt{75}-8$

$3<\sqrt{12}<4$이므로 $\sqrt{12}$의 정수 부분은 3이고

소수 부분은 $\sqrt{12}-3$이야.

$\therefore f(12)=\sqrt{12}-3$

**2nd** $f(75)-f(12)$의 값을 구해 보자.

$$\therefore f(75)-f(12)=(\sqrt{75}-8)-(\sqrt{12}-3)$$
$$=5\sqrt{3}-8-2\sqrt{3}+3$$
$$=3\sqrt{3}-5$$

## 137 답 $-\sqrt{2}+\sqrt{5}-1$

**1st** 무리수는 정수 부분과 소수 부분으로 나뉘지?

$4<\sqrt{18}<5$, $4<\sqrt{20}<5$이므로

$\sqrt{18}$과 $\sqrt{20}$의 정수 부분은 4이고

소수 부분은 각각 $\sqrt{18}-4$, $\sqrt{20}-4$야.

$\therefore f(18)=\sqrt{18}-4$, $f(20)=\sqrt{20}-4$

$5<\sqrt{32}<6$이므로 $\sqrt{32}$의 정수 부분은 5이고

소수 부분은 $\sqrt{32}-5$야.

$\therefore f(32)=\sqrt{32}-5$

$6<\sqrt{45}<7$이므로 $\sqrt{45}$의 정수 부분은 6이고

소수 부분은 $\sqrt{45}-6$이야. $\therefore f(45)=\sqrt{45}-6$

**2nd** 주어진 식에 대입하여 값을 구해 보자.

$$\therefore f(18)-f(20)-f(32)+f(45)$$
$$=(\sqrt{18}-4)-(\sqrt{20}-4)-(\sqrt{32}-5)+(\sqrt{45}-6)$$
$$=3\sqrt{2}-4-2\sqrt{5}+4-4\sqrt{2}+5+3\sqrt{5}-6$$
$$=-\sqrt{2}+\sqrt{5}-1$$

## 138 답 $24\sqrt{5}\pi\ \text{cm}^3$

**1st** 밑면인 원의 반지름의 길이를 구해야겠지?

원기둥의 옆면인 직사각형의 가로의 길이는 밑면인 원의 둘레의 길이와 같으므로 밑면인 원의 반지름의 길이를 $r$ cm라 하면

$2\pi r=4\sqrt{3}\pi$

$\therefore r=2\sqrt{3}$

**2nd** 원기둥의 부피를 구하자.

따라서 원기둥의 부피는

$$\pi\times(2\sqrt{3})^2\times2\sqrt{5}=24\sqrt{5}\pi(\text{cm}^3)$$

## 139 답 $(18+12\sqrt{14})\pi\ \text{cm}^2$

**1st** 밑면인 원의 반지름의 길이를 구해야겠지?

원뿔의 옆면인 부채꼴의 호의 길이는 밑면인 원의 둘레의 길이와 같으므로 밑면인 원의 반지름의 길이를 $r$ cm라 하면

$2\pi r=6\sqrt{2}\pi$

$\therefore r=3\sqrt{2}$

**2nd** 원뿔의 겉넓이를 구하자.

따라서 원뿔의 겉넓이는

$$\pi\times(3\sqrt{2})^2+\frac{1}{2}\times4\sqrt{7}\times6\sqrt{2}\pi=(18+12\sqrt{14})\pi(\text{cm}^2)$$

## 140 답 $2\sqrt{10}-6$

**1st** 피타고라스 정리를 이용하여 $\overline{AB}$, $\overline{AD}$의 길이를 구하면 $p$, $q$의 값을 구할 수 있어.

정사각형 ABCD에서 두 변 AB와 AD의 길이는 직각을 낀 두 변의 길이가 각각 1, 3인 직각삼각형의 빗변의 길이와 같아.

따라서 피타고라스 정리에 의해

$\overline{AB}=\overline{AD}=\sqrt{1^2+3^2}=\sqrt{10}$

따라서 $\overline{AP}=\overline{AB}$, $\overline{AQ}=\overline{AD}$이므로 점 P에 대응하는 수 $p$는 $p=3+\sqrt{10}$, 점 Q에 대응하는 수 $q$는 $q=3-\sqrt{10}$이야.

**2nd** $p-q$를 간단히 하고, 무리수는 정수 부분과 소수 부분으로 나뉘는 것을 이용하여 구해 보자.

$p-q=(3+\sqrt{10})-(3-\sqrt{10})=2\sqrt{10}$

따라서 $6<2\sqrt{10}=\sqrt{40}<7$에서 $p-q$의 정수 부분은 6이므로 $p-q$의 소수 부분은 $2\sqrt{10}-6$이야.

B

## 141 답 $2\sqrt{2}-2$

**1st** 피타고라스 정리를 이용하여 $\overline{BD}$, $\overline{GE}$의 길이를 구하면 $p$, $q$의 값을 구할 수 있어.

△BCD와 △FGE는 직각을 낀 두 변의 길이가 각각 2, 2인 직각이등변삼각형이므로 피타고라스 정리에 의해

$$\overline{BD}=\overline{GE}=\sqrt{2^2+2^2}=\sqrt{8}=2\sqrt{2}$$

즉, 점 P에 대응하는 수 $p$는 $p=0+2\sqrt{2}=2\sqrt{2}$, 점 Q에 대응하는 수 $q$는 $q=8-2\sqrt{2}$야.

**2nd** $\dfrac{q}{p}$를 간단히 하고, 무리수는 정수 부분과 소수 부분으로 나뉘는 것을 이용하여 구해 보자.

$$\frac{q}{p}=\frac{8-2\sqrt{2}}{2\sqrt{2}}$$
$$=\frac{(8-2\sqrt{2})\times\sqrt{2}}{2\sqrt{2}\times\sqrt{2}}$$
$$=\frac{8\sqrt{2}-4}{4}=2\sqrt{2}-1$$

이때, $2<2\sqrt{2}=\sqrt{8}<3$에서 $1<2\sqrt{2}-1<2$이므로

$\dfrac{q}{p}$의 정수 부분은 1이야.

따라서 $\dfrac{q}{p}$의 소수 부분은 $(2\sqrt{2}-1)-1=2\sqrt{2}-2$야.

## 🖐 서술형 다지기

p. 46

[ 142-143 채점기준표 ]

| | | |
|---|---|---|
| I | $a$의 값을 구한다. | 30% |
| II | $b$의 값을 구한다. | 30% |
| III | $\sqrt{ab}$의 값을 구한다. | 40% |

## 142 답 $7\sqrt{10}$

**먼저,** $a$의 값을 구하자.

$\sqrt{980}=\sqrt{196\times5}=\sqrt{14^2\times5}=14\sqrt{5}$

∴ $a=14$ ··· I

**그다음,** $b$의 값을 구하자.

$\sqrt{2450}=\sqrt{1225\times2}=\sqrt{35^2\times2}=35\sqrt{2}$

∴ $b=35$ ··· II

**그래서,** $\sqrt{ab}$의 값을 구하자.

∴ $\sqrt{ab}=\sqrt{14\times35}=\sqrt{2\times5\times7^2}=7\sqrt{10}$ ··· III

## 143 답 $5\sqrt{2}$

**먼저,** $a$의 값을 구하자.

$\sqrt{75}=\sqrt{25\times3}=5\sqrt{3}$

∴ $a=5$ ··· I

**그다음,** $b$의 값을 구하자.

$\sqrt{200}=\sqrt{100\times2}=10\sqrt{2}$

∴ $b=10$ ··· II

**그래서,** $\sqrt{ab}$의 값을 구하자.

∴ $\sqrt{ab}=\sqrt{5\times10}=5\sqrt{2}$ ··· III

[ 144-145 채점기준표 ]

| | | |
|---|---|---|
| I | 나눗셈을 곱셈으로 바꾼다. | 40% |
| II | 약분을 하거나 유리화를 한다. | 20% |
| III | 계산하여 답을 구한다. | 40% |

## 144 답 $\dfrac{\sqrt{2}}{2}$

**먼저,** 나눗셈을 곱셈으로 바꾸자.

$$\sqrt{6}\div\frac{3\sqrt{3}}{4}-\frac{9}{\sqrt{18}}+\frac{4}{3\sqrt{2}}$$
$$=\sqrt{6}\times\frac{4}{3\sqrt{3}}-\frac{9}{3\sqrt{2}}+\frac{4}{3\sqrt{2}}$$ ··· I

**그다음,** 약분을 하거나 분모를 유리화하자.

$$=\frac{4\sqrt{2}}{3}-\frac{9\sqrt{2}}{3\sqrt{2}\times\sqrt{2}}+\frac{4\sqrt{2}}{3\sqrt{2}\times\sqrt{2}}$$ ··· II

**그래서,** 계산하자.

$$=\frac{4\sqrt{2}}{3}-\frac{3\sqrt{2}}{2}+\frac{2\sqrt{2}}{3}$$
$$=\left(\frac{4}{3}-\frac{3}{2}+\frac{2}{3}\right)\sqrt{2}=\frac{\sqrt{2}}{2}$$ ··· III

## 145 답 $\dfrac{13\sqrt{6}}{18}$

**먼저,** 나눗셈을 곱셈으로 바꾸자.

$$\sqrt{8}\div\frac{3\sqrt{3}}{4}-\sqrt{18}\div6\sqrt{3}$$
$$=2\sqrt{2}\times\frac{4}{3\sqrt{3}}-\sqrt{18}\times\frac{1}{6\sqrt{3}}$$ ··· I

**그다음,** 약분을 하거나 분모를 유리화하자.

$$=\frac{8\sqrt{2}}{3\sqrt{3}}-\frac{\sqrt{6}}{6}$$
$$=\frac{8\sqrt{2}\times\sqrt{3}}{3\sqrt{3}\times\sqrt{3}}-\frac{\sqrt{6}}{6}$$ ··· II

**그래서,** 계산하자.

$$=\frac{8\sqrt{6}}{9}-\frac{\sqrt{6}}{6}=\frac{13\sqrt{6}}{18}$$ ··· III

## 146 답 $\dfrac{1}{50}$

$$\sqrt{0.004}=\sqrt{\frac{4}{1000}}=\frac{2}{10\sqrt{10}}=\frac{1}{5\sqrt{10}}$$ ··· I
$$=\frac{\sqrt{10}}{5\sqrt{10}\times\sqrt{10}}=\frac{\sqrt{10}}{50}$$ ··· II
$$\therefore x=\frac{1}{50}$$ ··· III

[ 채점기준표 ]

| | | |
|---|---|---|
| I | 소수를 분수로 고친다. | 40% |
| II | 분모를 유리화한다. | 40% |
| III | $x$의 값을 구한다. | 20% |

## 147 답 3

$$\sqrt{2}(\sqrt{12}+2\sqrt{2})-\frac{a}{\sqrt{3}}(\sqrt{18}-\sqrt{2})=\sqrt{24}+4-a\sqrt{6}+\frac{a\sqrt{2}}{\sqrt{3}}$$
$$=2\sqrt{6}+4-a\sqrt{6}+\frac{a}{3}\sqrt{6}$$
$$=\left(2-\frac{2}{3}a\right)\sqrt{6}+4$$ ··· I

주어진 식이 유리수가 되려면

$\left(2-\dfrac{2}{3}a\right)\sqrt{6}=0$이 되어야 한다. $\quad\cdots$ Ⅱ

$2-\dfrac{2}{3}a=0$ $\quad\therefore a=3$ $\quad\cdots$ Ⅲ

**[채점기준표]**

| Ⅰ | 주어진 식을 간단히 한다. | 40% |
|---|---|---|
| Ⅱ | 간단히 한 결과가 유리수가 될 조건을 찾는다. | 30% |
| Ⅲ | $a$의 값을 구한다. | 30% |

## 148 답 $7\sqrt{6}$

$a\sqrt{\dfrac{12b}{a}}+b\sqrt{\dfrac{75a}{b}}=\sqrt{a^2\times\dfrac{12b}{a}}+\sqrt{b^2\times\dfrac{75a}{b}}$ $\quad\cdots$ Ⅰ

$\qquad=\sqrt{12ab}+\sqrt{75ab}$ $\quad\cdots$ Ⅱ

$\qquad=\sqrt{12\times2}+\sqrt{75\times2}$

$\qquad=2\sqrt{6}+5\sqrt{6}=7\sqrt{6}$ $\quad\cdots$ Ⅲ

**[채점기준표]**

| Ⅰ | 근호 밖의 $a$, $b$를 근호 안으로 넣는다. | 40% |
|---|---|---|
| Ⅱ | 제곱근 안의 식을 간단히 한다. | 30% |
| Ⅲ | $ab$의 값을 대입하여 식의 값을 구한다. | 30% |

## 149 답 $12+15\sqrt{2}+12\sqrt{3}$

삼각기둥의 높이를 $h$라 하면 부피가 $6\sqrt{6}$이므로

$6\sqrt{6}=\dfrac{1}{2}\times\sqrt{6}\times\sqrt{3}\times h$

$\therefore h=12\sqrt{6}\times\dfrac{1}{\sqrt{6}}\times\dfrac{1}{\sqrt{3}}=\dfrac{12}{\sqrt{3}}=4\sqrt{3}$ $\quad\cdots$ Ⅰ

따라서 삼각기둥의 겉넓이는

$2\times\left(\dfrac{1}{2}\times\sqrt{6}\times\sqrt{3}\right)+(\sqrt{3}+3+\sqrt{6})\times4\sqrt{3}$ $\quad\cdots$ Ⅱ

$=\sqrt{18}+12+12\sqrt{3}+4\sqrt{18}$

$=3\sqrt{2}+12+12\sqrt{3}+12\sqrt{2}$

$=12+15\sqrt{2}+12\sqrt{3}$ $\quad\cdots$ Ⅲ

**[채점기준표]**

| Ⅰ | 삼각기둥의 높이를 구한다. | 40% |
|---|---|---|
| Ⅱ | 삼각기둥의 겉넓이를 구하는 식을 세운다. | 20% |
| Ⅲ | 겉넓이를 구한다. | 40% |

## 150 답 $A<B<C$

$A-B=2(\sqrt{2}+\sqrt{7})-(2\sqrt{7}+3)$

$\qquad=2\sqrt{2}+2\sqrt{7}-2\sqrt{7}-3$

$\qquad=2\sqrt{2}-3$

$\qquad=\sqrt{8}-\sqrt{9}<0$

$\therefore A<B$ $\quad\cdots$ Ⅰ

$B-C=(2\sqrt{7}+3)-(\sqrt{32}+3)$

$\qquad=2\sqrt{7}+3-\sqrt{32}-3$

$\qquad=2\sqrt{7}-\sqrt{32}$

$\qquad=\sqrt{28}-\sqrt{32}<0$

$\therefore B<C$ $\quad\cdots$ Ⅱ

$\therefore A<B<C$ $\quad\cdots$ Ⅲ

**[채점기준표]**

| Ⅰ | $A$와 $B$의 대소를 비교한다. | 40% |
|---|---|---|
| Ⅱ | $B$와 $C$의 대소를 비교한다. | 40% |
| Ⅲ | $A$, $B$, $C$의 대소를 비교한다. | 20% |

B

## 151 답 $(40\sqrt{3}+16\sqrt{2})\ \text{cm}^3$

(처음 직육면체의 부피)$=3\sqrt{2}\times4\sqrt{3}\times\sqrt{2}$

$\qquad=24\sqrt{3}\ (\text{cm}^3)$ $\quad\cdots$ Ⅰ

(새로 만든 직육면체의 부피)

$=(3\sqrt{2}+\sqrt{2})\times(4\sqrt{3}+\sqrt{2})\times(\sqrt{2}+\sqrt{2})$

$=4\sqrt{2}\times(4\sqrt{3}+\sqrt{2})\times2\sqrt{2}$

$=16(4\sqrt{3}+\sqrt{2})$

$=64\sqrt{3}+16\sqrt{2}\ (\text{cm}^3)$ $\quad\cdots$ Ⅱ

$\therefore$ (새로 만든 직육면체의 부피)$-$(처음 직육면체의 부피)

$\quad=(64\sqrt{3}+16\sqrt{2})-24\sqrt{3}=40\sqrt{3}+16\sqrt{2}\ (\text{cm}^3)$ $\quad\cdots$ Ⅲ

**[채점기준표]**

| Ⅰ | 처음의 직육면체의 부피를 구한다. | 40% |
|---|---|---|
| Ⅱ | 새로 만든 직육면체의 부피를 구한다. | 40% |
| Ⅲ | 두 직육면체의 부피의 차를 구한다. | 20% |

## 최고난도 만점 문제

p. 48

## 152 답 ③

**1st** 원의 넓이는 $\pi\times$(반지름의 길이)$^2$임을 이용하자.

세 원 $C_1$, $C_2$, $C_3$의 반지름의 길이가 각각 $r_1$, $r_2$, $r_3$이므로 넓이를 구하면 $\pi r_1{}^2$, $\pi r_2{}^2$, $\pi r_3{}^2$이지?

**2nd** $A:B=a:b$이고 $B:C=s:t$이면 $A:B:C=as:bs:bt$임을 이용하자.

두 원 $C_2$와 $C_1$의 넓이의 비가 $2:1$이므로

$\pi r_2{}^2:\pi r_1{}^2=2:1=6:3$

또, 두 원 $C_3$과 $C_2$의 넓이의 비가 $4:3$이므로

$\pi r_3{}^2:\pi r_2{}^2=4:3=8:6$

$\therefore \pi r_3{}^2:\pi r_2{}^2:\pi r_1{}^2=8:6:3$

즉, $\pi r_3{}^2=8k$, $\pi r_2{}^2=6k$, $\pi r_1{}^2=3k$(단, $k>0$)로 놓을 수 있어.

**3rd** 색칠한 부분의 넓이가 $24\pi$임을 이용하여 $k$의 값을 구하자.

색칠한 부분의 넓이는 원 $C_2$의 넓이에서 원 $C_1$의 넓이를 뺀 것이므로 $\pi r_2{}^2-\pi r_1{}^2=3k$, 즉 $3k=24\pi$

$\therefore k=8\pi$

따라서 $\pi r_3{}^2=8k=8\times8\pi=64\pi$이므로

$r_3{}^2=64$

$\therefore r_3=\sqrt{64}=8$

## 153 답 $-\dfrac{2}{7}$

**1st** 연산 $\odot$을 이용하여 주어진 식을 정리해 보자.

두 유리수 $x$, $y$에 대하여 $x\odot y=\sqrt{3}x-y$로 약속되어 있으므로 좌변부터 정리하면

$\{(x\odot3y)\odot y\}+1=\{(\sqrt{3}x-3y)\odot y\}+1$

$\qquad=\sqrt{3}(\sqrt{3}x-3y)-y+1$

$\qquad=3x-3\sqrt{3}y-y+1$

이고 우변은 $x\odot3y=\sqrt{3}x-3y$

**2nd** 위에서 구한 식을 정리해 보자.

(좌변)=(우변)이므로

$3x-3\sqrt{3}y-y+1=\sqrt{3}x-3y$

이 식을 $\sqrt{3}$에 대한 식으로 정리하면

$(3x+2y+1)-(x+3y)\sqrt{3}=0$

$x$, $y$가 유리수이므로 위의 등식이 성립하려면

$\begin{cases} 3x+2y+1=0\text{에서 } 3x+2y=-1 \cdots \bigcirc \\ x+3y=0 \cdots \bigcirc\!\!\!\bigcirc \end{cases}$

**3rd** 연립방정식을 풀어 보자.

$\bigcirc-\bigcirc\!\!\!\bigcirc\times 3$을 하면

$-7y=-1 \qquad \therefore y=\dfrac{1}{7}$

$y=\dfrac{1}{7}$을 $\bigcirc\!\!\!\bigcirc$에 대입하면 $x=-\dfrac{3}{7}$

$\therefore x+y=-\dfrac{3}{7}+\dfrac{1}{7}=-\dfrac{2}{7}$

## 154  답 $8\sqrt{3}$

**1st** 직육면체의 전개도를 그리자.

직육면체의 전개도를 그리면 그림과 같아.

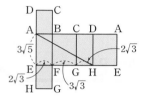

**2nd** 최단 거리는 직선 거리야.

이때, 직육면체의 꼭짓점 A에서 겉면을 따라 이동하여 점 H에 이르는 최단 거리는 전개도에서 점 A와 점 H를 잇는 선분의 길이와 같아.

$\overline{AE}=3\sqrt{5}$, $\overline{EH}=2\sqrt{3}+3\sqrt{3}+2\sqrt{3}=7\sqrt{3}$이므로

$\overline{AH}=\sqrt{\overline{AE}^2+\overline{EH}^2}=\sqrt{(3\sqrt{5})^2+(7\sqrt{3})^2}=\sqrt{192}=8\sqrt{3}$

따라서 최단 거리는 $8\sqrt{3}$이야.

**오답피하기**

문제에서 주어진 대로 입체도형에서 생각하거나, 자칫 전개도를 잘못 그리면 틀릴 수 있는 문제야. 전개도를 그릴 때, 꼭짓점이 어디에 있는지 잘 살펴보고 그리도록 해. 또, 꼭짓점 A에서 출발해 어디를 지나 점 H에 이르는 건지도 잘 살펴봐.

## 155  답 6

**1st** $f(x)$에 $x$ 대신 1, 2, 3, 4, …를 대입해 보자.

$f(x)=\sqrt{x+1}-\sqrt{x}$로 약속되었지?

$x$ 대신 1, 2, 3, 4, …를 대입하면

$f(1)=\sqrt{2}-\sqrt{1}$, $f(2)=\sqrt{3}-\sqrt{2}$

$f(3)=\sqrt{4}-\sqrt{3}$, $f(4)=\sqrt{5}-\sqrt{4}$

**2nd** $f(x)$의 합의 규칙을 찾자.

$f(1)+f(2)=(\sqrt{2}-\sqrt{1})+(\sqrt{3}-\sqrt{2})=\sqrt{3}-1$

$\begin{aligned}f(1)+f(2)+f(3)&=(\sqrt{2}-\sqrt{1})+(\sqrt{3}-\sqrt{2})+(\sqrt{4}-\sqrt{3})\\&=\sqrt{4}-1\end{aligned}$

$\begin{aligned}f(1)+f(2)+f(3)+f(4)&=(\sqrt{2}-\sqrt{1})+(\sqrt{3}-\sqrt{2})\\&\quad+(\sqrt{4}-\sqrt{3})+(\sqrt{5}-\sqrt{4})\\&=\sqrt{5}-1\end{aligned}$

이제 규칙이 보이지?

즉, $f(1)+f(2)+f(3)+\cdots+f(x)=\sqrt{x+1}-1$이므로

$f(1)+f(2)+f(3)+\cdots+f(48)=\sqrt{49}-1=7-1=6$

**오답피하기**

이 문제는 겉으로는 어렵게 보여도 실제로 규칙만 찾으면 어렵지 않게 풀 수 있어. 특히, 약속된 부분이 새로운 문제는 약속된 부분을 나열해 보면 규칙이 보이는 경우가 대부분이야.

이런 유형의 문제는 수학 전반에 걸쳐 비슷하게 적용되니까 새롭게 정의된 것은 정의된 대로 나열해 보면 규칙을 찾을 수 있을 거야.

## 156  답 ④

**1st** 먼저 $x$, $y$의 값의 범위부터 구해 보자.

$\sqrt{x}$의 정수 부분이 5이므로 $5\le\sqrt{x}<6$이지?

즉, $25\le x<36$에서 자연수 $x$는 25, 26, …, 35야.

또한, $\sqrt{y}$의 정수 부분이 8이므로 $8\le\sqrt{y}<9$야.

즉, $64\le y<81$에서 자연수 $y$는 64, 65, …, 80이지.

**2nd** $\sqrt{y-x}$의 정수 부분이 최대가 되려면 $x$, $y$는 어떤 값을 가져야 할까?

이때, $\sqrt{y-x}$의 정수 부분이 최대가 되려면 $\sqrt{y-x}$의 값이 최대가 되어야겠지?

즉, $y$의 값은 최대이고 $x$의 값은 최소일 때 $\sqrt{y-x}$가 최댓값을 가지므로 $\sqrt{y-x}$의 최댓값은 $\sqrt{80-25}=\sqrt{55}$야.

따라서 $7=\sqrt{49}<\sqrt{55}<\sqrt{64}=8$이므로 $\sqrt{y-x}$의 정수 부분의 최댓값은 7이야.

## 157  답 ②

**1st** 피타고라스 정리를 이용해 $\overline{AH}$의 길이를 구해.

$\overline{AH}=\sqrt{\overline{AB}^2-\overline{BH}^2}=\sqrt{6^2-2^2}=\sqrt{32}=4\sqrt{2}\,(cm)$

**2nd** 닮음인 두 삼각형을 찾아 닮음비를 이용하여 구의 반지름의 길이를 구하자.

점 O에서 $\overline{AB}$에 내린 수선의 발을 P라 하자.

이때, $\triangle AHB$와 $\triangle APO$에서

$\angle A$는 공통이고, $\angle AHB=\angle APO=90°$

이므로 $\triangle AHB \circ \!\!\! \circ \triangle APO$ (AA 닮음)

구의 반지름의 길이를 $r$ cm라 하면

$\overline{AB}:\overline{BH}=\overline{AO}:\overline{OP}$

$6:2=(4\sqrt{2}-r):r$

$6r=8\sqrt{2}-2r$, $8r=8\sqrt{2}$ $\quad\therefore r=\sqrt{2}$

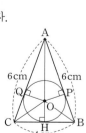

따라서 구의 반지름의 길이가 $\sqrt{2}$ cm이므로 구의 겉넓이는

$4\pi r^2=4\pi\times(\sqrt{2})^2=8\pi\,(cm^2)$

**[다른 풀이]**

주어진 도형을 잘라 그림과 같은 단면을 생각하자.

$\overline{AB}$, $\overline{BC}$, $\overline{CA}$는 원 $O$의 접선이므로

$\overline{AB}\perp\overline{OP}$, $\overline{BC}\perp\overline{OH}$, $\overline{CA}\perp\overline{OQ}$지?

이때, $\overline{AB}=\overline{AC}=6$ cm, $\overline{BC}=4$ cm이고

원 $O$의 반지름의 길이를 $r$ cm라 하면

$\triangle ACB$의 넓이는

$\triangle ACB=\triangle OAB+\triangle OBC+\triangle OCA$

$\quad=\dfrac{1}{2}\times 6\times r+\dfrac{1}{2}\times 4\times r+\dfrac{1}{2}\times 6\times r$

$\quad=8r\,(cm^2) \cdots \bigcirc$

또, $\triangle ACB$에서 $\overline{BC}$는 밑변이고

$\overline{AH}=\sqrt{\overline{AB}^2-\overline{BH}^2}=\sqrt{6^2-2^2}=4\sqrt{2}\,(cm)$는 높이이므로

$\triangle ACB=\dfrac{1}{2}\times 4\times 4\sqrt{2}=8\sqrt{2}\,(cm^2) \cdots \bigcirc\!\!\!\bigcirc$

$\bigcirc=\bigcirc\!\!\!\bigcirc$이므로 $8r=8\sqrt{2}$에서 $r=\sqrt{2}$

(이하 동일)

# Ⓒ 곱셈 공식

**개념 체크 001~026** 정답은 p. 3에 있습니다.

**유형 다지기** (학교시험+학력평가)    문제편 p. 52

## 027 답 ③

$(2x+5y)(-3x+6y)=-6x^2+12xy-15xy+30y^2$
$=-6x^2-3xy+30y^2$

## 028 답 ②

$(Ax-6y)(2x+By)=2Ax^2+(AB-12)xy-6By^2$
$=10x^2+Cxy-18y^2$
따라서 $2A=10$, $AB-12=C$, $-6B=-18$이므로
$A=5$, $B=3$, $C=3$
$\therefore A+B+C=5+3+3=11$

**오답피하기**

이 식 같은 경우는 좌변을 전개하고 나서 각 계수를 비교하는 것이 제일 빨라. 전개하지 않고 각 계수를 하나하나 따로 계산하는 것은 오히려 식을 복잡하게 만들어서 좋지 않아.

## 029 답 ②

$(x+1)(x+1)(x+1)=(x^2+x+x+1)(x+1)$
$=(x^2+2x+1)(x+1)$
$=(x^2+2x+1)x+x^2+2x+1$
$=x^3+2x^2+x+x^2+2x+1$
$=x^3+3x^2+3x+1$
따라서 $A=3$, $B=3$이므로
$AB=3\times3=9$

## 030 답 $4a^2+5ab+12a-6b^2-9b$

(삼각형의 넓이)$=\dfrac{1}{2}(4a-3b)(2a+4b+6)$
$=\dfrac{1}{2}(2a+4b+6)(4a-3b)$
$=(a+2b+3)(4a-3b)$
$=(a+2b+3)\times4a-(a+2b+3)\times3b$
$=4a^2+8ab+12a-3ab-6b^2-9b$
$=4a^2+5ab+12a-6b^2-9b$

## 031 답 ④

$(2x+5y)^2=(2x)^2+2\times2x\times5y+(5y)^2=4x^2+20xy+25y^2$
① $xy$의 계수는 20이야. (참)
② $(-2x-5y)^2=\{-(2x+5y)\}^2=(2x+5y)^2$ (참)
③ $x^2$의 계수는 4, $y^2$의 계수는 25이므로 그 합은 29야. (참)
④ $\left(x+\dfrac{5}{2}y\right)^2=\left\{\dfrac{1}{2}(2x+5y)\right\}^2=\dfrac{1}{4}(2x+5y)^2$
   따라서 $\left(x+\dfrac{5}{2}y\right)$은 $(2x+5y)^2$의 $\dfrac{1}{4}$배야. (거짓)
⑤ 전개하여 식을 정리하면 항은 3개지? (참)

## 032 답 ③

$(2x+3y)^2+4(x+2y)^2$
$=(2x)^2+2\times2x\times3y+(3y)^2+4\{x^2+2\times x\times2y+(2y)^2\}$
$=4x^2+12xy+9y^2+4(x^2+4xy+4y^2)$
$=4x^2+12xy+9y^2+4x^2+16xy+16y^2$
$=8x^2+28xy+25y^2$

## 033 답 4

$(2x+4y)^2=4x^2+16xy+16y^2=Ax^2+Bxy+Cy^2$이므로
$A=4$, $B=16$, $C=16$
$\therefore \dfrac{AB}{C}=\dfrac{4\times16}{16}=4$

## 034 답 2

$(x+A)^2=x^2+2Ax+A^2=x^2+Bx+\dfrac{4}{9}$이므로
$2A=B$, $A^2=\dfrac{4}{9}$
따라서 $A=\dfrac{2}{3}$ ($\because A$는 양수)이고 $B=\dfrac{4}{3}$이므로
$A+B=\dfrac{2}{3}+\dfrac{4}{3}=\dfrac{6}{3}=2$

## 035 답 ③

$(2x+1)^4=\{(2x+1)^2\}^2=(4x^2+4x+1)^2$
$=(4x^2+4x+1)(4x^2+4x+1)$
$=(4x^2+4x+1)\times4x^2+(4x^2+4x+1)\times4x$
$+(4x^2+4x+1)\times1$
$=16x^4+16x^3+4x^2+16x^3+16x^2+4x+4x^2+4x+1$
$=16x^4+32x^3+24x^2+8x+1$
따라서 $x^2$의 계수는 24야.

**오답피하기**

복잡하게 전개할 필요 없이 $x^2$의 계수만 빨리 간단하게 구할 수 있는 방법이 있어.
$(2x+1)^4=(4x^2+4x+1)^2=\{4x^2+(4x+1)\}^2$
$=(4x^2)^2+2\times4x^2\times(4x+1)+(4x+1)^2$
여기서 첫째 항에서는 $x^2$의 항이 나오지 않고, 둘째 항에서는 $2\times4x^2=8x^2$이 나오고, 셋째 항에서는 $(4x)^2=16x^2$이 나오므로 결국 $8+16=24$가 $x^2$의 계수야.

## 036 답 ③

$(3x-y)^2=(3x)^2-2\times3x\times y+y^2=9x^2-6xy+y^2$
① $(3x+y)^2=(3x)^2+2\times3x\times y+y^2=9x^2+6xy+y^2$
② $(-3x-y)^2=(-3x)^2-2\times(-3x)\times y+y^2$
$=9x^2+6xy+y^2$
③ $(-3x+y)^2=(-3x)^2+2\times(-3x)\times y+y^2$
$=9x^2-6xy+y^2$
④ $-(3x-y)^2=-\{(3x)^2-2\times3x\times y+y^2\}$
$=-(9x^2-6xy+y^2)=-9x^2+6xy-y^2$
⑤ $-(-3x+y)^2=-\{(-3x)^2+2\times(-3x)\times y+y^2\}$
$=-(9x^2-6xy+y^2)=-9x^2+6xy-y^2$
따라서 주어진 식과 같은 것은 ③이야.

이 문제에서는 $(-1)^2=1$이라는 특성을 잘 이용하면 아주 간단하게 풀 수 있어. 주어진 선택지의 식을 전부 다 전개해서 원래 식과 비교하려면 시간도 너무 많이 걸리고 정확도도 떨어질 수 있어. 그러기보다는 $(3x-y)^2$의 괄호 안에 $-1$을 곱해주면 문제가 해결돼. 제곱 안에 $-1$이 들어가면 어차피 $1$이 되니까 제곱하면 값은 똑같이 나와. 괄호 안에 $-1$을 곱해주면 $(-3x+y)^2$이 되지? 이제 이 식을 선택지에서 찾으면 답은 ③번!

## 037 답 ③

$(6x-5)^2=(6x)^2-2\times6x\times5+5^2=36x^2-60x+25$

따라서 $A=36$, $B=-60$, $C=25$이므로

$A-B+C=36-(-60)+25=121$

## 038 답 ④

$(Ax-B)^2=(Ax)^2-2\times Ax\times B+B^2$

$\qquad\qquad=A^2x^2-2ABx+B^2$

이것이 $\dfrac{1}{4}x^2-Cx+\dfrac{1}{9}$이므로

$A^2=\dfrac{1}{4}$, $2AB=C$, $B^2=\dfrac{1}{9}$

따라서 $A=\dfrac{1}{2}$ ($\because A>0$), $B=\dfrac{1}{3}$ ($\because B>0$), $C=\dfrac{1}{3}$이므로

$\dfrac{AB}{C}=\dfrac{1}{2}\times\dfrac{1}{3}\div\dfrac{1}{3}=\dfrac{1}{2}$

## 039 답 $25a^2-30a+9$

한 변의 길이가 $x$인 정사각형의 넓이는 $x^2$이지?

따라서 한 변의 길이가 $5a-3$인 정사각형의 넓이는

$(5a-3)^2=(5a)^2-2\times5a\times3+3^2=25a^2-30a+9$

## 040 답 ④

$(2a+b)(2a-b)=(2a)^2-b^2=4a^2-b^2$

## 041 답 $a^2-36$

$(-a+6)(-a-6)=(-a)^2-6^2=a^2-36$

## 042 답 ①

ㄱ. $(x-y)(-x-y)=-(x-y)(x+y)$

$\qquad\qquad\qquad=-(x^2-y^2)=-x^2+y^2$ (참)

ㄴ. $(-2a+3b)(-2a-3b)=(-2a)^2-(3b)^2$

$\qquad\qquad\qquad\qquad=4a^2-9b^2$ (거짓)

ㄷ. $\left(\dfrac{2}{5}x+y\right)\left(\dfrac{2}{5}x-y\right)=\left(\dfrac{2}{5}x\right)^2-y^2$

$\qquad\qquad\qquad\qquad=\dfrac{4}{25}x^2-y^2$ (거짓)

따라서 옳은 것은 ㄱ이야.

## 043 답 33

$(7-4x)(4x+7)=-(4x-7)(4x+7)$

$\qquad\qquad\qquad=-(16x^2-49)=-16x^2+49$

따라서 $x^2$의 계수는 $-16$, 상수항은 49이므로

구하는 합은 $-16+49=33$이야.

## 044 답 $x^8-256$

$(x-2)(x+2)(x^2+4)(x^4+16)=(x^2-4)(x^2+4)(x^4+16)$

$\qquad\qquad\qquad\qquad\qquad=(x^4-16)(x^4+16)$

$\qquad\qquad\qquad\qquad\qquad=(x^4)^2-16^2$

$\qquad\qquad\qquad\qquad\qquad=x^8-256$

## 045 답 ①

$(x+3y)(x-4y)=x^2+\{3+(-4)\}xy-12y^2=x^2-xy-12y^2$

따라서 $xy$의 계수는 $-1$, $y^2$의 계수는 $-12$이므로

그 합은 $-13$이야.

## 046 답 ①

$\left(x-\dfrac{1}{2}\right)\left(x+\dfrac{1}{5}\right)=x^2+\left(-\dfrac{1}{2}+\dfrac{1}{5}\right)x-\dfrac{1}{10}$

$\qquad\qquad\qquad=x^2-\dfrac{3}{10}x-\dfrac{1}{10}=x^2+Ax+B$

따라서 $A=-\dfrac{3}{10}$, $B=-\dfrac{1}{10}$이므로

$A+B=-\dfrac{3}{10}+\left(-\dfrac{1}{10}\right)=-\dfrac{4}{10}=-\dfrac{2}{5}$

## 047 답 ⑤

$(x+5y)(x+\square y)=x^2+(5+\square)xy+5\times\square y^2$이고

이 식이 $x^2+9xy+\square y^2$과 같으므로

$5+\square=9$에서 첫 번째 $\square$ 안의 수는 4야.

$\therefore (x+5y)(x+4y)=x^2+(5+4)xy+20y^2$

$\qquad\qquad\qquad\quad=x^2+9xy+\square y^2$

따라서 두 번째 $\square$ 안의 수는 20이므로

두 수의 합은 $4+20=24$야.

## 048 답 38

$(x+1)(x+2)+(x+2)(x+3)+(x+3)(x+4)$

$=x^2+(1+2)x+2+x^2+(2+3)x+6+x^2+(3+4)x+12$

$=x^2+3x+2+x^2+5x+6+x^2+7x+12$

$=3x^2+15x+20=Ax^2+Bx+C$

따라서 $A=3$, $B=15$, $C=20$이므로

$A+B+C=3+15+20=38$

**[다른 풀이]**

$(x+1)(x+2)+(x+2)(x+3)+(x+3)(x+4)$

$=Ax^2+Bx+C$

는 $x$에 대한 항등식이므로 $x$ 대신 1을 대입해도 성립하지?

$\therefore A+B+C=(1+1)(1+2)+(1+2)(1+3)+(1+3)(1+4)$

$\qquad\qquad\quad=6+12+20=38$

## 049 답 ③

$(3x-1)(x+2)=3x^2+(6-1)x-2=3x^2+5x-2$

## 050 답 ①

$\left(\dfrac{2}{5}x-\dfrac{2}{3}\right)\left(\dfrac{3}{2}x+\dfrac{1}{2}\right)=\dfrac{2}{5}\times\dfrac{3}{2}x^2+\left(\dfrac{2}{5}\times\dfrac{1}{2}-\dfrac{2}{3}\times\dfrac{3}{2}\right)x-\dfrac{2}{3}\times\dfrac{1}{2}$

$\qquad\qquad\qquad\qquad=\dfrac{3}{5}x^2-\dfrac{4}{5}x-\dfrac{1}{3}$

따라서 $x$의 계수는 $-\dfrac{4}{5}$야.

## 051 답 ①

$(-2x+A)(Bx+1)=-2Bx^2+(-2+AB)x+A$
이것이 $-6x^2-5x-1$이므로 $x$의 계수만 비교하면
$-2+AB=-5$
$\therefore AB=-3$

**[다른 풀이]**
$(-2x+A)(Bx+1)=-2Bx^2+(-2+AB)x+A$
$\qquad\qquad\qquad\quad=-6x^2-5x-1$
이때, $-2B=-6$, $A=-1$이므로 $A=-1$, $B=3$
$\therefore AB=-3$

## 052 답 ②

$(2A-3B)(A+2B)$
$=2A^2+AB-6B^2$
$=2(3x+1)^2+(3x+1)(2x+4)-6(2x+4)^2$
$=2(9x^2+6x+1)+(6x^2+14x+4)-6(4x^2+16x+16)$
$=18x^2+12x+2+6x^2+14x+4-24x^2-96x-96$
$=-70x-90$

**[다른 풀이]**
$(2A-3B)(A+2B)$에 $A=3x+1$, $B=2x+4$를 대입하면
$\{2(3x+1)-3(2x+4)\}\{3x+1+2(2x+4)\}$
$=(6x+2-6x-12)(3x+1+4x+8)$
$=-10(7x+9)$
$=-70x-90$

## 053 답 ③

① $(3x+4)^2=(3x)^2+2\times3x\times4+4^2$
$\qquad\qquad=9x^2+24x+16$ (참)
② $(2x-1)^2=(2x)^2-2\times2x\times1+1^2$
$\qquad\qquad=4x^2-4x+1$ (참)
③ $(x+1)(x-1)(x^2+1)=(x^2-1)(x^2+1)$
$\qquad\qquad\qquad\qquad\quad=(x^2)^2-1^2$
$\qquad\qquad\qquad\qquad\quad=x^4-1$ (거짓)
④ $(-3x+5)(5x+6)=-15x^2+(-18+25)x+30$
$\qquad\qquad\qquad\qquad=-15x^2+7x+30$ (참)
⑤ $(2a+3b)(5a-4b)=10a^2+(-8+15)ab-12b^2$
$\qquad\qquad\qquad\qquad=10a^2+7ab-12b^2$ (참)

## 054 답 ③

$(-3x+8)^2+(-3x-8)^2=\{-(3x-8)\}^2+\{-(3x+8)\}^2$
$\qquad\qquad\qquad\qquad\quad=(3x-8)^2+(3x+8)^2$
$\qquad\qquad\qquad\qquad\quad=9x^2-48x+64+9x^2+48x+64$
$\qquad\qquad\qquad\qquad\quad=18x^2+128$

## 055 답 −1

$3(x-a)^2-(2x+1)(x+b)$
$=3(x^2-2ax+a^2)-\{2x^2+(2b+1)x+b\}$
$=3x^2-6ax+3a^2-2x^2-(2b+1)x-b$
$=x^2-(6a+2b+1)x+3a^2-b$
이때, $x$의 계수가 0이므로
$6a+2b+1=0$
$\therefore 6a+2b=-1$

## 056 답 5

$(-x+2y)^2=(-x)^2+2\times(-x)\times2y+(2y)^2$
$\qquad\qquad=x^2-4xy+4y^2$ (거짓)
$(2x+y)^2=(2x)^2+2\times2x\times y+y^2$
$\qquad\qquad=4x^2+4xy+y^2$ (참)
$(-3x-y)^2=(-3x)^2-2\times(-3x)\times y+y^2$
$\qquad\qquad=9x^2+6xy+y^2$ (거짓)
따라서 출력되는 값은 2, 1, 2이므로 합은 $2+1+2=5$야.

## 057 답 $a^2-b^2$

색칠한 도형만을 모으면 그림과 같아.

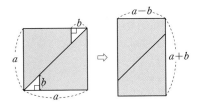

따라서 색칠한 도형의 넓이는 $(a-b)(a+b)=a^2-b^2$이야.

**[다른 풀이]**
$a\times a-\dfrac{1}{2}\times b\times b\times2=a^2-b^2$

## 058 답 ①

그림과 같이 각 도형의 넓이를 구하면
$(a+b)^2=a^2+ab+ab+b^2$
$\qquad\quad=a^2+2ab+b^2$

## 059 답 $ab-ac-bc+c^2$

그림과 같이 색칠한 도형을 붙여 보자.

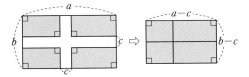

따라서 색칠한 도형의 넓이는 $(a-c)(b-c)=ab-ac-bc+c^2$
이야.

## 060 답 4 m²

강낭콩을 심는 정사각형 모양의 땅의 한 변의
길이를 $x$ m라 하면 나팔꽃을 심는 땅의 한
변의 길이는 $(7-x)$ m지?
이 땅의 넓이가 25 m²이므로
$(7-x)^2=25$, $(7-x)^2=5^2$
$7-x=5$ ($\because 7-x>0$) $\qquad\therefore x=2$
따라서 강낭콩을 심는 땅의 넓이는 $2\times2=4(\text{m}^2)$

## 061 답 ②

(색칠한 직사각형의 넓이)$=(x-3y)(x+2y)$
$\qquad\qquad\qquad\qquad\quad=x^2+(-3y+2y)x-6y^2$
$\qquad\qquad\qquad\qquad\quad=x^2-xy-6y^2$

## 062 답 ①

$\overline{FC}=x-y$이고 □GCFH가 정사각형이므로

$\overline{GC}=\overline{FC}=x-y$

$\overline{BG}=\overline{BC}-\overline{GC}=2x-(x-y)=x+y$

$\therefore \square EBGH=\overline{BG}\times\overline{HG}$

$\qquad =\overline{BG}\times\overline{FC}$

$\qquad =(x+y)(x-y)$

$\qquad =x^2-y^2$

## 063 답 ①

색칠한 부분의 넓이는 큰 정사각형의 넓이에서 작은 직사각형의 넓이를 뺀 값이지?

이때, 작은 직사각형의 가로의 길이는

$3a+2-(a-1)=2a+3$이고,

세로의 길이는

$3a+2-(a-5)=2a+7$이므로

(색칠한 부분의 넓이)

$=(3a+2)^2-(2a+3)(2a+7)$

$=9a^2+12a+4-\{4a^2+(14+6)a+21\}$

$=9a^2+12a+4-4a^2-20a-21$

$=5a^2-8a-17$

## 064 답 ②

$a-1=A$라 하면

$(a-2b-1)(a+2b-1)=(A-2b)(A+2b)$

$\qquad =A^2-(2b)^2$

$\qquad =A^2-4b^2$

$\qquad =(a-1)^2-4b^2$

$\qquad =a^2-2a+1-4b^2$

## 065 답 ⑤

$x^2-x=A$라 하면

$(x^2-x+1)(x^2-x+3)-5=(A+1)(A+3)-5$

$\qquad =A^2+4A+3-5$

$\qquad =A^2+4A-2$

$\qquad =(x^2-x)^2+4(x^2-x)-2$

$\qquad =x^4-2x^3+x^2+4x^2-4x-2$

$\qquad =x^4-2x^3+5x^2-4x-2$

이므로 $x^2$의 계수는 5이고, 상수항은 $-2$야.

따라서 구하는 합은 $5+(-2)=3$

## 066 답 5

주어진 등식의 좌변을 전개하면

$x(x+1)(x^2+x+1)=(x^2+x)(x^2+x+1)$

$\qquad =A(A+1)$

$\qquad =A^2+A$

$\qquad =(x^2+x)^2+(x^2+x)$

$\qquad =x^4+2x^3+x^2+x^2+x$

$\qquad =x^4+2x^3+2x^2+x$

이므로 우변의 각 항의 계수와 비교하여 상수 $a$, $b$, $c$의 값을 구하면 $a=2$, $b=2$, $c=1$

$\therefore a+b+c=2+2+1=5$

## 067 답 6

주어진 등식의 좌변을 전개하면

$(A-2)^2=A^2-4A+4$

$\qquad =(ax+by)^2-4(ax+by)+4$

$\qquad =a^2x^2+2abxy+b^2y^2-4ax-4by+4$

$\qquad =a^2x^2+(2aby-4a)x+b^2y^2-4by+4$

우변의 각 항의 계수와 비교하여 상수 $a$, $b$의 값을 구하면

$a=2$, $b=3$ $\qquad \therefore ab=2\times3=6$

## 068 답 ②

$x(x-1)(x+3)(x+4)=\{x(x+3)\}\{(x-1)(x+4)\}$

$\qquad =(x^2+3x)(x^2+3x-4)$

$\qquad =A(A-4)$

$\qquad =A^2-4A$

$\qquad =(x^2+3x)^2-4(x^2+3x)$

$\qquad =x^4+6x^3+9x^2-4x^2-12x$

$\qquad =x^4+6x^3+5x^2-12x$

따라서 $x^2$의 계수는 5야.

## 069 답 ③

$(x-2)(x-3)(x+2)(x+3)$

$=\{(x-2)(x+2)\}\{(x-3)(x+3)\}$

$=(x^2-4)(x^2-9)$

$=x^4-13x^2+36$

이므로 $x^3$의 계수는 0, $x^2$의 계수는 $-13$이야.

따라서 구하는 합은 $-13$이야.

## 070 답 $A=x-10$, $B=x-2$, $C=x^2-8x$

$(x+2)(x-2)(x-6)(x-10)$

$=\{(x+2)\underset{A}{(x-10)}\}\times\{\underset{B}{(x-2)}(x-6)\}$

$=(\underset{C}{x^2-8x}-20)(x^2-8x+12)$

$=(C-20)(C+12)$

$=C^2-8C-240$

$=(x^2-8x)^2-8(x^2-8x)-240$

$=x^4-16x^3+64x^2-8x^2+64x-240$

$=x^4-16x^3+56x^2+64x-240$

## 071 답 ⑤

㉠×㉣ $=(x+3)(2x+5)=\underline{2x^2+11x}+15$

㉡×㉢ $=(x+4)(2x+3)=\underline{2x^2+11x}+12$

이므로 두 개씩 묶어서 전개하여 생기는 공통 부분은 $2x^2+11x$야.

따라서 공통 부분의 $x$의 계수는 11이야.

## 072 답 ④

$(2\sqrt{2}-3)(5\sqrt{2}+2)+8\sqrt{2}$

$=10(\sqrt{2})^2+(4-15)\sqrt{2}-6+8\sqrt{2}$

$=20-11\sqrt{2}-6+8\sqrt{2}=14-3\sqrt{2}$

따라서 $a=14$, $b=-3$이므로

$a-b=14-(-3)=17$

## 073 답 $55+2\sqrt{5}$

(주어진 식)

$=\{(\sqrt{5})^2-2\times\sqrt{5}\times2+2^2\}+\{1^2+2\times1\times3\sqrt{5}+(3\sqrt{5})^2\}$

$=(9-4\sqrt{5})+(46+6\sqrt{5})=55+2\sqrt{5}$

## 074 답 ⑤

$(x+3-\sqrt{6})(x+3+\sqrt{6})$
$=\{(x+3)-\sqrt{6}\}\{(x+3)+\sqrt{6}\}$
$=(x+3)^2-(\sqrt{6})^2=x^2+6x+9-6$
$=x^2+6x+3$
따라서 $x$의 계수는 6, 상수항은 3이므로 구하는 곱은
$6\times3=18$

[다른 풀이]
주어진 식의 전개식에서
$(x$의 계수$)=(3-\sqrt{6})+(3+\sqrt{6})=6$
$(상수항)=(3-\sqrt{6})(3+\sqrt{6})=3^2-(\sqrt{6})^2=9-6=3$
(이하 동일)

## 075 답 ㄴ, ㄷ

ㄱ. $(2\sqrt{5}-1)^2$
  $=(2\sqrt{5})^2-2\times2\sqrt{5}\times1+1^2$
  $=20-4\sqrt{5}+1=21-4\sqrt{5}$ ← 무리수
ㄴ. $(3-2\sqrt{3})(-2\sqrt{3}-3)$
  $=-(3-2\sqrt{3})(3+2\sqrt{3})$
  $=-\{3^2-(2\sqrt{3})^2\}$
  $=-(9-12)=3$ ← 유리수
ㄷ. $(3\sqrt{2}-2)(6\sqrt{2}+4)$
  $=36+(12-12)\sqrt{2}-8=28$ ← 유리수
ㄹ. $(\sqrt{10}-3)(\sqrt{10}+7)$
  $=10+(7-3)\sqrt{10}-21=-11+4\sqrt{10}$ ← 무리수
따라서 계산 결과가 유리수인 것은 ㄴ, ㄷ이야.

## 076 답 ①

$(\sqrt{2}-4)^2-(2\sqrt{2}+3)(2\sqrt{2}-3)$
$=2-8\sqrt{2}+16-\{(2\sqrt{2})^2-3^2\}$
$=18-8\sqrt{2}-(8-9)$
$=19-8\sqrt{2}$

## 077 답 ②

$(2\sqrt{3}+\sqrt{7})(2\sqrt{3}-\sqrt{7})(\sqrt{15}-4)(\sqrt{15}+4)$
$=\{(2\sqrt{3}+\sqrt{7})(2\sqrt{3}-\sqrt{7})\}\{(\sqrt{15}-4)(\sqrt{15}+4)\}$
$=\{(2\sqrt{3})^2-(\sqrt{7})^2\}\{(\sqrt{15})^2-4^2\}$
$=(12-7)(15-16)$
$=-5$

## 078 답 ②

$(2+3\sqrt{6})(a-4\sqrt{6})=2a+(-8+3a)\sqrt{6}-72$
  $=2a-72+(3a-8)\sqrt{6}$

유리수가 되려면
$3a-8=0$  $\therefore a=\dfrac{8}{3}$

## 079 답 ⑤

둘레의 길이가 $4\sqrt{5}+12\sqrt{7}$인 정사각형의 한 변의 길이를 $x$라 하면
둘레의 길이는 $4x$지?
$4x=4\sqrt{5}+12\sqrt{7}$  $\therefore x=\sqrt{5}+3\sqrt{7}$
$\therefore (정사각형의 넓이)=(\sqrt{5}+3\sqrt{7})^2$
  $=5+6\sqrt{35}+63$
  $=68+6\sqrt{35}$

## 080 답 $9-4\sqrt{5}$

$(4\sqrt{5}+9)^{99}(4\sqrt{5}-9)^{100}$
$=(4\sqrt{5}+9)^{99}(4\sqrt{5}-9)^{99}(4\sqrt{5}-9)$
$=\{(4\sqrt{5}+9)(4\sqrt{5}-9)\}^{99}(4\sqrt{5}-9)$
$=(80-81)^{99}(4\sqrt{5}-9)=(-1)^{99}\times(4\sqrt{5}-9)$
$=-(4\sqrt{5}-9)=9-4\sqrt{5}$

외답피해기 ──────
지수가 너무 커서 순간 당황했지? 이러한 문제를 풀 때의 핵심 열쇠는 같은 지수에 대하여 두 식을 묶는 거지. 이때, 위 문제처럼 두 지수가 다른 경우엔 큰 지수를 작은 지수에 맞춰야 해. 문제가 좀 어렵지만 비슷한 유형의 문제를 좀 더 풀어 보면 푸는 요령이 생길 거야.

## 081 답 ①

$\dfrac{2\sqrt{7}-4}{3-\sqrt{7}}=\dfrac{(2\sqrt{7}-4)(3+\sqrt{7})}{(3-\sqrt{7})(3+\sqrt{7})}$
  $=\dfrac{6\sqrt{7}+14-12-4\sqrt{7}}{9-7}=\dfrac{2+2\sqrt{7}}{2}=1+\sqrt{7}$
따라서 $a=1$, $b=1$이므로
$a+b=1+1=2$

## 082 답 ②

$\dfrac{\sqrt{6}-\sqrt{5}}{-\sqrt{6}-\sqrt{5}}=\dfrac{(\sqrt{6}-\sqrt{5})(-\sqrt{6}+\sqrt{5})}{(-\sqrt{6}-\sqrt{5})(-\sqrt{6}+\sqrt{5})}$
  $=\dfrac{-(\sqrt{6}-\sqrt{5})^2}{(-\sqrt{6})^2-(\sqrt{5})^2}=\dfrac{-(6-2\sqrt{30}+5)}{6-5}$
  $=-11+2\sqrt{30}$

## 083 답 $-18-8\sqrt{6}$

$(3\sqrt{2}+\sqrt{3})\div\dfrac{\sqrt{2}-\sqrt{3}}{2}=(3\sqrt{2}+\sqrt{3})\times\dfrac{2}{\sqrt{2}-\sqrt{3}}$
  $=(3\sqrt{2}+\sqrt{3})\times\dfrac{2(\sqrt{2}+\sqrt{3})}{(\sqrt{2}-\sqrt{3})(\sqrt{2}+\sqrt{3})}$
  $=(3\sqrt{2}+\sqrt{3})\times\dfrac{2(\sqrt{2}+\sqrt{3})}{-1}$
  $=-2(3\sqrt{2}+\sqrt{3})(\sqrt{2}+\sqrt{3})$
  $=-2(6+3\sqrt{6}+\sqrt{6}+3)=-18-8\sqrt{6}$

## 084 답 ①

(주어진 식)
$=\dfrac{\sqrt{3}(5+3\sqrt{3})}{(5-3\sqrt{3})(5+3\sqrt{3})}-\dfrac{\sqrt{3}(5-3\sqrt{3})}{(5+3\sqrt{3})(5-3\sqrt{3})}$
$=\dfrac{5\sqrt{3}+9}{25-27}-\dfrac{5\sqrt{3}-9}{25-27}=-\dfrac{5\sqrt{3}+9}{2}+\dfrac{5\sqrt{3}-9}{2}$
$=\dfrac{-5\sqrt{3}-9+5\sqrt{3}-9}{2}=-9$

## 085 답 8

$\dfrac{1-\sqrt{6}}{5+2\sqrt{6}}-\dfrac{3+\sqrt{6}}{5-2\sqrt{6}}$
$=\dfrac{(1-\sqrt{6})(5-2\sqrt{6})}{(5+2\sqrt{6})(5-2\sqrt{6})}-\dfrac{(3+\sqrt{6})(5+2\sqrt{6})}{(5-2\sqrt{6})(5+2\sqrt{6})}$
$=(17-7\sqrt{6})-(27+11\sqrt{6})=-10-18\sqrt{6}$
따라서 $A=-10$, $B=-18$이므로
$A-B=-10-(-18)=8$

## 086 답 $9-5\sqrt{2}$

(주어진 식)$=5(x^2-2x+1)-(6x^2-9x+4x-6)$
$\quad\quad\quad=5x^2-10x+5-6x^2+5x+6=-x^2-5x+11$
$x=\sqrt{2}$를 위의 식에 대입하면
$-x^2-5x+11=-(\sqrt{2})^2-5\sqrt{2}+11=9-5\sqrt{2}$

## 087 답 ①

$(x+y)^2-(x-y)^2=x^2+2xy+y^2-(x^2-2xy+y^2)$
$\quad\quad\quad\quad\quad\quad=4xy=4(4-3\sqrt{2})\times2\sqrt{6}$
$\quad\quad\quad\quad\quad\quad=32\sqrt{6}-24\sqrt{12}=-48\sqrt{3}+32\sqrt{6}$
따라서 $a=-48$, $b=32$이므로
$a+b=-48+32=-16$

## 088 답 ②

$x=4-\sqrt{7}$에서 $x-4=-\sqrt{7}$이므로 양변을 제곱하여 정리하면
$(x-4)^2=(-\sqrt{7})^2$, $x^2-8x+16=7$, $x^2-8x=-9$
$\therefore x^2-8x+10=-9+10=1$

## 089 답 ⑤

$x=\dfrac{2}{-2-\sqrt{2}}=\dfrac{2(-2+\sqrt{2})}{(-2-\sqrt{2})(-2+\sqrt{2})}=-2+\sqrt{2}$
에서 $x+2=\sqrt{2}$이므로 양변을 제곱하여 정리하면
$(x+2)^2=(\sqrt{2})^2$, $x^2+4x+4=2$, $x^2+4x=-2$
$\therefore \sqrt{x^2+4x+11}=\sqrt{-2+11}=\sqrt{9}=3$

## 090 답 ②

$\sqrt{9}<\sqrt{10}<\sqrt{16}$, 즉 $3<\sqrt{10}<4$에서 $4<\sqrt{10}+1<5$이므로
$\sqrt{10}+1$의 정수 부분은 4야.
$\therefore a=4$
또한, $\sqrt{10}+1$의 소수 부분은 $\sqrt{10}+1$에서 정수 부분을 뺀 것과 같으므로
$b=(\sqrt{10}+1)-4=\sqrt{10}-3$
$\therefore a-\dfrac{1}{b}=4-\dfrac{1}{\sqrt{10}-3}=4-(\sqrt{10}+3)=1-\sqrt{10}$

## 091 답 $12-3\sqrt{13}$

$2<\sqrt{5}<3$이므로 $\sqrt{5}$의 정수 부분은 2지?
$\therefore a=\sqrt{5}-2$
$3<\sqrt{13}<4$이므로 $\sqrt{13}$의 정수 부분은 3이야.
$\therefore b=\sqrt{13}-3$
$\therefore a^2-2\sqrt{5}a+\sqrt{13}b$
$\quad=(\sqrt{5}-2)^2-2\sqrt{5}(\sqrt{5}-2)+\sqrt{13}(\sqrt{13}-3)$
$\quad=5-4\sqrt{5}+4-10+4\sqrt{5}+13-3\sqrt{13}=12-3\sqrt{13}$

## 092 답 ④

$\sqrt{9}<2\sqrt{3}=\sqrt{12}<\sqrt{16}$에서 $3<2\sqrt{3}<4$이므로 $2\sqrt{3}$의 정수 부분은 3이야.
$\therefore x=3$
또한, $2\sqrt{3}$의 소수 부분은 $2\sqrt{3}$에서 정수 부분을 뺀 것과 같으므로
$y=2\sqrt{3}-3$
이때, $y+3=2\sqrt{3}$에서 양변을 제곱하여 정리하면
$(y+3)^2=(2\sqrt{3})^2$, $y^2+6y+9=12$, $y^2+6y=3$
$\therefore x^2+y^2+6y=3^2+3=9+3=12$

## 093 답 ④

$\dfrac{8}{4-2\sqrt{3}}=\dfrac{8(4+2\sqrt{3})}{(4-2\sqrt{3})(4+2\sqrt{3})}=\dfrac{8(4+2\sqrt{3})}{16-12}$
$\quad\quad\quad=2(4+2\sqrt{3})=8+4\sqrt{3}$
이때, $\sqrt{36}<\sqrt{48}<\sqrt{49}$에서 $6<4\sqrt{3}<7$이고
$14<8+4\sqrt{3}<15$이므로 $8+4\sqrt{3}$의 정수 부분은 $a=14$야.
또, $8+4\sqrt{3}$의 소수 부분은 $b=8+4\sqrt{3}-14=4\sqrt{3}-6$이지.
$\therefore a+\sqrt{3}b=14+\sqrt{3}(4\sqrt{3}-6)=14+12-6\sqrt{3}$
$\quad\quad\quad\quad=26-6\sqrt{3}$

## 094 답 ③

$101\times99=(100+1)(100-1)=100^2-1^2$
$\quad\quad\quad\quad=10000-1=9999$
따라서 ③ $(x+y)(x-y)=x^2-y^2$이 알맞아.

## 095 답 ①

ㄱ. $1004^2=(1000+4)^2=1000^2+2\times1000\times4+4^2$
$\quad\quad=1000000+8000+16=1008016$ ← 적당해!
ㄴ. $999^2=(1000-1)^2=1000^2-2\times1000\times1+1$
$\quad\quad=1000000-2000+1=998001$ ← 적당해!
ㄷ. $51\times54=(50+1)(50+4)=50^2+(4+1)\times50+4$
$\quad\quad=2500+250+4=2754$ ← 적당하지 않아!
ㄹ. $69\times71=(70-1)(70+1)=70^2-1^2$
$\quad\quad=4900-1=4899$ ← 적당하지 않아!
따라서 바르게 연결한 것은 ㄱ, ㄴ이야.

## 096 답 9991

$97\times103=(100-3)(100+3)=100^2-3^2$
$\quad\quad\quad\quad=10000-9=9991$

## 097 답 2940

$21^2+51\times49=(20+1)^2+(50+1)(50-1)$
$\quad\quad\quad\quad=20^2+2\times20\times1+1^2+50^2-1^2$
$\quad\quad\quad\quad=400+40+1+2500-1=2940$

## 098 답 2

$(x-1)(x+1)(x^2+1)(x^4+1)=(x^2-1)(x^2+1)(x^4+1)$
$\quad\quad\quad\quad\quad\quad\quad\quad=(x^4-1)(x^4+1)$
$\quad\quad\quad\quad\quad\quad\quad\quad=x^8-1$
$x^8-1=255$, $x^8=256=2^8$
$\therefore x=2$ ($\because x$는 자연수)

## 099 답 ④

$a^2+b^2=(a+b)^2-2ab$이므로
$a^2+b^2=5^2-2\times6=25-12=13$

**오답|피|해기**

곱셈 공식의 변형 $a^2+b^2=(a+b)^2-2ab=(a-b)^2+2ab$는 자주 이용되는 공식이야.
이것은 고등학교에서는 더욱 자주 쓰이기 때문에 잘 알아 둬야 해.
두 수의 제곱의 합은 두 수의 합과 곱만 있으면 구할 수 있다는 것을 기억하자.

## 100  답 ②

$x^2+y^2=(x+y)^2-2xy$에 $x+y=5$, $x^2+y^2=17$을 대입하면
$17=5^2-2xy$, $2xy=8$
$\therefore xy=4$

## 101  답 ④

$x^2+y^2=(x-y)^2+2xy$이므로 $x-y=8$, $xy=3$을 대입하면
$x^2+y^2=8^2+2\times3=64+6=70$

## 102  답 100

두 수를 $a$, $b\,(a>b)$라 하면 두 수의 차가 2이고, 두 수의 곱이 48
이므로
$a-b=2$, $ab=48$
따라서 두 수의 제곱의 합, 즉 $a^2+b^2$의 값을 구하면
$a^2+b^2=(a-b)^2+2ab$
$\qquad\quad=2^2+2\times48=4+96=100$

## 103  답 ④

$\dfrac{1}{a}+\dfrac{1}{b}=5$에서
$\dfrac{a+b}{ab}=5$    $\therefore a+b=5ab$
그런데 $ab=\dfrac{1}{6}$이므로
$a+b=5ab=5\times\dfrac{1}{6}=\dfrac{5}{6}$
$\therefore a^2+b^2=(a+b)^2-2ab$
$\qquad\quad=\left(\dfrac{5}{6}\right)^2-2\times\dfrac{1}{6}=\dfrac{25}{36}-\dfrac{1}{3}$
$\qquad\quad=\dfrac{25}{36}-\dfrac{12}{36}=\dfrac{13}{36}$

## 104  답 ③

$x^2+\dfrac{1}{x^2}=\left(x+\dfrac{1}{x}\right)^2-2$
$\qquad\quad=5^2-2=25-2=23$

## 105  답 ③

$x^2+\dfrac{1}{x^2}=\left(x-\dfrac{1}{x}\right)^2+2$
$\qquad\quad=6^2+2=36+2=38$

## 106  답 ⑤

$\left(a+\dfrac{1}{a}\right)^2=\left(a-\dfrac{1}{a}\right)^2+4$
$\qquad\quad=4^2+4=16+4=20$

## 107  답 ④

$x^2+\dfrac{1}{x^2}=\left(x+\dfrac{1}{x}\right)^2-2$
$\qquad\quad=3^2-2=9-2=7$

이때, $\left(x^2+\dfrac{1}{x^2}\right)^2=x^4+2\times x^2\times\dfrac{1}{x^2}+\dfrac{1}{x^4}=x^4+\dfrac{1}{x^4}+2$이므로
$x^4+\dfrac{1}{x^4}=\left(x^2+\dfrac{1}{x^2}\right)^2-2$
$\qquad\quad=7^2-2=49-2=47$

## 108  답 ②

$x^2+7x+1=0$에 $x=0$을 대입하면 $1\neq0$으로 등식이 성립하지 않
아. 즉, $x=0$이 해가 아니지?
따라서 $x^2+7x+1=0$의 양변을 $x$로 나누면
$x+7+\dfrac{1}{x}=0$에서 $x+\dfrac{1}{x}=-7$
$\therefore x+2+\dfrac{1}{x}=-7+2=-5$

## 109  답 ④

$x^2-2x-1=0$의 양변을 $x$로 나누면
$x-2-\dfrac{1}{x}=0$에서 $x-\dfrac{1}{x}=2$
$\therefore \left(x+\dfrac{1}{x}\right)^2=\left(x-\dfrac{1}{x}\right)^2+4$
$\qquad\quad=2^2+4=4+4=8$

## 110  답 ⑤

$a^2+5a-1=0$의 양변을 $a$로 나누면
$a+5-\dfrac{1}{a}=0$에서 $a-\dfrac{1}{a}=-5$
$a^2+\dfrac{1}{a^2}=\left(a-\dfrac{1}{a}\right)^2+2$
$\qquad\quad=(-5)^2+2=25+2=27$
$\therefore a^2-7+\dfrac{1}{a^2}=27-7=20$

## 111  답 3

$x^2-Ax+1=0$의 양변을 $x$로 나누면
$x-A+\dfrac{1}{x}=0$에서 $x+\dfrac{1}{x}=A$
$x^2+\dfrac{1}{x^2}=\left(x+\dfrac{1}{x}\right)^2-2$이므로
$7=A^2-2$
$\therefore A^2=9$
따라서 $A$는 9의 양의 제곱근이므로
$A=3$

## 112  답 ⑤

$x^2-10x+1=0$의 양변을 $x$로 나누면
$x-10+\dfrac{1}{x}=0$에서 $x+\dfrac{1}{x}=10$
$x^2+\dfrac{1}{x^2}=\left(x+\dfrac{1}{x}\right)^2-2$
$\qquad\quad=10^2-2=100-2=98$
$\therefore x^2+x+\dfrac{1}{x}+\dfrac{1}{x^2}=x^2+\dfrac{1}{x^2}+x+\dfrac{1}{x}$
$\qquad\quad=98+10=108$

## 113 답 ①

**1st** 이차항의 계수를 이용해서 $-2$와 $A$의 관계를 찾아.

$(-2x-1)(4x+3)$을 전개하는데 $-2$를 잘못 보고 전개하여 $4Ax^2+2x+B$가 되었다는 것은 $-2$를 $A$로 보았다는 것이므로

$$(Ax-1)(4x+3)=4Ax^2+3Ax-4x-3$$
$$=4Ax^2+(3A-4)x-3$$
$$=4Ax^2+2x+B$$

$3A-4=2$, $B=-3$

$\therefore A=2$, $B=-3$

**2nd** 곱셈 공식을 이용하여 식을 전개해.

$$\therefore (x+A)(x+B)=(x+2)(x-3)$$
$$=x^2+(2-3)x-6$$
$$=x^2-x-6$$

**오답피하기**

$-2$를 무엇으로 잘못 보았는지를 찾아내는 것이 가장 중요해. 따라서 $-2$를 잘못 보고 전개한 식 $4Ax^2+2x+B$에서 $A$가 원래 전개하려던 식 $(-2x-1)(4x+3)$의 이차항의 계수와 어떤 관계가 있는지 확인하는 것이 이 문제의 핵심이야. 그리고 이런 문제는 문장 독해 능력이 부족한 경우에 틀리게 되는 경우가 많아. 꼼꼼히 읽고 신중하게 생각하는 습관을 들이는 것이 좋겠어.

얼핏 보면 $-2$를 무슨 수로 잘못 봐서 전개했는지 감이 안 올 수도 있어. 그렇지만 전개된 식을 보고 잘 생각해보면 $x^2$의 계수가 $4A$이므로 $4x$에 어떤 수를 곱하면 $4Ax^2$이 나올지 역으로 추론해 볼 수 있어. 이 부분만 잘 한다면 나머지는 단순 계산이므로 쉽게 구할 수 있어.

## 114 답 ④

**1st** 이차항의 계수를 이용해서 $4$와 $A$의 관계를 찾아.

$(-5x+1)(4x-2)$를 전개하는데 $4$를 잘못 보고 전개하여 $-5Ax^2+12x-B$가 되었다는 것은 $4$를 $A$로 보았다는 것이므로

$$(-5x+1)(Ax-2)=-5Ax^2+10x+Ax-2$$
$$=-5Ax^2+(A+10)x-2$$
$$=-5Ax^2+12x-B$$

$A+10=12$, $-2=-B$

$\therefore A=2$, $B=2$

**2nd** 곱셈 공식을 이용하여 식을 전개해.

$$\therefore (x+A)(x+B)=(x+2)(x+2)$$
$$=(x+2)^2=x^2+4x+4$$

## 115 답 $-2$

**1st** 공통 부분을 찾아 한 문자로 치환한 후 전개해.

$2x-1=A$라 하면

$$(2x-2y-1)(2x+y-1)=(A-2y)(A+y)$$
$$=A^2-yA-2y^2$$
$$=(2x-1)^2-y(2x-1)-2y^2$$
$$=4x^2-4x+1-2xy+y-2y^2$$
$$=4x^2-2xy-2y^2-4x+y+1$$

따라서 상수항을 포함한 모든 항의 계수의 합은

$4+(-2)+(-2)+(-4)+1+1=-2$

## 116 답 18

**1st** 공통 부분을 찾아 한 문자로 치환한 후 전개해.

$a+3b=A$라 하면

$$(a+3b-2)(a+3b+5)=(A-2)(A+5)$$
$$=A^2+3A-10$$
$$=(a+3b)^2+3(a+3b)-10$$
$$=a^2+6ab+9b^2+3a+9b-10$$

따라서 상수항을 포함한 모든 항의 계수의 합은

$1+6+9+3+9+(-10)=18$

## 117 답 ③

**1st** 유리수 $a$, $b$와 무리수 $\sqrt{m}$에 대해 $a+b\sqrt{m}$이 유리수가 되려면 $b=0$이야.

$$(4+\sqrt{3})(2a-5\sqrt{3})=8a-15+(-20+2a)\sqrt{3}$$

이므로 계산 결과가 유리수가 되려면

$-20+2a=0$

$\therefore a=10$

**오답피하기**

$a$, $b$가 유리수이고 $\sqrt{m}$이 무리수일 때, $a+b\sqrt{m}$이 유리수가 되려면 무리수인 $\sqrt{m}$이 없어져야 하지? 그래서 $\sqrt{m}$의 계수인 $b=0$이 되어야 하는 거야.

## 118 답 ①

**1st** 유리수 $a$, $b$와 무리수 $\sqrt{m}$에 대해 $a+b\sqrt{m}$이 유리수가 되려면 $b=0$이야.

$$(\sqrt{6}-3a)(\sqrt{6}+1)=6-3a+(-3a+1)\sqrt{6}$$

이므로 계산 결과가 유리수가 되려면

$-3a+1=0$

$\therefore a=\dfrac{1}{3}$

## 119 답 95

**1st** 곱셈 공식을 이용해서 분모를 유리화하자.

$$x=\frac{\sqrt{3}-\sqrt{2}}{\sqrt{3}+\sqrt{2}}=\frac{(\sqrt{3}-\sqrt{2})^2}{(\sqrt{3}+\sqrt{2})(\sqrt{3}-\sqrt{2})}$$
$$=\frac{5-2\sqrt{6}}{3-2}=5-2\sqrt{6}$$
$$y=\frac{\sqrt{3}+\sqrt{2}}{\sqrt{3}-\sqrt{2}}=\frac{(\sqrt{3}+\sqrt{2})^2}{(\sqrt{3}-\sqrt{2})(\sqrt{3}+\sqrt{2})}$$
$$=\frac{5+2\sqrt{6}}{3-2}=5+2\sqrt{6}$$

**2nd** $x+y$, $xy$의 값을 구하자.

$x+y=(5-2\sqrt{6})+(5+2\sqrt{6})=10$,

$xy=(5-2\sqrt{6})(5+2\sqrt{6})=25-24=1$이므로

$(x+y)^2-5xy=10^2-5\times 1=100-5=95$

**오답피하기**

곱셈 공식을 잊지는 않았겠지? 무턱대고 $(x+y)^2-5xy$에 $x$, $y$의 값을 대입시켰다가는 계산 실수로 틀릴 수가 있어. 최대한 주어진 식을 간단히 하는 것이 어려운 계산을 피하는 방법이야. 이 문제는 $x+y$, $xy$의 값을 구해야 계산이 편하겠지?

## 120 답 $\dfrac{22}{7}$

**1st** $\dfrac{y}{x}+\dfrac{x}{y}$에서 무엇을 구해야 하는지 생각해 보자.

$$\dfrac{y}{x}+\dfrac{x}{y}=\dfrac{x^2+y^2}{xy}=\dfrac{(x+y)^2-2xy}{xy}\ \cdots\ \text{㉠}$$

위의 식의 값을 구하기 위해서는 $x+y,\ xy$의 값을 알아야 해.

**2nd** $x+y,\ xy$의 값을 구하자.

$x=3+\sqrt{2},\ y=3-\sqrt{2}$이므로

$x+y=(3+\sqrt{2})+(3-\sqrt{2})=6$

$xy=(3+\sqrt{2})(3-\sqrt{2})=9-2=7$

**3rd** 구한 값을 ㉠에 대입하자.

$$\therefore\ \dfrac{y}{x}+\dfrac{x}{y}=\dfrac{(x+y)^2-2xy}{xy}=\dfrac{6^2-2\times7}{7}=\dfrac{22}{7}$$

---

## 121 답 ㄱ, ㄷ

**1st** 근호가 있으면 제곱하여 근호를 없애자.

ㄱ. $\sqrt{x+y}=\sqrt{x}+\sqrt{y}$의 양변을 제곱하면

$(\sqrt{x+y})^2=(\sqrt{x}+\sqrt{y})^2,\ x+y=x+2\sqrt{xy}+y$

$2\sqrt{xy}=0\quad\therefore\ xy=0$

이것을 만족하는 자연수 $x,\ y$는 없지? (참)

**2nd** $k$의 정수 부분이 1이면 $1\leq k<2$야.

ㄴ. $\sqrt{x+y}$의 정수 부분이 1이면 $1\leq\sqrt{x+y}<2$이고, 각 변을 제곱하면 $1\leq x+y<4$

$x+y$가 자연수이므로 $x+y=1$ 또는 $x+y=2$ 또는 $x+y=3$

(i) $x+y=1$인 자연수 순서쌍 $(x,\ y)$는 존재하지 않지?

(ii) $x+y=2$인 경우는 $(x,\ y)=(1,\ 1)$로 1개

(iii) $x+y=3$인 경우는 $(x,\ y)=(1,\ 2),\ (2,\ 1)$로 2개

즉, 순서쌍 $(x,\ y)$의 개수는 3개야. (거짓)

**3rd** $\sqrt{27-3x}$가 자연수가 되기 위해서는 $27-3x$가 제곱인 수가 되어야지?

ㄷ. $\sqrt{27-3x}$가 자연수가 되려면 $27-3x$는 27보다 작은 제곱인 수가 되어야 해.

즉, $27-3x$는 1, 4, 9, 16, 25가 될 수 있는데 각각에 대하여 $x$의 값은 $\dfrac{26}{3},\ \dfrac{23}{3},\ 6,\ \dfrac{11}{3},\ \dfrac{2}{3}$지?

여기서 자연수 $x=6$으로 1개야. (참)

따라서 옳은 것은 ㄱ, ㄷ이야.

**오답피하기**

> 여러 가지 문제가 복합적으로 다루어지고 있는 옳은 것을 고르는 문제야. 하나하나가 쉽지는 않아. 하지만 제곱근을 없애기 위해 제곱을 해야 풀릴 수 있다는 공통점이 있지.
> 제곱근과 관련된 문제 중 그 값이 자연수 또는 정수가 되는 자연수 $x$를 구하는 문제가 자주 출제가 되고 있어. 그와 관련된 문제를 많이 풀어서 익숙해지도록 하자.

---

## 122 답 ㄱ, ㄴ

**1st** 등식을 만족하는 $x,\ y$의 값을 생각해 보자.

ㄱ. $\dfrac{1}{\sqrt{x}+\sqrt{y}}=\sqrt{x}-\sqrt{y}$의 양변에 $\sqrt{x}+\sqrt{y}$를 곱하면

$1=(\sqrt{x}-\sqrt{y})(\sqrt{x}+\sqrt{y}),\ 1=(\sqrt{x})^2-(\sqrt{y})^2$

$\therefore\ x-y=1$

즉, $x-y=1$을 만족하는 자연수 $x,\ y$는 무수히 많아. (참)

---

**2nd** $k$의 정수 부분이 2이면 $2\leq k<3$이지?

ㄴ. $\sqrt{x+y}$의 정수 부분이 2이면 $2\leq\sqrt{x+y}<3$이고, 각 변을 제곱하면 $4\leq x+y<9$

$x+y$가 자연수이므로 $x+y=4$ 또는 $x+y=5$ 또는 $x+y=6$ 또는 $x+y=7$ 또는 $x+y=8$

(i) $x+y=4$인 경우 순서쌍 $(x,\ y)$를 구하면 $(1,\ 3),\ (2,\ 2),\ (3,\ 1)$로 3개!

(ii) $x+y=5$인 경우 순서쌍 $(x,\ y)$를 구하면 $(1,\ 4),\ (2,\ 3),\ (3,\ 2),\ (4,\ 1)$로 4개!

(iii) $x+y=6$인 경우 순서쌍 $(x,\ y)$를 구하면 $(1,\ 5),\ (2,\ 4),\ (3,\ 3),\ (4,\ 2),\ (5,\ 1)$로 5개!

(iv) $x+y=7$인 경우 순서쌍 $(x,\ y)$를 구하면 $(1,\ 6),\ (2,\ 5),\ (3,\ 4),\ (4,\ 3),\ (5,\ 2),\ (6,\ 1)$로 6개!

(v) $x+y=8$인 경우 순서쌍 $(x,\ y)$를 구하면 $(1,\ 7),\ (2,\ 6),\ (3,\ 5),\ (4,\ 4),\ (5,\ 3),\ (6,\ 2),\ (7,\ 1)$로 7개!

즉, 순서쌍 $(x,\ y)$의 개수는 25개야. (참)

**3rd** $\sqrt{18-5x}$가 자연수가 되기 위해서는 $18-5x$가 제곱인 수가 되어야지?

ㄷ. $\sqrt{18-5x}$가 자연수가 되려면 $18-5x$는 18보다 작은 제곱인 수, 즉 1, 4, 9, 16이 될 수 있는데 각각에 대하여 $x$의 값은 $\dfrac{17}{5},\ \dfrac{14}{5},\ \dfrac{9}{5},\ \dfrac{2}{5}$지? 여기서 자연수 $x$는 존재하지 않아. (거짓)

따라서 옳은 것은 ㄱ, ㄴ이야.

---

## 123 답 $-1+3\sqrt{2}$

**1st** 피타고라스 정리를 이용하여 $\overline{AB},\ \overline{CD}$의 길이를 구하면 $a,\ b$의 값을 구할 수 있어.

두 정사각형에서 $\overline{AB},\ \overline{CD}$의 길이는 직각을 낀 두 변의 길이가 모두 1인 직각이등변삼각형의 빗변의 길이와 같으므로 피타고라스 정리에 의해

$\overline{AB}=\sqrt{1^2+1^2}=\sqrt{2}\quad\therefore\ \overline{AP}=\overline{AB}=\sqrt{2}$

$\overline{CD}=\sqrt{1^2+1^2}=\sqrt{2}\quad\therefore\ \overline{CQ}=\overline{CD}=\sqrt{2}$

따라서 점 P에 대응하는 수 $a$는 $a=-2+\sqrt{2}$, 점 Q에 대응하는 수 $b$는 $3-\sqrt{2}$야.

**2nd** 주어진 식에 $a,\ b$의 값을 대입하자.

$$\begin{aligned}\therefore\ a+3b+ab&=(-2+\sqrt{2})+3(3-\sqrt{2})+(-2+\sqrt{2})(3-\sqrt{2})\\&=-2+\sqrt{2}+9-3\sqrt{2}+(-6+2\sqrt{2}+3\sqrt{2}-2)\\&=7-2\sqrt{2}-8+5\sqrt{2}=-1+3\sqrt{2}\end{aligned}$$

---

## 124 답 $\dfrac{5+3\sqrt{5}}{2}$

**1st** 피타고라스 정리를 이용하여 $\overline{CB},\ \overline{CD}$의 길이를 구하면 $a,\ b$의 값을 구할 수 있어.

정사각형 ABCD에서 두 변 CB, CD의 길이는 직각을 낀 두 변의 길이가 각각 1, 2인 직각삼각형의 빗변의 길이와 같으므로 피타고라스 정리에 의해

$\overline{CB}=\overline{CD}=\sqrt{1^2+2^2}=\sqrt{5}$

$\therefore\ a=3-\sqrt{5},\ b=3+\sqrt{5}$

**2nd** 주어진 식에 $a,\ b$의 값을 대입하자.

$$\begin{aligned}\therefore\ \dfrac{b-a}{a}&=\dfrac{(3+\sqrt{5})-(3-\sqrt{5})}{3-\sqrt{5}}=\dfrac{2\sqrt{5}}{3-\sqrt{5}}\\&=\dfrac{2\sqrt{5}(3+\sqrt{5})}{(3-\sqrt{5})(3+\sqrt{5})}=\dfrac{6\sqrt{5}+10}{4}=\dfrac{5+3\sqrt{5}}{2}\end{aligned}$$

C

## 125 답 6

**1st** 분모의 유리화로 식을 정리해 보자.

$\dfrac{1}{1+\sqrt{2}}+\dfrac{1}{\sqrt{2}+\sqrt{3}}+\dfrac{1}{\sqrt{3}+\sqrt{4}}+\cdots+\dfrac{1}{\sqrt{29}+\sqrt{30}}$

$=(\sqrt{2}-1)+(\sqrt{3}-\sqrt{2})+(\sqrt{4}-\sqrt{3})+\cdots+(\sqrt{30}-\sqrt{29})$

$=\sqrt{30}-1$

**2nd** 소수 부분 $x$의 값을 구하자.

$5<\sqrt{30}<6$에서 $4<\sqrt{30}-1<5$이므로 $\sqrt{30}-1$의 정수 부분은 4야.

$\therefore x=(\sqrt{30}-1)-4=\sqrt{30}-5$

**3rd** 주어진 식을 계산하자.

$x=\sqrt{30}-5$에서 $x+5=\sqrt{30}$

양변을 제곱하면

$x^2+10x+25=30$    $\therefore x^2+10x=5$

$\therefore x^2+10x+1=5+1=6$

## 126 답 9

**1st** 분모의 유리화로 식을 정리해 보자.

$\dfrac{1}{1+\sqrt{2}}+\dfrac{1}{\sqrt{2}+\sqrt{3}}+\dfrac{1}{\sqrt{3}+\sqrt{4}}+\cdots+\dfrac{1}{\sqrt{39}+\sqrt{40}}$

$=(\sqrt{2}-1)+(\sqrt{3}-\sqrt{2})+(\sqrt{4}-\sqrt{3})+\cdots+(\sqrt{40}-\sqrt{39})$

$=\sqrt{40}-1$

**2nd** 소수 부분 $x$의 값을 구하자.

$6<\sqrt{40}<7$에서 $5<\sqrt{40}-1<6$이므로 $\sqrt{40}-1$의 정수 부분은 5야.

$\therefore x=(\sqrt{40}-1)-5=\sqrt{40}-6$

**3rd** 주어진 식을 계산하자.

$x=\sqrt{40}-6$이므로 $x+6=\sqrt{40}$

양변을 제곱하면

$x^2+12x+36=40$    $\therefore x^2+12x=4$

$\therefore x^2+12x+5=4+5=9$

## 127 답 $3\sqrt{2}$

**1st** 무리수만 남기고 나머지를 이항하자.

$x=\sqrt{2}-1$에서 $x+1=\sqrt{2}$

**2nd** 양변을 제곱하여 $x$에 대한 이차식을 구하자.

양변을 제곱하면

$(x+1)^2=(\sqrt{2})^2$, $x^2+2x+1=2$

$\therefore x^2+2x=1 \cdots \bigcirc$

**3rd** $\bigcirc$을 이용하여 주어진 식의 값을 구하자.

$\therefore x^3+2x^2+2x+3=x(x^2+2x)+2x+3$

$\qquad\qquad\qquad =x+2x+3 (\because \bigcirc)$

$\qquad\qquad\qquad =3x+3=3(\sqrt{2}-1)+3=3\sqrt{2}$

## 128 답 $2\sqrt{2}+1$

**1st** 무리수만 남기고 나머지를 이항하자.

$x=\sqrt{2}+2$에서 $x-2=\sqrt{2}$

**2nd** 양변을 제곱하여 $x$에 대한 이차식을 구하자.

양변을 제곱하면

$(x-2)^2=(\sqrt{2})^2$, $x^2-4x+4=2$

$\therefore x^2-4x=-2 \cdots \bigcirc$

**3rd** $\bigcirc$을 이용하여 주어진 식의 값을 구하자.

$\therefore x^3-4x^2+4x-3=x(x^2-4x)+4x-3$

$\qquad\qquad\qquad =-2x+4x-3 (\because \bigcirc)$

$\qquad\qquad\qquad =2x-3=2(\sqrt{2}+2)-3=2\sqrt{2}+1$

## 129 답 $12\sqrt{2}+14\sqrt{3}$

**1st** 정삼각형의 둘레의 길이를 아니까 한 변의 길이를 구할 수 있어.

정삼각형의 한 변의 길이를 $x$라 하면 둘레의 길이는 $3x$지?

$3x=6\sqrt{2}+12\sqrt{3}$

$\therefore x=2\sqrt{2}+4\sqrt{3}$

**2nd** 한 변의 길이가 $a$인 정삼각형의 넓이는 $\dfrac{\sqrt{3}}{4}a^2$이야.

따라서 정삼각형의 넓이는

$\dfrac{\sqrt{3}}{4}\times(2\sqrt{2}+4\sqrt{3})^2=\dfrac{\sqrt{3}}{4}\times(8+16\sqrt{6}+48)$

$\qquad\qquad\qquad\qquad =\dfrac{\sqrt{3}}{4}\times(56+16\sqrt{6})$

$\qquad\qquad\qquad\qquad =14\sqrt{3}+4\sqrt{18}$

$\qquad\qquad\qquad\qquad =12\sqrt{2}+14\sqrt{3}$

## 130 답 $7+2\sqrt{6}$

**1st** 정사각형의 둘레의 길이를 아니까 한 변의 길이를 구할 수 있어.

정사각형의 한 변의 길이를 $a$라 하면

$4a=8\sqrt{6}+8$    $\therefore a=2\sqrt{6}+2$

**2nd** (정사각형의 넓이)$=4\times$(직각이등변삼각형의 넓이)야.

그림과 같이 정사각형의 두 대각선이 만나서 생기는 네 개의 직각이등변삼각형 중 하나의 넓이는

정사각형의 넓이의 $\dfrac{1}{4}$이므로 구하는 넓이는

$\dfrac{1}{4}a^2=\dfrac{1}{4}\times(2\sqrt{6}+2)^2$

$\qquad =\dfrac{1}{4}\times(24+8\sqrt{6}+4)$

$\qquad =\dfrac{1}{4}\times(28+8\sqrt{6})$

$\qquad =7+2\sqrt{6}$

## 131 답 $-4$

**1st** 두 항씩 묶어서 전개했을 때 일차항의 계수가 같아야 해.

주어진 식을 전개하면

$(x+1)(x+2)(x-3)(x-4)$

$=(x+1)(x-3)\times(x+2)(x-4)$

$=(x^2-2x-3)(x^2-2x-8) \cdots \bigcirc$

**2nd** $x^2-2x-4=0$에서 $x^2-2x=4$야.

이때, $x^2-2x-4=0$에서 $x^2-2x=4$이므로

$\bigcirc$에 대입하면

$\bigcirc=(4-3)\times(4-8)=-4$

## 132 답 208

**1st** 두 항씩 묶어서 전개했을 때 일차항의 계수가 같아야 해.

주어진 식을 전개하면

$(2x-1)(2x-3)(x-2)(x-3)$

$=(2x-1)(x-3)\times(2x-3)(x-2)$

$=(2x^2-7x+3)(2x^2-7x+6) \cdots \bigcirc$

**2nd** $2x^2-7x-10=0$에서 $2x^2-7x=10$이야.

이때, $2x^2-7x-10=0$에서 $2x^2-7x=10$이므로

$\bigcirc$에 대입하면

$\bigcirc=(10+3)(10+6)=13\times16=208$

## 133 답 820

**1st** 곱셈 공식을 변형하여 이용하자.

$a^2+b^2=(a-b)^2+2ab=2^2+2\times 3=4+6=10$

$a^4+b^4=(a^2+b^2)^2-2a^2b^2=(a^2+b^2)^2-2(ab)^2$
$\qquad =10^2-2\times 3^2=100-18=82$

$\therefore (a^2+b^2)(a^4+b^4)=10\times 82=820$

## 134 답 $\dfrac{3}{7}$

**1st** 곱셈 공식을 변형하여 이용하자.

$a\neq 0$이므로 양변을 $a$로 나누면

$a-1-\dfrac{1}{a}=0 \qquad \therefore a-\dfrac{1}{a}=1$

$a^2+\dfrac{1}{a^2}=\left(a-\dfrac{1}{a}\right)^2+2=1^2+2=3$

$a^4+\dfrac{1}{a^4}=\left(a^2+\dfrac{1}{a^2}\right)^2-2=3^2-2=7$

따라서 $a^2+\dfrac{1}{a^2}=k\left(a^4+\dfrac{1}{a^4}\right)$에 대입하면

$3=7k \qquad \therefore k=\dfrac{3}{7}$

## 135 답 $\dfrac{5\sqrt{3}+9}{2}$

**1st** $[x]$의 값부터 구해 보자.

양수 $x$에 대하여 $[x]$는 $x$의 정수 부분을 의미해.
$1<\sqrt{3}<2$에서 $3<\sqrt{3}+2<4$이므로 $[x]=3$이야.

**2nd** 주어진 식의 값을 구하자.

$\therefore \dfrac{[x]}{x-[x]}+\dfrac{3x+[x]}{[x]}=\dfrac{3}{\sqrt{3}+2-3}+\dfrac{3(\sqrt{3}+2)+3}{3}$

$\qquad =\dfrac{3}{\sqrt{3}-1}+(\sqrt{3}+2)+1$

$\qquad =\dfrac{3(\sqrt{3}+1)}{(\sqrt{3}-1)(\sqrt{3}+1)}+\sqrt{3}+3$

$\qquad =\dfrac{3\sqrt{3}+3}{3-1}+\sqrt{3}+3$

$\qquad =\dfrac{3\sqrt{3}+3}{2}+\sqrt{3}+3$

$\qquad =\dfrac{3\sqrt{3}+3}{2}+\dfrac{2\sqrt{3}+6}{2}=\dfrac{5\sqrt{3}+9}{2}$

## 136 답 $6+\sqrt{5}$

**1st** $[x]$의 값부터 구해 보자.

양수 $x$에 대하여 $[x]$는 $x$의 정수 부분을 의미해.
$2<\sqrt{5}<3$에서 $3<\sqrt{5}+1<4$이므로 $[x]=3$이야.

**2nd** 주어진 식의 값을 구하자.

$\therefore \dfrac{x-[x]+1}{x}+\dfrac{x[x]}{x-2}$

$\qquad =\dfrac{(\sqrt{5}+1)-3+1}{\sqrt{5}+1}+\dfrac{3(\sqrt{5}+1)}{\sqrt{5}+1-2}$

$\qquad =\dfrac{\sqrt{5}-1}{\sqrt{5}+1}+\dfrac{3(\sqrt{5}+1)}{\sqrt{5}-1}$

$\qquad =\dfrac{(\sqrt{5}-1)^2}{(\sqrt{5}+1)(\sqrt{5}-1)}+\dfrac{3(\sqrt{5}+1)^2}{(\sqrt{5}-1)(\sqrt{5}+1)}$

$\qquad =\dfrac{1}{4}(\sqrt{5}-1)^2+\dfrac{3}{4}(\sqrt{5}+1)^2$

$\qquad =\dfrac{1}{4}(5-2\sqrt{5}+1)+\dfrac{3}{4}(5+2\sqrt{5}+1)$

$\qquad =\dfrac{3}{2}-\dfrac{1}{2}\sqrt{5}+\dfrac{9}{2}+\dfrac{3}{2}\sqrt{5}=6+\sqrt{5}$

---

# 서술형 다지기

### [137-138 채점기준표]

| | | |
|---|---|---|
| I | $x$의 분모를 유리화한다. | 30% |
| II | $y$의 분모를 유리화한다. | 30% |
| III | 주어진 식의 값을 구한다. | 40% |

## 137 답 63

**먼저,** $x$의 분모를 유리화하자.

$x=\dfrac{\sqrt{5}+\sqrt{3}}{\sqrt{5}-\sqrt{3}}=\dfrac{(\sqrt{5}+\sqrt{3})(\sqrt{5}+\sqrt{3})}{(\sqrt{5}-\sqrt{3})(\sqrt{5}+\sqrt{3})}$

$\quad =\dfrac{(\sqrt{5}+\sqrt{3})^2}{2}=\dfrac{8+2\sqrt{15}}{2}=4+\sqrt{15}$ $\quad \cdots$ I

**그다음,** $y$의 분모를 유리화하자.

$y=\dfrac{\sqrt{5}-\sqrt{3}}{\sqrt{5}+\sqrt{3}}=\dfrac{(\sqrt{5}-\sqrt{3})(\sqrt{5}-\sqrt{3})}{(\sqrt{5}+\sqrt{3})(\sqrt{5}-\sqrt{3})}$

$\quad =\dfrac{(\sqrt{5}-\sqrt{3})^2}{2}=\dfrac{8-2\sqrt{15}}{2}=4-\sqrt{15}$ $\quad \cdots$ II

**그래서,** $x^2+xy+y^2$의 값을 구하자.

이때, $x+y=(4+\sqrt{15})+(4-\sqrt{15})=8$,
$xy=(4+\sqrt{15})(4-\sqrt{15})=1$이므로
$x^2+xy+y^2=(x+y)^2-xy=8^2-1=63$ $\quad \cdots$ III

## 138 답 321

**먼저,** $x$의 분모를 유리화하자.

$x=\dfrac{\sqrt{5}+2}{\sqrt{5}-2}=\dfrac{(\sqrt{5}+2)(\sqrt{5}+2)}{(\sqrt{5}-2)(\sqrt{5}+2)}=(\sqrt{5}+2)^2=9+4\sqrt{5}$ $\quad \cdots$ I

**그다음,** $y$의 분모를 유리화하자.

$y=\dfrac{\sqrt{5}-2}{\sqrt{5}+2}=\dfrac{(\sqrt{5}-2)(\sqrt{5}-2)}{(\sqrt{5}+2)(\sqrt{5}-2)}=(\sqrt{5}-2)^2=9-4\sqrt{5}$ $\quad \cdots$ II

**그래서,** $x^2-xy+y^2$의 값을 구하자.

이때, $x+y=(9+4\sqrt{5})+(9-4\sqrt{5})=18$,
$xy=(9+4\sqrt{5})(9-4\sqrt{5})=1$이므로
$x^2-xy+y^2=(x+y)^2-3xy=18^2-3\times 1=321$ $\quad \cdots$ III

### [139-140 채점기준표]

| | | |
|---|---|---|
| I | 앞의 두 식에서의 공통 부분을 $A$로 치환하여 전개한다. | 40% |
| II | I 에서 전개한 식과 나머지 식의 공통 부분을 $B$로 치환하여 전개한다. | 40% |
| III | 치환한 식을 다시 대입하여 정리한다. | 20% |

## 139 답 $a^8-a^4+16$

**먼저,** $a^2+2=A$로 두고 주어진 식을 간단히 하자.

주어진 식에서 $a^2+2=A$라 하면
$(a^2-a+2)(a^2+a+2)=(A-a)(A+a)=A^2-a^2$
$\qquad\qquad =(a^2+2)^2-a^2=a^4+4a^2+4-a^2$
$\qquad\qquad =a^4+3a^2+4$ $\quad \cdots$ I

**그다음,** $a^4+4=B$로 두고 주어진 식을 간단히 하자.

이때, $a^4+4=B$라 하면
$(a^2-a+2)(a^2+a+2)(a^4-3a^2+4)$
$=(a^4+3a^2+4)(a^4-3a^2+4)$
$=(B+3a^2)(B-3a^2)=B^2-9a^4$ $\quad \cdots$ II

**그래서,** $B=a^4+4$를 다시 대입하여 정리하자.

$=(a^4+4)^2-9a^4=a^8+8a^4+16-9a^4$
$=a^8-a^4+16$ $\quad \cdots$ III

정답 및 해설 **45**

## 140 답 $x^8+x^4y^4+y^8$

**먼저,** $x^2+y^2=A$로 두고 주어진 식을 간단히 하자.

주어진 식에서 $x^2+y^2=A$라 하면

$$(x^2-xy+y^2)(x^2+xy+y^2)=(A-xy)(A+xy)$$
$$=A^2-x^2y^2$$
$$=(x^2+y^2)^2-x^2y^2$$
$$=x^4+2x^2y^2+y^4-x^2y^2$$
$$=x^4+x^2y^2+y^4 \qquad \cdots \ \text{I}$$

**그다음,** $x^4+y^4=B$로 두고 주어진 식을 간단히 하자.

이때, $x^4+y^4=B$라 하면

$$(x^2-xy+y^2)(x^2+xy+y^2)(x^4-x^2y^2+y^4)$$
$$=(x^4+x^2y^2+y^4)(x^4-x^2y^2+y^4)$$
$$=(B+x^2y^2)(B-x^2y^2)$$
$$=B^2-x^4y^4 \qquad \cdots \ \text{II}$$

**그래서,** $B=x^4+y^4$을 다시 대입하여 정리하자.

$$=(x^4+y^4)^2-x^4y^4$$
$$=x^8+2x^4y^4+y^8-x^4y^4$$
$$=x^8+x^4y^4+y^8 \qquad \cdots \ \text{III}$$

## 141 답 $-\dfrac{4}{3}$

$A=(-2a+3b)^2-(a-b)^2$
$\quad=4a^2-12ab+9b^2-a^2+2ab-b^2$
$\quad=3a^2-10ab+8b^2$

$B=(a+3b)(a-3b)=a^2-9b^2$

$C=(4a+3b)(-pa+qb)$
$\quad=-4pa^2+(4q-3p)ab+3qb^2 \qquad \cdots \ \text{I}$

이때, $A+B+\dfrac{35}{3}ab=C$이므로

$3a^2-10ab+8b^2+a^2-9b^2+\dfrac{35}{3}ab=-4pa^2+(4q-3p)ab+3qb^2$

$4a^2+\dfrac{5}{3}ab-b^2=-4pa^2+(4q-3p)ab+3qb^2 \qquad \cdots \ \text{II}$

따라서 $4=-4p$, $\dfrac{5}{3}=4q-3p$, $-1=3q$이므로

$p=-1$, $q=-\dfrac{1}{3}$

$\therefore p+q=-1+\left(-\dfrac{1}{3}\right)=-\dfrac{4}{3} \qquad \cdots \ \text{III}$

[채점기준표]

| | | |
|---|---|---|
| I | $A$, $B$, $C$를 간단히 한다. | 30% |
| II | 간단히 한 식을 $A+B+\dfrac{35}{3}ab=C$에 대입한다. | 30% |
| III | $p$, $q$의 값을 찾아 $p+q$의 값을 구한다. | 40% |

## 142 답 $\dfrac{4}{3}$

$(a+\sqrt{2})(3\sqrt{2}-4)=3a\sqrt{2}-4a+6-4\sqrt{2}$
$\qquad\qquad\qquad\quad=(3a-4)\sqrt{2}-4a+6 \qquad \cdots \ \text{I}$

유리수가 되려면 $3a-4=0 \qquad \cdots \ \text{II}$

$\therefore a=\dfrac{4}{3} \qquad \cdots \ \text{III}$

[채점기준표]

| | | |
|---|---|---|
| I | 주어진 식을 간단히 한다. | 40% |
| II | 간단히 한 결과가 유리수가 될 조건을 찾는다. | 30% |
| III | $a$의 값을 구한다. | 30% |

## 143 답 $-10$

$\dfrac{3+\sqrt{6}}{\sqrt{6}-3}-\dfrac{2\sqrt{2}-\sqrt{3}}{\sqrt{2}+\sqrt{3}}$

$=\dfrac{(3+\sqrt{6})(\sqrt{6}+3)}{(\sqrt{6}-3)(\sqrt{6}+3)}-\dfrac{(2\sqrt{2}-\sqrt{3})(\sqrt{2}-\sqrt{3})}{(\sqrt{2}+\sqrt{3})(\sqrt{2}-\sqrt{3})}$

$=\dfrac{(3+\sqrt{6})^2}{6-9}-\dfrac{(2\sqrt{2}-\sqrt{3})(\sqrt{2}-\sqrt{3})}{2-3} \qquad \cdots \ \text{I}$

$=\dfrac{15+6\sqrt{6}}{-3}-\dfrac{7-3\sqrt{6}}{-1}$

$=-5-2\sqrt{6}+7-3\sqrt{6}=2-5\sqrt{6} \qquad \cdots \ \text{II}$

따라서 $a=2$, $b=-5$이므로

$ab=2\times(-5)=-10 \qquad \cdots \ \text{III}$

[채점기준표]

| | | |
|---|---|---|
| I | 주어진 식의 분모를 유리화한다. | 40% |
| II | 식을 정리한다. | 30% |
| III | $ab$의 값을 구한다. | 30% |

## 144 답 33

$2\sqrt{2}+3>0$, $2\sqrt{2}-3<0$이므로

$x=\sqrt{(2\sqrt{2}+3)^2}=2\sqrt{2}+3$

$y=\sqrt{(2\sqrt{2}-3)^2}=-(2\sqrt{2}-3)=3-2\sqrt{2} \qquad \cdots \ \text{I}$

이때, $x+y=(2\sqrt{2}+3)+(3-2\sqrt{2})=6$,

$xy=(2\sqrt{2}+3)(3-2\sqrt{2})=(3+2\sqrt{2})(3-2\sqrt{2})=9-8=1$

이므로 $\qquad \cdots \ \text{II}$

$x^2-xy+y^2=(x+y)^2-3xy$
$\qquad\qquad\quad=6^2-3\times1=36-3$
$\qquad\qquad\quad=33 \qquad \cdots \ \text{III}$

[채점기준표]

| | | |
|---|---|---|
| I | $x$, $y$를 간단히 한다. | 30% |
| II | $x+y$, $xy$의 값을 각각 구한다. | 40% |
| III | $x^2-xy+y^2$의 값을 구한다. | 30% |

## 145 답 $(8-4\sqrt{2})$ cm

두 정삼각형의 넓이의 비가 $2:1$이므로 한 변의 길이의 비는

$\sqrt{2}:1$이다. $\qquad \cdots \ \text{I}$

두 정삼각형의 한 변의 길이를 각각 $\sqrt{2}a$ cm, $a$ cm(단, $a>0$)라

하면

$3(\sqrt{2}a+a)=12$, $(\sqrt{2}+1)a=4$

$\therefore a=\dfrac{4}{\sqrt{2}+1}=\dfrac{4(\sqrt{2}-1)}{(\sqrt{2}+1)(\sqrt{2}-1)}=4(\sqrt{2}-1) \qquad \cdots \ \text{II}$

따라서 큰 정삼각형의 한 변의 길이는

$\sqrt{2}a=\sqrt{2}\times4(\sqrt{2}-1)=8-4\sqrt{2}$ (cm) $\qquad \cdots \ \text{III}$

[채점기준표]

| | | |
|---|---|---|
| I | 넓이의 비를 이용해 두 정삼각형의 한 변의 길이의 비를 구한다. | 30% |
| II | 두 정삼각형의 둘레의 길이의 합이 12 cm임을 이용해 식을 세워 작은 정삼각형의 한 변의 길이를 구한다. | 40% |
| III | 큰 정삼각형의 한 변의 길이를 구한다. | 30% |

## 146 답 $9x^2+y^2+x^2y^2+9$

$3x\odot(-y)+xy\odot3=(3x+y)^2+(xy-3)^2 \qquad \cdots \ \text{I}$
$\qquad\qquad\qquad\qquad=9x^2+6xy+y^2+x^2y^2-6xy+9 \qquad \cdots \ \text{II}$
$\qquad\qquad\qquad\qquad=9x^2+y^2+x^2y^2+9 \qquad \cdots \ \text{III}$

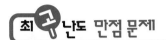

## 최고난도 만점 문제

p. 68

### 147 답 11

**1st** 좌변을 곱셈 공식을 이용하여 전개한 다음 $ab$의 값을 구하자.

$(x+a)(x+b)=x^2+(a+b)x+ab$이고

이것이 $x^2+(a+b)x+10$이므로 $ab=10$

**2nd** $a$, $b$가 정수이고 $ab=10$을 만족하는 $a$, $b$를 구하자.

그런데 $a$, $b$가 정수이므로 $ab=10$을 만족하는 $a$, $b$의 값을 표로 나타내면 다음과 같아.

| $a$ | $-1$ | $-2$ | $-5$ | $-10$ | 1 | 2 | 5 | 10 |
|---|---|---|---|---|---|---|---|---|
| $b$ | $-10$ | $-5$ | $-2$ | $-1$ | 10 | 5 | 2 | 1 |
| $a+b$ | $-11$ | $-7$ | $-7$ | $-11$ | 11 | 7 | 7 | 11 |

**3rd** 표를 보고 $a+b$의 가장 큰 값을 찾을수 있어.

따라서 $a+b$가 가질 수 있는 가장 큰 값은 11이야.

**오답피하기**

이 문제를 풀다 보면 $ab=10$이라는 조건 외에 다른 조건은 없다고 생각하기 쉬워. 하지만 문제를 잘 읽어보면 $a$, $b$가 정수라는 조건이 있어. 따라서 $a$, $b$는 $ab=10$을 만족하는 특정한 순서쌍을 이루고, 그 개수는 한정되어 있어. 이 같은 사실을 알아낸다면 $ab=10$을 만족하는 정수 $a$, $b$가 이루는 순서쌍들을 모두 찾아낸 뒤, 그 중 문제에서 요구한 답을 구해야 한다는 사실을 알 수 있어. 항상 문제를 잘 읽어보고 푸는 습관을 기르는 것이 중요해요. '$a$, $b$가 정수', 혹은 '$a$, $b$가 자연수'같은 조건들은 이유 없이 주어지는 조건이 아닐 뿐만 아니라 문제를 푸는 핵심 단서가 될 수 있으니, 이러한 부분들을 빠뜨리지 말고 확인하는 습관을 기르도록 하자!

### 148 답 ③

**1st** $x+\dfrac{1}{x}=3$임을 알 수 있어.

어떤 수를 $x$라 하면 어떤 수와 그 역수의 합이 항상 3이므로

$x+\dfrac{1}{x}=3$

**2nd** $A$의 값의 범위를 구할 수 있어.

이때, 두 수의 차 $x-\dfrac{1}{x}$ 또는 $\dfrac{1}{x}-x$의 값의 범위를 구하는 거잖아.

$\left(x-\dfrac{1}{x}\right)^2=\left(x+\dfrac{1}{x}\right)^2-4=3^2-4=5$

즉, $4<\left(x-\dfrac{1}{x}\right)^2<9$에서 $2^2<\left(x-\dfrac{1}{x}\right)^2<3^2$이고,

두 수의 차 $A$는 양수이므로 $2<A<3$

**오답피하기**

수학에서 쓰는 '두 수의 차'라는 말은 '두 수 중 큰 수에서 작은 수를 뺀 값'이라고 이해해야 해. 즉, 두 수의 차는 큰 수에서 작은 수를 뺀 값이므로 항상 양수 또는 0이야.

한편, 이 문제에서는 '어떤 수'와 '그 역수'중에 무엇이 더 큰 수인지 알 수 없잖아. 따라서 어떤 수를 $x$라 하고 '어떤 수'와 '그 역수'의 차를 $A$라 하면, $A=x-\dfrac{1}{x}$ 또는 $A=\dfrac{1}{x}-x$이고, $A>0$임을 알 수 있어.

### 149 답 20

**1st** 주어진 식을 $x$에 관한 부등식으로 변형하자.

정수 $n$에 대하여 $n-3<\sqrt{x+1}<n+3$을 만족한다고 하므로

각 변을 제곱하면

$(n-3)^2<x+1<(n+3)^2$

각 변에서 1을 빼면

$(n-3)^2-1<x<(n+3)^2-1$

**2nd** $m$, $n$이 자연수일 때, $m<t<n$을 만족하는 자연수 $t$의 개수는 $(n-m-1)$개지?

정수 $x$의 개수를 구하면

$(n+3)^2-1-\{(n-3)^2-1\}-1$

$=n^2+6n+9-1-(n^2-6n+9-1)-1$

$=12n-1$

이때, 정수 $x$의 개수가 239개이므로

$12n-1=239$, $12n=240$

$\therefore n=20$

**오답피하기**

부등식에서 개수를 구하는 문제를 어려워하는 학생들이 많은 것 같아.

$a$, $b$, $x$가 모두 정수이고 $a<b$일 때,

$a\le x\le b$를 만족하는 $x$의 개수는 $(b-a+1)$개

$a<x\le b$를 만족하는 $x$의 개수는 $(b-a)$개

$a\le x<b$를 만족하는 $x$의 개수는 $(b-a)$개

$a<x<b$를 만족하는 $x$의 개수는 $(b-a-1)$개

임을 외워 두도록 하자.

### 150 답 $\dfrac{-10+6\sqrt{2}}{7}$

**1st** $x$의 값의 범위를 알고 $[x]$의 값을 구할 수 있어.

$1<\sqrt{2}<2$이므로 각 변에 1을 더하면 $2<\sqrt{2}+1<3$

즉, $x=\sqrt{2}+1=2.\times\times\times$이므로 $[x]=2$

**2nd** 주어진 식에 $[x]$의 값을 대입하여 계산하자.

$\therefore \dfrac{[x]}{x-2[x]}\times\left(\dfrac{2x-[x]}{2x+[x]}\right)^2$

$=\dfrac{2}{\sqrt{2}+1-4}\times\left(\dfrac{2\sqrt{2}+2-2}{2\sqrt{2}+2+2}\right)^2$

$=\dfrac{2}{\sqrt{2}-3}\times\left(\dfrac{\sqrt{2}}{2+\sqrt{2}}\right)^2$

$=\dfrac{2}{\sqrt{2}-3}\times\dfrac{2}{6+4\sqrt{2}}=\dfrac{2}{\sqrt{2}-3}\times\dfrac{1}{3+2\sqrt{2}}$

$=\dfrac{2}{3\sqrt{2}+4-9-6\sqrt{2}}=\dfrac{2}{-5-3\sqrt{2}}$

$=\dfrac{2(-5+3\sqrt{2})}{(-5-3\sqrt{2})(-5+3\sqrt{2})}=\dfrac{-10+6\sqrt{2}}{7}$

C

## 151  답 $x=\dfrac{1}{8}$, $y=-\dfrac{1}{24}$

**1st** 먼저 $a$의 값과 $b$의 값을 찾아야 돼.

$\sqrt{4}<\sqrt{5}<\sqrt{9}$에서 $2<\sqrt{5}<3$이므로 $\sqrt{5}$의 정수 부분은 2지?

$\sqrt{5}$의 소수 부분은 $\sqrt{5}$에서 정수 부분 2를 빼면 되므로

$a=\sqrt{5}-2$

또한, $b=\dfrac{1}{a}$이므로

$b=\dfrac{1}{\sqrt{5}-2}=\dfrac{\sqrt{5}+2}{(\sqrt{5}-2)(\sqrt{5}+2)}=\sqrt{5}+2$

**2nd** 주어진 식에 $a$, $b$의 값을 대입해 보자.

$(a-1)x+3(b+3)y+1=0$에 $a$, $b$의 값을 대입하면

$(\sqrt{5}-3)x+3(\sqrt{5}+5)y+1=0$

$(\sqrt{5}-3)x+(3\sqrt{5}+15)y+1=0$

$(-3x+15y+1)+(x+3y)\sqrt{5}=0$

$x$, $y$가 유리수이므로 위의 등식이 성립하려면

$\begin{cases} -3x+15y+1=0\text{에서 } -3x+15y=-1 \cdots \text{㉠} \\ x+3y=0 \cdots \text{㉡} \end{cases}$

**3rd** 연립방정식을 풀어 보자.

㉠+㉡×3을 하면

$24y=-1 \qquad \therefore y=-\dfrac{1}{24}$

$y=-\dfrac{1}{24}$을 ㉡에 대입하면

$x-3\times\dfrac{1}{24}=0 \qquad \therefore x=\dfrac{1}{8}$

## 152  답 4

**1st** $\langle\ \rangle$ 안의 값을 간단한 식으로 정리하자.

$\dfrac{1}{\sqrt{5}-2}=\dfrac{\sqrt{5}+2}{(\sqrt{5}-2)(\sqrt{5}+2)}=\sqrt{5}+2$

$\dfrac{1}{\sqrt{5}+2}=\dfrac{\sqrt{5}-2}{(\sqrt{5}+2)(\sqrt{5}-2)}=\sqrt{5}-2$

**2nd** $\sqrt{5}$의 값의 범위를 구한 후, 간단히 정리한 식이 어떤 범위에 속하는지 계산해 보자.

$2.2^2=4.84$, $2.3^2=5.29$이므로

$2.2^2<5<2.3^2$

$\therefore 2.2<\sqrt{5}<2.3 \cdots \text{㉠}$

㉠의 각 변에 2를 더하면 $4.2<\sqrt{5}+2<4.3 \cdots \text{㉡}$

㉠의 각 변에서 2를 빼면 $0.2<\sqrt{5}-2<0.3 \cdots \text{㉢}$

**3rd** 이제 약속된 $\langle\ \rangle$의 값을 구해 보자.

㉡에 의해 $\sqrt{5}+2$는 정수 4에 가장 가까우므로

$\left\langle \dfrac{1}{\sqrt{5}-2} \right\rangle = \langle \sqrt{5}+2 \rangle = 4$

또, ㉢에 의해 $\sqrt{5}-2$는 정수 0에 가장 가까우므로

$\left\langle \dfrac{1}{\sqrt{5}+2} \right\rangle = \langle \sqrt{5}-2 \rangle = 0$

$\therefore \left\langle \dfrac{1}{\sqrt{5}-2} \right\rangle + \left\langle \dfrac{1}{\sqrt{5}+2} \right\rangle = 4+0 = 4$

**오답피하기**

대체적으로 $\sqrt{2}=1.414$, $\sqrt{3}=1.732$, $\sqrt{5}=2.236$을 기억하고 있으니까 이걸 이용하면 범위를 구하지 않고 답을 구할 수 있어. 물론 이것은 객관식이나 단답형에서 사용하면 시간 절약도 되고 정확한 답을 얻을 수 있어. 하지만 서술형이라면 위의 풀이처럼 풀어야 만점을 받을 수 있어. 수학은 항상 논리적으로 푸는 연습을 하는 게 중요해.

## 153  답 $-\dfrac{1}{k}$

**1st** 곱셈 공식 $(a+b)(a-b)=a^2-b^2$을 떠올려 보자.

$k\times(\sqrt{41}-\sqrt{42})^{25}=(\sqrt{41}+\sqrt{42})^{25}(\sqrt{41}-\sqrt{42})^{25}$

$\qquad =\{(\sqrt{41}+\sqrt{42})(\sqrt{41}-\sqrt{42})\}^{25}$

$\qquad =(41-42)^{25}=(-1)^{25}=-1$

**2nd** 0이 아닌 두 실수 $A$, $B$에 대하여 $AB=-1$이면 $A=-\dfrac{1}{B}$이지?

즉, $k\times(\sqrt{41}-\sqrt{42})^{25}=-1$이므로

$(\sqrt{41}-\sqrt{42})^{25}=-\dfrac{1}{k} (\because k\neq 0)$

## 154  답 4

**1st** $f(1)+f(2)+\cdots+f(49)$를 간단히 계산하자.

$f(1)+f(2)+f(3)+\cdots+f(49)$

$=\dfrac{1}{1+\sqrt{2}}+\dfrac{1}{\sqrt{2}+\sqrt{3}}+\dfrac{1}{\sqrt{3}+\sqrt{4}}+\cdots+\dfrac{1}{\sqrt{49}+\sqrt{50}}$

$=(\sqrt{2}-1)+(\sqrt{3}-\sqrt{2})+(\sqrt{4}-\sqrt{3})+\cdots+(\sqrt{50}-\sqrt{49})$

$=\sqrt{50}-1$

**2nd** (무리수)=(정수 부분)+(소수 부분)이야.

그런데 $7<\sqrt{50}<8$에서 $6<\sqrt{50}-1<7$이므로 $\sqrt{50}-1$의 정수 부분은 6이야.

$\therefore x=(\sqrt{50}-1)-6=\sqrt{50}-7$

**3rd** 무리수만 남기고 이항한 다음 제곱하여 정리하자.

$x=\sqrt{50}-7$이므로 $x+7=\sqrt{50}$

양변을 제곱하면 $(x+7)^2=50$

$x^2+14x+49=50 \qquad \therefore x^2+14x=1$

$\therefore x^2+14x+3=1+3=4$

## 155  답 $\dfrac{20}{13}$ cm

**1st** 먼저 어떤 삼각형이 합동인지 찾아보자.

$\triangle ABE$와 $\triangle CD'E$가 합동인지 살펴 보자.

직사각형 ABCD에서 대각선 AC를 접는 선으로 하였으므로

$\angle DAC=\angle D'AC$

$\overline{AD}\ /\!/\ \overline{BC}$이므로

$\angle DAC=\angle ACB (\because 엇각)$

즉, $\triangle AEC$는 $\overline{AE}=\overline{CE}$인 이등변삼각형이야.

또, $\angle ABE=\angle CD'E=90°$,

$\angle AEB=\angle CED' (\because 맞꼭지각)$이므로

$\triangle ABE$와 $\triangle CD'E$는 RHA 합동이야.

**2nd** 적절히 미지수로 둘 것을 정하고, 식을 세워 보자.

$\overline{BE}=x$ cm라 하면 $\overline{D'E}=x$ cm이고 $\overline{CE}=(6-x)$ cm

$\triangle CD'E$는 직각삼각형이므로 피타고라스 정리에 의해

$\overline{CE}^2=\overline{CD'}^2+\overline{D'E}^2$에서

$(6-x)^2=4^2+x^2$, $36-12x+x^2=16+x^2$

$12x=20 \qquad \therefore x=\dfrac{5}{3}$

$\therefore \overline{D'E}=\dfrac{5}{3}$ cm, $\overline{CE}=6-x=6-\dfrac{5}{3}=\dfrac{13}{3}$ (cm)

**3rd** 이제 $\overline{D'H}$의 길이를 구하자.

따라서 $\triangle CD'E=\dfrac{1}{2}\times\overline{CE}\times\overline{D'H}=\dfrac{1}{2}\times\overline{CD'}\times\overline{D'E}$이므로

$\dfrac{1}{2}\times\dfrac{13}{3}\times\overline{D'H}=\dfrac{1}{2}\times4\times\dfrac{5}{3} \qquad \therefore \overline{D'H}=\dfrac{20}{13}$ (cm)

# D 인수분해

**개념 체크 001~036** 정답은 p. 3~4에 있습니다.

문제편 p. 72

🔒**유형 다지기** 학교시험+학력평가

## 037 답 ③

$3x^2y-6x^2$의 공통인수가 $3x^2$이므로
$3x^2y-6x^2=3x^2(y-2)$
따라서 선택지 중 인수가 아닌 것은 ③이야.

## 038 답 ㄱ, ㄴ, ㄹ, ㅂ

$x^3-x^2$의 공통인수는 $x^2$이므로 공통인수로 묶어 보면
$x^3-x^2=x^2(x-1)$
따라서 $x^3-x^2$의 인수는 1, $x$, $x-1$, $x^2$, $x(x-1)$, $x^2(x-1)$
이므로 ㄱ, ㄴ, ㄹ, ㅂ이 $x^3-x^2$의 인수야.

## 039 답 ⑤

주어진 다항식의 공통인수는 $x-1$이므로
$(x-1)(x-2)+(x+3)(x-1)$
$=(x-1)\{(x-2)+(x+3)\}$
$=(x-1)(2x+1)$

## 040 답 ①, ④

먼저 $ab(x-y)+b(y-x)$에서 공통인수가 있는지 찾아 보자.
$x-y$와 $y-x$는 공통인수가 아니라고 생각할지 모르지만
$y-x=-(x-y)$가 되잖아?
주어진 식을 공통인수 $b(x-y)$로 묶어 인수분해하면
$ab(x-y)+b(y-x)=ab(x-y)-b(x-y)$
$=b(x-y)(a-1)$
따라서 선택지 중 인수가 아닌 것은 ①, ④야.

## 041 답 $(x-5)(a+2b+c)$

(주어진 식)$=a(x-5)+2b(x-5)+c(x-5)$
$=(x-5)(a+2b+c)$

## 042 답 ④

$9x^2+24x+16=(3x)^2+2\times3x\times4+4^2=(3x+4)^2$
따라서 $a=3$, $b=4$이므로
$a+b=3+4=7$

**오답피하기**

완전제곱식이 되는 꼴을 보자.

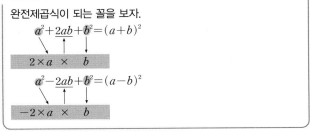

## 043 답 ⑤

$x^2+12x+36=x^2+2\times x\times6+6^2=(x+6)^2$
따라서 선택지 중 인수인 것은 ⑤야.

## 044 답 $\left(\dfrac{5}{3}a-\dfrac{9}{2}b\right)^2$

$\dfrac{25}{9}a^2-15ab+\dfrac{81}{4}b^2$
$=\left(\dfrac{5}{3}a\right)^2-2\times\dfrac{5}{3}a\times\dfrac{9}{2}b+\left(\dfrac{9}{2}b\right)^2$
$=\left(\dfrac{5}{3}a-\dfrac{9}{2}b\right)^2$

## 045 답 ㄱ, ㄷ

ㄱ. $x^2-4x+4=x^2-2\times x\times2+2^2=(x-2)^2$
ㄴ. $x^2+x=x(x+1)$
ㄷ. $25x^2+10x+1=(5x)^2+2\times5x\times1+1^2=(5x+1)^2$
ㄹ. $2x^2-12x+36=2(x^2-6x+18)$
따라서 완전제곱식이 되는 것은 ㄱ, ㄷ이야.

## 046 답 ③

주어진 선택지는 모두 완전제곱식을 이용하여 인수분해가 되지만
부호를 주의깊게 봐야 해.
① $x^2-20xy+100y^2=x^2-2\times x\times10y+(10y)^2$
$=(x-10y)^2\leftarrow$OK!
② $2x^2-16x+32=2(x^2-8x+16)$
$=2(x^2-2\times x\times4+4^2)$
$=2(x-4)^2\leftarrow$OK!
③ $25x^2+60xy+36y^2=(5x)^2+2\times5x\times6y+(6y)^2$
$=(5x+6y)^2\leftarrow$NO!
④ $x^2-2+\dfrac{1}{x^2}=x^2-2\times x\times\dfrac{1}{x}+\left(\dfrac{1}{x}\right)^2=\left(x-\dfrac{1}{x}\right)^2\leftarrow$OK!
⑤ $x^2-\dfrac{1}{2}x+\dfrac{1}{16}=x^2-2\times x\times\dfrac{1}{4}+\left(\dfrac{1}{4}\right)^2=\left(x-\dfrac{1}{4}\right)^2\leftarrow$OK!

## 047 답 ⑤

우선 주어진 식을 전개하여 정리해 보자.
$(x+4)(x-6)+k=x^2-2x-24+k$
일차항의 계수가 $-2$이므로 완전제곱식이 되려면 상수항은
$\left(\dfrac{-2}{2}\right)^2=1$이 되어야 해.
$-24+k=1$
$\therefore k=25$

## 048 답 ②

$(x-a+2)(x+5-2a)$가 완전제곱식이 되려면
$(x-a+2)(x+5-2a)=(x+□)^2$인 꼴이어야 해.
$-a+2=5-2a$
$\therefore a=3$

## 049 답 14

$4x^2+12x+a=(bx+c)^2$에서
$4x^2+12x+a=(2x)^2+2\times2x\times3+a$이므로 $a=3^2=9$
즉, $4x^2+12x+9=(2x+3)^2$이므로 $b=2$, $c=3$
$\therefore a+b+c=9+2+3=14$

## 050 답 ④

$4x^2+(3k-3)xy+9y^2=(2x)^2+(3k-3)xy+(3y)^2$이 완전제곱식이 되려면 $xy$의 계수는 $2\times2\times3=12$ 또는 $-2\times2\times3=-12$이어야 해.

(ⅰ) $3k-3=12$에서 $3k=15$
$\therefore k=5$

(ⅱ) $3k-3=-12$에서 $3k=-9$
$\therefore k=-3$

따라서 모든 $k$의 값의 합은 $5+(-3)=2$

> **오답피하기**
> 완전제곱식에서는 부호에 주의해야 해!
> $a^2 \oplus 2ab+b^2=(a \oplus b)^2$  $a^2 \ominus 2ab+b^2=(a \ominus b)^2$

## 051 답 30

$ax^2+24x+4=(bx+2)^2$에서 우변을 전개하여 계수를 비교하자.
$ax^2+24x+4=(bx+2)^2=b^2x^2+4bx+4$
일차항의 계수에서 $24=4b$
$\therefore b=6$
이차항의 계수에 $b$의 값을 대입하면
$a=b^2=6^2=36$
$\therefore a-b=36-6=30$

## 052 답 ④

$x^2-6x+9=(x-3)^2$, $x^2-4x+4=(x-2)^2$이지?
따라서 주어진 식은
$\sqrt{x^2-6x+9}-\sqrt{x^2-4x+4}=\sqrt{(x-3)^2}-\sqrt{(x-2)^2}$
이때, $2<x<3$이면 $x-3<0$, $x-2>0$이므로
$\sqrt{(x-3)^2}-\sqrt{(x-2)^2}=-(x-3)-(x-2)$
$=-x+3-x+2=-2x+5$

> **오답피하기**
> 그럼 $x<2$인 경우와 $x>3$인 경우, 각각 식이 어떻게 변하는지 알아볼까?
> (ⅰ) $x<2$일 때 $x-3<0$, $x-2<0$이므로
> $\sqrt{(x-3)^2}-\sqrt{(x-2)^2}=-(x-3)+(x-2)$
> $=-x+3+x-2=1$
> (ⅱ) $x>3$일 때 $x-3>0$, $x-2>0$이므로
> $\sqrt{(x-3)^2}-\sqrt{(x-2)^2}=(x-3)-(x-2)$
> $=x-3-x+2=-1$

## 053 답 ②

$x^2-10x+25=(x-5)^2$이지?
$0<x<5$이면 $x-5<0$이므로
$\sqrt{x^2}+\sqrt{x^2-10x+25}=\sqrt{x^2}+\sqrt{(x-5)^2}$
$=x-(x-5)$
$=x-x+5=5$

## 054 답 ②

$x^2-2xy+y^2=(x-y)^2$, $x^2+2xy+y^2=(x+y)^2$이지?
$y<x<0$이므로 $x-y>0$, $x+y<0$이야.
$\therefore \sqrt{x^2-2xy+y^2}+\sqrt{x^2+2xy+y^2}=\sqrt{(x-y)^2}+\sqrt{(x+y)^2}$
$=x-y-(x+y)$
$=x-y-x-y=-2y$

## 055 답 $2x$

$x^2+\dfrac{1}{3}x+\dfrac{1}{36}=\left(x+\dfrac{1}{6}\right)^2$, $x^2-\dfrac{1}{3}x+\dfrac{1}{36}=\left(x-\dfrac{1}{6}\right)^2$이지?

$0<6x<1$에서 $0<x<\dfrac{1}{6}$이므로 $x+\dfrac{1}{6}>0$, $x-\dfrac{1}{6}<0$

$\therefore \sqrt{x^2+\dfrac{1}{3}x+\dfrac{1}{36}}-\sqrt{x^2-\dfrac{1}{3}x+\dfrac{1}{36}}$

$=\sqrt{\left(x+\dfrac{1}{6}\right)^2}-\sqrt{\left(x-\dfrac{1}{6}\right)^2}$

$=x+\dfrac{1}{6}+\left(x-\dfrac{1}{6}\right)$

$=x+\dfrac{1}{6}+x-\dfrac{1}{6}=2x$

## 056 답 5

$\sqrt{x}=a-1$에서 양변을 제곱하면 $x=(a-1)^2$
이를 주어진 식에 대입하자.
$\sqrt{x+6a+3}+\sqrt{x-4a+8}$
$=\sqrt{(a-1)^2+6a+3}+\sqrt{(a-1)^2-4a+8}$
$=\sqrt{a^2-2a+1+6a+3}+\sqrt{a^2-2a+1-4a+8}$
$=\sqrt{a^2+4a+4}+\sqrt{a^2-6a+9}=\sqrt{(a+2)^2}+\sqrt{(a-3)^2}$
여기서 $1<a<3$이므로 $a+2>0$, $a-3<0$
$\therefore \sqrt{(a+2)^2}+\sqrt{(a-3)^2}=a+2-(a-3)$
$=a+2-a+3=5$

## 057 답 ⑤

$4x^2-81=(2x)^2-9^2=(2x+9)(2x-9)$
$=(ax+b)(ax-b)$
따라서 $a=2$, $b=9$ ($\because a$, $b$는 자연수)이므로
$a+b=2+9=11$

> **오답피하기**
> 여기서는 $a$, $b$가 자연수라는 조건이 중요해.
> 그 조건이 없다면 $a=-2$, $b=-9$일 수도 있거든.
> 즉, $(-2x-9)(-2x+9)$도 가능하다는 거야.

## 058 답 ③

$3x^2-12y^2$에서 공통인수가 3이니 우선 묶어 보자.
$3x^2-12y^2=3(x^2-4y^2)$
$=3\{x^2-(2y)^2\}$
$=3(x+2y)(x-2y)$

## 059 답 $\left(\dfrac{1}{3}a+\dfrac{1}{2}b\right)\left(\dfrac{1}{3}a-\dfrac{1}{2}b\right)$

$\dfrac{1}{9}a^2-\dfrac{1}{4}b^2=\left(\dfrac{1}{3}a\right)^2-\left(\dfrac{1}{2}b\right)^2$

$=\left(\dfrac{1}{3}a+\dfrac{1}{2}b\right)\left(\dfrac{1}{3}a-\dfrac{1}{2}b\right)$

## 060 답 ④

공통인수 $a$로 묶자.
$ax^2-4a=a(x^2-4)=a(x^2-2^2)=a(x+2)(x-2)$
인수는 1, $a$, $x+2$, $x-2$, $a(x+2)$, $a(x-2)$, $(x+2)(x-2)$, $a(x+2)(x-2)$이지?
따라서 인수가 아닌 것은 ④ $x-4$야.

## 061 답 ③

$(2x+1)^2-(x-2)^2=\{(2x+1)+(x-2)\}\{(2x+1)-(x-2)\}$
$=(2x+1+x-2)(2x+1-x+2)$
$=(3x-1)(x+3)$
$=(3x+a)(x+b)$

따라서 $a=-1$, $b=3$이므로
$a+2b=-1+2\times3=5$

## 062 답 ④

$x^2-y^2=(x+y)(x-y)=36$에 조건 $x+y=18$을 대입하면
$x-y=2$
$x+y=18$, $x-y=2$를 연립하여 풀면
$x=10$, $y=8$

## 063 답 ⑤

$x^8$이 나온다고 당황하지 말고, $x^8=(x^4)^2$을 생각하면 간단해.
$x^8-1=(x^4)^2-1^2=(x^4+1)(x^4-1)$
$=(x^4+1)\{(x^2)^2-1^2\}$
$=(x^4+1)(x^2+1)(x^2-1)$
$=(x^4+1)(x^2+1)(x+1)(x-1)$
따라서 선택지 중 $x^8-1$의 인수가 아닌 것은 ⑤ $x^6-1$이야.

### 오답피하기

이런 유형의 문제가 나왔을 때 지수의 숫자가 크다고 해서 겁먹을 필요는 전혀 없어. $x$의 지수가 2의 배수라면 얼마든지 $a^2-b^2$의 인수분해 공식을 쓸 수 있으니까. 지수가 더 이상 2로 나누어지지 않을 때까지 공식을 사용해서 인수분해를 하면 되는 거야.

## 064 답 24

$256=16^2$이지?
$a^4-256b^4=(a^2)^2-(16b^2)^2=(a^2+16b^2)(a^2-16b^2)$
$=(a^2+16b^2)\{a^2-(4b)^2\}$
$=(a^2+16b^2)(a+4b)(a-4b)$
따라서 ☐ 안에 들어갈 세 자연수는 순서대로 16, 4, 4이므로 그 합은 24야.

## 065 답 ⑤

적절히 항을 묶어 공통인수를 찾아보자.
$x^2(y^2-1)-y^2+1$
$=x^2(y^2-1)-(y^2-1)=(y^2-1)(x^2-1)$
$=(y+1)(y-1)(x+1)(x-1)$
따라서 선택지 중 인수가 아닌 것은 ⑤ $x-y$지!

## 066 답 $(a+b-2)(a-b)$

새로운 연산 기호 **은 앞의 수에서 뒤의 수를 뺀 후 제곱하라는 거야. 간단하지? 해보자.
$a*1=(a-1)^2$, $b*1=(b-1)^2$이므로
$(a*1)-(b*1)=(a-1)^2-(b-1)^2$
$=\{(a-1)+(b-1)\}\{(a-1)-(b-1)\}$
$=(a-1+b-1)(a-1-b+1)$
$=(a+b-2)(a-b)$

## 067 답 ④

$(x+3)(x+2)-2=x^2+5x+6-2=x^2+5x+4$
$=(x+1)(x+4)$
$=(x+a)(x+b)$
이때, $a>b$이므로 $a=4$, $b=1$이야.
$\therefore a^2b=16\times1=16$

## 068 답 ③

두 수의 곱이 상수항이고 두 수의 합이 일차항의 계수가 되는 수를 찾아보자.
곱이 $-21$이 되는 수는 $-3$, 7 또는 3, $-7$이잖아. 이 중 합이 $-4$가 되는 두 수는 3, $-7$이야.
$\therefore x^2-4x-21=(x+3)(x-7)$
따라서 구하는 두 일차식의 합은
$(x+3)+(x-7)=2x-4$

## 069 답 ③

① $x^2-x-2=(\underline{x+1})(x-2)$
② $x^2-2x-3=(\underline{x+1})(x-3)$
③ $x^2-4=(x+2)(x-2)$
④ $x^2+4x+3=(\underline{x+1})(x+3)$
⑤ $x^2+2x+1=(\underline{x+1})^2$

## 070 답 ②

$x^2+Ax-8=(x+B)(x+4)$
$=x^2+(4+B)x+4B$
에서 계수끼리 비교하면
$\begin{cases} A=4+B & \cdots ㉠ \\ -8=4B & \cdots ㉡ \end{cases}$
㉡에서 $B=-2$이고 이것을 ㉠에 대입하면 $A=2$
$\therefore B-A=-2-2=-4$

### 오답피하기

우변의 식에서 상수항은 $4B$이겠지? 각 인수들에서 상수항들끼리만 곱해져야 상수항에 대한 식이 나올테니까! 그렇다면 $-8=4B$이니까 $B=-2$를 바로 얻어낼 수 있을 거야.
그러면 $x^2+Ax-8=(x-2)(x+4)$에서 $A$의 값 정도는 쉽게 구할 수 있겠지?

## 071 답 ②

곱이 $-14$인 두 정수는 $-14$, 1 또는 $-7$, 2 또는 $-2$, 7 또는 $-1$, 14이므로 $A$의 값이 될 수 있는 것은 $-13$, $-5$, 5, 13이야.

## 072 답 ③

$(x-2)(5x-1)+4=5x^2-11x+6$
$=(5x-6)(x-1)$

$5x \diagdown -6 \rightarrow -6x$
$x \diagup -1 \rightarrow \underline{-5x(+}$
$\qquad\qquad\qquad -11x$

따라서 두 일차식의 합은 $(5x-6)+(x-1)=6x-7$

## 073 답 ⑤

$2x^2-3x-9=(2x+3)(x-3)$
$=(ax+b)(cx+d)$

$2x \diagdown 3 \rightarrow 3x$
$x \diagup -3 \rightarrow \underline{-6x(+}$
$\qquad\qquad\qquad -3x$

$a>0$, $c>0$인 조건을 이용하면
$a+b+c+d=2+3+1+(-3)=3$

여기서는 $a$, $b$, $c$, $d$의 값들을 정확히는 알지 못해도 합을 구할 수 있어. 그렇지만 $a>0$, $c>0$인 것은 꼭 염두해 두어야 해. 음수인 경우는 값이 달라지니까.
$2x^2-3x-9=(-2x-3)(-x+3)$
이렇게도 인수분해가 가능하거든!

## 074 답 ②

$4x^2-22x+24=2(2x^2-11x+12)$
$=2(2x-3)(x-4)$이므로
인수는 1, 2, $2x-3$, $x-4$, $2(2x-3)$, $2(x-4)$,
$(2x-3)(x-4)$, $2(2x-3)(x-4)$야.
따라서 선택지 중 인수가 아닌 것은 ②야.

## 075 답 0

$5x^2-8xy-4y^2=(5x+2y)(x-2y)$
$=(5x+my)(x+ny)$
따라서 $m=2$, $n=-2$이므로
$m+n=2+(-2)=0$

## 076 답 ②

$2x^2+ax+b=(2x-1)(x-2)$이니까 우변을 전개하고 계수를 비교하여 $a$, $b$의 값을 구하면 돼.
$(2x-1)(x-2)=2x^2-5x+2$
이것이 $2x^2+ax+b$와 같으니까 $a=-5$, $b=2$
$\therefore a+b=-5+2=-3$

## 077 답 ④

① $2x^2-7x+3=(2x-1)(\underline{x-3})$
② $2x^2-x-15=(2x+5)(\underline{x-3})$
③ $4x^2-11x-3=(4x+1)(\underline{x-3})$
④ $3x^2+8x-3=(x+3)(3x-1)$
⑤ $2x^2-13x+21=(2x-7)(\underline{x-3})$
따라서 $x-3$을 인수로 갖지 않는 것은 ④야.

$x-3$을 인수로 갖는 지에 대해서는 인수분해를 하지 않아도 알 수 있는 방법이 있어. $x=3$을 대입하여 그 다항식이 0이 나오면 $x-3$을 인수로 갖게 돼!
예를 들어, ② $2x^2-x-15$에 $x=3$을 대입하면 $18-3-15=0$이 되지? 그러면 $2x^2-x-15$는 $x-3$을 인수를 가져.
그러나 ④ $3x^2+8x-3$에 $x=3$을 대입하면 $27+24-3=48\neq0$이므로 $x-3$을 인수로 갖지 않아!
이 방법은 고등학교 때 '인수정리'라는 개념으로 공부할 거야. 미리 알고 있으면 도움이 되겠지?

## 078 답 $\frac{1}{4}(x+2)(3x-4)$

계수가 분수가 나올 경우 $\frac{1}{4}$로 묶어 계수를 정수로 만들자.
$\frac{3}{4}x^2+\frac{1}{2}x-2=\frac{1}{4}(3x^2+2x-8)$
$=\frac{1}{4}(x+2)(3x-4)$

## 079 답 ①

$7x^2-(3a-1)x-12=(x+b)(7x+6)$
$=7x^2+(6+7b)x+6b$
이므로 $-(3a-1)=6+7b$, $-12=6b$
$-12=6b$  $\therefore b=-2$
$-3a+1=6+7\times(-2)$, $-3a+1=-8$
$-3a=-9$  $\therefore a=3$
$\therefore ab=3\times(-2)=-6$

## 080 답 ①

$(x-2)(x+9)+(x-4)^2+4x-18$
$=x^2+7x-18+x^2-8x+16+4x-18$
$=2x^2+3x-20$
$=(x+4)(2x-5)$

## 081 답 ③

이 문제는 문자 $x$ 말고 또 다른 문자 $a$가 있어서 좀 어렵지만 문자 $a$를 숫자처럼 생각하고, $a^2-1=(a+1)(a-1)$로 놓고 풀어 보자.
$2x^2+(3a+1)x+a^2-1$
$=2x^2+(3a+1)x+(a+1)(a-1)$
$=(2x+a-1)(x+a+1)$

## 082 답 ②, ④

주어진 식을 모두 인수분해해야겠지?
① $x^2+18x+81=x^2+2\times x\times9+9^2=(x+9)^2$ ← OK!
② $\frac{1}{2}x^2-\frac{2}{9}y^2=\frac{1}{2}\left(x^2-\frac{4}{9}y^2\right)=\frac{1}{2}\left(x+\frac{2}{3}y\right)\left(x-\frac{2}{3}y\right)$ ← NO!
③ $x^2+5x-14=(x+7)(x-2)$ ← OK!
④ $6x^2-11x-2=(6x+1)(x-2)$ ← NO!
⑤ $9x^3-15x^2y+6xy^2=3x(3x^2-5xy+2y^2)$
$=3x(x-y)(3x-2y)$ ← OK!
따라서 옳지 않은 것은 ②, ④야.

## 083 답 ⑤

① $4x^2+\boxed{4}x+1=(2x+1)^2$
② $x^2+x-20=(x+5)(x-\boxed{4})$
③ $9x^2-16=(3x+\boxed{4})(3x-4)$
④ $10x^2+13x+\boxed{4}=(2x+1)(5x+4)$
⑤ $12x^2-x-6=(\boxed{3}x+2)(4x-3)$
따라서 ①, ②, ③, ④ 4이고 ⑤ 3이므로 나머지 넷과 다른 하나는 ⑤야.

## 084 답 11

$x^2-6x+9=(x-3)^2$  $\therefore a=3$
$x^2-4=(x+2)(x-2)$  $\therefore b=2$
$x^2+2x-15=(x-3)(x+5)$  $\therefore c=5$
$2x^2+x-3=(x-1)(2x+3)$  $\therefore d=1$
$\therefore a+b+c+d=3+2+5+1=11$

## 085 답 ⑤

$2x^2-5x+3=(x-1)(2x-3)$
$4x^2+4x-15=(2x-3)(2x+5)$
이므로 두 다항식의 공통인 인수는 $2x-3$이야.

## 086 답 ①

$-2a^2b+18b=-2b(a^2-9)=-2b(a+3)(a-3)$

$3a^2-7a-6=(3a+2)(a-3)$

이므로 두 다항식의 공통인 인수는 $a-3$이야.

## 087 답 ③

ㄱ. $x^3-x=x(x^2-1)=x(\underline{x+1})(x-1)$

ㄴ. $x^2-2x+1=(x-1)^2$

ㄷ. $x^2+3x-4=(x+4)(x-1)$

ㄹ. $-5x^2-5x=-5x(\underline{x+1})$

ㅁ. $4x^2+7x-2=(x+2)(4x-1)$

ㅂ. $-3x^2+2x+5=-(3x^2-2x-5)=-(\underline{x+1})(3x-5)$

따라서 $x+1$을 인수로 갖는 것은 ㄱ, ㄹ, ㅂ이야.

## 088 답 $x-2$

$x^3y-x^2y-2xy=xy(x^2-x-2)$

$=xy(x+1)(\underline{x-2})$

$(x+3)^2-6(x+4)+11=x^2+6x+9-6x-24+11$

$=x^2-4$

$=(x+2)(\underline{x-2})$

$(2x-1)x^2-4(2x-1)x+8x-4$

$=(2x-1)x^2-4(2x-1)x+4(2x-1)$

$=(2x-1)(x^2-4x+4)=(2x-1)(\underline{x-2})^2$

따라서 세 다항식의 1이 아닌 공통인 인수는 $x-2$야.

## 089 답 ①

$10x^2+mx-6$이 $5x+2$를 인수로 가지고, 이차항의 계수가 10이므로 $10x^2+mx-6=(5x+2)(2x+p)$로 놓고 우변을 전개하자.

$(5x+2)(2x+p)=10x^2+(5p+4)x+2p$

이것의 우변이 $10x^2+mx-6$과 같아야 하므로

$2p=-6 \quad \therefore p=-3$

$\therefore m=5p+4=5\times(-3)+4=-11$

## 090 답 $-1$

이차식 $x^2-ax-30$이 $x+6$으로 나누어떨어진다는 것은 $x^2-ax-30$이 $x+6$을 인수로 갖는다는 의미와 같아. 즉,

$x^2-ax-30=(x+6)(x+A)$

$=x^2+(6+A)x+6A$

$6A=-30 \quad \therefore A=-5$

따라서 $6+A=-a$이므로

$-a=6+(-5)$

$\therefore a=-1$

## 091 답 ③

세 이차식의 공통인 인수는 $2x^2-8$과 $x^2-x-2$의 공통인 인수와 같지?

$2x^2-8=2(x^2-4)=2(x+2)(x-2)$

$x^2-x-2=(x+1)(x-2)$

즉, 두 이차식의 공통인 인수가 $x-2$이므로 세 이차식의 공통인 인수도 $x-2$야.

$\therefore a=-2$

$3x^2+bx-4$가 $x-2$를 인수로 가지므로

$3x^2+bx-4=(x-2)(3x+A)$로 놓으면

$3x^2+bx-4=3x^2+(A-6)x-2A$

$-2A=-4 \quad \therefore A=2$

$A-6=b \quad \therefore b=2-6=-4$

$\therefore a+b=-2+(-4)=-6$



## 092 답 ④

$x^2+11x+k=(x+a)(x+b)=x^2+(a+b)x+ab$이므로

$a+b=11,\ ab=k$

즉, 두 자연수 $a$, $b$에 대하여 합이 11이고 곱이 $k$가 되어야 하므로

| $a$ | 1 | 2 | 3 | 4 | 5 | 6 | 7 | 8 | 9 | 10 |
|---|---|---|---|---|---|---|---|---|---|---|
| $b$ | 10 | 9 | 8 | 7 | 6 | 5 | 4 | 3 | 2 | 1 |
| $k$ | 10 | 18 | 24 | 28 | 30 | 30 | 28 | 24 | 18 | 10 |

따라서 $k$의 최댓값은 30이야.

## 093 답 $(x-2)(x-3)$

미현이는 일차항의 계수를 잘못 보고 $(x+2)(x+3)$으로 인수분해하였으므로 $(x+2)(x+3)=x^2+5x+6$에서 상수항은 제대로 보았으니 상수항은 6이야.

또, 종국이는 상수항을 잘못 보고 $(x-1)(x-4)$로 인수분해하였으므로 $(x-1)(x-4)=x^2-5x+4$에서 일차항의 계수는 제대로 보았으니 일차항의 계수는 $-5$야.

따라서 제대로 본 이차식은 $x^2$의 계수가 1이므로 $x^2-5x+6$이지?

$\therefore x^2-5x+6=(x-2)(x-3)$

## 094 답 ②

일차항의 부호를 반대로 본 이차식은 $(x+3)(x-2)=x^2+x-6$이므로 올바른 이차식은 $x^2-x-6$이야.

따라서 인수분해하면 $x^2-x-6=(x+2)(x-3)$

## 095 답 16

일차항의 계수를 잘못 본 것은 $(x-2)(x+14)=x^2+12x-28$이므로 바르게 본 상수항은 $-28$이야.

또, 상수항을 잘못 본 것은 $(x-3)(x-9)=x^2-12x+27$이므로 바르게 본 일차항의 계수는 $-12$야.

따라서 올바른 이차식은 $x^2-12x-28$이고 이것이 $x^2+ax+b$와 같아야 하므로

$a=-12,\ b=-28$

$\therefore a-b=-12-(-28)=16$

## 096 답 0

태연이는 이차항의 계수만 정확히 보고 인수분해하였으므로 $(2x-1)(x+2)=2x^2+3x-2$에서 이차항의 계수는 2,

수영이는 일차항의 계수만 정확히 보고 인수분해하였으므로 $(3x-2)(x-1)=3x^2-5x+2$에서 일차항의 계수는 $-5$,

유나는 상수항만 정확히 보고 인수분해하였으므로 $(x-1)(x+3)=x^2+2x-3$에서 상수항은 $-3$

즉, 바르게 본 이차식은 $2x^2-5x-3$이고 이를 인수분해하면

$2x^2-5x-3=(x-3)(2x+1)=(x+p)(qx+r)$

따라서 $p=-3,\ q=2,\ r=1$이므로

$p+q+r=-3+2+1=0$

## 097 답 ③

각 건물의 넓이를 구하자.

본관 : $x^2$, 휴게실 : $x$, 기숙사 : $2x$, 식당 : $3x$, 화단 : $4+4=8$

따라서 건물의 넓이의 합은 $x^2+x+2x+3x+8=x^2+6x+8$이고 이를 인수분해하면 $x^2+6x+8=(x+4)(x+2)$이므로 그림의 건물들의 넓이의 합과 같은 넓이를 가지는 직사각형의 가로의 길이와 세로의 길이의 합은 $(x+4)+(x+2)=2x+6$이야.

## 098 답 $4a+12$

정사각형 ABCD의 넓이는 $a^2+3a+3a+9=a^2+6a+9$

$\therefore a^2+6a+9=(a+3)^2$

따라서 정사각형 ABCD의 한 변의 길이가 $a+3$이므로 둘레의 길이는 $4(a+3)=4a+12$야.

## 099 답 $(x+1)(x+3)$

$A=x^2+x+x+x+x+1+1+1=x^2+4x+3$

따라서 다항식 $A$를 인수분해하면

$x^2+4x+3=(x+1)(x+3)$이야.

## 100 답 ⑤

주어진 직사각형의 넓이의 합은

$x^2+x^2+x+x+x+x+x+1+1+1=2x^2+5x+3$

위 식을 인수분해하면 $2x^2+5x+3=(2x+3)(x+1)$

따라서 큰 직사각형의 둘레의 길이는

$2\{(2x+3)+(x+1)\}=2(3x+4)=6x+8$

## 101 답 $3a+2b$

$6a^2+19ab+10b^2$을 인수분해하면 나머지 세로의 길이를 알 수 있어.

$6a^2+19ab+10b^2=(2a+5b)(3a+2b)$

따라서 구하는 세로의 길이는 $3a+2b$야.

## 102 답 $(4x-5)$ m

$12x^2-7x-10=(3x+2)(4x-5)$

따라서 구하는 가로의 길이는 $(4x-5)$ m가 돼.

## 103 답 ⑤

직사각형의 넓이는 가로의 길이와 세로의 길이의 곱으로 구해지지?

$5x^2-13x+8=(5x-8)(x-1)$

즉, 가로의 길이가 $x-1$이므로 세로의 길이는 $5x-8$이야.

따라서 가로의 길이와 세로의 길이의 합은

$(x-1)+(5x-8)=6x-9$

## 104 답 $2a-1$

$\frac{1}{2}\times\{(a+1)+(a+5)\}\times(높이)=2a^2+5a-3$에서

$2a^2+5a-3=(a+3)(2a-1)$이므로

$(a+3)\times(높이)=(a+3)(2a-1)$

$\therefore (높이)=2a-1$

[다른 풀이]

사다리꼴의 넓이는 $\frac{1}{2}\times\{(윗변의 길이)+(아랫변의 길이)\}\times(높이)$

이므로 $2a^2+5a-3=\frac{1}{2}\times\{(a+1)+(a+5)\}\times(높이)$

좌변과 우변의 $a^2$의 계수가 같아야 하므로 높이를 $2a+A$로 두자.

$2a^2+5a-3=\frac{1}{2}\times(2a+6)(2a+A)$

$2(2a^2+5a-3)=(2a+6)(2a+A)$

$4a^2+10a-6=4a^2+(2A+12)a+6A$에서

$-6=6A$   $\therefore A=-1$

따라서 높이는 $2a+A=2a-1$이야.

## 105 답 24 cm

두 색종이의 넓이의 차는 $(a^2-b^2)$ cm²이므로

$a^2-b^2=(a+b)(a-b)=150$

둘레의 길이의 합이 100 cm이므로

$4(a+b)=100$

$a+b=25$

$25(a-b)=150$

$\therefore a-b=6$

따라서 두 색종이의 둘레의 길이의 차는

$4a-4b=4(a-b)$

$\qquad\quad =4\times6=24\text{(cm)}$

## 106 답 $x(x+10)\pi$

$x$만큼 늘인 원의 반지름의 길이는 $5+x$이니까 색칠한 부분의 넓이는 큰 원의 넓이에서 작은 원의 넓이를 빼면 되므로

$(5+x)^2\pi-5^2\pi$

$=(25+10x+x^2-25)\pi$

$=(x^2+10x)\pi=x(x+10)\pi$

## 107 답 ①

한 변의 길이가 $x$ m인 정사각형에서 가로의 길이를 $a$ m만큼 늘이고 세로의 길이를 $b$ m만큼 줄인 직사각형의 넓이는

$(x+a)(x-b)=x^2+\underset{\text{늘어난 넓이}}{\underline{3x-10}}=(x+5)(x-2)$

문제의 조건에서 $a$, $b$는 자연수이므로

$a=5$, $b=2$

$\therefore a+b=5+2=7$

## 108 답 ⑤

색칠한 부분의 넓이는 한 변의 길이가 $x$인 정사각형의 넓이에서 한 변의 길이가 $x-2y$인 작은 정사각형의 넓이를 뺀 것과 같아.

$x^2-(x-2y)^2=x^2-(x^2-4xy+4y^2)$

$\qquad\qquad\qquad =4xy-4y^2$

$\qquad\qquad\qquad =4y(x-y)$

따라서 선택지 중 인수인 것은 ⑤ $x-y$이지!

## 109 답 $12x+8$

도형 (가)의 넓이는

$(3x+2)^2-3^2=(3x+2+3)(3x+2-3)$

$\qquad\qquad\qquad\quad =(3x+5)(3x-1)$

즉, 도형 (나)의 넓이가 $(3x+5)(3x-1)$이므로 도형 (나)의 가로의 길이는 $3x+5$야.

따라서 도형 (나)의 둘레의 길이는

$2\{(3x+5)+(3x-1)\}=12x+8$이야.

**D**

## 110  답 ③

**1st** 정수 $a$가 나올 수 있는 경우를 따져 봐.

$x^2$의 계수 10은 1과 10 또는 2와 5의 곱으로, 상수항 $-7$은 $-1$과 7, 1과 $-7$의 곱으로 나타낼 수 있으므로 순서를 바꾸는 것까지 생각해 주면

따라서 $a$의 값은 3, $-69$, $-3$, 69, $-9$, $-33$, 9, 33의 8개야.

**오답피하기**

정수 $a$가 나오는 경우를 따져줄 때, 부호를 결정하는 것에 유의해야 해. 두 수의 곱이 $-7$이면 $-1$과 7, 1과 $-7$인 경우도 각각 생각해 주어야 하고, 마찬가지로 두 수의 곱이 10이 나오는 경우도 1과 10, 2와 5인 경우도 가짓수를 빼먹지 않도록 해야지.

그런데 두 수의 곱이 10이 나오는 경우에는 $-1$과 $-10$, $-2$와 $-5$로 생각해야 하지 않을까? 아니야.

예를 들어, $\begin{smallmatrix} -1 \\ -10 \end{smallmatrix} \times \begin{smallmatrix} 1 \\ -7 \end{smallmatrix}$을 생각해 보자. 이것은 $\begin{smallmatrix} 1 \\ 10 \end{smallmatrix} \times \begin{smallmatrix} -1 \\ 7 \end{smallmatrix}$과 같아. 그 이유는 $(-x+1)(-10x-7)=(x-1)(10x+7)$과 같기 때문이지.

## 111  답 ③

**1st** 상수항을 두 수의 곱으로 나타낼 때 그 합이 $-2$가 되는 수를 찾아보자.

$x^2-2x-a=(x+\alpha)(x-\beta)$ (단, $\alpha$, $\beta$는 자연수)로 나타내면

$\alpha-\beta=-2$, $a\beta=a$야.

$\therefore a=1\times3,\ 2\times4,\ 3\times5,\ 4\times6,\ 5\times7,\ 6\times8\ (\because 1<a<50)$

따라서 자연수 $a$는 3, 8, 15, 24, 35, 48의 6개야.

## 112  답 ③

**1st** $a^2+2ab+b^2$, $a^2-2ab+b^2$ 꼴인 것을 찾아보자.

① $1+2y+y^2=(y+1)^2$

② $x^2-12xy+36y^2=x^2-2\times x\times 6y+(6y)^2=(x-6y)^2$

④ $16x^2-8xy+y^2=(4x)^2-2\times4x\times y+y^2=(4x-y)^2$

⑤ $x^2-8x+16=(x-4)^2$

## 113  답 ④

**1st** $a^2+2ab+b^2$, $a^2-2ab+b^2$ 꼴인 것을 찾아보자.

① $\dfrac{1}{4}x^2+x+1=\left(\dfrac{1}{2}x\right)^2+2\times\dfrac{1}{2}x\times1+1^2$

$\qquad\qquad\qquad =\left(\dfrac{1}{2}x+1\right)^2$

② $a^2+4a+4=(a+2)^2$

③ $3x^2-12xy+12y^2=3(x^2-4xy+4y^2)$

$\qquad\qquad\qquad\qquad =3\{x^2-2\times x\times2y+(2y)^2\}$

$\qquad\qquad\qquad\qquad =3(x-2y)^2$

⑤ $9x^2-12xy+4y^2=(3x)^2-2\times3x\times2y+(2y)^2$

$\qquad\qquad\qquad\qquad =(3x-2y)^2$

## 114  답 ③

**1st** $a^2+\square+b^2$이 완전제곱식이면 $\square=\pm2ab$야.

$25x^2+(k-1)x+9=(5x)^2+(k-1)x+3^2$

이것이 완전제곱식이 되기 위해서는

$k-1=\pm2\times5\times3$

$\therefore k=-29\ (\because k<0)$

**오답피하기**

주어진 식이 완전제곱식이 되려면 $(5x)^2+(k-1)x+3^2$이므로 일차항은 $(k-1)x=\pm2\times5x\times3$에서 $k$의 값이 두 개 나올 수 있지? 그런데 조건에서 $k<0$이라 했으므로 $k-1=-30$일 때만 만족하게 되지.

## 115  답 ⑤

**1st** 완전제곱식이 되려면 $x$의 계수를 2로 나눈 것의 제곱이 상수항이 되어야 해.

$3x^2-10x+A=3\left(x^2-\dfrac{10}{3}x+\dfrac{A}{3}\right)$

완전제곱식이 되기 위해서는

$\dfrac{A}{3}=\left\{\dfrac{1}{2}\times\left(-\dfrac{10}{3}\right)\right\}^2=\dfrac{25}{9}$

$\therefore A=\dfrac{25}{3}$

**오답피하기**

$x^2+ax+b$가 완전제곱식이 될 조건이 헷갈리지? 꼭 정리해 놓자.

(1) $a$가 주어졌을 때, $b=\left(\dfrac{a}{2}\right)^2$

(2) $b(b>0)$가 주어졌을 때, $a=\pm2\sqrt{b}$

이 두 가지 방법만 알고 있으면 거의 다 아는 거야.

## 116  답 $2x-5$

**1st** $2<x<3$인 범위에서 근호 안의 식의 부호를 따져 보자.

$4-4x+x^2=x^2-4x+4=(x-2)^2$

$9-6x+x^2=x^2-6x+9=(x-3)^2$

$2<x<3$에서 $x-2>0$, $x-3<0$이므로

(주어진 식)$=\sqrt{(x-2)^2}-\sqrt{(x-3)^2}$

$\qquad\qquad =x-2+x-3$

$\qquad\qquad =2x-5$

**오답피하기**

이 문제는 $x$의 값의 범위가 중요해.

$2<x<3$일 때 $x-2>0$, $x-3<0$

$x<2$일 때 $x-2<0$, $x-3<0$

$x>3$일 때 $x-2>0$, $x-3>0$

이므로 각각의 경우에 따라 답이 달라짐에 유의해야 해.

## 117  답 ②

**1st** $x$의 값의 범위를 잘 보고 근호 안의 식의 부호를 따져 보자.

$2<x<3$일 때 $x>0$, $x-2>0$, $x-3<0$

$\therefore \sqrt{x^2}-\sqrt{x^2-4x+4}+\sqrt{x^2-6x+9}$

$\quad =\sqrt{x^2}-\sqrt{(x-2)^2}+\sqrt{(x-3)^2}$

$\quad =x-(x-2)-(x-3)$

$\quad =x-x+2-x+3$

$\quad =-x+5$

## 118 답 ①

**1st** 두 수의 곱 $bc$가 이차식의 상수항이 됨을 알고 따져 보자.

$x^2+ax+15=(x+b)(x+c)$에서

$x^2+ax+15=x^2+(b+c)x+bc$이므로

$bc=15$, $a=b+c$

**2nd** 표로 작성하여 $a$의 값을 살펴보자.

| $b$ | 1 | 15 | $-1$ | $-15$ | 3 | 5 | $-3$ | $-5$ |
|---|---|---|---|---|---|---|---|---|
| $c$ | 15 | 1 | $-15$ | $-1$ | 5 | 3 | $-5$ | $-3$ |
| $a$ | 16 | 16 | $-16$ | $-16$ | 8 | 8 | $-8$ | $-8$ |

따라서 $a$의 최솟값은 $-16$이야.

**오답피하기**

두 수의 곱이 $bc=15$라고 생각할 때 조건에서 $b$, $c$가 정수라 했으므로 반드시 둘 다 음수가 되는 경우도 있다는 걸 잊지마. 그렇지 않으면 최솟값이 달라지니까.

## 119 답 최댓값 : 49, 최솟값 : 14

**1st** 두 수의 곱 $ab$가 48일 때, 그 합 $A=a+b$가 되는 수들을 따져 봐.

$x^2+Ax+48=(x+a)(x+b)=x^2+(a+b)x+ab$이므로

$A=a+b$, $ab=48$

$a$, $b$가 모두 양의 정수이므로

| $a$ | 1 | 2 | 3 | 4 | 6 | 8 | 12 | 16 | 24 | 48 |
|---|---|---|---|---|---|---|---|---|---|---|
| $b$ | 48 | 24 | 16 | 12 | 8 | 6 | 4 | 3 | 2 | 1 |
| $A$ | 49 | 26 | 19 | 16 | 14 | 14 | 16 | 19 | 26 | 49 |

따라서 $A$의 최댓값은 49, 최솟값은 14야.

## 120 답 ②

**1st** 주어진 두 다항식을 각각 인수분해하자.

$(x-2)^2-1=x^2-4x+4-1=x^2-4x+3=(\underline{x-1})(x-3)$

$2x^2+x-3=(2x+3)(\underline{x-1})$

따라서 두 다항식의 공통인 인수는 $x-1$이야.

## 121 답 ②

**1st** 주어진 다항식을 각각 인수분해하자.

① $2x^2-13x+21=(2x-7)(\underline{x-3})$

② $2x^2+3x-9=(2x-3)(x+3)$

③ $3x^2-8x-3=(3x+1)(\underline{x-3})$

④ $2x^2-7x+3=(2x-1)(\underline{x-3})$

⑤ $3x^2+x-30=(3x+10)(\underline{x-3})$

따라서 ①, ③, ④, ⑤의 공통인 인수는 $x-3$이지만 ②는 $x-3$을 인수로 갖지 않아.

## 122 답 ④

**1st** 주어진 다항식을 두 일차식의 곱의 꼴로 나타내자.

$x-1$이 $2x^2-6x+m$의 인수이므로

$2x^2-6x+m=(x-1)(2x+A)$로 나타낼 수 있지?

**2nd** 계수 비교를 하여 상수 $m$의 값을 구해.

$2x^2-6x+m=2x^2+(A-2)x-A$에서

$A-2=-6$ $\therefore A=-4$

따라서 $-A=m$이므로

$m=-(-4)=4$

## 123 답 7

**1st** 나누어떨어짐은 인수가 된다고 생각하자.

$5x^2+Ax-6$이 $5x-3$으로 나누어떨어지므로 $5x^2+Ax-6$은 $5x-3$을 인수로 가져.

$5x^2+Ax-6=(5x-3)(x+B)=5x^2+(5B-3)x-3B$

계수를 비교하면

$-3B=-6$ $\therefore B=2$

따라서 $5B-3=A$이므로

$A=5\times2-3=7$

## 124 답 ①

**1st** 주어진 다항식을 인수분해해보자.

② $x^2-2x-3=(x+1)(x-3)$

③ $x^2+x+\dfrac{1}{4}=x^2+2\times x\times\dfrac{1}{2}+\left(\dfrac{1}{2}\right)^2=\left(x+\dfrac{1}{2}\right)^2$

④ $2x^2-5x+2=(2x-1)(x-2)$

⑤ $x^2-x-2=(x+1)(x-2)$

그런데 ① $x^2-4x-4$는 유리수의 범위에서 인수분해되지 않아.

## 125 답 ①

**1st** 주어진 다항식을 인수분해하자.

② $100-\dfrac{1}{64}x^2=10^2-\left(\dfrac{1}{8}x\right)^2=\left(10+\dfrac{1}{8}x\right)\left(10-\dfrac{1}{8}x\right)$

③ $\dfrac{1}{4}x^2+2x+4=\dfrac{1}{4}(x^2+8x+16)=\dfrac{1}{4}(x+4)^2$

④ $10x^2-3x-1=(5x+1)(2x-1)$

⑤ $x^2+\dfrac{5}{3}x-\dfrac{2}{3}=\dfrac{1}{3}(3x^2+5x-2)=\dfrac{1}{3}(x+2)(3x-1)$

그런데 ① $25x^2-8$은 유리수의 범위에서 인수분해되지 않아.

## 126 답 ⑤

**1st** 제대로 본 $x$의 계수와 상수항을 찾자.

$(x+1)(x-8)=x^2-7x-8$에서 $x$의 계수를 잘못 보았으므로 올바른 상수항은 $-8$

또, $(x+8)(x-6)=x^2+2x-48$에서 상수항을 잘못 보았으므로 올바른 $x$의 계수는 2

**2nd** 올바른 이차식을 구하여 인수분해하자.

즉, 바르게 본 이차식은 $x^2+2x-8$이지?

$\therefore x^2+2x-8=(x+4)(x-2)$

**오답피하기**

이런 긴 문장의 문제는 어렵다고 생각할지 모르지만 제대로 본 항만 잘 알고 있으면 아주 쉽게 풀 수 있지. 즉, 이런 유형의 문제는 잘못 본 것에 집중하지 말고 제대로 본 것에 집중하자!

## 127 답 18

**1st** 제대로 본 $x$의 계수와 상수항을 찾자.

$(x-3)^2=x^2-6x+9$에서 상준이는 상수항은 제대로 보았으므로 상수항은 9

$(x+7)(x-1)=x^2+6x-7$에서 혜수는 $x$의 계수는 제대로 보았으므로 $x$의 계수는 6

**2nd** 올바른 이차식을 인수분해하자.

즉, 바르게 본 이차식은 $x^2+6x+9=(x+3)^2=(x+c)^2$

따라서 $a=6$, $b=9$, $c=3$이므로

$a+b+c=6+9+3=18$

## 128  답 ⑤

**1st** 직사각형의 넓이를 인수분해하자.

$8x^2-2x-3=(2x+1)(4x-3)$

따라서 세로의 길이는 $2x+1$이므로 직사각형의 둘레의 길이는

$2\{(4x-3)+(2x+1)\}=2(6x-2)=12x-4$

**오답피하기**

> 직사각형의 넓이를 인수분해하여 세로의 길이는 쉽게 구할 수 있으나 둘레의 길이를 구할 때 가로, 세로의 길이를 1번만 더해 실수하는 경우가 있어. 직사각형의 둘레의 길이는 가로, 세로의 길이를 2번씩 더하는 거 잊지마.

## 129  답 ⑤

**1st** 직육면체의 부피를 이용하여 높이를 구하자.

$10x^2+14x-12=2(5x^2+7x-6)=2(x+2)(5x-3)$

따라서 직육면체의 높이는 $5x-3$이야.

**2nd** 겉넓이를 구하자.

$\therefore$ (직육면체의 겉넓이)

$=2\{2(x+2)+(x+2)(5x-3)+2(5x-3)\}$

$=2(2x+4+5x^2+7x-6+10x-6)$

$=2(5x^2+19x-8)=10x^2+38x-16$

## 130  답 $(x+2)(3x+8)$

**1st** $<a,\ b,\ c>$의 정의에 따라 $<x,\ 2,\ -7x>$와 $<3,\ -2x,\ 4>$의 식부터 구해 보자.

$<x,\ 2,\ -7x>=(x+2)\{2-(-7x)\}=(x+2)(7x+2)$

$<3,\ -2x,\ 4>=\{3+(-2x)\}(-2x-4)=(3-2x)(-2x-4)$
$\qquad\qquad\qquad =2(2x-3)(x+2)$

**2nd** 주어진 식을 정리하여 인수분해하면 끝!!

$\therefore <x,\ 2,\ -7x>-<3,\ -2x,\ 4>$

$=\underline{(x+2)}(7x+2)-2(2x-3)\underline{(x+2)}\ \leftarrow\ \text{공통인수}\ x+2$

$=(x+2)\{(7x+2)-2(2x-3)\}$

$=(x+2)(7x+2-4x+6)=(x+2)(3x+8)$

**오답피하기**

> $<x,\ 2,\ -7x>-<3,\ -2x,\ 4>$를 인수분해할 때, 두 식을 각각 전개하여 식을 정리한 후 인수분해해도 돼.
> 하지만 전개하다 보면 문제 푸는 과정이 길어져서 실수할 수도 있거든. 이 문제처럼 식을 정리하는 과정에서 두 다항식의 공통인수가 보이는 경우는 전개하지 않고 바로 인수분해하는 것이 편리해. 이러한 문제들은 뒤에 배우는 인수분해의 활용 부분에 자세히 나오니까 잘 기억해 두자.

## 131  답 $(x^2+1)(y^2+1)(x+1)(x-1)$

**1st** ◎의 연산은 두 수를 제곱해서 빼라는 거구, ⊙의 연산은 두 수를 제곱하여 곱하고 1을 빼라는 거야.

$x^2◎y=x^4-y^2,\ x^2⊙y=x^4y^2-1$

$\therefore (x^2◎y)+(x^2⊙y)=x^4-y^2+x^4y^2-1$

**2nd** 이제, 적당히 묶어 공통인수를 찾아내자.

$x^4-y^2+x^4y^2-1=x^4(1+y^2)-(1+y^2)=(1+y^2)(x^4-1)$
$\qquad\qquad\qquad\quad =(1+y^2)(x^2+1)(x^2-1)$
$\qquad\qquad\qquad\quad =(1+y^2)(x^2+1)(x+1)(x-1)$
$\qquad\qquad\qquad\quad =(x^2+1)(y^2+1)(x+1)(x-1)$

## 132  답 5

**1st** 주어진 식을 인수분해하자.

$3n^2-8n-16=(3n+4)(n-4)\ \cdots\ ㉠$

**2nd** 소수는 1과 자기 자신만을 약수로 갖는 수지?

$3n^2-8n-16$이 소수이므로 ㉠은 $1\times(\text{소수})$로 표현되어야 해.

즉, $3n+4=1$ 또는 $n-4=1$이어야 하지.

(i) $3n+4=1$일 때, $n=-1$

그런데 $n$은 자연수라 했으므로 성립하지 않아.

(ii) $n-4=1$일 때, $n=5$

따라서 $n=5$야.

## 133  답 11

**1st** 주어진 식을 인수분해하자.

$6n^2-11n-10=(3n+2)(2n-5)\ \cdots\ ㉠$

**2nd** 소수는 1과 자기 자신만을 약수로 갖는 수야.

$6n^2-11n-10$이 소수이므로 ㉠은 $1\times(\text{소수})$로 표현되어야 해.

즉, $3n+2=1$ 또는 $2n-5=1$이어야 하지.

(i) $3n+2=1$일 때, $n=-\dfrac{1}{3}$

그런데 $n$은 자연수라 했으므로 성립하지 않아.

(ii) $2n-5=1$일 때, $n=3$

따라서 구하는 소수는 $3n+2=3\times3+2=11$이야.

## 📝 서술형 다지기

p. 84

[134-135 채점기준표]

| I | 근호 안의 식을 인수분해한다. | 40% |
|---|---|---|
| II | 근호를 없애기 위해 부호를 판정한다. | 20% |
| III | 주어진 식을 간단히 한다. | 40% |

## 134  답 $-2x$

**먼저,** 근호 안에 있는 식을 인수분해하자.

$\sqrt{x^2-\dfrac{1}{2}x+\dfrac{1}{16}}-\sqrt{x^2+\dfrac{1}{2}x+\dfrac{1}{16}}$

$=\sqrt{\left(x-\dfrac{1}{4}\right)^2}-\sqrt{\left(x+\dfrac{1}{4}\right)^2}\qquad\cdots\ \text{I}$

**그다음,** 근호를 없애기 위해 부호를 판정하자.

$0<4x<1$에서 $0<x<\dfrac{1}{4}$이므로

$x-\dfrac{1}{4}<0,\ x+\dfrac{1}{4}>0\qquad\cdots\ \text{II}$

**그래서,** 주어진 식을 간단히 하자.

$\therefore$ (주어진 식)$=\sqrt{\left(x-\dfrac{1}{4}\right)^2}-\sqrt{\left(x+\dfrac{1}{4}\right)^2}$

$=-\left(x-\dfrac{1}{4}\right)-\left(x+\dfrac{1}{4}\right)$

$=-x+\dfrac{1}{4}-x-\dfrac{1}{4}$

$=-2x\qquad\cdots\ \text{III}$

## 135  답 $-a+5$

**먼저,** 근호 안에 있는 식을 인수분해하자.

(주어진 식)$=\sqrt{a^2}-\sqrt{(a-2)^2}+\sqrt{(a-3)^2}$  ··· ⅰ

**그다음,** 근호를 없애기 위해 부호를 판정하자.

$2<a<3$이므로

$a-2>0$, $a-3<0$  ··· ⅱ

**그래서,** 주어진 식을 간단히 하자.

$\therefore$ (주어진 식)$=a-(a-2)-(a-3)$

$=a-a+2-a+3$

$=-a+5$  ··· ⅲ

**[ 136-137 채점기준표 ]**

| ⅰ | 주어진 식을 전개한다. | 30% |
|---|---|---|
| ⅱ | 전개한 식을 인수분해한다. | 50% |
| ⅲ | 두 일차식의 합을 구한다. | 20% |

## 136  답 $2x-3$

**먼저,** $(x-3)(x+6)-6x$를 전개하자.

$(x-3)(x+6)-6x=x^2-3x-18$  ··· ⅰ

**그다음,** 전개한 식을 인수분해하자.

$=(x+3)(x-6)$  ··· ⅱ

**그래서,** 두 일차식의 합을 구하자.

따라서 두 일차식은 $x+3$, $x-6$이므로 구하는 합은

$(x+3)+(x-6)=2x-3$  ··· ⅲ

## 137  답 $6x-8$

**먼저,** $(2x-5)^2+(x+3)(x-7)+12$를 전개하자.

$(2x-5)^2+(x+3)(x-7)+12$

$=4x^2-20x+25+x^2-4x-21+12$

$=5x^2-24x+16$  ··· ⅰ

**그다음,** 전개한 식을 인수분해하자.

$=(5x-4)(x-4)$  ··· ⅱ

**그래서,** 두 일차식의 합을 구하자.

따라서 두 일차식은 $5x-4$, $x-4$이므로 구하는 합은

$(5x-4)+(x-4)=6x-8$  ··· ⅲ

## 138  답 2

$16x^2+24x+5a=\{(4x)^2+2\times4x\times3+3^2\}-3^2+5a$

$=(4x+3)^2-9+5a$  ··· ⅰ

$-9+5a=0$  $\therefore a=\dfrac{9}{5}$

즉, $16x^2+24x+5a=(4x+3)^2$이고, 이것이 $(3bx-c)^2$과 같으므로

$4=3b$  $\therefore b=\dfrac{4}{3}$

$3=-c$  $\therefore c=-3$  ··· ⅱ

$\therefore 5a-3b+c=5\times\dfrac{9}{5}-3\times\dfrac{4}{3}+(-3)$

$=9-4-3=2$  ··· ⅲ

**[ 채점기준표 ]**

| ⅰ | 주어진 등식의 좌변을 완전제곱식으로 고친다. | 30% |
|---|---|---|
| ⅱ | 등식의 양변의 계수를 비교하여 $a$, $b$, $c$의 값을 구한다. | 50% |
| ⅲ | $5a-3b+c$의 값을 구한다. | 20% |

## 139  답 5

$\sqrt{x}=a-2$에서 $x=(a-2)^2=a^2-4a+4$이므로  ··· ⅰ

주어진 식에 $x=a^2-4a+4$를 대입하면

$\sqrt{x+6a-3}+\sqrt{x-4a+12}$

$=\sqrt{a^2+2a+1}+\sqrt{a^2-8a+16}$

$=\sqrt{(a+1)^2}+\sqrt{(a-4)^2}$  ··· ⅱ

$=(a+1)-(a-4)(\because 2<a<4)$

$=a+1-a+4=5$  ··· ⅲ

**[ 채점기준표 ]**

| ⅰ | $x$를 $a$에 대한 식으로 나타낸다. | 30% |
|---|---|---|
| ⅱ | $x$를 주어진 식에 대입하여 근호 안의 식을 인수분해한다. | 40% |
| ⅲ | 근호를 없애고 식을 간단히 한다. | 30% |

## 140  답 $-7$

$x^2+7x+10=(x+2)(x+5)$이므로 $x^2+ax-20$은 $x+2$ 또는 $x+5$를 인수로 갖는다.  ··· ⅰ

(ⅰ) $x^2+ax-20$이 $x+2$를 인수로 가질 때,

$x^2+ax-20=(x+2)(x+m)$으로 놓으면

$2m=-20$  $\therefore m=-10$

$\therefore a=2+m=2+(-10)=-8$

(ⅱ) $x^2+ax-20$이 $x+5$를 인수로 가질 때,

$x^2+ax-20=(x+5)(x+n)$으로 놓으면

$5n=-20$  $\therefore n=-4$

$\therefore a=5+n=5+(-4)=1$  ··· ⅱ

따라서 구하는 모든 $a$의 값의 합은 $-8+1=-7$  ··· ⅲ

**[ 채점기준표 ]**

| ⅰ | $x^2+7x+10$을 인수분해하여 공통인 인수를 찾는다. | 30% |
|---|---|---|
| ⅱ | 각 경우에 따른 $a$의 값을 구한다. | 50% |
| ⅲ | 모든 $a$의 값의 합을 구한다. | 20% |

## 141  답 35

$x^2+12x+m=(x+a)(x+b)=x^2+(a+b)x+ab$

$\therefore a+b=12$, $ab=m$  ··· ⅰ

$a+b=12(a>b)$인 경우는

$\begin{cases}a=11\\b=1\end{cases},\begin{cases}a=10\\b=2\end{cases},\begin{cases}a=9\\b=3\end{cases},\begin{cases}a=8\\b=4\end{cases},\begin{cases}a=7\\b=5\end{cases}$  ··· ⅱ

이때, $m=ab$이므로 $m=11$, 20, 27, 32, 35가 될 수 있다.

따라서 $m$의 최댓값은 35이다.  ··· ⅲ

**[ 채점기준표 ]**

| ⅰ | 인수분해한 식을 전개하여 $a+b$, $ab$의 값을 구한다. | 30% |
|---|---|---|
| ⅱ | $a+b=12$인 자연수 $a$, $b$의 값을 찾는다. | 40% |
| ⅲ | $m$의 최댓값을 구한다. | 30% |

## 142  답 29

성태는 $(x+1)(x-10)=x^2-9x-10$에서 $x$의 계수를 잘못 보았으므로 원래의 이차식의 상수항은 $-10$이다.  ··· ⅰ

영주는 $(x+6)(x-3)=x^2+3x-18$에서 상수항을 잘못 보았으므로 원래의 이차식의 $x$의 계수는 3이다.  ··· ⅱ

즉, 원래의 이차식은 $x^2+3x-10=(x+5)(x-2)$

따라서 $a=5$, $b=-2$ 또는 $a=-2$, $b=5$이므로

$a^2+b^2=5^2+(-2)^2=29$  ··· ⅲ

## 143  답 $4x+10y$

$(12x^3+60x^2y+75xy^2)\pi = 3x(4x^2+20xy+25y^2)\pi$
$\qquad\qquad\qquad\qquad = 3x(2x+5y)^2\pi$  … Ⅰ

이때, 원기둥의 높이가 $3x$이므로 밑면의 넓이는 $(2x+5y)^2\pi$이다.
따라서 밑면의 반지름의 길이가 $2x+5y$이므로  … Ⅱ
밑면의 지름의 길이는
$2(2x+5y)=4x+10y$  … Ⅲ

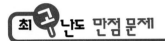
최고난도 만점 문제     p. 86

## 144  답 ④

1st 정사각형은 가로, 세로의 길이가 서로 같지?
주어진 직사각형들의 넓이의 합을 구하면
$x^2+x+x+x+x+x+x+1=x^2+6x+1$
여기에 넓이가 1인 정사각형이 $k$개 더해져서 $x^2+6x+1+k$가 완전제곱식이 되어야 정사각형의 넓이를 나타내는 것이지?
즉, $x^2+6x+1+k$가 완전제곱식이 되려면
$1+k=\left(\dfrac{6}{2}\right)^2=9$  ∴ $k=8$
따라서 넓이가 1인 정사각형이 8개가 더 필요해.

## 145  답 $5a$

1st $0<a<1$일 때, $a$, $a+\dfrac{1}{a}$, $a-\dfrac{1}{a}$의 부호를 따져 보자.
(ⅰ) $\sqrt{(-a)^2}=\sqrt{a^2}=a$
(ⅱ) $0<a<1$에서 $\dfrac{1}{a}>1$이므로 $a-\dfrac{1}{a}<0$
$\sqrt{\left(a+\dfrac{1}{a}\right)^2-4}=\sqrt{a^2+2+\dfrac{1}{a^2}-4}=\sqrt{a^2-2+\dfrac{1}{a^2}}$
$\qquad\qquad\qquad = \sqrt{\left(a-\dfrac{1}{a}\right)^2}=-\left(a-\dfrac{1}{a}\right)$
(ⅲ) $a+\dfrac{1}{a}>0$이므로
$\sqrt{\left(a-\dfrac{1}{a}\right)^2+4}=\sqrt{a^2-2+\dfrac{1}{a^2}+4}=\sqrt{a^2+2+\dfrac{1}{a^2}}$
$\qquad\qquad\qquad = \sqrt{\left(a+\dfrac{1}{a}\right)^2}=\left(a+\dfrac{1}{a}\right)$
∴ (주어진 식)$=3a+\left(a-\dfrac{1}{a}\right)+\left(a+\dfrac{1}{a}\right)=5a$

## 146  답 $-3$

1st 주어진 두 식을 모두 나누어떨어지게 하는 일차식을 찾자.
두 식을 모두 나누어떨어지게 하는 일차식이 있다는 것은 주어진 두 식에서 일차식인 공통인 인수가 있다는 뜻이야.
즉, $x^2+(a+1)x+a=(x+1)(x+a)$이므로
$x^2+(a+2)x+a-3$은 $x+1$ 또는 $x+a$를 인수로 가져야 해.
2nd 각 경우에 대하여 $a$의 값을 구하자.
(ⅰ) $x+1$을 인수로 갖는 경우
$x^2+(a+2)x+a-3=(x+1)(x+A)$라 하면
$x^2+(a+2)x+a-3=x^2+(1+A)x+A$에서
$a+2=1+A$, $a-3=A$
즉, $A=a+1$이고 $A=a-3$이어야 하는데 이를 만족시키는 $A$의 값은 없으므로 이 경우는 성립하지 않아.
(ⅱ) $x+a$를 인수로 갖는 경우
$x^2+(a+2)x+a-3=(x+a)(x+B)$라 하면
$x^2+(a+2)x+a-3=x^2+(a+B)x+aB$에서
$a+2=a+B$, $a-3=aB$
$a+2=a+B$에서 $B=2$
$a-3=aB$에서 $a-3=2a$이므로 $a=-3$
따라서 구하는 $a$의 값은 $-3$이야.

## 147  답 ④

1st 색종이의 넓이와 둘레의 길이를 $a$와 $b$에 대한 식으로 나타내자.
색칠한 부분의 넓이는 한 변의 길이가 $a$인 정사각형의 넓이에서 한 변의 길이가 $b$인 정사각형의 넓이를 빼면 되므로
$a^2-b^2=(a+b)(a-b)=40$ … ㉠
또한, 색칠한 부분의 둘레의 길이가 $16\sqrt{2}$이므로
$4(a+b)=16\sqrt{2}$  ∴ $a+b=4\sqrt{2}$ … ㉡
㉡을 ㉠에 대입하면
$4\sqrt{2}(a-b)=40$  ∴ $a-b=\dfrac{40}{4\sqrt{2}}=\dfrac{10}{\sqrt{2}}=5\sqrt{2}$

## 148  답 $(6x+1)(x-1)$

1st 삼차식을 세 일차식의 곱으로 나타내자.
$x^3+Ax^2+Bx-3=(x+1)(x-3)(x+k)$라 하자.
$x^3+Ax^2+Bx-3=(x^2-2x-3)(x+k)$
$\qquad\qquad\qquad = x^3+(k-2)x^2-(2k+3)x-3k$
이므로 $A=k-2$, $B=-(2k+3)$, $-3=-3k$
$-3=-3k$에서 $k=1$이므로
$A=k-2=1-2=-1$
$B=-(2k+3)=-(2+3)=-5$
2nd $6x^2+Bx+A$를 인수분해하자.
따라서 $6x^2+Bx+A$, 즉 $6x^2-5x-1$을 인수분해하면
$6x^2-5x-1=(6x+1)(x-1)$

## 149  답 $2(a-b-3)$

1st 사다리꼴의 넓이를 인수분해하자.
$(a-2)^2-(b+1)^2=\{(a-2)+(b+1)\}\{(a-2)-(b+1)\}$
$\qquad\qquad\qquad\qquad = (a+b-1)(a-b-3)$
이때, $(a+b-1)(a-b-3)=\dfrac{1}{2}\times(b+a-1)\times(높이)$이므로
$2(a+b-1)(a-b-3)=(a+b-1)\times(높이)$
∴ (높이)$=2(a-b-3)$

## 150 답 ③

**1st** 식이 복잡해 보이지? 겁먹지 말고 $a=\sqrt{b^2+77}$의 양변을 제곱해서 정리해 봐.

$a=\sqrt{b^2+77}$의 양변을 제곱하여 정리하면

$a^2=b^2+77$, $a^2-b^2=77$

$\therefore (a+b)(a-b)=77$

**2nd** $a$, $b$가 자연수이므로 연립방정식을 세울 수 있어.

$a$, $b$가 자연수이므로 $(a+b)(a-b)=77$에서

$\begin{cases} a+b=77 \\ a-b=1 \end{cases}$ 또는 $\begin{cases} a+b=11 \\ a-b=7 \end{cases}$

**3rd** 이제 연립방정식을 푸는 일만 남았어.

두 연립방정식을 각각 풀면

$a=39$, $b=38$ 또는 $a=9$, $b=2$

그런데 $a$, $b$는 두 자리 자연수이므로 $a=39$, $b=38$

$\therefore 2a-b=2\times39-38=40$

**오답피하기**

> 연립방정식을 세우는 과정에서 $\begin{cases} a+b=1 \\ a-b=77 \end{cases}$ 또는 $\begin{cases} a+b=7 \\ a-b=11 \end{cases}$ 인 경우는 왜 뺐냐구? 문제를 잘 봐. $a$, $b$가 자연수라 했잖아. 두 자연수끼리 덧셈한 결과가 뺄셈한 결과보다 작을 수는 없겠지?

## 151 답 20개

**1st** 주어진 다항식이 $x^2-4x-n$ ($n$은 자연수)의 꼴로 나타내어지지?

$x^2-4x-n$ (단, $n$은 $1\le n\le500$인 자연수) 중 $x$의 계수와 상수항이 모두 정수인 두 일차식의 곱으로 인수분해되는 식은

$x^2-4x-n=(x+a)(x-b)$ (단, $a$, $b$는 자연수)

의 꼴로 나타낼 수 있어.

**2nd** 이제 $a-b$와 $ab$의 값을 구해 보자.

이때, $x^2-4x-n=(x+a)(x-b)=x^2+(a-b)x-ab$에서

$a-b=-4$, $ab=n$이고 $a$, $b$는 자연수이므로

$n=ab=1\times5$, $2\times6$, $3\times7$, $\cdots$

그런데 $n\le500$이고 $20\times24=480$, $21\times25=525$이므로

$n=ab=1\times5$, $2\times6$, $3\times7$, $\cdots$, $20\times24$야.

따라서 주어진 이차식 중 $x$의 계수와 상수항이 모두 정수인 두 일차식의 곱으로 인수분해되는 것은 20개야.

---

# E 인수분해의 활용

개념 체크 001~024 정답은 p. 4에 있습니다.

## 유형 다지기 학교시험+학력평가
문제편 p. 90

## 025 답 ⑤

$$x^2(x-1)-x+1=x^2(x-1)-(x-1)$$
$$=(x-1)(x^2-1)$$
$$=(x-1)(x+1)(x-1)$$
$$=(x-1)^2(x+1)$$

따라서 인수가 아닌 것은 ⑤야.

## 026 답 $(a-b)(x-y)$

$$(a-b)x+(b-a)y=(a-b)x-(a-b)y$$
$$=(a-b)(x-y)$$

## 027 답 ②, ④

$$(주어진 식)=x(x-y)+y(x-y)-(x-y)$$
$$=(x-y)(x+y-1)$$

따라서 인수인 것은 ②, ④야.

## 028 답 ④

$$b(a-b)+2ac-2bc=b(a-b)+2c(a-b)$$
$$=(a-b)(b+2c)$$

따라서 두 일차식은 $a-b$, $b+2c$이므로 그 합은

$(a-b)+(b+2c)=a+2c$야.

## 029 답 ①

$$2x^2+x-1-(x+1)^2=(x+1)(2x-1)-(x+1)^2$$
$$=(x+1)\{(2x-1)-(x+1)\}$$
$$=(x+1)(2x-1-x-1)$$
$$=(x+1)(x-2)$$

## 030 답 ①

$(x-1)^2-2(x-1)-8$에서 $x-1=A$로 치환하자.

$$(x-1)^2-2(x-1)-8=A^2-2A-8$$
$$=(A+2)(A-4)$$
$$=(x-1+2)(x-1-4)$$
$$=(x+1)(x-5) \cdots \bigcirc$$

$2x^2-9x-5=(2x+1)(x-5) \cdots \bigcirc$

따라서 ㉠, ㉡의 공통인 인수는 $x-5$야.

## 031 답 $-2$

$x-3=A$로 치환하면

$$(x-3)^2+2(x-3)-24=A^2+2A-24$$
$$=(A+\boxed{6})\{A+(\boxed{-4})\}$$
$$=(x-3+\boxed{6})\{x-3+(\boxed{-4})\}$$
$$=(x+\boxed{3})\{x+(\boxed{-7})\}$$

$\therefore a+b+c+d=6+(-4)+3+(-7)=-2$

## 032 답 ②

$x-y=A$로 치환하자.

$$1-(x-y)^2=1-A^2$$
$$=(1+A)(1-A)$$
$$=(1+x-y)\{1-(x-y)\}$$
$$=(1+x-y)(1-x+y)$$

## 033 답 −3

$x+1=A$로 치환하자.

$$(x+1)^2-5(x+1)+6=A^2-5A+6$$
$$=(A-2)(A-3)$$
$$=(x+1-2)(x+1-3)$$
$$=(x-1)(x-2)$$
$$=(x+a)(x+b)$$

따라서 $a=-1$, $b=-2$ 또는 $a=-2$, $b=-1$이므로

$a+b=-1+(-2)=-3$

## 034 답 ③

$(x^2+2x)^2-11(x^2+2x)+24$에서 $x^2+2x=A$로 치환하면

$$A^2-11A+24=(A-3)(A-8)$$
$$=(x^2+2x-3)(x^2+2x-8)$$
$$=(x+3)(x-1)(x+4)(x-2)$$
$$=(x-1)(x-2)(x+3)(x+4)$$

따라서 선택지 중 인수가 아닌 것은 ③이야.

## 035 답 ③

$$(2x+1)^2-(x-4)^2$$
$$=(2x+1+x-4)(2x+1-x+4)$$
$$=(3x-3)(x+5)$$
$$=3(x-1)(x+5) \cdots ㉠$$

또, $3(x+3)^2+5(x+3)-2$에서 $x+3=A$로 치환하면

$$3A^2+5A-2=(3A-1)(A+2)$$
$$=\{3(x+3)-1\}\{(x+3)+2\}$$
$$=(3x+8)(x+5) \cdots ㉡$$

따라서 ㉠, ㉡의 공통인 인수는 $x+5$야.

## 036 답 −5

$$(x-y)^2-8x+8y+16=(x-y)^2-8(x-y)+16$$

에서 $x-y=A$로 치환하면

$$A^2-8A+16=(A-4)^2$$
$$=(x-y-4)^2$$
$$=(x+ay+b)^2$$

따라서 $a=-1$, $b=-4$이므로

$a+b=-1+(-4)=-5$

## 037 답 ②

$2(x+1)^2+3(x+1)(x-2)+(x-2)^2$에서

$x+1=A$, $x-2=B$로 치환하면

$$2A^2+3AB+B^2=(2A+B)(A+B)$$
$$=(2x+2+x-2)(x+1+x-2)$$
$$=3x(2x-1)$$

## 038 답 $-2(2x+3)(x+9)$

(주어진 식)$=(x-3)^2-6(x+3)^2+(x-3)(x+3)$에서

$x-3=A$, $x+3=B$로 치환하면

$$A^2-6B^2+AB=A^2+AB-6B^2$$
$$=(A+3B)(A-2B)$$
$$=(x-3+3x+9)(x-3-2x-6)$$
$$=(4x+6)(-x-9)$$
$$=-2(2x+3)(x+9)$$

## 039 답 ②, ③

$(a-b)(a-b+1)-2$에서 $a-b=A$로 치환하면

$$A(A+1)-2=A^2+A-2=(A+2)(A-1)$$
$$=(a-b+2)(a-b-1)$$

따라서 선택지 중에서 인수인 것은 ②, ③이야.

## 040 답 ④

$x-y=A$로 치환하면

$$(x-y-2)(x-y+5)-30$$
$$=(A-2)(A+5)-30=A^2+3A-10-30$$
$$=A^2+3A-40=(A+8)(A-5)$$
$$=(x-y+8)(x-y-5)$$

## 041 답 $(x+1)(x+3)(x-1)(x-3)$

$x^2-3=A$로 치환하면

$$(x^2-x-3)(x^2+x-3)-3x^2$$
$$=(x^2-3-x)(x^2-3+x)-3x^2$$
$$=(A-x)(A+x)-3x^2=A^2-x^2-3x^2$$
$$=A^2-4x^2=A^2-(2x)^2$$
$$=(A+2x)(A-2x)=(x^2+2x-3)(x^2-2x-3)$$
$$=(x+3)(x-1)(x+1)(x-3)$$
$$=(x+1)(x+3)(x-1)(x-3)$$

## 042 답 ①

$x-y=A$로 치환하면

$$(주어진 식)=\{-(x-y)-\sqrt{5}\}(x-y-\sqrt{5})+4(x-y)$$
$$=(-A-\sqrt{5})(A-\sqrt{5})+4A$$
$$=-A^2+5+4A$$
$$=-(A^2-4A-5)$$
$$=-(A-5)(A+1)$$
$$=-(x-y-5)(x-y+1)$$

이것이 $-(x-ay+b)(x-y+c)$이므로

$a=1$, $b=-5$, $c=1$ 또는 $a=1$, $b=1$, $c=-5$

$\therefore a+b+c=1+(-5)+1=-3$

## 043 답 $\left(x-\dfrac{1}{x}-2\right)^2$

$\left(x+\dfrac{1}{x}\right)^2=\left(x-\dfrac{1}{x}\right)^2+4$이므로

$$\left(x+\dfrac{1}{x}\right)^2-4\left(x-\dfrac{1}{x}\right)=\left(x-\dfrac{1}{x}\right)^2+4-4\left(x-\dfrac{1}{x}\right)$$
$$=\left(x-\dfrac{1}{x}\right)^2-4\left(x-\dfrac{1}{x}\right)+4$$

여기서 $x-\dfrac{1}{x}=A$로 치환하면

$$A^2-4A+4=(A-2)^2=\left(x-\dfrac{1}{x}-2\right)^2$$

## 044 답 4

일차식 4개를 적절히 2개씩 묶어서 곱하여 공통 부분이 나오도록 하자.

$x(x+1)(x+2)(x+3)+1=\{x(x+3)\}\{(x+1)(x+2)\}+1$
$\qquad\qquad\qquad\qquad\qquad =(x^2+3x)(x^2+3x+2)+1$

$x^2+3x=A$로 치환하면

$A(A+2)+1=A^2+2A+1=(A+1)^2=(x^2+3x+1)^2$

이것이 $(x^2+ax+b)^2$과 같아야 하므로 $a=3$, $b=1$

$\therefore a+b=3+1=4$

**오답피하기**

> 이 문제와 같은 유형에서 2개씩 적절히 묶는 요령이 뭘까?
> 공통 부분이 생기려면 2개씩 묶었을 때, 각각의 두 일차식의 상수항의 합이 서로 같아야 해. 그러면 그 두 식을 각각 전개한 결과의 일차항의 계수가 같아지거든. 그럼 같은 이차식 모양이 나와서 치환할 수가 있는 거야.

## 045 답 ③

$x(x-2)(x-1)(x+1)+1=(x^2-x)(x^2-x-2)+1$

$x^2-x=A$로 치환하면

$A(A-2)+1=A^2-2A+1=(A-1)^2=(x^2-x-1)^2$

따라서 선택지 중 인수인 것은 ③이야.

## 046 답 $2x^2-4x-11$

$(x+1)(x+2)(x-3)(x-4)-6$

$=(x^2-2x-3)(x^2-2x-8)-6$

$x^2-2x=A$로 치환하면

$(A-3)(A-8)-6=A^2-11A+18=(A-9)(A-2)$
$\qquad\qquad\qquad\qquad\qquad =(x^2-2x-9)(x^2-2x-2)$

따라서 두 이차식은 $x^2-2x-9$, $x^2-2x-2$이므로 그 합은

$(x^2-2x-9)+(x^2-2x-2)=2x^2-4x-11$

## 047 답 13

$(x-1)(x-3)(x+2)(x+4)+24$

$=(x^2+x-2)(x^2+x-12)+24$

$x^2+x=A$로 치환하면

$(A-2)(A-12)+24=A^2-14A+48=(A-6)(A-8)$
$\qquad\qquad\qquad\qquad\qquad =(x^2+x-6)(x^2+x-8)$
$\qquad\qquad\qquad\qquad\qquad =(x+3)(x-2)(x^2+x-8)$

이것이 $(x+a)(x-b)(x^2+x-c)$와 같으므로

$a=3$, $b=2$, $c=8$ ($\because a$, $b$, $c$는 양수)

$\therefore a+b+c=3+2+8=13$

**오답피하기**

> 치환하는 것을 아무리 달리해도 그 결과는 같아.
> 이 문제에서 $x^2+x-2=X$로 치환하면
> $X(X-10)+24=X^2-10X+24$
> $\qquad\qquad\qquad =(X-4)(X-6)$
> $\qquad\qquad\qquad =(x^2+x-2-4)(x^2+x-2-6)$
> $\qquad\qquad\qquad =(x^2+x-6)(x^2+x-8)$
> $\qquad\qquad\qquad =(x+3)(x-2)(x^2+x-8)$
> 봐봐! 결과는 같지?

## 048 답 $-3$

$(x-4)(x+2)(x+1)(x-2)-4x^2$

$=(x^2-3x-4)(x^2-4)-4x^2=(x^2-4-3x)(x^2-4)-4x^2$

$x^2-4=A$로 치환하면

$(A-3x)A-4x^2$

$=A^2-3xA-4x^2$

$=(A+x)(A-4x)$

$=(x^2-4+x)(x^2-4-4x)$

$=(x^2+x-4)(x^2-4x-4)$

따라서 두 이차식의 $x$의 계수의 합은 $1+(-4)=-3$이야.

**오답피하기**

> 주어진 식을 아무리 묶어 봐도 공통된 $x$항이 나오지 않아서 당황했을 거야. 이때는 $x$항뿐만 아니라 상수항을 포함한 식에서 공통인 식을 찾아 주면 되지. 아무리 복잡해 보이는 식이어도 공통인 식만 찾으면 문제 해결 완료!

## 049 답 ①

$x^2+16y^2-8xy-25=(x^2-8xy+16y^2)-25=(x-4y)^2-5^2$
$\qquad\qquad\qquad\qquad\qquad\qquad =(x-4y+5)(x-4y-5)$

이것이 $(x+ay+b)(x+cy+d)$라 하므로

$a=-4$, $b=5$, $c=-4$, $d=-5$

또는 $a=-4$, $b=-5$, $c=-4$, $d=5$

$\therefore a+b+c+d=-4+5+(-4)+(-5)=-8$

## 050 답 ③

$xy-y+2x-2=y(x-1)+2(x-1)$
$\qquad\qquad\qquad =(x-1)(y+2)$

따라서 선택지 중 인수인 것은 ③이야.

## 051 답 $a+1$

$ab+b-a-1=b(a+1)-(a+1)$
$\qquad\qquad\quad =(a+1)(b-1)$ ··· ㉠

$a^2-ab+a-b=a(a-b)+(a-b)$
$\qquad\qquad\qquad =(a-b)(a+1)$ ··· ㉡

㉠, ㉡에서 공통인 인수는 $a+1$이야.

## 052 답 ②

$ab+bc+cd+da=b(a+c)+d(a+c)$
$\qquad\qquad\qquad\quad =(a+c)(b+d)=15$

그런데 $a+c=5$이므로

$5(b+d)=15$ $\qquad \therefore b+d=3$

## 053 답 ⑤

(주어진 식)$=y-x^2y-x+x^3=x^3-x^2y-x+y$
$\qquad\qquad\quad =x^2(x-y)-(x-y)=(x-y)(x^2-1)$
$\qquad\qquad\quad =(x-y)(x+1)(x-1)$

따라서 선택지 중 인수가 아닌 것은 ⑤야.

**오답피하기**

> 이 문제를 보았을 때 $xy+1$이 공통 부분으로 보여서 쉽다고 생각했을지도 몰라. 하지만 더 이상 인수분해가 되지 않지? 주어진 식을 제대로 인수분해하기 위해서는 먼저 식을 전개한 후에 생각해야 해. 그럼 바로 답이 나올 거야.

## 054 답 −2

$x^2+2x+2y-y^2=(x^2-y^2)+2(x+y)$
$\qquad\qquad\qquad =(x+y)(x-y)+2(x+y)$
$\qquad\qquad\qquad =(x+y)(x-y+2)$
이것이 $(x+y)(x+ay+b)$와 같으므로
$a=-1,\ b=2$ $\quad\therefore\ ab=-1\times2=-2$

## 055 답 ②

$a^2-2a+1-b^2=(a-1)^2-b^2$에서 $a-1=A$로 치환하면
(주어진 식)$=A^2-b^2=(A+b)(A-b)$
$\qquad\qquad\quad =(a-1+b)(a-1-b)$
$\qquad\qquad\quad =(a+b-1)(a-b-1)$

## 056 답 ④

$x^2-y^2+6x+9=x^2+6x+9-y^2=(x+3)^2-y^2$
여기서 $x+3=A$로 치환하자.
(주어진 식)$=A^2-y^2=(A+y)(A-y)$
$\qquad\qquad\quad =(x+3+y)(x+3-y)$
$\qquad\qquad\quad =(x+y+3)(x-y+3)=45 \cdots \bigcirc$
$x+y=2$이므로 $\bigcirc$에서
$(2+3)(x-y+3)=45,\ 5(x-y+3)=45$
$x-y+3=9$ $\quad\therefore\ x-y=6$

## 057 답 ②

$x^2+y^2-2xy-2x+2y-15=x^2-2xy+y^2-2(x-y)-15$
$\qquad\qquad\qquad\qquad\qquad =(x-y)^2-2(x-y)-15$
여기서 $x-y=A$로 치환하면
$A^2-2A-15=(A-5)(A+3)=(x-y-5)(x-y+3)$

## 058 답 ①

$x^2+6xy+9y^2+3x+9y+2=(x+3y)^2+3(x+3y)+2$
$x+3y=A$로 치환하면
$A^2+3A+2=(A+1)(A+2)$
$\qquad\qquad\quad =(x+3y+1)(x+3y+2)$
따라서 두 일차식은 $x+3y+1$, $x+3y+2$이므로 이들의 합은
$(x+3y+1)+(x+3y+2)=2x+6y+3$

## 059 답 4

식이 복잡하면 어느 한 문자에 대하여 내림차순으로 정리한 후에 인수분해해 보자.
$x^2-xy-2y^2+5x-y+6$
$=x^2+(5-y)x-2y^2-y+6$
$=x^2+(5-y)x-(2y^2+y-6)$
$=x^2+(5-y)x-(2y-3)(y+2)$
$=(x-2y+3)(x+y+2)$

$\begin{array}{ccc} x & \diagdown & -(2y-3) \rightarrow -(2y-3)x \\ x & \diagup & y+2 \rightarrow \underline{\ (y+2)x\ } (+ \\ & & (5-y)x \end{array}$

이것이 $(x+ay+b)(x+cy+d)$와 같으므로
$a+b+c+d=-2+3+1+2=4$

┌─ 오답 피하기 ─────────────────────────
│ 특수한 경우를 제외하고 이런 유형의 문제는 차수가 가장 낮은 문
│ 자에 대하여 내림차순으로 정리한 후 나머지 문자를 수와 같은 경
│ 우로 생각하여 일차항의 계수가 나올 수 있도록 해 주는 거야. 조
│ 금만 연습하면 금방 방법을 터득할 수 있게 돼.
└──────────────────────────────────────

## 060 답 ④

$y$에 대하여 내림차순으로 식을 정리하자.
$x^2+xy+4x-2y-12$
$=(x-2)y+x^2+4x-12=(x-2)y+(x+6)(x-2)$
$=(x-2)(y+x+6)=(x-2)(x+y+6)$
따라서 $a=-2,\ b=1,\ c=6$이므로
$a+b+c=-2+1+6=5$

## 061 답 $(x-3y+1)^2$

$x^2+9y^2+2x-6y-6xy+1$을 $x$에 대하여 내림차순으로 정리해 보자.
$x^2+2x-6xy+9y^2-6y+1=x^2-2(3y-1)x+9y^2-6y+1$
$\qquad\qquad\qquad\qquad\qquad =x^2-2(3y-1)x+(3y-1)^2$
$\qquad\qquad\qquad\qquad\qquad =x^2-2\times x\times(3y-1)+(3y-1)^2$
$\qquad\qquad\qquad\qquad\qquad =(x-3y+1)^2$

**[다른 풀이]**

$x^2+9y^2+2x-6y-6xy+1=x^2-6xy+9y^2+2(x-3y)+1$
$\qquad\qquad\qquad\qquad\qquad\qquad =(x-3y)^2+2(x-3y)+1$
$\qquad\qquad\qquad\qquad\qquad\qquad =(x-3y+1)^2$

## 062 답 ⑤

주어진 식을 $x$에 대하여 내림차순으로 정리해 보자.
$x^2-y^2+7x+y+12$
$=x^2+7x-y^2+y+12$
$=x^2+7x-(y^2-y-12)$
$=x^2+7x-(y+3)(y-4)$
$=(x+y+3)(x-y+4)$

$\begin{array}{ccc} x & \diagdown & y+3 \rightarrow (y+3)x \\ x & \diagup & -(y-4) \rightarrow \underline{-(y-4)x} (+ \\ & & 7x \end{array}$

## 063 답 ②

$x^2-5xy+4y^2+x+2y-2$를 $x$에 대하여 내림차순으로 정리해 보자.
$x^2+(1-5y)x+4y^2+2y-2$
$=x^2+(1-5y)x+2(2y^2+y-1)$
$=x^2+(1-5y)x+2(2y-1)(y+1)$
$=(x-4y+2)(x-y-1)$

$\begin{array}{ccc} x & \diagdown & -2(2y-1) \rightarrow -2(2y-1)x \\ x & \diagup & -(y+1) \rightarrow \underline{-(y+1)x} (+ \\ & & (1-5y)x \end{array}$

즉, 두 일차식의 합은
$(x-4y+2)+(x-y-1)=2x-5y+1$
이것이 $2x+ay+b$이므로 $a=-5,\ b=1$
$\therefore\ a+b=-5+1=-4$

## 064 답 ①

세 문자 $a$, $b$, $c$ 중 차수가 가장 낮은 문자 $c$에 대하여 내림차순으로 정리하면
$a^2b+b^2c-b^3-a^2c$
$=c(b^2-a^2)+a^2b-b^3=-c(a^2-b^2)+b(a^2-b^2)$
$=(a^2-b^2)(b-c)=(a+b)(a-b)(b-c)$
따라서 〈보기〉 중에서 인수인 것은 ㄱ, ㄴ, ㄷ이야.

## 065 답 $a(a-b)(a-c)$

공통인수인 $a$로 묶어 보자.
$a^3-(b+c)a^2+abc$
$=a\{a^2-(b+c)a+bc\}$
$=a(a-b)(a-c)$

$\begin{array}{ccc} a & \diagdown & -b \rightarrow -ab \\ a & \diagup & -c \rightarrow \underline{-ac} (+ \\ & & -(b+c)a \end{array}$

**[다른 풀이]**

$$a^3-(b+c)a^2+abc=a^3-a^2b-a^2c+abc$$
$$=a^3-a^2c-a^2b+abc$$
$$=a^2(a-c)-ab(a-c)$$
$$=(a^2-ab)(a-c)$$
$$=a(a-b)(a-c)$$

## 066 답 ②

$ab-b^2-ac+bc$를 $a$에 대하여 내림차순으로 정리해 보자.
$$ab-ac-b^2+bc=a(b-c)-b(b-c)=(a-b)(b-c)$$
이때, $a-b=-3 \cdots \bigcirc$, $c-a=2 \cdots \bigcirc$에서 $\bigcirc+\bigcirc$을 하면
$$-b+c=-1 \qquad \therefore b-c=1 \cdots \bigcirc$$
$\therefore$ (주어진 식)$=-3 \times 1=-3$ ($\because \bigcirc$, $\bigcirc$)

**오|답|피|하|기**

주어진 식만으로 식의 값을 구할 수 없을 경우에는 조건에 있는 식을 최대한 변형하여 식의 값을 구할 줄 알아야 해. $a-b$의 값과 $c-a$의 값이 주어질 때, $b-c$의 값도 구해낼 줄 알아야 해.

## 067 답 $(a+1)(b+1)(c+1)$

$$abc+ab+bc+ca+a+b+c+1$$
$$=\underline{abc+ab}+\underline{bc+b}+\underline{ca+a}+\underline{c+1}$$
$$=ab(c+1)+b(c+1)+a(c+1)+(c+1)$$
$$=(c+1)(\underline{ab+b}+\underline{a+1})=(c+1)\{b(a+1)+(a+1)\}$$
$$=(c+1)(a+1)(b+1)=(a+1)(b+1)(c+1)$$

## 068 답 ③

공통인수인 3.14로 묶어 주자.
$$6.5^2 \times 3.14-3.5^2 \times 3.14=3.14(6.5^2-3.5^2)$$
$$=3.14(6.5+3.5)(6.5-3.5)$$
$$=3.14 \times 10 \times 3=94.2$$

## 069 답 ③

$$273^2-272^2=(273+272)(273-272)=273+272=545$$
따라서 $a^2-b^2=(a+b)(a-b)$를 이용한 거야.

## 070 답 ④

$$202^2-198^2=(202+198)(202-198)=400 \times 4=1600$$
$$\therefore \sqrt{202^2-198^2}=\sqrt{1600}=\sqrt{40^2}=40$$

## 071 답 5417

$5416=A$로 놓으면
$$5416 \times 5418+1=A(A+2)+1$$
$$=A^2+2A+1$$
$$=(A+1)^2$$
$$=(5416+1)^2=5417^2$$
따라서 어떤 자연수는 5417이야.

## 072 답 ③

두 항씩 묶어서 $a^2-b^2=(a+b)(a-b)$를 이용하자.
$$(1^2-2^2)+(3^2-4^2)+(5^2-6^2)+(7^2-8^2)$$
$$=(1-2)(1+2)+(3-4)(3+4)$$
$$\qquad +(5-6)(5+6)+(7-8)(7+8)$$
$$=-3-7-11-15=-36$$

## 073 답 $-128$

두 항씩 묶어서 $a^2-b^2=(a+b)(a-b)$를 이용하자.
$$1^2+5^2+9^2+13^2-(3^2+7^2+11^2+15^2)$$
$$=1^2+5^2+9^2+13^2-3^2-7^2-11^2-15^2$$
$$=1^2-3^2+5^2-7^2+9^2-11^2+13^2-15^2$$
$$=(1^2-3^2)+(5^2-7^2)+(9^2-11^2)+(13^2-15^2)$$
$$=(1-3)(1+3)+(5-7)(5+7)$$
$$\qquad +(9-11)(9+11)+(13-15)(13+15)$$
$$=-2(4+12+20+28)=-2 \times 64=-128$$

## 074 답 ②

(주어진 식)$=\dfrac{2020(2021+1)}{(2021+1)(2021-1)}=\dfrac{2020 \times 2022}{2022 \times 2020}=1$

## 075 답 9100

(i) $A=103^2-6 \times 103+9=103^2-2 \times 103 \times 3+3^2$에서
$a^2-2ab+b^2$ 꼴이므로 $(a-b)^2$을 이용하자.
$$A=(103-3)^2=100^2=10000$$
(ii) $B=35^2-350+25=35^2-2 \times 35 \times 5+5^2$에서 마찬가지로
$(a-b)^2$을 이용하면
$$B=(35-5)^2=30^2=900$$
$\therefore A-B=10000-900=9100$

## 076 답 ③

$$2^8-1=(2^4)^2-1^2=(2^4+1)(2^4-1)$$
$$=(2^4+1)(2^2+1)(2^2-1)$$
$$=(2^4+1)(2^2+1)(2+1)(2-1)=17 \times 5 \times 3$$
이때, 17, 5, 3은 모두 소수지?
따라서 $2^8-1$의 약수의 개수는
$$(1+1) \times (1+1) \times (1+1)=8(개)야.$$

**오|답|피|하|기**

중 1에서 배운 약수의 개수 구하는 방법이 기억나지? 자연수 $A$가 $a^l \times b^m \times c^n$ ($a$, $b$, $c$는 서로 다른 소수)으로 소인수분해될 때, $A$의 약수의 개수는 $(l+1)(m+1)(n+1)$개야.

## 077 답 2651

$50=x$로 놓고 근호 안의 수부터 인수분해를 이용하여 계산해 보자.
$$50 \times 51 \times 52 \times 53+1=x(x+1)(x+2)(x+3)+1$$
$$=(x^2+3x)(x^2+3x+2)+1$$
$x^2+3x=A$로 치환하면
$$A(A+2)+1=A^2+2A+1=(A+1)^2$$
따라서 주어진 식은
$$\sqrt{(A+1)^2}=A+1=x^2+3x+1=50^2+3 \times 50+1$$
$$=2500+150+1=2651$$

## 078 답 ①

$x^2-y^2=(x+y)(x-y)$이므로 $x+y$, $x-y$의 값을 구하면 되지?
$x=\sqrt{5}-\sqrt{3}$, $y=\sqrt{5}+\sqrt{3}$이므로
$$x+y=2\sqrt{5}, \quad x-y=-2\sqrt{3}$$
$$\therefore (x+y)(x-y)=2\sqrt{5} \times (-2\sqrt{3})$$
$$=-4\sqrt{15}$$

$x^2-y^2$의 값을 $x$의 값과 $y$의 값을 직접 대입하여 구해도 돼.

$(\sqrt{5}-\sqrt{3})^2-(\sqrt{5}+\sqrt{3})^2$

$=(5-2\sqrt{15}+3)-(5+2\sqrt{15}+3)$

$=(8-2\sqrt{15})-(8+2\sqrt{15})=-4\sqrt{15}$

근호가 있으니까 좀 복잡하지?

인수분해를 이용하여 푸는 것이 더 쉽고 정확해.

## 079  답 ②

$a^2-2ab+b^2=(a-b)^2$이니까

$a=\dfrac{1-\sqrt{2}}{2}$, $b=\dfrac{1+\sqrt{2}}{2}$에서

$a-b=\dfrac{1-\sqrt{2}}{2}-\dfrac{1+\sqrt{2}}{2}=-\sqrt{2}$

$\therefore (a-b)^2=(-\sqrt{2})^2=2$

## 080  답 ④

주어진 식은 $\dfrac{y^2-x^2}{xy}=\dfrac{(y+x)(y-x)}{xy}$ … ㉠

$y+x$, $y-x$, $xy$의 값을 구해야 돼.

먼저 $x$와 $y$의 분모를 유리화하자.

$x=-\dfrac{1}{\sqrt{3}-2}=-\dfrac{\sqrt{3}+2}{(\sqrt{3}-2)(\sqrt{3}+2)}=-\dfrac{\sqrt{3}+2}{3-4}=\sqrt{3}+2$

$y=-\dfrac{1}{\sqrt{3}+2}=-\dfrac{\sqrt{3}-2}{(\sqrt{3}+2)(\sqrt{3}-2)}=-\dfrac{\sqrt{3}-2}{3-4}=\sqrt{3}-2$

$\therefore y+x=2\sqrt{3}$, $y-x=-4$, $xy=(\sqrt{3}+2)(\sqrt{3}-2)=-1$

따라서 이 값들을 ㉠에 대입하면

(주어진 식)$=\dfrac{2\sqrt{3}\times(-4)}{-1}=8\sqrt{3}$

## 081  답 ⑤

$a^2-2ab-3b^2=(a+b)(a-3b)$ … ㉠

$a=1.75$, $b=0.25$이므로

$a+b=2$, $a-3b=1.75-3\times0.25=1.75-0.75=1$

따라서 ㉠의 값은 $2\times1=2$야.

## 082  답 ②

$(a-b)a^2+(b-a)b^2=(a-b)a^2-(a-b)b^2$

$\phantom{(a-b)a^2+(b-a)b^2}=(a-b)(a^2-b^2)$

$\phantom{(a-b)a^2+(b-a)b^2}=(a-b)(a+b)(a-b)$

$\phantom{(a-b)a^2+(b-a)b^2}=(a-b)^2(a+b)$

이때, $a+b=\sqrt{6}$, $ab=1$이므로

$(a-b)^2=(a+b)^2-4ab=(\sqrt{6})^2-4\times1=6-4=2$

$\therefore (a-b)^2(a+b)=2\times\sqrt{6}=2\sqrt{6}$

곱셈 공식의 변형 잊지 않았지?

(1) $a^2+b^2=(a+b)^2-2ab=(a-b)^2+2ab$

(2) $(a+b)^2=(a-b)^2+4ab$

(3) $(a-b)^2=(a+b)^2-4ab$

## 083  답 ②

$(x-2)^2-6(x-2)+9$에서 $x-2=A$로 치환하면

$A^2-6A+9=(A-3)^2=(x-2-3)^2=(x-5)^2$

이때, $x=5+\sqrt{2}$이므로

$(x-5)^2=(5+\sqrt{2}-5)^2=(\sqrt{2})^2=2$

## 084  답 ④

$x^2-2xy+y^2+2x-2y+1=(x-y)^2+2(x-y)+1$

$x-y=A$로 치환하면

$A^2+2A+1=(A+1)^2=(x-y+1)^2$

$\phantom{A^2+2A+1}=(\sqrt{5}+1)^2=5+2\sqrt{5}+1=6+2\sqrt{5}$

## 085  답 ⑤

주어진 식을 간단히 하자.

$\dfrac{(a+b)(1+x+y)}{(a+b)x^2-(a+b)y^2}=\dfrac{(a+b)(1+x+y)}{(a+b)(x^2-y^2)}$

$\phantom{\dfrac{(a+b)(1+x+y)}{(a+b)x^2-(a+b)y^2}}=\dfrac{1+x+y}{(x+y)(x-y)}$ ($\because a+b\neq0$)

$x=1+\sqrt{2}$, $y=1-\sqrt{2}$이므로

$x+y=2$, $x-y=2\sqrt{2}$

따라서 $x+y$, $x-y$의 값을 대입하면

$\dfrac{1+x+y}{(x+y)(x-y)}=\dfrac{3}{2\times2\sqrt{2}}=\dfrac{3}{4\sqrt{2}}=\dfrac{3\sqrt{2}}{8}$

## 086  답 165

$(a+2)(b+2)=ab+2(a+b)+4=10$에서 $ab=-4$이므로

$-4+2(a+b)+4=10$ $\therefore a+b=5$

$a^3+b^3+a^2b+ab^2=a^2(a+b)+b^2(a+b)$

$\phantom{a^3+b^3+a^2b+ab^2}=(a^2+b^2)(a+b)$

이때, $a^2+b^2$의 값을 구하면

$a^2+b^2=(a+b)^2-2ab=5^2-2\times(-4)=25+8=33$

$\therefore (a^2+b^2)(a+b)=33\times5=165$

## 087  답 ③

주어진 식을 정리하면

$(x^2+y^2)^2-4x^2y^2=(x^2+y^2)^2-(2xy)^2$

$\phantom{(x^2+y^2)^2-4x^2y^2}=(x^2+y^2+2xy)(x^2+y^2-2xy)$

$\phantom{(x^2+y^2)^2-4x^2y^2}=(x+y)^2(x-y)^2$

$\phantom{(x^2+y^2)^2-4x^2y^2}=\{(x+y)(x-y)\}^2$

$x$의 분모를 유리화하고 $y$도 전개하여 정리하자.

$x=\dfrac{\sqrt{2}+1}{\sqrt{2}-1}=\dfrac{(\sqrt{2}+1)(\sqrt{2}+1)}{(\sqrt{2}-1)(\sqrt{2}+1)}=\dfrac{2+2\sqrt{2}+1}{2-1}$

$\phantom{x}=3+2\sqrt{2}$

$y=(\sqrt{2}-1)^2=2-2\sqrt{2}+1=3-2\sqrt{2}$

즉, $x+y=6$, $x-y=4\sqrt{2}$이므로

$\{(x+y)(x-y)\}^2=(6\times4\sqrt{2})^2=1152$

이렇게 풀어도 돼!

$(x^2+y^2)^2-4x^2y^2$에서 $x^2=A$, $y^2=B$라 하면

$(A+B)^2-4AB=(A-B)^2=(x^2-y^2)^2$

$\phantom{(A+B)^2-4AB}=\{(x+y)(x-y)\}^2$

## 088  답 ③

$a^2-b^2+2b-1$을 인수분해하자.

$a^2-b^2+2b-1=a^2-(b^2-2b+1)=a^2-(b-1)^2$

$\phantom{a^2-b^2+2b-1}=(a+b-1)(a-b+1)$

직사각형의 가로의 길이가 $a+b-1$이므로 세로의 길이는

$a-b+1$이야.

따라서 직사각형의 둘레의 길이는

$2\{(a+b-1)+(a-b+1)\}=4a$

## 089  답 6

$\overline{AC}$, $\overline{BD}$는 각각 두 직각삼각형 ABC와 BAD의 빗변이므로
피타고라스 정리에 의해
$\overline{AC}=\overline{BD}=\sqrt{1^2+1^2}=\sqrt{2}$
즉, 점 P에 대응하는 수는 2에서 $\sqrt{2}$를 뺀 것이므로
$a=2-\sqrt{2}$
점 Q에 대응하는 수는 1에서 $\sqrt{2}$를 더한 것이므로
$b=1+\sqrt{2}$
$\therefore a+b=(2-\sqrt{2})+(1+\sqrt{2})=3 \cdots \bigcirc$
한편, 주어진 식을 인수분해하자.
$a^2+2ab+b^2+a+b-6=(a+b)^2+(a+b)-6$
$a+b=A$로 치환하면
$A^2+A-6=(A+3)(A-2)=(a+b+3)(a+b-2)$
$\qquad\qquad =(3+3)(3-2)=6 \ (\because \bigcirc)$

## 090  답 ②

$xy-y^2+3x-6y-9=xy+3x-y^2-6y-9$
$\qquad\qquad\qquad =x(y+3)-(y^2+6y+9)$
$\qquad\qquad\qquad =x(y+3)-(y+3)^2$
$\qquad\qquad\qquad =(y+3)(x-y-3)$
직사각형의 세로의 길이가 $x-y-3$이므로 가로의 길이는 $y+3$이
야.
따라서 화단의 둘레의 길이는 $2\{(y+3)+(x-y-3)\}=2x$

## 091  답 ⑤

직육면체의 부피를 먼저 인수분해해.
$x^3-x^2y-x+y=x^2(x-y)-(x-y)$
$\qquad\qquad\quad =(x-y)(x^2-1)=(x-y)(x+1)(x-1)$
이 직육면체의 밑면의 가로의 길이가 $x+1$,
세로의 길이가 $x-1$이므로 높이는 $x-y$야.
따라서 직육면체의 모든 모서리의 길이의 합은
$4\{(x+1)+(x-1)+(x-y)\}$
$=4(3x-y)=12x-4y$

## 092  답 ③

화단의 넓이를 $a$와 $b$로 나타내 보자.
화단의 넓이는 큰 정사각형의 넓이에서 작은 정사각형의 넓이를 빼
야 해.
(큰 정사각형의 넓이)$=(a+2b)^2$
(작은 정사각형의 넓이)$=a^2$
(화단의 넓이)$=(a+2b)^2-a^2$
$\qquad\qquad =(a+2b+a)(a+2b-a)$
$\qquad\qquad =(2a+2b)\times 2b=4b(a+b)$
따라서 가로의 길이가 $a+b$이므로
세로의 길이는 $4b$야.

## 093  답 ③

$\overline{AB}=2r$ cm라 하면
$\overline{AD}=(2r+2)$ cm
$\overline{AC}=2r+2+2=2r+4$(cm)
$\overline{AD}$를 지름으로 하는 원의 둘레의 길이가 $5\pi$ cm이므로
$2\pi\times\dfrac{2r+2}{2}=5\pi$, $2r+2=5$ $\qquad \therefore r=\dfrac{3}{2}$

$\therefore$ (색칠한 부분의 넓이)
$\quad=(\overline{AC}$를 지름으로 하는 원의 넓이$)$
$\qquad\qquad\qquad -(\overline{AB}$를 지름으로 하는 원의 넓이$)$
$\quad=\left(\dfrac{2r+4}{2}\right)^2\pi-\left(\dfrac{2r}{2}\right)^2\pi$
$\quad=\{(r+2)^2-r^2\}\pi$
$\quad=(r+2+r)(r+2-r)\pi$
$\quad=4(r+1)\pi$
$\quad=4\left(\dfrac{3}{2}+1\right)\pi=10\pi(\text{cm}^2)$

## 094  답 ④

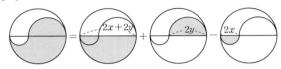

(색칠한 부분의 넓이)
$=($큰 반원의 넓이$)+($중간 반원의 넓이$)-($작은 반원의 넓이$)$
$=\dfrac{1}{2}(x+y)^2\pi+\dfrac{1}{2}y^2\pi-\dfrac{1}{2}x^2\pi$
$=\dfrac{1}{2}\pi\{(x+y)^2+y^2-x^2\}$
$=\dfrac{1}{2}\pi\{(x+y)^2-(x^2-y^2)\}$
$=\dfrac{1}{2}\pi\{(x+y)^2-(x+y)(x-y)\}$
$=\dfrac{1}{2}\pi(x+y)(x+y-x+y)$
$=y(x+y)\pi$

## 095  답 $2y+1$

먼저 원기둥의 부피가 $\underline{(x^2+2x+2y+2x^2y+4xy+1)}\pi$이므로
$\qquad\qquad\qquad\qquad\qquad\qquad\quad \bigcirc$
$\bigcirc$ 부분을 인수분해하자.
$\bigcirc$에서 $y$에 대하여 내림차순으로 식을 정리하면
$x^2+2x+2y+2x^2y+4xy+1$
$=y(2+2x^2+4x)+x^2+2x+1$
$=2y(x^2+2x+1)+(x^2+2x+1)$
$=2y(x+1)^2+(x+1)^2$
$=(2y+1)(x+1)^2$
그런데 이 원기둥의 밑면의 지름의 길이가 $2(x+1)$이므로
(원기둥의 부피)$=($밑면의 넓이$)\times($높이$)$를 이용하면
$\pi\times(x+1)^2\times($높이$)=(2y+1)(x+1)^2\pi$
$\therefore($높이$)=2y+1$

## 096  답 8

육상 트랙은 직선 구간 2개와 반원인 곡선 구간 2개로 이루어져 있
지?
$\therefore$ (육상 트랙의 길이)
$\quad=2\times($직선 구간의 길이$)+2\times($반원의 호의 길이$)$
$(6+2\pi)x+10y+4\pi=2\times(ax+by)+2\times\left\{\dfrac{2\pi\times(x+2)}{2}\right\}$
$\qquad\qquad\qquad\qquad =2ax+2by+2\pi x+4\pi$
$\qquad\qquad\qquad\qquad =(2a+2\pi)x+2by+4\pi$
$x$, $y$의 계수끼리 같아야 하므로
$2a+2\pi=6+2\pi$ $\quad \therefore a=3$
$2b=10$ $\quad \therefore b=5$
$\therefore a+b=3+5=8$

## 097 답 $x+y$

$A$, $B$, $C$, $D$를 구해 보자.
$A=x^3$, $B=x^2y$, $C=xy^2$, $D=y^3$
$\therefore A+3B+3C+D=x^3+3x^2y+3xy^2+y^3$
이제 이것을 인수분해해 보자.
$x^3+3x^2y+3xy^2+y^3$
$=\underbrace{x^3+2x^2y}+\underbrace{x^2y+2xy^2}+\underbrace{xy^2+y^3}$
$=x^2(x+y)+2xy(x+y)+y^2(x+y)$
$=(x+y)(x^2+2xy+y^2)$
$=(x+y)(x+y)^2$
$=(x+y)^3$
따라서 구하는 정육면체의 한 모서리의 길이는 $x+y$야.

## 098 답 ③

$a^3c-a^2bc+ab^2c+ac^3-b^3c-bc^3=0$에서 좌변을 인수분해하자.
$a^3c-a^2bc+ab^2c+ac^3-b^3c-bc^3$
$=ac^3-bc^3+a^3c-a^2bc+ab^2c-b^3c$
$=(a-b)c^3+(a^3-a^2b+ab^2-b^3)c$
$=(a-b)c^3+\{a^2(a-b)+b^2(a-b)\}c$
$=(a-b)c^3+(a-b)(a^2+b^2)c$
$=(a-b)\{c^3+(a^2+b^2)c\}$
$=c(a-b)(a^2+b^2+c^2)$
$\therefore c(a-b)(a^2+b^2+c^2)=0$
그런데 $a$, $b$, $c$는 삼각형의 세 변의 길이이므로 양수지?
즉, $c(a^2+b^2+c^2)>0$이야.
따라서 $a-b=0$이므로 조건을 만족하는 삼각형은 $a=b$인
이등변삼각형이야.

## 🔒잘 틀리는 유형 훈련 +1up
p. 98

## 099 답 ③

**1st** 공통 부분이 생기도록 2개씩 묶어 보자.
$xy-y-2x+2=y(x-1)-2(x-1)$
$\qquad\qquad\quad=(x-1)(y-2)$
따라서 선택지 중에서 인수인 것은 ③이야.

**오답피하기**

자리가 바뀌어 있기 때문에 공통 부분을 쉽게 찾지 못해서 틀리는
경우가 있어. 일단 묶어 보고 생각하자.
또한, $xy-y-2x+2$를 다음과 같이 묶어 인수분해할 수도 있어.
$(xy-2x)-y+2=x(y-2)-(y-2)$
$\qquad\qquad\qquad=(y-2)(x-1)$

## 100 답 $(x-2y)(2x-1)$

**1st** 두 개의 항을 적당히 묶어 공통 부분이 생기도록 하자.
$2x^2-4xy-x+2y=2x(x-2y)-(x-2y)$
$\qquad\qquad\qquad\quad=(x-2y)(2x-1)$

## 101 답 ③

**1st** 공통 부분이 나올 수 있게 묶어 보자.
$x^2-xy-2y^2-3x-3y=(x^2-xy-2y^2)-3(x+y)$
$\qquad\qquad\qquad\qquad=(x+y)(x-2y)-3(x+y)$
$\qquad\qquad\qquad\qquad=(x+y)(x-2y-3)$

**오답피하기**

$x^2-xy-2y^2$을 인수분해할 때 $x^2$의 항과 $2y^2$을 분리하여 $-xy$의
항이 나올 수 있도록 해주는 거야. 이 부분에서 상당히 약한 사람
이 있지?

$$\begin{array}{ccc} x & \searrow\ y & \longrightarrow\ xy \\ x & \nearrow\ -2y & \longrightarrow\ \underline{-2xy}\,(+ \\ & & -xy \end{array}$$

$\therefore x^2-xy-2y^2=(x+y)(x-2y)$

## 102 답 ②

**1st** 적당히 항을 묶어 공통 부분을 찾아보자.
$a^2-ab-2a+b+1=(a^2-2a+1)-ab+b$
$\qquad\qquad\qquad\quad=(a-1)^2-b(a-1)$
$\qquad\qquad\qquad\quad=(a-1)(a-1-b)$
$\qquad\qquad\qquad\quad=(a-1)(a-b-1)$
따라서 선택지 중에서 인수인 것은 ②야.

## 103 답 ④

**1st** $ac+ad+bc+bd$를 적당히 묶어서 인수분해하자.
$ac+ad+bc+bd=a(c+d)+b(c+d)$
$\qquad\qquad\qquad=(a+b)(c+d)$
**2nd** $X^2+2XY+Y^2=(X+Y)^2$ 이지?
$(a+b)^2+(c+d)^2+2(a+b)(c+d)$
$=(a+b)^2+2(a+b)(c+d)+(c+d)^2$
$a+b=A$, $c+d=B$로 치환하면
(주어진 식)$=A^2+2AB+B^2=(A+B)^2$
$\qquad\qquad\qquad=(a+b+c+d)^2$

## 104 답 ④

**1st** $x^2=A$로 치환하자.
$x^2=A$로 치환하면
$x^4+2x^2-3=(x^2)^2+2x^2-3=A^2+2A-3$
$\qquad\qquad\qquad\qquad=(A+3)(A-1)$
$\qquad\qquad\qquad\qquad=(x^2+3)(x^2-1)$
$\qquad\qquad\qquad\qquad=(x^2+3)(x+1)(x-1)$
따라서 인수가 아닌 것은 ④야.

## 105 답 ②, ④

**1st** 좌변의 식을 인수분해해 보자.
$2xy-2x-y+1=3$의 좌변을 인수분해하면
$2x(y-1)-(y-1)=(2x-1)(y-1)=3$
**2nd** 두 정수의 곱이 3이 되는 경우를 살펴보자.
$x$, $y$가 자연수이므로 $2x-1\geq1$, $y-1\geq0$에서
$(2x-1)(y-1)=3$이 되는 경우는 다음과 같아.
$2x-1=1$, $y-1=3$ 또는 $2x-1=3$, $y-1=1$
$\therefore x=1$, $y=4$ 또는 $x=2$, $y=2$
따라서 각각의 경우에서 순서쌍 $(x, y)$를 구하면
$(1, 4)$, $(2, 2)$가 돼.

## 106 답 ⑤

**1st** 좌변의 식을 인수분해해 보자.
$$xy-x-3y+3=x(y-1)-3(y-1)$$
$$=(x-3)(y-1)=5$$

**2nd** 두 정수의 곱이 5가 되는 경우를 살펴보자.

$x$, $y$가 자연수이므로 $x-3\geq-2$, $y-1\geq0$에서 $(x-3)(y-1)=5$가 되는 경우는 다음과 같아.

$$\begin{cases} x-3=1 \\ y-1=5 \end{cases} \text{일 때} \begin{cases} x=4 \\ y=6 \end{cases}, \begin{cases} x-3=5 \\ y-1=1 \end{cases} \text{일 때} \begin{cases} x=8 \\ y=2 \end{cases}$$

따라서 순서쌍 $(x, y)$는 $(4, 6)$, $(8, 2)$이므로 $a=8$, $b=2$
$$\therefore ab=8\times2=16$$

## 107 답 $(x+y+1)(x-y+1)$

**1st** 연산 $\circ$의 뜻을 잘 생각해 봐.
$$(x+y)\circ(x-y)+1=(x+y)(x-y)+(x+y)+(x-y)+1$$
$$=x^2-y^2+2x+1=(x^2+2x+1)-y^2$$
$$=(x+1)^2-y^2$$

**2nd** $x+1=A$로 치환하자.

이때, $x+1=A$로 치환하면
$$(\text{주어진 식})=A^2-y^2=(A+y)(A-y)$$
$$=(x+1+y)(x+1-y)$$
$$=(x+y+1)(x-y+1)$$

## 108 답 ④

**1st** 연산 $\langle\ \rangle$의 뜻을 잘 생각해 봐.

$\langle a, b\rangle=(a-b)^2$이므로
$$\langle3x, 2y\rangle-\langle2x, -3y\rangle=(3x-2y)^2-(2x+3y)^2$$

**2nd** 식이 복잡한 경우는 치환!!

$3x-2y=A$, $2x+3y=B$로 치환하면
$$A^2-B^2=(A+B)(A-B)$$
$$=(3x-2y+2x+3y)(3x-2y-2x-3y)$$
$$=(5x+y)(x-5y)$$

## 109 답 ④

**1st** 치환하여 인수분해하자.

$x+1=A$, $y-1=B$로 치환하면
$$2(x+1)^2-(x+1)(y-1)-6(y-1)^2$$
$$=2A^2-AB-6B^2=(2A+3B)(A-2B)$$
$$=\{2(x+1)+3(y-1)\}\{(x+1)-2(y-1)\}$$
$$=(2x+3y-1)(x-2y+3)$$

따라서 $a=3$, $b=-2$이므로
$$a-b=3-(-2)=5$$

## 110 답 ④

**1st** $x^2-x$가 공통으로 보이지? 치환하여 풀자.

$x^2-x=A$로 치환하면
$$(x^2-x)^2-8(x^2-x)+12$$
$$=A^2-8A+12=(A-6)(A-2)$$
$$=(x^2-x-6)(x^2-x-2)$$
$$=(x+2)(x-3)(x+1)(x-2)$$

따라서 4개의 일차식의 합은
$$(x+2)+(x-3)+(x+1)+(x-2)=4x-2$$

## 111 답 ③

**1st** $x^2+12$가 공통으로 보이지? 치환하자.

$x^2+12=A$로 치환하면
$$(x^2-8x+12)(x^2-7x+12)-6x^2$$
$$=(A-8x)(A-7x)-6x^2=A^2-15xA+56x^2-6x^2$$
$$=A^2-15xA+50x^2=(A-5x)(A-10x)$$
$$=(x^2-5x+12)(x^2-10x+12)$$

따라서 두 이차식의 합은
$$(x^2-5x+12)+(x^2-10x+12)=2x^2-15x+24$$

**오답피하기**

보통 이차항과 일차항의 합에 대해 치환했지만 이차항과 상수항의 합도 치환할 수 있음을 기억해. 공통이 될 만한 것은 모두 치환할 수 있다는 걸 기억하자.

## 112 답 ④

**1st** $a-b$가 보이지? 치환하여 풀자.

$a-b=A$로 치환하면
$$(a-b-\sqrt{2})(2b-2a-\sqrt{8})-2a+2b$$
$$=(a-b-\sqrt{2})\{-2(a-b)-2\sqrt{2}\}-2(a-b)$$
$$=(a-b-\sqrt{2})\{-2(a-b+\sqrt{2})\}-2(a-b)$$
$$=-2(a-b-\sqrt{2})(a-b+\sqrt{2})-2(a-b)$$
$$=-2(A-\sqrt{2})(A+\sqrt{2})-2A$$
$$=-2(A^2-2)-2A=-2(A^2+A-2)$$
$$=-2(A+2)(A-1)=-2(a-b+2)(a-b-1)$$
$$=-2\{a-\underset{(가)}{(b-2)}\}\{a-\underset{(나)}{(b+1)}\}$$
$$\therefore (가)+(나)=(b-2)+(b+1)=2b-1$$

## 113 답 ③

**1st** 두 개의 항을 적당히 묶어 치환할 수 있는 항을 만들어 보자.
$$x(x+1)(x+2)(x+3)+1=(x^2+3x)(x^2+3x+2)+1$$

$x^2+3x=A$로 치환하면
$$A(A+2)+1=A^2+2A+1$$
$$=(A+1)^2$$
$$=(x^2+3x+1)^2$$

따라서 선택지 중 인수인 것은 ③이야.

**오답피하기**

$(\ )(\ )(\ )(\ )+k$ 꼴의 인수분해는 공통 부분이 생기도록 2개씩 묶어 전개하고 공통 부분을 치환하여 인수분해하는 게 그 해법이야. 적당히 묶는 방법이 헷갈린다구? $x^2$항은 이차항으로 대부분 공통 부분에 속하지만 $x$항, 즉 일차항이 같은지 상수항이 같은지는 해 봐야 알 수 있어. 몇 개 안 되니까 묶어 보고 공통 부분을 찾자.

## 114 답 ①

**1st** 두 개의 항을 적당히 묶어 공통 부분을 치환하여 풀도록 하자.
$$(x+1)(x+2)(x+3)(x+4)+a$$
$$=(x^2+5x+4)(x^2+5x+6)+a$$
$x^2+5x=A$로 치환하면
$$(A+4)(A+6)+a=A^2+10A+24+a \cdots ㉠$$

**2nd** 완전제곱식이 되려면 상수항은 일차항의 계수의 $\frac{1}{2}$을 곱한 값의 제곱과 같아야 해.

㉠이 완전제곱식이 되려면 $A$의 계수의 $\frac{1}{2}$을 곱한 값의 제곱이 상수항이 되면 되지?

$\left(\dfrac{10}{2}\right)^2 = 24 + a$, $25 = 24 + a$

$\therefore a = 1$

## 115  답 ⑤

**1st** $2x+1=A$, $x-2=B$로 치환하자.

$(2x+1)^2 - (x-2)^2 = A^2 - B^2$
$\qquad\qquad = (A+B)(A-B)$
$\qquad\qquad = (2x+1+x-2)(2x+1-x+2)$
$\qquad\qquad = (3x-1)(x+3)$

이것이 $(3x+a)(x+b)$와 같으므로 $a=-1$, $b=3$

$\therefore a+3b = -1+9 = 8$

**오답피하기**

물론 이 문제는 전개한 후 정리해서 인수분해해도 돼.

$(2x+1)^2 - (x-2)^2 = (4x^2+4x+1) - (x^2-4x+4)$
$\qquad\qquad = 3x^2 + 8x - 3$
$\qquad\qquad = (3x-1)(x+3)$

푸는 방법은 여러 가지야. 한 가지만 고집하지 않아도 돼. 하지만 시간이 적게 걸리고 정확하게 풀 수 있는 방법을 선택해야겠지.

## 116  답 ⑤

**1st** $x+5$, $x-3$이 보이지? 치환하자.

$x+5=A$, $x-3=B$로 치환하자.

$2(x+5)^2 + 5(x+5)(x-3) - 3(x-3)^2$
$= 2A^2 + 5AB - 3B^2$
$= (A+3B)(2A-B)$
$= (x+5+3x-9)(2x+10-x+3)$
$= (4x-4)(x+13)$
$= 4(x-1)(x+13)$

**2nd** $a$, $b$, $c$를 정할 수 있지?

$a$, $b$, $c$가 양수이므로 $a=4$, $b=1$, $c=13$

$\therefore a+b+c = 4+1+13 = 18$

## 117  답 ③

**1st** $x$에 대하여 내림차순으로 정리하자.

$x^2 - y^2 + 3x + y + 2 = x^2 + 3x - y^2 + y + 2$
$\qquad\qquad = x^2 + 3x - (y^2 - y - 2)$
$\qquad\qquad = x^2 + 3x - (y-2)(y+1)$
$\qquad\qquad = (x-y+2)(x+y+1)$

이것이 $(x+ay+b)(x+cy+d)$이므로

$a+b+c+d = -1+2+1+1 = 3$

**오답피하기**

이런 유형의 문제에 약한 사람이 있어. $x$에 대하여 내림차순으로 식을 정리하고 $y$에 대한 식을 인수분해하여 두 일차식의 곱의 꼴로 나오게 하는 게 바로 그 해법이야. 확실히 이해하고 넘어가자.

## 118  답 ①

**1st** $x$에 대하여 내림차순으로 정리해 보자.

$2x^2 + 3xy + y^2 - 5x - 4y + 3 = 2x^2 + (3y-5)x + y^2 - 4y + 3$
$\qquad\qquad = 2x^2 + (3y-5)x + (y-1)(y-3)$
$\qquad\qquad = (2x+y-3)(x+y-1)$

이것이 $(2x+ay+b)(x+cy+d)$이므로

$a=1$, $b=-3$, $c=1$, $d=-1$

$\therefore a+b+c+d = 1+(-3)+1+(-1) = -2$

## 119  답 ⑤

**1st** 1004가 공통인수이므로 묶어 주자.

$1004 \times (0.75^2 - 0.25^2) = 1004 \times (0.75+0.25) \times (0.75-0.25)$
$\qquad\qquad = 1004 \times 1 \times 0.5 = 502$

**오답피하기**

참 복잡한 계산이지만 인수분해를 이용하면 아주 간단해지지. 사소한 소수의 덧셈, 뺄셈에 실수하지 않도록 해!

## 120  답 ⑤

**1st** $a^2 - b^2 = (a+b)(a-b)$를 이용하자.

$\sqrt{504^2 - 496^2} = \sqrt{(504+496)(504-496)}$
$\qquad\qquad = \sqrt{1000 \times 8} = \sqrt{100 \times 10 \times 2^3}$
$\qquad\qquad = \sqrt{100 \times 2^4 \times 5} = 40\sqrt{5}$

## 121  답 ①

**1st** $x$, $y$의 분모를 유리화해서 간단히 나타내자.

$x = \dfrac{1}{\sqrt{3}+\sqrt{2}} = \dfrac{\sqrt{3}-\sqrt{2}}{(\sqrt{3}+\sqrt{2})(\sqrt{3}-\sqrt{2})} = \sqrt{3}-\sqrt{2}$

$y = \dfrac{1}{\sqrt{3}-\sqrt{2}} = \dfrac{\sqrt{3}+\sqrt{2}}{(\sqrt{3}-\sqrt{2})(\sqrt{3}+\sqrt{2})} = \sqrt{3}+\sqrt{2}$

$\therefore x^2 - 2xy + y^2 = (x-y)^2$
$\qquad\qquad = (\sqrt{3}-\sqrt{2}-\sqrt{3}-\sqrt{2})^2$
$\qquad\qquad = (-2\sqrt{2})^2 = 8$

**오답피하기**

$x$, $y$의 분모를 유리화하면 값들이 간단해지지. 주어진 다항식도 완전제곱식이니까 $x$, $y$의 값을 대입하되 부호 때문에 틀리지 않도록 주의해야 해!

## 122  답 ④

**1st** $x$, $y$의 분모를 유리화하자.

$x = \dfrac{1}{1-\sqrt{3}} = \dfrac{1+\sqrt{3}}{(1-\sqrt{3})(1+\sqrt{3})} = -\dfrac{1+\sqrt{3}}{2}$

$y = \dfrac{1}{1+\sqrt{3}} = \dfrac{1-\sqrt{3}}{(1+\sqrt{3})(1-\sqrt{3})} = -\dfrac{1-\sqrt{3}}{2}$

**2nd** $x+y$, $x-y$의 값을 구하자.

$x^2 - y^2 = (x+y)(x-y)$이므로 $x+y$, $x-y$의 값만 구하면 돼.

$x+y = -\dfrac{1+\sqrt{3}}{2} - \dfrac{1-\sqrt{3}}{2} = -1$

$x-y = -\dfrac{1+\sqrt{3}}{2} + \dfrac{1-\sqrt{3}}{2} = -\sqrt{3}$

$\therefore$ (주어진 식) $= (-1) \times (-\sqrt{3}) = \sqrt{3}$

[ 123-124 채점기준표 ]

| Ⅰ | 공통 부분을 한 문자로 치환한다. | 20% |
|---|---|---|
| Ⅱ | 치환한 문자를 이용하여 인수분해한다. | 40% |
| Ⅲ | 원래의 식을 대입하여 정리한다. | 40% |

## 123 답 $(x^2-2x+2)(x+1)(x-3)$

먼저, 공통 부분을 찾아 치환하자.

$x^2-2x=A$로 치환하자.　　　　　　　　… Ⅰ

그다음, 치환한 문자를 이용하여 인수분해하자.

(주어진 식) $=(x^2-2x)^2-(x^2-2x)-6$

　　　　　 $=A^2-A-6$

　　　　　 $=(A+2)(A-3)$　　　　　… Ⅱ

그래서, 원래의 식을 대입하여 정리하자.

　　　　　 $=(x^2-2x+2)(x^2-2x-3)$

　　　　　 $=(x^2-2x+2)(x+1)(x-3)$　… Ⅲ

## 124 답 $(a-b+6)(a-b-3)$

먼저, 공통 부분을 찾아 치환하자.

$a-b=A$로 놓으면　　　　　　　　　　… Ⅰ

그다음, 치환한 문자를 이용하여 인수분해하자.

(주어진 식) $=(A-2)(A+5)-8=A^2+3A-10-8$

　　　　　 $=A^2+3A-18=(A+6)(A-3)$　… Ⅱ

그래서, 원래의 식을 대입하여 정리하자.

　　　　　 $=(a-b+6)(a-b-3)$　… Ⅲ

[ 125-126 채점기준표 ]

| Ⅰ | $a+b$의 값을 구한다. | 40% |
|---|---|---|
| Ⅱ | 주어진 식을 인수분해한다. | 40% |
| Ⅲ | 식의 값을 구한다. | 20% |

## 125 답 $100$

먼저, $a+b$의 값을 구하자.

$(a+b)^2=a^2+b^2+2ab=17+2\times4=25$

$\therefore a+b=5$ ($\because a>0$, $b>0$)　　　… Ⅰ

그다음, 주어진 식을 인수분해하자.

(주어진 식) $=ab(a^2+2ab+b^2)$

　　　　　 $=ab(a+b)^2$　　　　　… Ⅱ

그래서, 식의 값을 구하자.

　　　　　 $=4\times5^2=100$　　　… Ⅲ

## 126 답 $24\sqrt{5}$

먼저, $a+b$의 값을 구하자.

$(a+b)^2=a^2+b^2+2ab$

　　　　　 $=12+2\times4=20$

$\therefore a+b=\sqrt{20}=2\sqrt{5}$ ($\because a>0$, $b>0$)　… Ⅰ

그다음, 주어진 식을 인수분해하자.

$a^3+a^2b+ab^2+b^3=a^2(a+b)+b^2(a+b)$

　　　　　　 $=(a+b)(a^2+b^2)$　… Ⅱ

그래서, 식의 값을 구하자.

　　　　　 $=2\sqrt{5}\times12$

　　　　　 $=24\sqrt{5}$　　　… Ⅲ

## 127 답 $(x+2)(x-1)(x^2-x-8)$

연산 ⊙은 앞의 수를 제곱한 것에서 뒤의 수를 제곱한 것을 빼는 연산이다.　　　　　　　　　　　… Ⅰ

$x^2-5=A$, $x+3=B$로 치환하면

(주어진 식) $=(x^2-5)^2-(x+3)^2=A^2-B^2=(A+B)(A-B)$

　　　　　 $=(x^2-5+x+3)(x^2-5-x-3)$　… Ⅱ

　　　　　 $=(x^2+x-2)(x^2-x-8)$

　　　　　 $=(x+2)(x-1)(x^2-x-8)$　… Ⅲ

[ 채점기준표 ]

| Ⅰ | 연산 ⊙의 뜻을 파악한다. | 30% |
|---|---|---|
| Ⅱ | 주어진 식을 치환을 이용해 인수분해한다. | 50% |
| Ⅲ | 원래의 식을 대입하여 정리한다. | 20% |

## 128 답 $(2, 4)$, $(0, -2)$, $(4, 2)$, $(-2, 0)$

$ab-a-b=2$에서 양변에 1을 더하면

$ab-a-b+1=3$, $a(b-1)-(b-1)=3$

$\therefore (a-1)(b-1)=3$　　　　　… Ⅰ

$a$, $b$가 정수이므로 $a-1$, $b-1$도 정수이다. 즉,

| $a-1$ | 1 | $-1$ | 3 | $-3$ |
|---|---|---|---|---|
| $b-1$ | 3 | $-3$ | 1 | $-1$ |

… Ⅱ

따라서 순서쌍 $(a, b)$는 $(2, 4)$, $(0, -2)$, $(4, 2)$, $(-2, 0)$이다.
　　　　　　　　　　　… Ⅲ

[ 채점기준표 ]

| Ⅰ | 주어진 식을 변형한 후 인수분해하여 좌변은 두 식의 곱으로, 우변은 정수가 되게 만든다. | 50% |
|---|---|---|
| Ⅱ | $a-1$, $b-1$의 값을 찾는다. | 30% |
| Ⅲ | 순서쌍 $(a, b)$를 모두 구한다. | 20% |

## 129 답 $-10$

$3<\sqrt{10}<4$이므로 $7<4+\sqrt{10}<8$

또, $-4<-\sqrt{10}<-3$이므로 $0<4-\sqrt{10}<1$　… Ⅰ

$\therefore a=4+\sqrt{10}-7=\sqrt{10}-3$, $b=4-\sqrt{10}$　… Ⅱ

$\therefore$ (주어진 식) $=ab-4a+3b-12=a(b-4)+3(b-4)$

　　　　　 $=(b-4)(a+3)=(4-\sqrt{10}-4)(\sqrt{10}-3+3)$

　　　　　 $=(-\sqrt{10})\times\sqrt{10}=-10$　… Ⅲ

[ 채점기준표 ]

| Ⅰ | $4+\sqrt{10}$, $4-\sqrt{10}$의 값의 범위를 구한다. | 30% |
|---|---|---|
| Ⅱ | $a$, $b$의 값을 구한다. | 30% |
| Ⅲ | 주어진 식을 인수분해한 후 대입하여 식의 값을 구한다. | 40% |

## 130 답 $(a-b)(b-c)(a-c)$

(주어진 식) $=a^2(b-c)+b^2c-ab^2+ac^2-bc^2$

　　　　　 $=a^2(b-c)-a(b^2-c^2)+bc(b-c)$　… Ⅰ

　　　　　 $=a^2(b-c)-a(b+c)(b-c)+bc(b-c)$

　　　　　 $=(b-c)\{a^2-a(b+c)+bc\}$　… Ⅱ

　　　　　 $=(b-c)(a-b)(a-c)$

　　　　　 $=(a-b)(b-c)(a-c)$　… Ⅲ

[ 채점기준표 ]

| Ⅰ | 주어진 식을 $a$에 대하여 내림차순으로 정리한다. | 30% |
|---|---|---|
| Ⅱ | 공통 부분인 $b-c$로 묶어 낸다. | 40% |
| Ⅲ | 나머지 부분도 인수분해하여 정리한다. | 30% |

## 131　답 −210

(주어진 식)
$$=(1^2-2^2)+(3^2-4^2)+(5^2-6^2)+\cdots+(19^2-20^2) \quad \cdots \text{ Ⅰ}$$
$$=(1+2)(1-2)+(3+4)(3-4)+(5+6)(5-6)$$
$$+\cdots+(19+20)(19-20) \quad \cdots \text{ Ⅱ}$$
$$=-(3+7+11+\cdots+39) \quad \cdots \text{ Ⅲ}$$
$$=-210$$

[채점기준표]

| Ⅰ | 두 개의 항씩 묶는다. | 30% |
|---|---|---|
| Ⅱ | $a^2-b^2=(a+b)(a-b)$를 이용한다. | 40% |
| Ⅲ | 각 항을 계산하여 값을 구한다. | 30% |

## 132　답 $245\pi$ cm³

만들어지는 입체도형은 그림과 같이 구멍이 뚫린 원기둥이다. $\cdots$ Ⅰ

큰 원기둥과 작은 원기둥의 부피를 각각
$A$, $B$라 하면
$$A=\pi\times5.25^2\times10$$
$$=10\pi\times5.25^2(\text{cm}^3)$$
$$B=\pi\times1.75^2\times10$$
$$=10\pi\times1.75^2(\text{cm}^3) \quad \cdots \text{ Ⅱ}$$
따라서 구하는 입체도형의 부피는
$$A-B=10\pi(5.25^2-1.75^2)$$
$$=10\pi(5.25+1.75)(5.25-1.75)$$
$$=10\pi\times7\times3.5$$
$$=245\pi(\text{cm}^3) \quad \cdots \text{ Ⅲ}$$

5.25 cm
10 cm
1.75 cm

[채점기준표]

| Ⅰ | 회전시킨 입체도형의 모양을 파악한다. | 20% |
|---|---|---|
| Ⅱ | 큰 원기둥과 작은 원기둥의 부피를 각각 구한다. | 30% |
| Ⅲ | 인수분해 공식을 이용하여 입체도형의 부피를 구한다. | 50% |

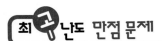
최고난도 만점 문제
p. 104

## 133　답 7

1st $a-b=3$, $b-c=-1$을 이용하여 $a-c$의 값을 구하자.
$a-b=3$ $\cdots$ ㉠, $b-c=-1$ $\cdots$ ㉡에서 ㉠+㉡을 하면
$a-c=2$ $\cdots$ ㉢

2nd 주어진 식을 인수분해하자.
$$a^2+b^2+c^2-ab-bc-ca$$
$$=\frac{1}{2}(2a^2+2b^2+2c^2-2ab-2bc-2ca)$$
$$=\frac{1}{2}\{(a^2-2ab+b^2)+(b^2-2bc+c^2)+(c^2-2ca+a^2)\}$$
$$=\frac{1}{2}\{(a-b)^2+(b-c)^2+(c-a)^2\}$$
$$=\frac{1}{2}\{3^2+(-1)^2+(-2)^2\} \quad (\because ㉠, ㉡, ㉢)$$
$$=\frac{1}{2}\times14=7$$

## 134　답 ①

1st 적당히 항을 묶어 인수분해할 수 있도록 해 보자.
$$a^2-b^2-c^2+2a+2bc+1=(a^2+2a+1)-(b^2-2bc+c^2)$$
$$=(a+1)^2-(b-c)^2$$
$$=(a+1+b-c)(a+1-b+c)$$
$$=(a+b-c+1)(a-b+c+1)$$

## 135　답 ②

1st 인수분해 공식을 이용하여 $f(x)$의 ( ) 안의 수들을 정리해 보자.
$$f(x)=\left(1-\frac{1}{2^2}\right)\left(1-\frac{1}{3^2}\right)\left(1-\frac{1}{4^2}\right)\cdots\left(1-\frac{1}{x^2}\right)$$
$$=\left(1-\frac{1}{2}\right)\left(1+\frac{1}{2}\right)\left(1-\frac{1}{3}\right)\left(1+\frac{1}{3}\right)\left(1-\frac{1}{4}\right)\left(1+\frac{1}{4}\right)$$
$$\times\cdots\times\left(1-\frac{1}{x}\right)\left(1+\frac{1}{x}\right)$$
$$=\frac{1}{2}\times\frac{3}{2}\times\frac{2}{3}\times\frac{4}{3}\times\frac{3}{4}\times\frac{5}{4}\times\cdots\times\frac{x-1}{x}\times\frac{x+1}{x}$$
$$=\frac{1}{2}\times\frac{x+1}{x}$$

2nd 이제 $k$의 값을 구할 수 있겠지?
이때, $f(k)=\dfrac{11}{21}$이므로
$$\frac{1}{2}\times\frac{k+1}{k}=\frac{11}{21}$$
$$21(k+1)=22k \quad \therefore k=21$$

## 136　답 ⑤

1st 어떤 수 $A$가 $B$로 나누어떨어진다는 의미는 $B$가 $A$의 약수라는 거야.
주어진 수를 $a^2-b^2=(a+b)(a-b)$를 이용하여 정리하자.
$$2^{40}-1=(2^{20})^2-1=(2^{20}+1)(2^{20}-1)$$
$$=(2^{20}+1)(2^{10}+1)(2^{10}-1)$$
$$=(2^{20}+1)(2^{10}+1)(2^5+1)(2^5-1)$$
$$=(2^{20}+1)(2^{10}+1)\times33\times31$$
주어진 자연수의 약수 중 30과 40 사이의 수는 33과 31이 돼.
따라서 이 두 자연수의 합은 $33+31=64$야.

## 137　답 $-6\sqrt{2}$

1st $x+y$, $x-y$가 눈에 들어오지? 치환하자.
$x+y=A$, $x-y=B$로 치환하자.
$$A^3B-B^3A=AB(A^2-B^2)=AB(A+B)(A-B)$$
$$=(x+y)(x-y)(x+y+x-y)(x+y-x+y)$$
$$=4xy(x+y)(x-y)$$

2nd $xy$, $x+y$, $x-y$의 값을 구하자.
$$x+y=\frac{3+\sqrt{3}+\sqrt{2}}{2}+\frac{3-\sqrt{3}-\sqrt{2}}{2}=3$$
$$x-y=\frac{3+\sqrt{3}+\sqrt{2}}{2}-\frac{3-\sqrt{3}-\sqrt{2}}{2}=\sqrt{3}+\sqrt{2}$$
$$xy=\frac{3+\sqrt{3}+\sqrt{2}}{2}\times\frac{3-\sqrt{3}-\sqrt{2}}{2}$$
$$=\frac{\{3+(\sqrt{3}+\sqrt{2})\}\{3-(\sqrt{3}+\sqrt{2})\}}{4}$$
$$=\frac{9-(\sqrt{3}+\sqrt{2})^2}{4}=\frac{4-2\sqrt{6}}{4}=\frac{2-\sqrt{6}}{2}$$
$$\therefore 4xy(x+y)(x-y)=4\times\frac{2-\sqrt{6}}{2}\times3\times(\sqrt{3}+\sqrt{2})$$
$$=6(2-\sqrt{6})(\sqrt{3}+\sqrt{2})=-6\sqrt{2}$$

E

## 138  답 128

**1st** 조건을 이용하여 $x+y$의 값을 구하자.

$$x^2y-3x+xy^2-3y=(x^2y+xy^2)-3(x+y)$$
$$=xy(x+y)-3(x+y)$$
$$=(x+y)(xy-3)=72$$

이때, $xy=12$이므로

$$9(x+y)=72 \quad \therefore x+y=8$$

**2nd** 구하고자 하는 식을 인수분해하자.

$$x^3-x^2y-xy^2+y^3=(x^3-x^2y)-(xy^2-y^3)$$
$$=x^2(x-y)-y^2(x-y)$$
$$=(x-y)(x^2-y^2)=(x-y)(x+y)(x-y)$$
$$=(x-y)^2(x+y) \cdots \text{㉠}$$

**3rd** $(x-y)^2=(x+y)^2-4xy$를 이용하자.

$$(x-y)^2=(x+y)^2-4xy=8^2-4\times 12=64-48=16$$
$$\therefore (x-y)^2(x+y)=16\times 8=128$$

## 139  답 2700

**1st** 모서리의 길이의 합, 겉넓이를 각각 구하자.

(가) 직육면체의 모서리의 길이의 총합이 48이므로

$$4(4+x+y)=48 \quad \therefore x+y=8 \cdots \text{㉠}$$

또, (가) 직육면체의 겉넓이가 94이므로

$$2(4x+4y+xy)=94, \ 4x+4y+xy=47$$
$$4(x+y)+xy=47, \ 4\times 8+xy=47(\because \text{㉠})$$
$$\therefore xy=15 \cdots \text{㉡}$$

(나) 직육면체의 겉넓이 $A$는 $A=2(x^2y^2+x^3y+xy^3)$

(다) 직육면체의 겉넓이 $B$는 $B=2(xy+3x^2y+3xy^2)$

**2nd** $A$, $B$를 주어진 식에 대입하자.

$$A+B+2x^2y^2+2xy$$
$$=2(x^2y^2+x^3y+xy^3)+2(xy+3x^2y+3xy^2)+2x^2y^2+2xy$$
$$=2xy(xy+x^2+y^2+1+3x+3y+xy+1)$$
$$=2xy(x^2+2xy+3x+y^2+3y+2)$$
$$=2xy\{x^2+(2y+3)x+y^2+3y+2\}$$
$$=2xy\{x^2+(2y+3)x+(y+1)(y+2)\}$$
$$=2xy(x+y+1)(x+y+2)$$
$$=2\times 15\times 9\times 10 (\because \text{㉠}, \text{㉡})$$
$$=2700$$

## 140  답 $x-1$

**1st** 원뿔의 전개도에서 호 AB의 길이는 밑면인 원의 둘레의 길이와 같아.

원뿔의 밑면의 반지름의 길이를 $k$라 하자. 밑면인 원의 둘레의 길이와 호 AB의 길이가 같으므로

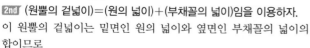

$$2\pi k=2\pi\times\overline{OA}\times\frac{90}{360} \quad \therefore \overline{OA}=4k$$

**2nd** (원뿔의 겉넓이)=(원의 넓이)+(부채꼴의 넓이)임을 이용하자.

이 원뿔의 겉넓이는 밑면인 원의 넓이와 옆면인 부채꼴의 넓이의 합이므로

$$\pi\times k^2+\pi\times(4k)^2\times\frac{90}{360}=\pi k^2+4\pi k^2=5\pi k^2$$

이것이 $(5x^2-10x+5)\pi$와 같아야 하므로

$$(5x^2-10x+5)\pi=5(x^2-2x+1)\pi=5(x-1)^2\pi$$에서
$$k^2=(x-1)^2 \quad \therefore k=x-1 (\because x\geq 2)$$

---

## F 이차방정식의 풀이

개념 체크 001~047 정답은 p. 5에 있습니다.

### 유형 다지기 [학교시험+학력평가]
문제편 p. 110

## 048  답 ②

모든 항을 좌변으로 이항해야지.

ㄱ. $4x^2-4-3x^2-2x+1=0 \quad \therefore x^2-2x-3=0$ ← 이차방정식

ㄴ. $x^2-1-x^2-x=0 \quad \therefore -x-1=0$ ← 일차방정식

ㄷ. $x^4-4x^2+4-x^2-1=0$
$\quad \therefore x^4-5x^2+3=0$ ← 이차방정식이 아니야!

ㄹ. $2x^2+6x-6x-3=0 \quad \therefore 2x^2-3=0$ ← 이차방정식

따라서 이차방정식인 것은 ㄱ, ㄹ이야.

## 049  답 ⑤

모든 항을 좌변으로 이항하자.

① $x^2=0$ ← 이차방정식

② $x(x-2)=0 \quad \therefore x^2-2x=0$ ← 이차방정식

③ $x^2=x+1 \quad \therefore x^2-x-1=0$ ← 이차방정식

④ $3x^2+3x-1=0$ ← 이차방정식

⑤ $(x+1)(x-1)=x^2-x, \ x^2-1-x^2+x=0$
$\quad \therefore x-1=0$ ← 일차방정식

**오답피하기**

> 이차방정식인지 아닌지 판단할 때 반드시 모든 항을 좌변으로 이항해야 해. $x^2$의 항만 있다고 섣불리 풀다가 답이 틀려지거든. 이항한 후 정리하고 난 다음에 판단하자.

## 050  답 12

식을 전개한 후 이항하여 정리해.

$$3(x+1)^2=2(x-1), \ 3x^2+6x+3-2x+2=0$$
$$\therefore 3x^2+4x+5=0$$

따라서 $a=3$, $b=4$, $c=5$이므로

$$a+b+c=3+4+5=12$$

## 051  답 $a\neq -1$

우변에 있는 항을 좌변으로 이항해.

$$ax^2-2x=-x^2-1, \ ax^2-2x+x^2+1=0$$
$$\therefore (a+1)x^2-2x+1=0$$

이차방정식이 되려면 $x^2$의 항의 계수가 0이 아니어야 해.

$$a+1\neq 0 \quad \therefore a\neq -1$$

## 052  답 ③

$-4x(ax-3)=2x^2+1$에서 $-4ax^2+12x-2x^2-1=0$

$$\therefore (4a+2)x^2-12x+1=0$$

이때, $4a+2=0$, 즉 $a=-\frac{1}{2}$인 경우는 이차항이 없어지고 일차방정식이 돼.

## 053　답 ③, ⑤

주어진 해를 $x$ 대신에 대입하여 등호가 성립하는 것을 찾자.

① $1^2-2\times1=-1\neq0$

② $2^2+3\times2+2=12\neq0$

③ $(-3)^2-9=0$

④ $(-3+2)(-3-3)=6\neq0$

⑤ $2\times(-1)\times(-1-1)=4$

## 054　답 ④

$x=1$을 대입하여 등호가 성립하는 것을 찾자.

① $1^2+1=2\neq0$

② $1^2-2\times1-1=-2\neq0$

③ $1^2-3=-2\neq0$

④ $1^2+3\times1-4=0$

⑤ $1^2-2\times1+3=2\neq0$

## 055　답 4개

$x=-2$를 대입해서 등호가 성립하는 것을 찾자.

ㄱ. $(-2)^2=4\neq2$

ㄴ. $(-2+1)(-2+2)=0$

ㄷ. $(-2)^2-4=0$

ㄹ. $(-2)^2+(-2)-2=0$

ㅁ. $(-2-1)^2=9\neq0$

ㅂ. $(-2+2)^2=0$

따라서 $x=-2$를 해로 가지는 것은 ㄴ, ㄷ, ㄹ, ㅂ으로 4개야.

## 056　답 ②

$x$의 값인 $-2$, $-1$, $0$, $1$, $2$를 $x^2+3x-4=0$에 대입하여 등식이 성립하는 것을 찾자.

$x=-2 : (-2)^2+3\times(-2)-4=-6\neq0$

$x=-1 : (-1)^2+3\times(-1)-4=-6\neq0$

$x=0 : 0^2+3\times0-4=-4\neq0$

$x=1 : 1^2+3\times1-4=0$

$x=2 : 2^2+3\times2-4=6\neq0$

따라서 주어진 이차방정식의 해는 $x=1$로 1개야.

> **오답피해기**
>
> 이차방정식 $x^2+3x-4=0$은 $(x+4)(x-1)=0$이므로 $x=-4$ 또는 $x=1$이라고 하여 해가 2개라고 성급하게 답을 쓰면 안 돼! $x$의 값이 제한되어 있는 것을 잊지 마!

## 057　답 $x=-2$

$2x^2-18=5x$에서 $2x^2-5x-18=0$이므로 주어진 $x$의 값을 대입하여 등식이 성립하는 것을 찾자.

$x=-3$일 때, $2\times(-3)^2-5\times(-3)-18=15\neq0$

$x=-2$일 때, $2\times(-2)^2-5\times(-2)-18=0$

$x=-1$일 때, $2\times(-1)^2-5\times(-1)-18=-11\neq0$

$x=0$일 때, $2\times0^2-5\times0-18=-18\neq0$

$x=1$일 때, $2\times1^2-5\times1-18=-21\neq0$

따라서 주어진 이차방정식의 해는 $x=-2$야.

## 058　답 ④

이차방정식 $x^2+ax+a+5=0$의 한 근이 $x=-4$이므로 대입하면

$(-4)^2+a\times(-4)+a+5=0$, $16-4a+a+5=0$

$-3a+21=0$　∴ $a=7$

## 059　답 ④

한 근 $x=2$를 이차방정식 $x^2-2ax+2a=0$에 대입해.

$2^2-2a\times2+2a=0$

$4-2a=0$　∴ $a=2$

## 060　답 ⑤

$x=p$를 이차방정식에 대입하면 $p^2+2p-4=0$

∴ $p^2+2p=4$

## 061　답 ②

$x=-2$, $x=5$를 이차방정식 $ax^2+bx-10=0$에 각각 대입해.

$x=-2$일 때, $4a-2b-10=0$

∴ $2a-b=5$ … ㉠

$x=5$일 때, $25a+5b-10=0$

∴ $5a+b=2$ … ㉡

㉠, ㉡을 연립하여 풀면 $a=1$, $b=-3$

∴ $a+b=1+(-3)=-2$

## 062　답 8

(ⅰ) $x=\dfrac{1}{3}$을 $x^2+ax-1=0$에 대입하면

$\left(\dfrac{1}{3}\right)^2+\dfrac{1}{3}a-1=0$, $\dfrac{1}{9}+\dfrac{1}{3}a-1=0$

$\dfrac{1}{3}a=\dfrac{8}{9}$　∴ $a=\dfrac{8}{3}$

(ⅱ) $x=\dfrac{1}{3}$을 $bx^2+5x-2=0$에 대입하면

$b\left(\dfrac{1}{3}\right)^2+\dfrac{5}{3}-2=0$, $\dfrac{1}{9}b+\dfrac{5}{3}-2=0$

$\dfrac{1}{9}b=\dfrac{1}{3}$　∴ $b=3$

따라서 (ⅰ), (ⅱ)에 의해

$ab=\dfrac{8}{3}\times3=8$

## 063　답 ④

$a^2-4a-1=0$에서 $a\neq0$이므로 양변을 $a$로 나누면

$a-4-\dfrac{1}{a}=0$　∴ $a-\dfrac{1}{a}=4$

또, $a^2-4a=1$이므로 주어진 식의 값은

$\left(a-\dfrac{1}{a}\right)(a^2-4a)=4\times1=4$

## 064　답 ①

$x=a$를 이차방정식 $x^2-3x+1=0$에 대입하면

$a^2-3a+1=0$

$a\neq0$이므로 양변을 $a$로 나누면

$a-3+\dfrac{1}{a}=0$　∴ $a+\dfrac{1}{a}=3$ … ㉠

∴ $a^2+\dfrac{1}{a^2}=\left(a+\dfrac{1}{a}\right)^2-2=3^2-2=7$ ($\because$ ㉠)

## 065　답 ②

$a^2+a-4=0$에서 $a^2+a=4$이므로

주어진 식의 값은

$a^5+a^4-4a^3-a^2-a+7=a^3(a^2+a-4)-(a^2+a)+7$

$\qquad\qquad\qquad\qquad\qquad=a^3\times0-4+7$

$\qquad\qquad\qquad\qquad\qquad=3$

## 066 답 96

$x-\dfrac{5}{x}=7$에서 $x^2-7x-5=0$

$x^2-7x-5=0$의 두 근이 $\alpha$, $\beta$이므로

$\alpha^2-7\alpha-5=0$ ∴ $\alpha^2-7\alpha=5$

$\beta^2-7\beta-5=0$ ∴ $\beta^2-7\beta=5$

∴ $(\alpha^2-7\alpha+7)(\beta^2-7\beta+3)=(5+7)\times(5+3)=96$

## 067 답 4

$\alpha^2-2\alpha-1=0$에서 $\alpha\neq0$이므로 양변을 $\alpha$로 나누면

$\alpha-2-\dfrac{1}{\alpha}=0$, 즉 $\alpha-2=\dfrac{1}{\alpha}$이 성립해.

또, $\alpha^2=2\alpha+1$이므로 주어진 식에 대입하면

$\dfrac{4\alpha^4}{2\alpha+1}-\dfrac{8}{\alpha-2}=\dfrac{4\alpha^4}{\alpha^2}-8\alpha$

$\qquad\qquad\qquad =4\alpha^2-8\alpha$

$\qquad\qquad\qquad =4(\alpha^2-2\alpha)$

$\qquad\qquad\qquad =4\times1=4$

## 068 답 ⑤

$x^2+4x-12=0$, $(x+6)(x-2)=0$

∴ $x=-6$ 또는 $x=2$

즉, $a=-6$, $b=2$ 또는 $a=2$, $b=-6$이므로

$a^2+b^2=(-6)^2+2^2=40$

## 069 답 ③

$x^2-3x+18=2x^2$에서 $x^2+3x-18=0$

$(x+6)(x-3)=0$이므로 $a=6$, $b=-3$ (∵ $a>b$)

∴ $a-b=6-(-3)=9$

## 070 답 ②

$(x+6)(x-2)=x-8$, $x^2+4x-12=x-8$

$x^2+4x-12-x+8=0$, $x^2+3x-4=0$

$(x+4)(x-1)=0$

∴ $x=-4$ 또는 $x=1$

## 071 답 ②

$2x^2+3x-5=0$, $(2x+5)(x-1)=0$

∴ $x=-\dfrac{5}{2}$ 또는 $x=1$

(두 근의 합)$=A=-\dfrac{5}{2}+1=-\dfrac{3}{2}$

(두 근의 곱)$=B=-\dfrac{5}{2}\times1=-\dfrac{5}{2}$

∴ $3A-B=-\dfrac{9}{2}-\left(-\dfrac{5}{2}\right)=-\dfrac{4}{2}=-2$

## 072 답 ①

$6x^2+x-1=0$, $(2x+1)(3x-1)=0$

∴ $x=-\dfrac{1}{2}$ 또는 $x=\dfrac{1}{3}$

따라서 $a=\dfrac{1}{3}$, $b=-\dfrac{1}{2}$ (∵ $a>b$)이므로

$\dfrac{b}{a}=\left(-\dfrac{1}{2}\right)\div\dfrac{1}{3}=-\dfrac{3}{2}$

## 073 답 ④

$x^2-x-5=\dfrac{4x-x^2}{3}$에서

$3x^2-3x-15=4x-x^2$, $4x^2-7x-15=0$

$(4x+5)(x-3)=0$ ∴ $x=-\dfrac{5}{4}$ 또는 $x=3$

따라서 $-\dfrac{5}{4}$와 3 사이에 있는 정수는 $-1$, 0, 1, 2이므로

그 합은 $-1+0+1+2=2$

## 074 답 ⑤

$2x^2-ax-3a-10=0$에 $x=a$를 대입하면

$2a^2-a^2-3a-10=0$, $a^2-3a-10=0$

$(a+2)(a-5)=0$ ∴ $a=5$ (∵ $a>0$)

## 075 답 ③

$3x^2-8x+5=0$, $(3x-5)(x-1)=0$

∴ $x=\dfrac{5}{3}$ 또는 $x=1$

즉, 두 근 중 작은 근은 $x=1$이고 $x=1$이 이차방정식

$x^2+kx-2k^2+5=0$의 한 근이므로 이를 대입하면

$1+k-2k^2+5=0$, $2k^2-k-6=0$

$(2k+3)(k-2)=0$

∴ $k=-\dfrac{3}{2}$ 또는 $k=2$

따라서 모든 $k$의 값의 합은 $-\dfrac{3}{2}+2=\dfrac{1}{2}$

## 076 답 ⑤

이차방정식이므로 $a-1\neq0$, 즉 $a\neq1$이야.

주어진 이차방정식 $(a-1)x^2-(a^2+1)x+2(a+1)=0$에 $x=2$를 대입해 보자.

$4(a-1)-2(a^2+1)+2(a+1)=0$

$4a-4-2a^2-2+2a+2=0$, $-2a^2+6a-4=0$

$a^2-3a+2=0$, $(a-1)(a-2)=0$

∴ $a=1$ 또는 $a=2$

그런데 $a\neq1$이므로 $a=2$

## 077 답 ③

먼저 좌변을 풀면

$x◎(x-2)=x(x-2)-x+1$

$\qquad\qquad =x^2-2x-x+1=x^2-3x+1$ ··· ㉠

우변을 정리하면

$2◎3=2\times3-2+1=5$ ··· ㉡

㉠$=$㉡이므로 $x^2-3x+1=5$

$x^2-3x-4=0$, $(x-4)(x+1)=0$

∴ $x=4$ (∵ $x$는 양수)

## 078 답 ①

$x^2+ax-6=0$ ··· ㉠의 한 근이 3이므로 $x=3$을 대입하면

$9+3a-6=0$ ∴ $a=-1$

㉠에 $a=-1$을 대입하면

$x^2-x-6=0$, $(x+2)(x-3)=0$

∴ $x=-2$ 또는 $x=3$

즉, 다른 한 근은 $b=-2$야.

∴ $a+b=-1+(-2)=-3$

## 079 답 ②

$x=-3$을 $x^2+2x+a=0$ … ㉠에 대입하자.

$9-6+a=0$ ∴ $a=-3$

이것을 ㉠에 대입하면

$x^2+2x-3=0$, $(x+3)(x-1)=0$ ∴ $x=-3$ 또는 $x=1$

즉, 다른 한 근은 $b=1$이야.

∴ $a-b=-3-1=-4$

## 080 답 ③

이차방정식 $x^2+(a-1)x+2(a+1)=0$ … ㉠의 한 근이 2이므로 $x=2$를 대입하면

$4+2(a-1)+2(a+1)=0$, $4+2a-2+2a+2=0$

$4a=-4$ ∴ $a=-1$

이것을 ㉠에 대입하면

$x^2-2x=0$, $x(x-2)=0$ ∴ $x=0$ 또는 $x=2$

따라서 다른 한 근은 $x=0$이야.

## 081 답 18

이차방정식 $x^2-(a-1)x-24=0$ … ㉠의 한 근이 $-4$이므로

$x=-4$를 대입하면

$16+4(a-1)-24=0$, $4a-12=0$ ∴ $a=3$

$a=3$을 ㉠에 대입하면

$x^2-2x-24=0$, $(x+4)(x-6)=0$

∴ $x=-4$ 또는 $x=6$

따라서 $x=6$을 $2x^2-13x+b=0$에 대입하면

$2\times6^2-13\times6+b=0$ ∴ $b=6$

∴ $ab=3\times6=18$

## 082 답 $x=-\dfrac{3}{5}$

이차방정식 $(k-1)x^2-(k^2+2k)x-3=0$ … ㉠의 한 근이 $-1$이므로 $x=-1$을 대입하면

$k-1+k^2+2k-3=0$, $k^2+3k-4=0$

$(k+4)(k-1)=0$ ∴ $k=-4$ 또는 $k=1$

그런데 $k=1$이면 ㉠에서 $x^2$의 계수가 0이 되어 이차방정식이라는 문제의 조건에 맞지 않지?

즉, $k=-4$야.

그러므로 $k=-4$를 ㉠에 대입하면

$(-4-1)x^2-(16-8)x-3=0$

$-5x^2-8x-3=0$, $5x^2+8x+3=0$

$(x+1)(5x+3)=0$ ∴ $x=-1$ 또는 $x=-\dfrac{3}{5}$

따라서 다른 한 근은 $x=-\dfrac{3}{5}$이야.

## 083 답 ③

이차방정식에서 중근을 갖는다는 것은 근이 1개만 나오는 거야.

ㄱ. $(x-3)^2=9$, $x^2-6x+9=9$, $x^2-6x=0$

$x(x-6)=0$ ∴ $x=0$ 또는 $x=6$

ㄴ. $6x=x^2+9$, $x^2-6x+9=0$, $(x-3)^2=0$

∴ $x=3$ (중근) ← OK!

ㄷ. $2x^2-4x+2=0$, $x^2-2x+1=0$, $(x-1)^2=0$

∴ $x=1$ (중근) ← OK!

ㄹ. $3x^2=12$, $x^2-4=0$

$(x+2)(x-2)=0$ ∴ $x=-2$ 또는 $x=2$

따라서 중근을 가지는 것은 ㄴ, ㄷ이야.

## 084 답 ⑤

① $x^2=0$ ∴ $x=0$ (중근)

② $x^2-2x+1=0$, $(x-1)^2=0$

∴ $x=1$ (중근)

③ $(2x-1)^2=0$ ∴ $x=\dfrac{1}{2}$ (중근)

④ $x(x-8)+16=0$, $x^2-8x+16=0$

$(x-4)^2=0$ ∴ $x=4$ (중근)

⑤ $x^2+14x+13=0$, $(x+13)(x+1)=0$

∴ $x=-13$ 또는 $x=-1$

## 085 답 ②

① $(x+1)^2=0$ ∴ $x=-1$ (중근) ← OK!

② $x^2+4x+4=0$, $(x+2)^2=0$ ∴ $x=-2$ (중근) ← NO!

③ $4x^2-4x+1=0$, $(2x-1)^2=0$ ∴ $x=\dfrac{1}{2}$ (중근) ← OK!

④ $x^2-12x+36=0$, $(x-6)^2=0$ ∴ $x=6$ (중근) ← OK!

⑤ $(x+1)^2=-4x-8$, $x^2+2x+1+4x+8=0$

$x^2+6x+9=0$, $(x+3)^2=0$

∴ $x=-3$ (중근) ← OK!

## 086 답 ③

이차항의 계수가 3이고, 중근 $x=-1$을 가지므로 주어진 이차방정식은

$3(x+1)^2=0$ ∴ $3x^2+6x+3=0$

이것은 $3x^2+ax+b=0$과 같아야 하므로

$a=6$, $b=3$

∴ $a+b=6+3=9$

**오답피해기**

$x=-1$이 이차방정식 $3x^2+ax+b=0$의 근이니까 이 식에 $x=-1$을 대입해야겠다고 생각할지도 몰라. 이때, $x=-1$을 대입하면 $3-a+b=0$이 돼. 또, 이차방정식이 중근을 가질 조건을 이용하면 $a$, $b$ 사이의 관계식을 하나 더 구할 수 있지. 하지만 이 두 식을 연립하려면 더 복잡해져. 이차방정식에서 이차항의 계수 $p$와 중근 $q$가 주어지면 $p(x-q)^2=0$이라 식을 세울 수 있다는 것을 기억하자.

## 087 답 ②

$x^2-6x+1+k=0$이 중근을 가지려면 좌변의 식이 완전제곱식이 되어야 해.

$\left(\dfrac{-6}{2}\right)^2=1+k$, $9=1+k$

∴ $k=8$

## 088 답 ②

이차방정식 $x^2-4x+a-3=0$을 $(x+b)^2=0$의 꼴로 나타낼 수 있다는 것은 주어진 이차방정식이 중근을 갖는다는 뜻이야.

$x^2-4x+a-3=0$이 중근을 갖기 위해서는

$a-3=\left(\dfrac{-4}{2}\right)^2=4$이어야 하므로 $a=7$

따라서 주어진 이차방정식은 $x^2-4x+4=0$, 즉 $(x-2)^2=0$이므로

$b=-2$

∴ $a+2b=7+2\times(-2)=3$

## 089 답 6

이차방정식 $x^2+2x+8-k=0$ … ㉠이 중근을 가지므로 좌변은 완전제곱식이 되어야 해.

$\left(\dfrac{2}{2}\right)^2=8-k$, $1=8-k$

$\therefore k=7$

$k=7$을 ㉠에 대입하면

$x^2+2x+1=0$, $(x+1)^2=0$

$\therefore x=-1$ (중근)

이차방정식이 중근 $x=p$를 갖는다고 하므로 $p=-1$

$\therefore k+p=7+(-1)=6$

## 090 답 $-\dfrac{7}{2}$

이차방정식 $x^2-(k+2)x+4=0$이 중근을 가지므로

$\left\{\dfrac{-(k+2)}{2}\right\}^2=4$, $(k+2)^2=16$

$k^2+4k-12=0$, $(k+6)(k-2)=0$

$\therefore k=-6$ 또는 $k=2$

문제의 조건에서 $k>0$이므로 $k=2$

따라서 $x=2$가 $x^2+ax+3=0$의 근이므로

$2^2+2a+3=0$ $\therefore a=-\dfrac{7}{2}$

### 오답피하기

이차항의 계수가 양수인 이차식을 완전제곱식으로 만들어줄 때, 상수항만 모르는 경우 상수항은 항상 양수야. 하지만 이차항과 상수항은 알고 일차항을 모르는 경우 그 일차항은 항상 부호가 다른 2개의 값이 나와. 그래서 이 문제도 $k>0$이라는 조건이 있기 때문에 $k=2$만을 가지고 풀게 돼. 만약 조건이 없는 경우는 당연히 $k=-6$, $k=2$의 두 가지 경우를 다 따져줘야 해.

## 091 답 $\dfrac{1}{18}$

이차방정식 $x^2-2ax+b=0$이 중근을 가지려면

$b=\left(\dfrac{-2a}{2}\right)^2$, 즉 $b=a^2$이어야 해.

이때, $a$, $b$는 주사위의 눈의 수이므로 1부터 6까지의 값을 가질 수 있지?

$a=1$일 때, $b=1^2=1$

$a=2$일 때, $b=2^2=4$

$a\geq 3$일 때는 $b\geq 9$가 되어 조건을 만족시키지 않아.

즉, $b=a^2$을 만족하는 순서쌍 $(a, b)$는 $(1, 1)$, $(2, 4)$야.

따라서 구하는 확률은 $\dfrac{2}{36}=\dfrac{1}{18}$이야.

## 092 답 ②

$4(x-1)^2=20$, $(x-1)^2=5$

$x-1=\pm\sqrt{5}$ $\therefore x=1\pm\sqrt{5}$

따라서 $x=1\pm\sqrt{5}=A\pm\sqrt{B}$이므로 $A=1$, $B=5$

$\therefore A+B=1+5=6$

## 093 답 ④

$4(x-1)^2=36$, $(x-1)^2=9$

$x-1=\pm 3$, $x=1\pm 3$

$\therefore x=-2$ 또는 $x=4$

## 094 답 ⑤

$2(x-6)^2-7=0$, $(x-6)^2=\dfrac{7}{2}$

$x-6=\pm\sqrt{\dfrac{7}{2}}$, $x=6\pm\dfrac{\sqrt{7}}{\sqrt{2}}$

$\therefore x=6\pm\dfrac{\sqrt{14}}{2}$

따라서 두 근의 합은 $\left(6+\dfrac{\sqrt{14}}{2}\right)+\left(6-\dfrac{\sqrt{14}}{2}\right)=12$

## 095 답 ④

$(x-2)^2=k$, $x-2=\pm\sqrt{k}$

$\therefore x=2\pm\sqrt{k}$

따라서 두 근은 $x=2+\sqrt{k}$, $x=2-\sqrt{k}$이고 두 근의 곱이 $-4$이므로

$(2+\sqrt{k})(2-\sqrt{k})=4-k=-4$ $\therefore k=8$

## 096 답 ②

① $x^2=8$ $\therefore x=\pm\sqrt{8}=\pm 2\sqrt{2}$

② $2x^2-98=0$, $x^2=49$ $\therefore x=\pm 7$

③ $3x^2-25=0$, $x^2=\dfrac{25}{3}$ $\therefore x=\pm\sqrt{\dfrac{25}{3}}=\pm\dfrac{5\sqrt{3}}{3}$

④ $(x+2)^2=10$, $x+2=\pm\sqrt{10}$

$\therefore x=-2\pm\sqrt{10}$

⑤ $2(x-1)^2=4$, $(x-1)^2=2$

$x-1=\pm\sqrt{2}$ $\therefore x=1\pm\sqrt{2}$

따라서 근이 모두 유리수인 이차방정식은 ②야.

## 097 답 ③

$2(x+a)^2=10$, $(x+a)^2=5$

$x+a=\pm\sqrt{5}$ $\therefore x=-a\pm\sqrt{5}$

이때, 해가 $x=-1\pm\sqrt{b}$이므로 $a=1$, $b=5$

$\therefore a+b=1+5=6$

## 098 답 ①

이차방정식 $(x-1)^2=a$ … ㉠에서 한 근이 5이므로 $x$ 대신 5를 대입하면

$(5-1)^2=a$ $\therefore a=16$

$a=16$을 ㉠에 대입하면

$(x-1)^2=16$, $x=1\pm 4$

$\therefore x=-3$ 또는 $x=5$

따라서 다른 한 근은 $x=-3$이야.

## 099 답 $k=0$, $x=2$ (중근)

$3(x-2)^2+k=0$, $3(x-2)^2=-k$

이 이차방정식이 중근을 가지려면

(완전제곱식)$=0$ 꼴이어야 하므로 $k=0$

$3(x-2)^2=0$ $\therefore x=2$ (중근)

## 100 답 ⑤

$\left(x+\dfrac{1}{4}\right)^2+k-6=0$, 즉 $\left(x+\dfrac{1}{4}\right)^2=-k+6$이 해를 가지기 위해서는 $-k+6\geq 0$이어야 하므로

$-k\geq -6$ $\therefore k\leq 6$

따라서 선택지 중 $k$의 값이 될 수 없는 것은 ⑤야.

## 101  답 ④

$a\neq 0$이므로

$$(x-p)^2=\frac{q}{a},\ x-p=\pm\sqrt{\frac{q}{a}}\qquad\therefore x=p\pm\sqrt{\frac{q}{a}}$$

주어진 이차방정식이 서로 다른 두 근을 가지려면 $\pm\sqrt{\dfrac{q}{a}}$가 존재

해야겠지?

즉, 근호 안이 양수이기만 하면 되므로

$$\frac{q}{a}>0\qquad\therefore aq>0$$

**오답피하기**

$a(x-p)^2=q$에서 양변을 $a$로 나눌 때에는 $a$가 0이 아니라는 전제 조건이 필요해. 주어진 문제에 '이차방정식'이라는 말이 있으므로 $a$가 0이 아니라는 것이 명백해져. 앞으로 이차방정식이라는 말이 나오면 이차항의 계수가 0이 아니라는 뜻을 포함하고 있음을 알아 두자.

## 102  답 ③

$x^2-4x+2=0,\ x^2-4x=-2$

$x^2-4x+4=-2+4,\ (x-2)^2=2$

이것이 $(x+a)^2=b$와 같아야지?

따라서 $a=-2,\ b=2$이므로

$a+b=-2+2=0$

## 103  답 ①

$x^2-8x+1=0,\ x^2-8x=-1$

$x^2-8x+(-4)^2=-1+(-4)^2,\ (x-4)^2=15$

이것이 $(x-4)^2=k$와 같으므로 $k=15$

## 104  답 ④

$(x-3)(x+5)=8,\ x^2+2x-15=8$

$x^2+2x=23,\ x^2+2x+1=23+1,\ (x+1)^2=24$

이것이 $(x+a)^2=b$와 같아야 하므로 $a=1,\ b=24$

$\therefore b-a=24-1=23$

## 105  답 ①

먼저 이차항의 계수가 분수이므로 $\dfrac{1}{2}$로 묶자.

$$\frac{1}{2}x^2-4x=-a,\ \frac{1}{2}\{x^2-8x+(-4)^2\}=-a+\frac{(-4)^2}{2}$$

$$\frac{1}{2}(x^2-8x+16)=-a+8,\ \frac{1}{2}(x-4)^2=8-a$$

이것이 $\dfrac{1}{2}(x+b)^2=4$와 같아야 하므로

$-4=b,\ 8-a=4\qquad\therefore a=4,\ b=-4$

$\therefore ab=4\times(-4)=-16$

**오답피하기**

이차항의 계수가 분수일 때 정수로 만들고 풀 수 있으나 그대로 풀게 되면 다음에 유의해야 해.

$$\frac{1}{2}x^2-4x=-a\Rightarrow\frac{1}{2}(x^2-8x\boxed{+16})=-a\boxed{+16}\ (\times)$$

$$\frac{1}{2}x^2-4x=-a\Rightarrow\boxed{\frac{1}{2}}(x^2-8x+\boxed{16})=-a\boxed{+8}\ (\bigcirc)$$

곱한 값

성급하게 하면 우변을 $-a+16$으로 계산할 수 있으니 조심해야 해!

## 106  답 ②

$x^2+2x-2=0$에서

$x^2+2x=2$

$x^2+2x+1^2=2+1^2\quad\overset{A}{\frown}$

$(x+1)^2=3\leftarrow B$

$x+1=\pm\sqrt{3}$

$\therefore x=-1\pm\sqrt{3}$

따라서 $A=1,\ B=3$이므로

$A+B=1+3=4$

## 107  답 ③

① $(x+1)^2=5,\ x+1=\pm\sqrt{5}$

　　$\therefore x=-1\pm\sqrt{5}\ \leftarrow$ OK!

② $3x^2-8x=-2,\ x^2-\dfrac{8}{3}x=-\dfrac{2}{3}$

　　$x^2-\dfrac{8}{3}x+\left(-\dfrac{4}{3}\right)^2=-\dfrac{2}{3}+\dfrac{16}{9},\ \left(x-\dfrac{4}{3}\right)^2=\dfrac{10}{9}$

　　$\therefore x=\dfrac{4}{3}\pm\dfrac{\sqrt{10}}{3}=\dfrac{4\pm\sqrt{10}}{3}\ \leftarrow$ OK!

③ $x^2+x-1=0,\ x^2+x=1$

　　$x^2+x+\left(\dfrac{1}{2}\right)^2=1+\dfrac{1}{4},\ \left(x+\dfrac{1}{2}\right)^2=\dfrac{5}{4}$

　　$\therefore x=-\dfrac{1}{2}\pm\dfrac{\sqrt{5}}{2}=\dfrac{-1\pm\sqrt{5}}{2}\ \leftarrow$ NO!

④ $2x^2+x=2,\ x^2+\dfrac{1}{2}x=1$

　　$x^2+\dfrac{1}{2}x+\left(\dfrac{1}{4}\right)^2=1+\dfrac{1}{16},\ \left(x+\dfrac{1}{4}\right)^2=\dfrac{17}{16}$

　　$\therefore x=-\dfrac{1}{4}\pm\dfrac{\sqrt{17}}{4}=\dfrac{-1\pm\sqrt{17}}{4}\ \leftarrow$ OK!

⑤ $\dfrac{1}{4}x^2+\dfrac{3}{2}x=2,\ x^2+6x=8$

　　$x^2+6x+3^2=8+9,\ (x+3)^2=17$

　　$\therefore x=-3\pm\sqrt{17}\ \leftarrow$ OK!

## 108  답 ③

$2x^2-10x+3=0$에서

$2x^2-10x=-3$

$x^2-5x+\left(-\dfrac{5}{2}\right)^2=-\dfrac{3}{2}+\dfrac{25}{4}$

$\left(x-\dfrac{5}{2}\right)^2=\dfrac{19}{4}$

$\therefore x=\dfrac{5}{2}\pm\dfrac{\sqrt{19}}{2}=\dfrac{5\pm\sqrt{19}}{2}$

따라서 $A=5,\ B=19$이므로

$A+B=5+19=24$

## 109  답 ④

$3x^2+12x-4=0$에서

$x^2+4x-\dfrac{4}{3}=0$

$x^2+\overset{(가)}{4}x=\overset{(나)}{\dfrac{4}{3}},\ x^2+4x+4=\dfrac{4}{3}+4$

$(x+\overset{(다)}{2})^2=\overset{(라)}{\dfrac{16}{3}},\ x+2=\pm\sqrt{\dfrac{16}{3}}$

$x=-2\pm\dfrac{4\sqrt{3}}{3}\qquad\therefore x=\overset{(마)}{\dfrac{-6\pm4\sqrt{3}}{3}}$

## 110  답 ③

$2x^2-10x+1=0$에서 $x^2-5x+\dfrac{1}{2}=0$

$x^2-5x+\left(\dfrac{-5}{2}\right)^2=-\dfrac{1}{2}+\left(\dfrac{-5}{2}\right)^2$

$x^2-5x+\boxed{\dfrac{25}{4}}^{\,\nwarrow A}=-\dfrac{1}{2}+\dfrac{25}{4},\ \left(x-\boxed{\dfrac{5}{2}}^{\,\nearrow B}\right)^2=\boxed{\dfrac{23}{4}}^{\,\nearrow C}$

$\therefore x=\dfrac{5}{2}\pm\sqrt{\dfrac{23}{4}}=\dfrac{5\pm\sqrt{23}}{2}$

따라서 $A=\dfrac{25}{4}$, $B=\dfrac{5}{2}$, $C=\dfrac{23}{4}$이므로

$A-B+C=\dfrac{25}{4}-\dfrac{5}{2}+\dfrac{23}{4}=\dfrac{19}{2}$

## 111  답 2

$x^2-8x+k=0$에서 $x^2-8x=-k$

$x^2-8x+(-4)^2=-k+(-4)^2,\ (x-4)^2=-k+16$

$\therefore x=4\pm\sqrt{-k+16}=4\pm\sqrt{14}$

따라서 $-k+16=14$이므로 $k=2$

## 112  답 3

$x^2-6ax+7=0$에서 $x^2-6ax+(-3a)^2=-7+(-3a)^2$

$x^2-6ax+9a^2=-7+9a^2,\ (x-3a)^2=-7+9a^2$

$x-3a=\pm\sqrt{-7+9a^2}$

$\therefore x=3a\pm\sqrt{-7+9a^2}$

그런데 해가 $x=-3\pm\sqrt{b}$이므로

$3a=-3,\ -7+9a^2=b$에서

$a=-1,\ b=-7+9=2$

$\therefore b-a=2-(-1)=3$

## 113  답 ④

(i) $x^2-8x+15=0,\ (x-3)(x-5)=0$

  $\therefore x=3$ 또는 $x=5$

(ii) $2x^2-9x+9=0,\ (2x-3)(x-3)=0$

  $\therefore x=\dfrac{3}{2}$ 또는 $x=3$

따라서 (i), (ii)의 공통인 근은 $x=3$이야.

## 114  답 ①

I. $x^2-25=0,\ x^2=\pm25$  $\therefore x=\pm5$

II. $x^2+10x+25=0,\ (x+5)^2=0$  $\therefore x=-5$ (중근)

III. $(x+5)(5x-1)=0$  $\therefore x=-5$ 또는 $x=\dfrac{1}{5}$

IV. $x^2+3x-10=0,\ (x+5)(x-2)=0$

  $\therefore x=-5$ 또는 $x=2$

따라서 I~IV의 이차방정식의 공통인 근은 $x=-5$야.

## 115  답 ④

(i) $x^2+4x-12=0,\ (x+6)(x-2)=0$

  $\therefore x=-6$ 또는 $x=2$

(ii) $x^2+x-6=0,\ (x+3)(x-2)=0$

  $\therefore x=-3$ 또는 $x=2$

(i), (ii)에서 공통인 근은 $x=2$야.

이 근이 $x^2-3mx+2=0$의 한 근이므로 $x=2$를 대입하면

$4-6m+2=0$  $\therefore m=1$

## 116  답 ⑤

두 이차방정식을 동시에 만족하는 $x$의 값이 $-2$라는 것은 공통인 근이 $-2$라는 거야. $x=-2$를 각각에 대입해 보자.

(i) $x^2+4x+a=0$에서

  $4-8+a=0$  $\therefore a=4$

(ii) $x^2+bx-2=0$에서

  $4-2b-2=0$  $\therefore b=1$

$\therefore a+b=4+1=5$

## 117  답 ⑤

$2x^2-11x-21=0$에서

$(2x+3)(x-7)=0$  $\therefore x=-\dfrac{3}{2}$ 또는 $x=7$

$(x-2)^2=25$에서

$x-2=\pm5$  $\therefore x=-3$ 또는 $x=7$

따라서 두 이차방정식의 공통인 근은 $x=7$이야.

## 118  답 ①

$x^2-ax+b=0$에 $x=3$을 대입하면

$9-3a+b=0$  $\therefore 3a-b=9 \cdots ㉠$

또, $x^2+bx-3a=0$에 $x=3$을 대입하면

$9+3b-3a=0$  $\therefore a-b=3 \cdots ㉡$

㉠, ㉡을 연립하여 풀면 $a=3$, $b=0$

$\therefore b-a=0-3=-3$

## 119  답 ②

I. $1-x^2=0$에서 $x^2=1$

  $\therefore x=\pm1$

II. $x(x+1)=3x^2-2x-5$에서 $2x^2-3x-5=0$

  $(x+1)(2x-5)=0$

  $\therefore x=-1$ 또는 $x=\dfrac{5}{2}$

III. $(x-1)(x-6)=14$에서 $x^2-7x-8=0$

  $(x+1)(x-8)=0$

  $\therefore x=-1$ 또는 $x=8$

따라서 세 이차방정식의 공통인 근은 $x=-1$이야.

## 120  답 ④

먼저 주어진 두 이차방정식의 해를 각각 구해 보자.

$x^2-x=6$에서 $x^2-x-6=0$

$(x+2)(x-3)=0$

$\therefore x=-2$ 또는 $x=3$

또, $3x^2+5x-2=0$에서

$(x+2)(3x-1)=0$

$\therefore x=-2$ 또는 $x=\dfrac{1}{3}$

즉, 두 이차방정식의 공통인 근은 $x=-2$야.

$x=-2$가 $x^2+kx+k^2-28=0$의 한 근이므로 대입하면

$(-2)^2-2k+k^2-28=0$

$k^2-2k-24=0$

$(k+4)(k-6)=0$

$\therefore k=-4$ 또는 $k=6$

따라서 구하는 양수 $k$의 값은 6이야.

## 121   답 ⑤

**1st** 이차방정식이 되려면 이차항의 계수가 0이 아니어야 해.

$(a^2-a-2)x^2+3ax+6=0$이 이차방정식이 되려면 이차항의 계수가 0이 아니어야 해.

**2nd** $a$에 대한 이차방정식을 풀어 보자.

$a^2-a-2\neq0$, $(a+1)(a-2)\neq0$

$\therefore a\neq-1$이고 $a\neq2$

**오답피하기**

$a^2-a-2=(a+1)(a-2)=0$이면 $a=-1$ 또는 $a=2$야. '또는'의 의미는 둘 중의 하나만이라도 만족하면 된다는 거야. 물론 둘 다 만족해도 돼!

하지만 $a^2-a-2\neq0$인 경우 $a^2-a-2=(a+1)(a-2)\neq0$이므로 $a\neq-1$ 또는 $a\neq2$라고 생각하면 틀려. $a\neq-1$ 그리고 $a\neq2$이어야 해. 둘 다 모두 성립해야 되는 거야. 이해하겠지?

## 122   답 $a\neq-1$이고 $a\neq4$

**1st** 이차방정식이 되려면 이차항의 계수가 0이 아니어야 해.

$(a^2-3a)x^2+x=4x^2+ax-5$에서

$(a^2-3a-4)x^2+(1-a)x+5=0$

이 방정식이 이차방정식이 되려면 $a^2-3a-4\neq0$이어야 해.

**2nd** $a$에 대한 이차방정식을 풀자.

$a^2-3a-4\neq0$, $(a+1)(a-4)\neq0$

$\therefore a\neq-1$이고 $a\neq4$

## 123   답 ①

**1st** 주어진 한 근을 방정식에 대입하여 식의 값을 구하자.

이차방정식 $x^2-4x-3=0$의 한 근이 $a$이므로

$a^2-4a-3=0$

$a^2-4a=3$에서 양변에 2를 곱하면 $2a^2-8a=6$

$\therefore 2a^2-8a+1=6+1=7 \cdots \text{㉠}$

또, 이차방정식 $3x^2+6x-7=0$의 한 근이 $b$이므로

$3b^2+6b-7=0$

$3b^2+6b=7$이므로 양변을 3으로 나누면 $b^2+2b=\dfrac{7}{3}$

$\therefore b^2+2b-\dfrac{10}{3}=\dfrac{7}{3}-\dfrac{10}{3}=-1 \cdots \text{㉡}$

㉠, ㉡에서

$(2a^2-8a+1)\left(b^2+2b-\dfrac{10}{3}\right)=7\times(-1)=-7$

## 124   답 ③

**1st** 각각의 근을 방정식에 대입하자.

이차방정식 $x^2-5x+3=0$의 한 근이 $a$이므로 $a^2-5a+3=0$

$a^2-5a=-3$   $\therefore a^2-5a+6=-3+6=3 \cdots \text{㉠}$

이차방정식 $2x^2+3x-4=0$의 한 근이 $b$이므로 $2b^2+3b-4=0$

$2b^2+3b=4$이고 양변을 2로 나누면

$b^2+\dfrac{3}{2}b=2$   $\therefore b^2+\dfrac{3}{2}b+3=2+3=5 \cdots \text{㉡}$

㉠, ㉡에서

$(a^2-5a+6)\left(b^2+\dfrac{3}{2}b+3\right)=3\times5=15$

## 125   답 ②

**1st** 이차항의 계수를 1로 만들어보자.

$3x^2-12x+11=0$의 양변을 3으로 나누면

$x^2-4x=-\dfrac{11}{3}$, $x^2-4x+4=-\dfrac{11}{3}+4$

$\therefore (x-2)^2=\dfrac{1}{3}$

따라서 $A=2$, $B=\dfrac{1}{3}$이므로

$AB=2\times\dfrac{1}{3}=\dfrac{2}{3}$

**오답피하기**

제곱근을 이용해 근을 구할 때는 이차항의 계수를 1로 만들어 주어야 완전제곱식으로 고치기가 쉬워져. $x^2+ax+b=0$의 좌변이 완전제곱식이 되려면 $b=\left(\dfrac{a}{2}\right)^2$이어야 한다는 걸 꼭 기억해.

## 126   답 ⑤

**1st** 완전제곱식으로 만들어보자.

$3x^2-4x-6=0$, $3x^2-4x=6$의 양변을 3으로 나누면

$x^2-\dfrac{4}{3}x=2$, $x^2-\dfrac{4}{3}x+\left(-\dfrac{2}{3}\right)^2=2+\left(-\dfrac{2}{3}\right)^2$

$\therefore \left(x-\dfrac{2}{3}\right)^2=\dfrac{22}{9}$

따라서 $A=\dfrac{2}{3}$, $B=\dfrac{22}{9}$이므로

$\dfrac{B}{A}=\dfrac{22}{9}\div\dfrac{2}{3}=\dfrac{22}{9}\times\dfrac{3}{2}=\dfrac{11}{3}$

## 127   답 $-2$

**1st** $x=-1$을 대입해 보자.

$(a-3)x^2+(a^2-1)x+8=0$의 한 근이 $x=-1$이므로

$a-3-a^2+1+8=0$, $a^2-a-6=0$

**2nd** $a$에 대한 이차방정식을 풀자.

$(a+2)(a-3)=0$

$\therefore a=-2$ 또는 $a=3$

주어진 이차방정식이 $x$에 대한 이차방정식이므로

$a-3\neq0$에서 $a\neq3$이지?

따라서 $a=-2$야.

**오답피하기**

$x$에 대한 이차방정식에서 이차항의 계수는 0이 아니어야 해. 섣불리 기계적으로 문제를 풀어간다면 당연히 오답이 나오기 마련이야. 실수하기 쉬운 부분이니까 주의하자.

## 128   답 ④

**1st** $x=-2$를 대입하자.

$4(a+1)+2(a+2)+a^2-3=0$

$4a+4+2a+4+a^2-3=0$

$a^2+6a+5=0$, $(a+5)(a+1)=0$

$\therefore a=-5$ 또는 $a=-1$

이때, $x$에 대한 이차방정식이므로 이차항의 계수 $a+1\neq0$이어야 해.

따라서 $a\neq-1$에서 $a=-5$이므로

모든 상수 $a$의 값의 합은 $-5$야.

## 129 답 91

**1st** 정수 해를 가지기 위한 조건을 찾아보자.

이차방정식 $x^2+6x-n=0$의 정수인 두 근을 $a$, $b$라 하면

$x^2+6x-n=0$, $(x-a)(x-b)=0$

$\therefore x^2-(a+b)x+ab=0$

즉, $a+b=-6$, $ab=-n$이야.

합이 $-6$이고 곱이 음수인 두 정수 $a$, $b$의 순서쌍 $(a, b)$를 구하면

$(1, -7)$, $(2, -8)$, $(3, -9)$, $(4, -10)$, $(5, -11)$, $(6, -12)$, $(7, -13)$, $(8, -14)$, $\cdots$

따라서 $ab=-n$이 되는 두 자리 자연수 $n$의 최댓값은

$n=-\{7\times(-13)\}=91$

**오답피하기**

문제가 좀 어려울 수 있어. $(x-a)(x-b)=x^2-(a+b)x+ab$임을 이용하여 $a+b=-6$, $ab=-n$이 되는 두 자리 자연수 $n$을 찾아주어야 해. $a+b=-6$을 만족하는 정수 $a$, $b$가 무수히 많으니까 적당히 나열하고 $ab=-n$이 두 자리 자연수가 되는 $n$의 최댓값을 구하는 게 핵심이야.

다른 풀이 방법을 소개할게. 완전제곱식을 이용해서 해를 구해 보면 $x=-3\pm\sqrt{9+n}$이야. 이때, $x$가 정수이려면 $\sqrt{9+n}$의 값이 자연수여야겠지? $\sqrt{9+n}$이 자연수이려면 근호 안에 있는 $9+n$이 제곱인 수가 되어야 해. 적당히 $9+n$이 $10^2=100$이라고 가정하면 $n=91$이야. $9+n$이 $11^2=121$이라고 가정하면 $n=112$이지. 그런데 문제에서 $n$은 두 자리 자연수라 했으므로 두 자리 자연수 $n$의 최댓값은 91임을 알 수 있어.

## 130 답 7개

**1st** 정수 해를 가지기 위한 조건을 따져 보자.

이차방정식 $x^2+2x-n=0$의 정수인 두 근을 $a$, $b$라 하면

$x^2+2x-n=0$, $(x-a)(x-b)=0$

$\therefore x^2-(a+b)x+ab=0$

즉, $a+b=-2$, $ab=-n$이야.

합이 $-2$이고 곱이 음수인 두 정수 $a$, $b$의 순서쌍 $(a, b)$를 구하면

$(1, -3)$, $(2, -4)$, $(3, -5)$, $(4, -6)$, $(5, -7)$, $(6, -8)$, $(7, -9)$, $(8, -10)$, $(9, -11)$, $(10, -12)$, $\cdots$이므로

두 자리 자연수 $n$의 값은 $n=15$, $24$, $35$, $48$, $63$, $80$, $99$로 7개야.

**오답피하기**

두 자리 자연수를 찾을 수 있으므로 세 자리 이상의 수도 얼마든지 가능해. 꼼꼼히 찾아주어야 해!

## 131 답 $\dfrac{12}{17}$

**1st** 완전제곱식을 이용한 이차방정식의 풀이를 순서대로 따져 보자.

이차방정식 $2x^2+3x-1=0$의 양변을 $\boxed{2}$로 나누면 $\leftarrow A$

$x^2+\dfrac{3}{2}x-\dfrac{1}{2}=0$

상수항을 우변으로 이항하면

$x^2+\dfrac{3}{2}x=\boxed{\dfrac{1}{2}} \leftarrow B$

양변에 $\left(\dfrac{1}{2}\times\dfrac{3}{2}\right)^2=\boxed{\dfrac{9}{16}} \leftarrow C$를 더하면

$x^2+\dfrac{3}{2}x+\dfrac{9}{16}=\dfrac{1}{2}+\dfrac{9}{16}$

좌변을 완전제곱식으로 바꾸면

$\underset{D}{\left(x+\dfrac{3}{4}\right)^2}=\dfrac{17}{16} \leftarrow E$

따라서 $A=2$, $B=\dfrac{1}{2}$, $C=\dfrac{9}{16}$, $D=\dfrac{3}{4}$, $E=\dfrac{17}{16}$이므로

$A\times B\times C\div D\div E=2\times\dfrac{1}{2}\times\dfrac{9}{16}\div\dfrac{3}{4}\div\dfrac{17}{16}$

$=2\times\dfrac{1}{2}\times\dfrac{9}{16}\times\dfrac{4}{3}\times\dfrac{16}{17}=\dfrac{12}{17}$

**오답피하기**

이차항의 계수가 1이 아닌 경우는 1로 만들어주어야 완전제곱식으로 바꾸기 쉬워. $\left(\dfrac{\text{일차항의 계수}}{2}\right)^2=(\text{상수항})$이 되어야 완전제곱식이 됨을 꼭 잊지 말자.

## 132 답 ②

**1st** 각각의 과정을 순서대로 해보자.

$3x^2-7x+4=0$, $x^2-\dfrac{7}{3}x=-\dfrac{4}{3}$

$x^2-\dfrac{7}{3}x+\left(-\dfrac{7}{6}\right)^2=-\dfrac{4}{3}+\left(-\dfrac{7}{6}\right)^2$

$x^2-\dfrac{7}{3}x+\boxed{\dfrac{49}{36}}^{\text{⊙}}=-\dfrac{4}{3}+\boxed{\dfrac{49}{36}}$

$\left(x-\dfrac{7}{6}\right)^2=\boxed{\dfrac{1}{36}}^{\text{©}}$, $x-\dfrac{7}{6}=\pm\boxed{\dfrac{1}{6}}^{\text{©}}$

$x=\dfrac{7}{6}\pm\dfrac{1}{6}$

$\therefore x=\boxed{1}$ 또는 $x=\dfrac{4}{3}$

## 133 답 9

**1st** $x^2+ax-3=0$에 $x=3$을 대입해 보자.

이차방정식 $x^2+ax-3=0$ $\cdots$ ㉠의 한 근이 3이므로 $x=3$을 대입하면

$9+3a-3=0$ $\therefore a=-2$

이것을 ㉠에 대입하면

$x^2-2x-3=0$, $(x+1)(x-3)=0$ $\therefore x=-1$ 또는 $x=3$

**2nd** $3x^2-8x+b=0$의 한 근이 $-1$임을 알았지?

$x=-1$이 이차방정식 $3x^2-8x+b=0$의 한 근이므로 대입하면

$3+8+b=0$ $\therefore b=-11$

$\therefore a-b=-2-(-11)=9$

## 134 답 $-2$

**1st** $2x^2+ax-15=0$에 $x=\dfrac{5}{2}$를 대입해 보자.

$x=\dfrac{5}{2}$가 이차방정식 $2x^2+ax-15=0$ $\cdots$ ㉠의 한 근이므로 대입하면

$\dfrac{25}{2}+\dfrac{5}{2}a-15=0$ $\therefore a=1 \cdots$ ㉡

㉡을 ㉠에 대입하여 다른 한 근을 구하자.

$2x^2+x-15=0$, $(x+3)(2x-5)=0$ $\therefore x=-3$ 또는 $x=\dfrac{5}{2}$

**2nd** $x^2+2x+b=0$의 한 근이 $-3$임을 알았지?

다른 한 근이 $-3$이므로 이차방정식 $x^2+2x+b=0$에 $x=-3$을 대입하면

$9-6+b=0$ $\therefore b=-3$

$\therefore a+b=1+(-3)=-2$

## 135 답 ⑤

**1st** $x^2-2x-3=0$의 두 근 중 어느 한 근이 공통인 근이므로 두 가지 경우를 따져 보자.

$x^2-2x-3=0$, $(x+1)(x-3)=0$

$\therefore x=-1$ 또는 $x=3$

**2nd** 공통인 근이 $-1$일 때, $a$의 값을 구하자.

(i) $2x^2+ax-3=0$에 $x=-1$을 대입하면

$2-a-3=0$ $\therefore a=-1$

**3rd** 공통인 근이 3일 때, $a$의 값을 구하자.

(ii) $2x^2+ax-3=0$에 $x=3$을 대입하면

$18+3a-3=0$, $3a=-15$

$\therefore a=-5$

따라서 $a=-5$ 또는 $a=-1$이야.

**오답피하기**

여지껏 푼 문제는 공통인 근을 주고 해결하는 거지만 위 문제는 공통인 근이 될 두 가지 경우를 따져줘야 하기 때문에 좀 까다로운 문제야. 문제의 제시 조건에 따라 경우를 나눠서 구하는 연습이 필요해.

## 136 답 ④

**1st** 공통인 근 $a$를 두 이차방정식에 각각 대입하자.

$a^2+3a-2k=0$ … ㉠

$a^2+ka-6=0$ … ㉡

**2nd** 미지수가 2개이므로 연립하여 풀자.

㉠−㉡을 하면 $(3-k)a-2k+6=0$

$(3-k)a+2(3-k)=0$

$\therefore (3-k)(a+2)=0$

그런데 $k=3$이면 두 이차방정식이 같게 되므로 오직 하나의 공통인 근을 가진다는 조건에 맞지 않아.

따라서 $a=-2$이므로 이것을 ㉠에 대입하면

$4-6-2k=0$ $\therefore k=-1$

$\therefore ka=(-1)\times(-2)=2$

**오답피하기**

㉢에서 $k$의 값과 $a$의 값을 원래의 이차방정식에 넣어 보고 답을 찾아내야 해. $k=3$인 경우 두 이차방정식이 같게 되거든. 반드시 조건에 맞는지 답을 다시 넣어 보는 습관을 가지자.

## 137 답 ⑤

**1st** $B=2A$에 $A$, $B$를 대입하자.

$x^2+x-6=2(x^2-x-12)$, $x^2-3x-18=0$

$(x+3)(x-6)=0$

$\therefore x=-3$ 또는 $x=6$

조건에서 $A\neq0$이므로

$x^2-x-12\neq0$, $(x+3)(x-4)\neq0$

$\therefore x\neq-3$이고 $x\neq4$

따라서 구하는 $x$의 값은 6이야.

**오답피하기**

수학 문제는 항상 조건이 중요해. 만약 조건을 제대로 읽지 않으면 답이 여러 개 나올 수도 있지. 그럼, 그 답은 당연히 오답일 수 밖에! 여기선 $A\neq0$을 만족하는 $x$의 값만 찾는 거야.

## 138 답 ⑤

**1st** $3A=-2B$에 $A$, $B$의 식을 대입하자.

$3(x^2-2x-3)=-2(x^2-7x-8)$

$3x^2-6x-9=-2x^2+14x+16$

$5x^2-20x-25=0$, $x^2-4x-5=0$

$(x+1)(x-5)=0$ $\therefore x=-1$ 또는 $x=5$ … ㉠

그런데 $A\neq0$이어야 하므로

$x^2-2x-3\neq0$, $(x+1)(x-3)\neq0$

$\therefore x\neq-1$이고 $x\neq3$ … ㉡

따라서 ㉠, ㉡에 의해 구하는 $x$의 값은 5야.

## 139 답 ②

**1st** $x^2+6x+k=0$이 중근을 가질 $k$의 값을 구하자.

$x^2+6x+k=0$이 중근을 가지려면 이차식 $x^2+6x+k$가 완전제곱식이 되어야 하므로 $k=\left(\dfrac{6}{2}\right)^2=9$

**2nd** $k$의 값을 대입하여 이차방정식을 풀자.

이차방정식 $(k-5)x^2+4x+1=0$에 $k=9$를 대입하면

$4x^2+4x+1=0$, $(2x+1)^2=0$

$\therefore x=-\dfrac{1}{2}$ (중근)

**오답피하기**

중근을 가진다는 것은 이차방정식이 (완전제곱식)$=0$ 꼴이 된다는 거야.

즉, $x^2+ax+b=0$에서 $b=\left(\dfrac{a}{2}\right)^2$이 되어야지?

자주 쓰이니까 꼭 기억해.

## 140 답 ③

**1st** 중근을 갖게 될 $a$의 값을 구하자.

$x^2-10x+a-2=0$이 중근을 가지려면 좌변의 식이 완전제곱식이 되어야 해.

$a-2=\left(\dfrac{-10}{2}\right)^2=25$ $\therefore a=27$

이것을 $x^2-ax-28=0$에 대입하면

$x^2-27x-28=0$, $(x+1)(x-28)=0$

$\therefore x=-1$ 또는 $x=28$

## 141 답 $2\sqrt{2}$

**1st** $x^2+2x-1=0$의 한 근이 $a$이므로 $x=a$를 대입해 봐.

이차방정식 $x^2+2x-1=0$에 $x=a$를 대입하면

$a^2+2a-1=0$ … ㉠

**2nd** 구하는 식에서 $\dfrac{1}{a}$이 있지? 그럼 ㉠의 양변을 $a$로 나눠서 식을 유도해야 해.

$a\neq0$이므로 ㉠의 양변을 $a$로 나누면

$a+2-\dfrac{1}{a}=0$ $\therefore a-\dfrac{1}{a}=-2$

**3rd** 곱셈 공식의 변형에서 $\left(a+\dfrac{1}{a}\right)^2=\left(a-\dfrac{1}{a}\right)^2+4$를 이용해 보자.

이때, $\left(a+\dfrac{1}{a}\right)^2=\left(a-\dfrac{1}{a}\right)^2+4=(-2)^2+4=8$이므로

$a+\dfrac{1}{a}=\sqrt{8}=2\sqrt{2}$ $(\because a>0)$

## 142  답 28

**1st** $x^2-5x+1=0$의 한 근이 $a$이므로 $x=a$를 대입해 봐.
이차방정식 $x^2-5x+1=0$에 $x=a$를 대입하면
$a^2-5a+1=0 \cdots \ominus$

**2nd** 구하는 식에서 $\dfrac{1}{a}$이 있지? 그럼 $\ominus$의 양변을 $a$로 나눠서 식을 유도해야 해.
$a\neq0$이므로 $\ominus$의 양변을 $a$로 나누면
$a-5+\dfrac{1}{a}=0$   $\therefore a+\dfrac{1}{a}=5$

**3rd** 곱셈 공식의 변형에서 $a^2+\dfrac{1}{a^2}=\left(a+\dfrac{1}{a}\right)^2-2$를 이용해 보자.
이때, $a^2+\dfrac{1}{a^2}=\left(a+\dfrac{1}{a}\right)^2-2$이므로
$a^2+a+\dfrac{1}{a}+\dfrac{1}{a^2}=\left(a^2+\dfrac{1}{a^2}\right)+\left(a+\dfrac{1}{a}\right)$
$\qquad\qquad\qquad =\left(a+\dfrac{1}{a}\right)^2-2+\left(a+\dfrac{1}{a}\right)$
$\qquad\qquad\qquad =5^2-2+5=28$

## 143  답 ②

**1st** $8-k$의 값에 따라 주어진 이차방정식의 근이 결정되지? 〈보기〉에 주어진 $k$의 값을 대입하면서 참·거짓을 판별해 보자.
ㄱ. $k=-1$일 때,
 $(x-3)^2=8+1=9$, $x-3=\pm3$   $\therefore x=0$ 또는 $x=6$
 즉, 주어진 이차방정식은 정수인 근을 가져. (참)
ㄴ. $k=0$일 때,
 $(x-3)^2=8$, $x-3=\pm2\sqrt{2}$   $\therefore x=3\pm2\sqrt{2}$
 즉, 주어진 이차방정식은 무리수인 근을 가져. (거짓)
ㄷ. $k=7$일 때,
 $(x-3)^2=8-7=1$, $x-3=\pm1$   $\therefore x=2$ 또는 $x=4$
 즉, 주어진 이차방정식은 서로 다른 2개의 근을 가져. (거짓)
ㄹ. $k=10$일 때, $(x-3)^2=8-10=-2$이므로 주어진 이차방정식의 근은 존재하지 않아. (참)
따라서 옳은 것은 ㄱ, ㄹ이야.

## 144  답 ⑤

**1st** $k+1$의 값에 따라 주어진 이차방정식의 근이 결정되지? 선택지에 주어진 $k$의 값을 대입하면서 참·거짓을 판별해 보자.
① $k=-2$일 때,
 $(x-3)^2=-2+1=-1$
 즉, 주어진 이차방정식의 근은 존재하지 않아. ← OK!
② $k=-1$일 때,
 $(x-3)^2=-1+1=0$   $\therefore x=3$ (중근) ← OK!
③ $k=0$일 때,
 $(x-3)^2=1$, $x-3=\pm1$   $\therefore x=2$ 또는 $x=4$
 즉, 주어진 이차방정식은 서로 다른 2개의 자연수인 근을 가져.
 ← OK!
④ $k=1$일 때,
 $(x-3)^2=1+1=2$, $x-3=\pm\sqrt{2}$   $\therefore x=3\pm\sqrt{2}$
 즉, 주어진 이차방정식은 서로 다른 2개의 근을 가져. ← OK!
⑤ $k=2$일 때,
 $(x-3)^2=2+1=3$, $x-3=\pm\sqrt{3}$   $\therefore x=3\pm\sqrt{3}$
 즉, 주어진 이차방정식은 무리수인 근을 가져. ← NO!
따라서 옳지 않은 것은 ⑤야.

---

p. 122

## 🖊 서술형 다지기

p. 122

**[145-146 채점기준표]**

| | | |
|---|---|---|
| I | 주어진 한 근을 이차방정식에 대입하여 $a$의 값을 구한다. | 40% |
| II | $a$의 값을 대입하여 이차방정식을 푼다. | 40% |
| III | $a+b$의 값을 구한다. | 20% |

## 145  답 $-\dfrac{11}{3}$

**먼저,** 주어진 한 근을 이차방정식에 대입하여 $a$의 값을 구하자.
한 근이 1이므로 주어진 이차방정식에 대입하면
$3-a+2a-1=0$, $a+2=0$
$\therefore a=-2$ … I

**그다음,** $a$의 값을 대입하여 이차방정식을 풀자.
$a=-2$를 주어진 이차방정식에 대입하면
$3x^2+2x-5=0$, $(3x+5)(x-1)=0$
$\therefore x=-\dfrac{5}{3}$ 또는 $x=1$ … II

**그래서,** $a+b$의 값을 구하자.
따라서 $b=-\dfrac{5}{3}$이므로
$a+b=(-2)+\left(-\dfrac{5}{3}\right)=-\dfrac{11}{3}$ … III

## 146  답 3

**먼저,** 주어진 한 근을 이차방정식에 대입하여 $a$의 값을 구하자.
$x=2$를 주어진 이차방정식에 대입하면
$4(a-1)-2(a^2-1)+2(a-1)=0$
$a^2-3a+2=0$, $(a-1)(a-2)=0$
$\therefore a=1$ 또는 $a=2$
그런데 $a=1$이면 주어진 식이 $x$에 대한 이차방정식이 되지 않으므로 $a=2$ … I

**그다음,** $a$의 값을 대입하여 이차방정식을 풀자.
$a=2$를 대입하면 $x^2-3x+2=0$
$(x-1)(x-2)=0$
$\therefore x=1$ 또는 $x=2$ … II

**그래서,** $a+b$의 값을 구하자.
따라서 $b=1$이므로
$a+b=2+1=3$ … III

**[147-148 채점기준표]**

| | | |
|---|---|---|
| I | 주어진 이차방정식을 (완전제곱식)=(상수항)의 꼴로 나타낸다. | 40% |
| II | $A$, $B$의 값을 각각 구한다. | 40% |
| III | $B-A$의 값을 구한다. | 20% |

## 147  답 13

**먼저,** 주어진 이차방정식을 (완전제곱식)=(상수항)의 꼴로 나타내자.
$x^2-8x=A$에서 $x^2-8x+16=A+16$
$(x-4)^2=A+16$, $x-4=\pm\sqrt{A+16}$ … I

**그다음,** $A$, $B$의 값을 각각 구하자.
$\therefore x=4\pm\sqrt{A+16}=B\pm\sqrt{7}$
즉, $B=4$이고, $7=A+16$에서 $A=-9$ … II

**그래서,** $B-A$의 값을 구하자.
$\therefore B-A=4-(-9)=13$ … III

## 148 답 33

**먼저,** 주어진 이차방정식을 (완전제곱식)=(상수항)의 꼴로 나타내자.

$3x^2+6x-7=0$에서 $x^2+2x-\dfrac{7}{3}=0$

$x^2+2x+1=\dfrac{7}{3}+1$, $(x+1)^2=\dfrac{10}{3}$ ⋯ Ⅰ

**그다음,** $A$, $B$의 값을 각각 구하자.

$x+1=\pm\sqrt{\dfrac{10}{3}}$, $x=-1\pm\dfrac{\sqrt{30}}{3}$

$\therefore x=\dfrac{-3\pm\sqrt{30}}{3}$

즉, $A=-3$, $B=30$이다. ⋯ Ⅱ

**그래서,** $B-A$의 값을 구하자.

$\therefore B-A=30-(-3)=33$ ⋯ Ⅲ

## 149 답 $-\dfrac{5}{2}$

$P+Q=0$이므로 $(x^2-3x-10)+(x^2-2x-15)=0$

$2x^2-5x-25=0$, $(2x+5)(x-5)=0$

$\therefore x=-\dfrac{5}{2}$ 또는 $x=5$ ⋯ Ⅰ

(ⅰ) $x=-\dfrac{5}{2}$일 때,

$P=\dfrac{25}{4}+\dfrac{15}{2}-10=\dfrac{15}{4}$, $Q=\dfrac{25}{4}+5-15=-\dfrac{15}{4}$

(ⅱ) $x=5$일 때,

$P=25-15-10=0$, $Q=25-10-15=0$ ⋯ Ⅱ

따라서 $PQ\neq0$을 만족시키는 $x$의 값은 $x=-\dfrac{5}{2}$ ⋯ Ⅲ

**[채점기준표]**

| Ⅰ | $P+Q=0$을 만족시키는 $x$의 값을 구한다. | 40% |
| Ⅱ | $x$의 값에 대한 $P$, $Q$의 값을 각각 구한다. | 40% |
| Ⅲ | $PQ\neq0$을 만족시키는 $x$의 값을 구한다. | 20% |

## 150 답 $2p^2-4$

두 근이 $a$, $b$이므로 각각 대입하면

$a^2-pa+1=0$에서 $a-p+\dfrac{1}{a}=0$ $(\because a\neq0)$

$a+\dfrac{1}{a}=p$ $\therefore \left(a+\dfrac{1}{a}\right)^2=p^2$ ⋯ ㉠ ⋯ Ⅰ

또한, $b^2-pb+1=0$에서 $b-p+\dfrac{1}{b}=0$ $(\because b\neq0)$

$\therefore b+\dfrac{1}{b}=p$

곱셈 공식의 변형을 이용하면

$\left(b-\dfrac{1}{b}\right)^2=\left(b+\dfrac{1}{b}\right)^2-4$ $\therefore \left(b-\dfrac{1}{b}\right)^2=p^2-4$ ⋯ ㉡ ⋯ Ⅱ

따라서 ㉠, ㉡에 의해

$\left(a+\dfrac{1}{a}\right)^2+\left(b-\dfrac{1}{b}\right)^2=p^2+p^2-4=2p^2-4$ ⋯ Ⅲ

**[채점기준표]**

| Ⅰ | $a$를 주어진 이차방정식에 대입하여 $\left(a+\dfrac{1}{a}\right)^2$의 값을 구한다. | 30% |
| Ⅱ | $b$를 주어진 이차방정식에 대입한 후 곱셈 공식의 변형을 이용하여 $\left(b-\dfrac{1}{b}\right)^2$의 값을 구한다. | 50% |
| Ⅲ | $\left(a+\dfrac{1}{a}\right)^2+\left(b-\dfrac{1}{b}\right)^2$을 $p$에 대한 식으로 나타낸다. | 20% |

## 151 답 41

$x^2-2xy+y^2-2x+2y-15=0$에서

$(x-y)^2-2(x-y)-15=0$ ⋯ Ⅰ

여기에서 $x-y=t$라 하면

$t^2-2t-15=0$

$(t+3)(t-5)=0$

$\therefore t=-3$ 또는 $t=5$ ⋯ Ⅱ

그런데 $x>y$이므로 $x-y=t>0$에서 $x-y=5$이고 $xy=8$임을 이용하면

$x^2+y^2=(x-y)^2+2xy=25+16=41$ ⋯ Ⅲ

**[채점기준표]**

| Ⅰ | 주어진 등식을 $x-y$에 대한 식으로 정리한다. | 30% |
| Ⅱ | $x-y=t$로 치환하여 $t$에 대한 이차방정식을 푼다. | 40% |
| Ⅲ | $x-y$, $xy$의 값을 이용해 $x^2+y^2$의 값을 구한다. | 30% |

## 152 답 2

$f(x)=ax^2+bx+c$(단, $a\neq0$)라 하면

$f(x+1)-f(x)=2x$에서

$a(x+1)^2+b(x+1)+c-ax^2-bx-c=2x$

$(2a-2)x+a+b=0$ ⋯ ㉠ ⋯ Ⅰ

㉠이 $x$의 값에 관계없이 항상 성립하므로

$2a-2=0$, $a+b=0$

$\therefore a=1$, $b=-1$

또한, $f(0)=-1$이므로 $c=-1$

$\therefore f(x)=x^2-x-1$ ⋯ Ⅱ

$f(x)=x+2$에서

$x^2-x-1=x+2$

$x^2-2x-3=0$

$(x+1)(x-3)=0$

$\therefore x=-1$ 또는 $x=3$

따라서 두 근의 합은 $(-1)+3=2$이다. ⋯ Ⅲ

**[채점기준표]**

| Ⅰ | $f(x)=ax^2+bx+c$라 놓고 $f(x+1)-f(x)=2x$의 식을 정리한다. | 30% |
| Ⅱ | $x$에 대한 항등식의 성질을 이용해 $f(x)$의 식을 구한다. | 40% |
| Ⅲ | 방정식 $f(x)=x+2$를 풀어 두 근의 합을 구한다. | 30% |

## 153 답 4개

$<x>=n$ ($n$은 자연수)이라 하자.

$<x>^2+<x>-6=0$에서

$n^2+n-6=0$

$(n+3)(n-2)=0$

$\therefore n=-3$ 또는 $n=2$ ⋯ Ⅰ

이때, $n$은 자연수이므로 $n=2$

즉, $x$의 양의 약수의 개수가 2개이므로 $x$는 소수이다. ⋯ Ⅱ

따라서 10 이하의 소수는 2, 3, 5, 7로 4개이다. ⋯ Ⅲ

**[채점기준표]**

| Ⅰ | $<x>=n$으로 놓고 $n$에 대한 이차방정식을 푼다. | 30% |
| Ⅱ | 자연수 $n$의 값을 구한다. | 30% |
| Ⅲ | 조건을 만족시키는 자연수 $x$의 개수를 구한다. | 40% |

## 154 답 $k=\dfrac{4}{3}$일 때 $x=-12$ (중근)

$k=-\dfrac{4}{3}$일 때 $x=12$ (중근)

$\dfrac{1}{6}x^2+3kx+24=0$에서 $x^2+18kx+144=0$ $\cdots$ ㉠

이때, 이 이차방정식이 중근을 가지려면

$\left(\dfrac{18k}{2}\right)^2=144$, $k^2=\dfrac{16}{9}$ $\quad\therefore k=\pm\dfrac{4}{3}$ $\quad\cdots$ Ⅰ

(i) $k=\dfrac{4}{3}$를 ㉠에 대입하면 $x^2+24x+144=0$

$(x+12)^2=0$ $\quad\therefore x=-12$ (중근) $\quad\cdots$ Ⅱ

(ii) $k=-\dfrac{4}{3}$를 ㉠에 대입하면 $x^2-24x+144=0$

$(x-12)^2=0$ $\quad\therefore x=12$ (중근) $\quad\cdots$ Ⅲ

[채점기준표]

| | | |
|---|---|---|
| Ⅰ | 이차방정식이 중근을 가질 조건을 이용하여 $k$의 값을 2개 구한다. | 40% |
| Ⅱ | 첫 번째 $k$의 값을 대입하여 중근을 구한다. | 30% |
| Ⅲ | 두 번째 $k$의 값을 대입하여 중근을 구한다. | 30% |

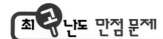

최고난도 만점 문제

p. 124

## 155 답 ③

**1st** 새로운 연산 ★를 따라 식을 세우자.

$(2x-1)\bigstar(x+2)=10$

$(2x-1)(x+2)+(2x-1)-(x+2)-1=10$

**2nd** 전개한 후 $x$의 값을 구하자.

$2x^2+3x-2+2x-1-x-2-1=10$

$2x^2+4x-16=0$, $x^2+2x-8=0$

$(x+4)(x-2)=0$ $\quad\therefore x=-4$ 또는 $x=2$

따라서 문제의 조건에서 $x<0$이므로 $x=-4$

## 156 답 $\dfrac{5}{2}$

**1st** 연립방정식 $\begin{cases} ax+by=c \\ a'x+b'y=c' \end{cases}$의 해가 존재하지 않으면

$\dfrac{a}{a'}=\dfrac{b}{b'}\ne\dfrac{c}{c'}$임을 이용하자.

연립방정식 $\begin{cases} (a-2)x+y=1 \\ x+(7-2a)y=1 \end{cases}$의 해가 존재하지 않으므로

$\dfrac{a-2}{1}=\dfrac{1}{7-2a}\ne\dfrac{1}{1}$ $\cdots$ ㉠

$\dfrac{a-2}{1}=\dfrac{1}{7-2a}$에서 $(a-2)(7-2a)=1$

$2a^2-11a+15=0$, $(2a-5)(a-3)=0$

$\therefore a=\dfrac{5}{2}$ 또는 $a=3$

**2nd** ㉠을 만족시키는 $a$의 값을 찾아.

(i) $a=\dfrac{5}{2}$일 때, $a-2=\dfrac{5}{2}-2=\dfrac{1}{2}\ne1$이므로 ㉠을 만족해.

(ii) $a=3$일 때, $a-2=3-2=1$이므로 ㉠을 만족시키지 않아.

따라서 (i), (ii)에서 구하는 $a$의 값은 $\dfrac{5}{2}$야.

[다른 풀이]

$\begin{cases} (a-2)x+y=1 & \cdots ㉠ \\ x+(7-2a)y=1 & \cdots ㉡ \end{cases}$에서 ㉠$-$㉡$\times(a-2)$를 하면

$\begin{array}{r} (a-2)x+\qquad\qquad y=\qquad 1 \\ -\underline{)(a-2)x+(a-2)(7-2a)y=a-2} \\ \{1-(a-2)(7-2a)\}y=3-a \end{array}$

$(2a^2-11a+15)y=3-a$

$\therefore (2a-5)(a-3)y=-(a-3)$ $\cdots$ ㉢

(i) $a=\dfrac{5}{2}$일 때,

㉢은 $0\cdot y=\dfrac{1}{2}$이므로 이것을 만족하는 $y$의 값은 없지.

(ii) $a=3$일 때,

$0\cdot y=0$이므로 이것을 만족하는 $y$의 값은 무수히 많아.

따라서 연립방정식의 해가 존재하지 않을 때의 $a$의 값은 $\dfrac{5}{2}$야.

## 157 답 ③

**1st** 새롭게 정의된 연산을 이해하고 식을 만들자.

$[x-4, -x, 2, 2x+1]=-1$에서

$(x-4)(2x+1)+2x=-1$, $2x^2-7x-4+2x=-1$

$2x^2-5x-3=0$, $(2x+1)(x-3)=0$

$\therefore x=-\dfrac{1}{2}$ 또는 $x=3$

따라서 양수 $x$의 값은 3이야.

## 158 답 ①

**1st** 주어진 이차방정식의 한 근이 1이니까 대입하자.

이차방정식 $(k-2)x^2+(k^2-8)x-2(3k-8)=0$에 $x=1$을 대입하면

$k-2+k^2-8-2(3k-8)=0$

$k^2-5k+6=0$, $(k-2)(k-3)=0$

$\therefore k=2$ 또는 $k=3$

**2nd** 이차항의 계수가 0이면 이차방정식이 되지 않아.

그런데 $k=2$이면 주어진 방정식의 이차항의 계수가 0이므로

$k=3$

**3rd** 소수 $p$에 대하여 $p^2$의 약수는 1, $p$, $p^2$으로 3개지?

약수의 개수가 3개인 수는 소수 $p$에 대하여 $p^2$ 꼴로 나타낼 수 있어.

즉, $1<p^2<100$에서 $1<p<10$

따라서 10보다 작은 소수 $p$는 2, 3, 5, 7이므로

구하는 수 $p^2$은 $2^2$, $3^2$, $5^2$, $7^2$으로 4개야.

## 159 답 ①

**1st** $<x>=t$로 놓고 풀어 보자.

$<x>^2-56=<x>$에서 $<x>=t$로 놓으면

$t^2-56=t$, $t^2-t-56=0$

$(t+7)(t-8)=0$

$\therefore t=-7$ 또는 $t=8$

이때, $t$는 개수이므로 자연수지?

즉, $t=8$이므로 $<x>=8$

소수를 순서대로 나열하면 2, 3, 5, 7, 11, 13, 17, 19, 23, 29, $\cdots$

따라서 $<x>=8$을 만족하기 위해서는 $20\le x\le23$인 자연수 $x$이면 돼.

$\therefore x=20$, 21, 22, 23

## 160  답 1

**1st** 주어진 점의 좌푯값을 $y=ax+2$에 대입하자.

일차함수 $y=ax+2$의 그래프가 점 $(2a-1, -a^2+4)$를 지나므로

$x=2a-1$, $y=-a^2+4$를 대입하면

$-a^2+4=a(2a-1)+2$, $-a^2+4=2a^2-a+2$

$3a^2-a-2=0$, $(3a+2)(a-1)=0$

$\therefore a=-\dfrac{2}{3}$ 또는 $a=1$ $\cdots$ ㉠

**2nd** 일차함수의 그래프가 제 4사분면을 지나지 않으려면

(기울기)$>0$, ($y$절편)$>0$이어야 하지?

이때, $y=ax+2$의 그래프가 제 4사분면을 지나지 않으려면

(기울기)$>0$, ($y$절편)$>0$이어야 하므로

(기울기)$=a>0$, ($y$절편)$=2>0$

따라서 $a>0$이어야 하므로 ㉠에서 $a=1$이야.

## 161  답 $\dfrac{7}{2}$

**1st** $1\le x<2$, $2\le x<3$으로 범위를 나누어 $[x]$의 값을 구해 보자.

$1\le x<2$일 때, $[x]=1$

$2\le x<3$일 때, $[x]=2$

**2nd** 각각의 $[x]$의 값에 대하여 주어진 방정식을 풀어봐.

(i) $1\le x<2$일 때, $[x]=1$이므로 $2x^2=x+3[x]$에서

$2x^2=x+3$, $2x^2-x-3=0$

$(x+1)(2x-3)=0$  $\therefore x=-1$ 또는 $x=\dfrac{3}{2}$

그런데 $1\le x<2$이므로 $x=\dfrac{3}{2}$

(ii) $2\le x<3$일 때, $[x]=2$이므로 $2x^2=x+3[x]$에서

$2x^2=x+6$, $2x^2-x-6=0$

$(2x+3)(x-2)=0$  $\therefore x=-\dfrac{3}{2}$ 또는 $x=2$

그런데 $2\le x<3$이므로 $x=2$

(i), (ii)에서 $x=\dfrac{3}{2}$ 또는 $x=2$이므로 구하는 모든 근의 합은

$\dfrac{3}{2}+2=\dfrac{7}{2}$

## 162  답 ④

**1st** $x^2-ax-4b^2=0$의 한 근이 $x=a-3b$이므로 대입해 봐.

이차방정식 $x^2-ax-4b^2=0$의 한 근이 $x=a-3b$이므로

$x^2-ax-4b^2=0$에 $x=a-3b$를 대입하면

$(a-3b)^2-a(a-3b)-4b^2=0$

위 식을 전개하여 정리하면

$a^2-6ab+9b^2-a^2+3ab-4b^2=0$

$\therefore 5b^2-3ab=0$

**2nd** $5b^2-3ab=0$을 만족시키는 자연수 $a$, $b$를 찾아보자.

$5b^2-3ab=0$에서 $b(5b-3a)=0$

그런데 $b$는 자연수이므로 $b\ne 0$이지?

즉, $5b-3a=0$에서 $3a=5b$

이때, $3a=5b$를 만족시키는 30 이하의 자연수 $a$, $b$를 구하면 다음과 같아.

| $a$ | 5 | 10 | 15 | 20 | 25 | 30 |
|---|---|---|---|---|---|---|
| $b$ | 3 | 6 | 9 | 12 | 15 | 18 |

따라서 순서쌍 $(a, b)$는 $(5, 3)$, $(10, 6)$, $(15, 9)$, $(20, 12)$, $(25, 15)$, $(30, 18)$로 6개야.

---

# G 이차방정식의 활용

**개념 체크 001~034** 정답은 p. 5~6에 있습니다.

## 유형 다지기 학교시험+학력평가

## 035  답 ④

이차방정식 $2x^2-7x+4=0$의 근을 근의 공식으로 구하면

$x=\dfrac{-(-7)\pm\sqrt{(-7)^2-4\times 2\times 4}}{2\times 2}$

$=\dfrac{7\pm\sqrt{17}}{4}=\dfrac{A\pm\sqrt{B}}{4}$

따라서 $A=7$, $B=17$이므로

$A+B=7+17=24$

**오답피하기**

근의 공식을 이용하려면 특히 $x$항의 계수의 부호를 염두에 두어야 해. 즉, 이차방정식 $ax^2+bx+c=0$에서 $x=\dfrac{-b\pm\sqrt{b^2-4ac}}{2a}$이니까 $-b$가 쓰임을 주의하자. 또한, 근의 공식에서 분모도 이차항의 계수의 2배인데 그냥 쓰는 경우가 있으니 잊지 않도록!

## 036  답 ⑤

$x=\dfrac{-7\pm\sqrt{7^2-4\times 3\times 1}}{2\times 3}=\dfrac{-7\pm\sqrt{37}}{6}$

$\therefore$ (가)$=3$, (나)$=7$, (다)$=1$

## 037  답 ④

$ax^2-2x-4=0$에서 일차항의 계수가 짝수이므로 짝수 공식을 이용하자.

$x=\dfrac{1\pm\sqrt{1+4a}}{a}=\dfrac{1\pm\sqrt{b}}{5}$

따라서 $a=5$, $1+4a=b$이므로 $a=5$, $b=21$

$\therefore a+b=5+21=26$

**오답피하기**

일차항의 계수가 짝수일 때, 즉 이차방정식 $ax^2+2b'x+c=0$의 근을 구하면

$x=\dfrac{-b'\pm\sqrt{b'^2-ac}}{a}$

일차항의 계수가 짝수일 때는 좀 더 간단히 근을 구할 수 있어.

## 038  답 ④

$\dfrac{1}{4}x^2-\dfrac{5}{6}x+\dfrac{5}{12}=0$에서 각 항의 계수를 정수로 만들어야 근을 구하기 쉬워.

양변에 각 항의 계수의 분모 4, 6, 12의 최소공배수 12를 곱하면

$3x^2-10x+5=0$

일차항의 계수가 짝수이므로

$x=\dfrac{5\pm\sqrt{25-15}}{3}=\dfrac{5\pm\sqrt{10}}{3}=\dfrac{A\pm\sqrt{B}}{3}$

따라서 $A=5$, $B=10$이므로

$A+B=5+10=15$

정답 및 해설 **85**

## 039 답 ⑤

$\frac{1}{3}x^2 - \frac{5}{6}x + \frac{1}{2} = 0$의 양변에 각 항의 계수의 분모 3, 6, 2의 최소

공배수 6을 곱하면

$2x^2 - 5x + 3 = 0$

$(x-1)(2x-3) = 0$

$\therefore x = 1$ 또는 $x = \frac{3}{2}$

**오답피하기**

이차방정식의 해를 구할 때, 인수분해를 할까 말까 고민하지 말고 바로 근의 공식을 이용해도 괜찮아. 계산만 정확하게 하면 더 빨리 풀 수 있지?

$2x^2 - 5x + 3 = 0$을 근의 공식으로 풀면

$x = \frac{5 \pm \sqrt{25-24}}{4} = \frac{5 \pm 1}{4}$

$\therefore x = 1$ 또는 $x = \frac{3}{2}$

## 040 답 ①

이차방정식 $0.4x = 0.3 - 0.5x^2$의 양변에 10을 곱하면

$4x = 3 - 5x^2$, $5x^2 + 4x - 3 = 0$

$\therefore x = \frac{-2 \pm \sqrt{4+15}}{5} = \frac{-2 \pm \sqrt{19}}{5}$

## 041 답 ④

이차방정식 $0.3x^2 + 0.5 = x$의 양변에 10을 곱하면

$3x^2 + 5 = 10x$, $3x^2 - 10x + 5 = 0$

$\therefore x = \frac{5 \pm \sqrt{25-15}}{3} = \frac{5 \pm \sqrt{10}}{3}$

따라서 두 근의 합은

$\frac{5+\sqrt{10}}{3} + \frac{5-\sqrt{10}}{3} = \frac{10}{3}$

**오답피하기**

계수가 분수 또는 소수가 나올 때 분모의 최소공배수 또는 10의 거듭제곱을 곱하여 정수로 만드는데 간혹 좌변만 곱하던가 원래 정수로 있던 수에는 곱하는 걸 잊는 경우가 있으니 모든 항에 곱할 수 있도록 집중하자.

## 042 답 $x=0$

주어진 식에 분모 5, 2의 최소공배수 10을 곱하자.

$2(x^2+x) - 5(3x^2+2) = -10x^2 - 10$

$2x^2 + 2x - 15x^2 - 10 = -10x^2 - 10$

$3x^2 - 2x = 0$, $x(3x-2) = 0$

$\therefore x = 0$ 또는 $x = \frac{2}{3}$

따라서 두 근 중 작은 근은 $x=0$이야.

## 043 답 ⑤

이차방정식 $0.1x^2 + 0.4x - 1 = 0$의 양변에 10을 곱하면

$x^2 + 4x - 10 = 0$

$\therefore x = \frac{-2 \pm \sqrt{4+10}}{1} = -2 \pm \sqrt{14} = -2 \pm \sqrt{k}$

$\therefore k = 14$

## 044 답 ③

$\frac{1}{2}x^2 - \frac{1}{5}x = 0.3$의 양변에 10을 곱하면

$5x^2 - 2x = 3$, $5x^2 - 2x - 3 = 0$

$(5x+3)(x-1) = 0$

$\therefore x = -\frac{3}{5}$ 또는 $x = 1$

조건에서 $a > b$이므로 $a = 1$, $b = -\frac{3}{5}$

$\therefore a - b + ab = 1 + \frac{3}{5} - \frac{3}{5} = 1$

## 045 답 $x=2$

$0.2x^2 + \frac{2}{5}x - 1.6 = 0$의 양변에 10을 곱하면

$2x^2 + 4x - 16 = 0$, $x^2 + 2x - 8 = 0$

$(x+4)(x-2) = 0$

$\therefore x = -4$ 또는 $x = 2 \cdots \bigcirc$

$\frac{1}{3}x^2 - \frac{5}{3}x + 2 = 0$의 양변에 3을 곱하면

$x^2 - 5x + 6 = 0$, $(x-2)(x-3) = 0$

$\therefore x = 2$ 또는 $x = 3 \cdots \bigcirc$

$\bigcirc$, $\bigcirc$에서 공통인 근은 $x = 2$야.

## 046 답 ①

양변에 분모 5, 3의 최소공배수 15를 곱하고 정리해 보자.

$3x(x-1) = 5(x+1)(x-3)$, $3x^2 - 3x = 5(x^2 - 2x - 3)$

$3x^2 - 3x = 5x^2 - 10x - 15$, $2x^2 - 7x - 15 = 0$

$(2x+3)(x-5) = 0$

$\therefore x = -\frac{3}{2}$ 또는 $x = 5$

## 047 답 ③

우변의 항을 모두 좌변으로 이항해서 정리해 보자.

$(x-1)^2 - 2x^2 + 1 = 0$

$x^2 - 2x + 1 - 2x^2 + 1 = 0$

$-x^2 - 2x + 2 = 0$, $x^2 + 2x - 2 = 0$

인수분해가 안 되지? 근의 공식을 쓰자!

$\therefore x = -1 \pm \sqrt{1+2} = -1 \pm \sqrt{3}$

따라서 이차방정식의 두 근은 $x = -1 + \sqrt{3}$, $x = -1 - \sqrt{3}$이므로

(두 근의 곱) $= (-1+\sqrt{3})(-1-\sqrt{3}) = 1 - 3 = -2$

## 048 답 ②

$3\left(x - \frac{1}{3}\right)^2 + 5 = 10\left(x - \frac{1}{3}\right)$에서 $x - \frac{1}{3} = A$로 치환하자.

$3A^2 + 5 = 10A$, $3A^2 - 10A + 5 = 0$

$\therefore A = \frac{5 \pm \sqrt{25-15}}{3} = \frac{5 \pm \sqrt{10}}{3}$

즉, $x - \frac{1}{3} = \frac{5 \pm \sqrt{10}}{3}$이므로 $x = \frac{6 \pm \sqrt{10}}{3}$

**오답피하기**

주어진 이차방정식은 치환을 이용해서 푸는 것이 훨씬 간단하고 쉬워. 전개해서 풀 수도 있지만 복잡해질 수 있거든. 문제에서도 치환하라고 괄호로 묶어 보여주잖아.

## 049 답 ②

$2(x+2)^2-(3x+1)(2x-3)-8x-14=0$

$2x^2+8x+8-6x^2+7x+3-8x-14=0$

$-4x^2+7x-3=0,\ 4x^2-7x+3=0$

$(4x-3)(x-1)=0$     $\therefore x=\dfrac{3}{4}$ 또는 $x=1$

두 근을 $\alpha$, $\beta$라 하고 $\alpha<\beta$이므로 $\alpha=\dfrac{3}{4}$, $\beta=1$

$\therefore 4\alpha-\beta=4\times\dfrac{3}{4}-1=3-1=2$

## 050 답 3

양변에 4를 곱하여 계수를 정수로 바꾸자.

$12(x-1)+x^2+1=4(x^2-2x-3)$

$3x^2-20x-1=0$     $\therefore x=\dfrac{10\pm\sqrt{103}}{3}=\dfrac{A\pm\sqrt{B}}{3}$

따라서 $A=10$, $B=103$이므로

$B-10A=103-10\times10=3$

## 051 답 ①

$x-y=A$로 치환하면

$A(A+4)-12=0,\ A^2+4A-12=0$

$(A+6)(A-2)=0$     $\therefore A=-6$ 또는 $A=2$

즉, $x-y=-6$ 또는 $x-y=2$인데 $x>y$에서 $x-y$의 값은 양수이므로 $x-y=2$야.

## 052 답 ⑤

$a-b=A$로 치환하면 $A^2-A-30=0$

$(A+5)(A-6)=0$     $\therefore A=-5$ 또는 $A=6$

그런데 $a-b>0$이므로 $a-b=6$

이때, $ab=-4$이므로 곱셈 공식의 변형을 이용하면

$a^2+b^2=(a-b)^2+2ab=36-8=28$

## 053 답 ③, ⑤

이차방정식 $ax^2+bx+c=0$에서

(1) $b^2-4ac>0$이면 근이 2개

(2) $b^2-4ac=0$이면 근이 1개 (중근)

(3) $b^2-4ac<0$이면 근이 없어.

① $x^2-2x+1=0\longrightarrow b^2-4ac=4-4=0$

② $2x^2-4x-3=0\longrightarrow b^2-4ac=16+24=40>0$

③ $x^2-3x+5=0\longrightarrow b^2-4ac=9-20=-11<0$

④ $x^2+7x+12=0\longrightarrow b^2-4ac=49-48=1>0$

⑤ $\dfrac{1}{3}x^2+\dfrac{1}{2}x+1=0\longrightarrow b^2-4ac=\dfrac{1}{4}-\dfrac{4}{3}=-\dfrac{13}{12}<0$

따라서 근이 없는 것은 ③, ⑤야.

## 054 답 ⑤

① $x^2+2=0\longrightarrow b^2-4ac=0-8=-8<0$

② $x^2-4x+4=0\longrightarrow b^2-4ac=16-16=0$

③ $x^2-x+1=0\longrightarrow b^2-4ac=1-4=-3<0$

④ $x^2-2x+1=0\longrightarrow b^2-4ac=4-4=0$

⑤ $2x^2-x-1=0\longrightarrow b^2-4ac=1+8=9>0$

따라서 서로 다른 두 개의 근을 갖는 것은 ⑤야.

## 055 답 ①

ㄱ. $B<0$이면 $A^2-4B>0$이므로 서로 다른 두 근을 가져. (참)

ㄴ. $A=0$, $B=9$이면 $x^2+9=0$이고 $b^2-4ac=-36<0$이므로 해가 없어. (거짓)

ㄷ. $A^2-4B$에서 $A>0$이라 해서 반드시 $A^2-4B<0$은 아니야. (거짓)

따라서 옳은 것은 ㄱ뿐이야.

**오답피하기**

이렇게 구체적인 값이 아니라 문자로 나오는 경우 겁을 먹는 친구들이 많아. 뚜렷한 값이 주어지지 않기 때문이지. 하지만 위에서 주어진 식 그대로 공식을 적용하여 식을 세우고 주어진 보기에 맞는 수치를 하나씩 대입해 봐. 보기는 그러한 수치들을 일반화하여 표현한 것이니까 너무 막연해 하지 말고 직접 대입해 보면 생각보다 어렵지 않을 거야.

## 056 답 ㄴ, ㄹ

ㄱ. $4x^2-7x+3=0$에서 $b^2-4ac=49-48=1>0$이므로 서로 다른 2개의 근을 가져.

ㄴ. $\dfrac{1}{4}x^2-4x+16=0$에서 $b^2-4ac=16-16=0$이므로 중근을 가져.

ㄷ. $3(x-1)^2=-1$, 즉 $3x^2-6x+4=0$에서 $b^2-4ac=36-48=-12<0$이므로 근을 갖지 않아.

ㄹ. $(x+2)(x-2)=6x-13$, 즉 $x^2-6x+9=0$에서 $b^2-4ac=36-36=0$이므로 중근을 가져.

따라서 중근을 갖는 것은 ㄴ, ㄹ이야.

## 057 답 ②

이차방정식 $x^2-2(k+2)x+k+2=0$이 중근을 가지려면

$4(k+2)^2-4(k+2)=0$이어야 해.

$k^2+4k+4-k-2=0,\ k^2+3k+2=0$

$(k+2)(k+1)=0$     $\therefore k=-2$ 또는 $k=-1$

## 058 답 ②

이차방정식 $x^2+6x-5m-1=0$이 중근을 가지려면

$36-4(-5m-1)=0,\ 36+20m+4=0$

$20m=-40$     $\therefore m=-2$

## 059 답 3

이차방정식 $(m^2-1)x^2-2(m+1)x+3=0\ \cdots\ \bigcirc$이 중근을 가지므로

$4(m+1)^2-12(m^2-1)=0,\ m^2+2m+1-3m^2+3=0$

$-2m^2+2m+4=0,\ m^2-m-2=0$

$(m+1)(m-2)=0$     $\therefore m=-1$ 또는 $m=2$

그런데 ㉠이 이차방정식이려면 이차항의 계수가 0이 아니어야 해.

즉, $m^2-1\neq0$에서 $m\neq\pm1$

$\therefore m=2$

이것을 ㉠에 대입하면

$3x^2-6x+3=0,\ x^2-2x+1=0$

$(x-1)^2=0$     $\therefore x=1$ (중근)

$\therefore n=1$

$\therefore m+n=2+1=3$

## 060 답 ①

이차방정식 $4x^2+px+9=0$이 중근을 가지므로
$p^2-144=0$, $p^2=144$  $\therefore p=\pm12$

(i) $p=12$일 때
$4x^2+12x+9=0$, $(2x+3)^2=0$
$\therefore x=-\dfrac{3}{2}$ (중근)
$\therefore q=-\dfrac{3}{2}$

(ii) $p=-12$일 때
$4x^2-12x+9=0$, $(2x-3)^2=0$
$\therefore x=\dfrac{3}{2}$ (중근)
$\therefore q=\dfrac{3}{2}$

(i), (ii)에 의해 $pq=12\times\left(-\dfrac{3}{2}\right)=(-12)\times\dfrac{3}{2}=-18$

## 061 답 7

이차방정식 $x^2+ax+a=0$ … ㉠이 중근을 가지므로
$a^2-4a=0$, $a(a-4)=0$
$\therefore a=4$ ($\because a\neq0$)
이것을 ㉠에 대입하면
$x^2+4x+4=0$, $(x+2)^2=0$
$\therefore x=-2$ (중근)
이것이 $x^2+bx+b-1=0$의 근이므로 대입하면
$4-2b+b-1=0$  $\therefore b=3$
$\therefore a+b=4+3=7$

## 062 답 ②

이차방정식 $3x^2-2x-k=0$이 서로 다른 두 근을 가지려면
$(-2)^2-4\times3\times(-k)>0$, $4+12k>0$
$\therefore k>-\dfrac{1}{3}$

## 063 답 ⑤

이차방정식 $2x^2-8x+k-3=0$이 서로 다른 두 근을 가지려면
$(-8)^2-8(k-3)>0$, $64-8k+24>0$
$-8k>-88$
$\therefore k<11$
따라서 $k$의 값이 될 수 없는 것은 ⑤ 12야.

## 064 답 ④

이차방정식 $x^2-10x+20+m=0$이 근을 갖지 않으려면
$100-4(20+m)<0$, $100-80-4m<0$
$-4m<-20$
$\therefore m>5$

## 065 답 7

이차방정식 $x^2+(2k-1)x+k^2-7=0$의 해가 2개이므로
$(2k-1)^2-4(k^2-7)>0$, $4k^2-4k+1-4k^2+28>0$
$-4k>-29$
$\therefore k<\dfrac{29}{4}=7.25$
따라서 가장 큰 정수 $k$의 값은 7이야.

## 066 답 6개

(i) 이차방정식 $x^2-4x+m-1=0$이 해를 가지려면
$16-4(m-1)\geq0$, $16-4m+4\geq0$, $-4m\geq-20$
$\therefore m\leq5$

(ii) 이차방정식 $(m+1)x^2+5x+10=0$이 해를 갖지 않으려면
$25-40(m+1)<0$, $25-40m-40<0$, $-40m<15$
$\therefore m>-\dfrac{3}{8}$

따라서 (i), (ii)를 모두 만족하는 정수 $m$은 0, 1, 2, 3, 4, 5의 6개야.

**오답피하기**

문제에서 제시된 '근을 가진다'라는 말에 주목해야 해. '근을 가진다'는 근이 0개만 아니면 된다는 거지. 즉, 1개인 경우와 2개인 경우를 모두 포함하는 거니까 $b^2-4ac\geq0$인 경우를 구하는 거야.

## 067 답 ②

두 근이 $\alpha$, $\beta$이고 $x^2$의 계수가 1인 이차방정식은
$(x-\alpha)(x-\beta)=0$  $\therefore x^2-(\alpha+\beta)x+\alpha\beta=0$
이 식이 $x^2+3x-2=0$과 같아야 하므로 $\alpha+\beta=-3$, $\alpha\beta=-2$
따라서 $x^2$의 계수가 1이고 $-3$, $-2$를 두 근으로 하는 이차방정식은
$(x+3)(x+2)=0$  $\therefore x^2+5x+6=0$

## 068 답 ①

두 근이 1, 2이고 $x^2$의 계수가 1인 이차방정식은
$(x-1)(x-2)=0$
따라서 $a=-1$, $b=-2$ 또는 $a=-2$, $b=-1$이므로
$a+b=-1+(-2)=-3$

## 069 답 ④

두 근이 $-\dfrac{1}{2}$, $\dfrac{2}{3}$이고 $x^2$의 계수가 6인 이차방정식은
$6\left(x+\dfrac{1}{2}\right)\left(x-\dfrac{2}{3}\right)=0$, $6\left(x^2-\dfrac{1}{6}x-\dfrac{1}{3}\right)=0$
$\therefore 6x^2-x-2=0$
따라서 $x$의 계수는 $-1$, 상수항은 $-2$이므로 $a=-1$, $b=-2$
$\therefore ab=-1\times(-2)=2$

## 070 답 ⑤

$x=-3$을 중근으로 하고 $x^2$의 계수가 $-2$인 이차방정식은
$-2(x+3)^2=0$, $-2(x^2+6x+9)=0$
$-2x^2-12x-18=0$
따라서 $a=-12$, $b=-18$이므로
$a-b=-12-(-18)=6$

## 071 답 $x=2$ 또는 $x=3$

두 근이 $\dfrac{1}{3}$, $\dfrac{1}{2}$이고 $x^2$의 계수가 1인 이차방정식은
$\left(x-\dfrac{1}{3}\right)\left(x-\dfrac{1}{2}\right)=0$, $x^2-\dfrac{5}{6}x+\dfrac{1}{6}=0$
$\therefore a=-\dfrac{5}{6}$, $b=\dfrac{1}{6}$

따라서 이차방정식 $bx^2+ax+1=0$, 즉 $\dfrac{1}{6}x^2-\dfrac{5}{6}x+1=0$을 풀면
$x^2-5x+6=0$, $(x-2)(x-3)=0$
$\therefore x=2$ 또는 $x=3$

## 072 답 ①

이차방정식 $4x^2+12x+k=0$이 중근을 가지려면

$12^2-4\times4\times k=0$

$144-16k=0$    $\therefore k=9$

따라서 $k-5$, $-k+4$, 즉 $4$, $-5$를 두 근으로 하고

$x^2$의 계수가 3인 이차방정식은

$3(x-4)(x+5)=0$

$\therefore 3x^2+3x-60=0$

## 073 답 $2x^2-5x+2=0$

이차방정식 $x^2-3x+2=0$에서

$(x-1)(x-2)=0$

$\therefore x=1$ 또는 $x=2$

두 근 중 큰 근은 $x=2$이므로 $a=2$

또, 이차방정식 $2x^2-3x+1=0$에서

$(2x-1)(x-1)=0$

$\therefore x=\dfrac{1}{2}$ 또는 $x=1$

두 근 중 작은 근은 $x=\dfrac{1}{2}$이므로 $b=\dfrac{1}{2}$

따라서 $x^2$의 계수가 2이고 2, $\dfrac{1}{2}$을 두 근으로 하는 이차방정식은

$2(x-2)\left(x-\dfrac{1}{2}\right)=0$

$(x-2)(2x-1)=0$

$\therefore 2x^2-5x+2=0$

## 074 답 $4x^2+8x+4=0$

일차함수 $y=ax+k$에서 $a$는 기울기, $k$는 $y$절편이므로 그래프에서

$a=\dfrac{0-(-2)}{4-0}=\dfrac{1}{2}$

$k=-2$

따라서 $ak=\dfrac{1}{2}\times(-2)=-1$을 중근으로 하고

$x^2$의 계수가 4인 이차방정식은

$4(x+1)^2=0$

$4(x^2+2x+1)=0$

$\therefore 4x^2+8x+4=0$

## 075 답 ⑤

계수가 유리수인 이차방정식 $2x^2-ax-2=0$의 한 근이 $1+\sqrt{2}$이면 다른 한 근은 $1-\sqrt{2}$야.

즉, 두 근이 $1+\sqrt{2}$, $1-\sqrt{2}$이고 $x^2$의 계수가 2인 이차방정식은

$2\{x-(1+\sqrt{2})\}\{x-(1-\sqrt{2})\}=0$이므로

$2\{x^2-(1+\sqrt{2}+1-\sqrt{2})x+(1+\sqrt{2})(1-\sqrt{2})\}=0$

$\therefore 2x^2-4x-2=0$

이 식이 $2x^2-ax-2=0$과 같아야 하므로 $a=4$

**[다른 풀이]**

$x=1+\sqrt{2}$를 이차방정식 $2x^2-ax-2=0$에 직접 대입하여 $a$의 값을 구해도 돼.

$2(1+\sqrt{2})^2-a(1+\sqrt{2})-2=0$에서

$6+4\sqrt{2}-a(1+\sqrt{2})-2=0$

$a(1+\sqrt{2})=4+4\sqrt{2}=4(1+\sqrt{2})$

$\therefore a=4$

## 076 답 ②

계수가 유리수인 이차방정식 $x^2+6x+k=0$의 한 근이 $-3+\sqrt{7}$이면 다른 한 근은 $-3-\sqrt{7}$이야.

즉, 두 근이 $-3+\sqrt{7}$, $-3-\sqrt{7}$이고 $x^2$의 계수가 1인 이차방정식은 $\{x-(-3+\sqrt{7})\}\{x-(-3-\sqrt{7})\}=0$

$x^2-(-3+\sqrt{7}-3-\sqrt{7})x+(-3+\sqrt{7})(-3-\sqrt{7})=0$

$\therefore x^2+6x+2=0$

이 식이 $x^2+6x+k=0$과 같아야 하므로 $k=2$

따라서 나머지 한 근과 유리수 $k$의 값의 합은

$(-3-\sqrt{7})+2=-1-\sqrt{7}$

## 077 답 ⑤

계수가 유리수인 이차방정식 $2x^2+(m+1)x-5n=0$의 한 근이 $1-3\sqrt{2}$이면 다른 한 근은 $1+3\sqrt{2}$야.

즉, 두 근이 $1-3\sqrt{2}$, $1+3\sqrt{2}$이고 $x^2$의 계수가 2인 이차방정식은

$2\{x-(1-3\sqrt{2})\}\{x-(1+3\sqrt{2})\}=0$

$2\{x^2-(1-3\sqrt{2}+1+3\sqrt{2})x+(1-3\sqrt{2})(1+3\sqrt{2})\}=0$

$2(x^2-2x-17)=0$

$\therefore 2x^2-4x-34=0$

이 식이 $2x^2+(m+1)x-5n=0$과 같아야 하므로

$m+1=-4$에서 $m=-5$

$-5n=-34$에서 $n=\dfrac{34}{5}$

$\therefore m+5n=-5+5\times\dfrac{34}{5}=29$

## 078 답 $-36$

$1<\sqrt{3}<2$에서 $-2<-\sqrt{3}<-1$이므로 $3<5-\sqrt{3}<4$

즉, $5-\sqrt{3}$의 정수 부분은 3이므로 $a=3$

$b=5-\sqrt{3}-3=2-\sqrt{3}$

이때, $2-\sqrt{3}$은 이차방정식 $3x^2+px+q=0$의 한 근이고 계수가 유리수이므로 다른 한 근은 $2+\sqrt{3}$이야.

즉, 두 근이 $2-\sqrt{3}$, $2+\sqrt{3}$이고 $x^2$의 계수가 3인 이차방정식은

$3\{x-(2-\sqrt{3})\}\{x-(2+\sqrt{3})\}=0$

$3\{x^2-(2-\sqrt{3}+2+\sqrt{3})x+(2-\sqrt{3})(2+\sqrt{3})\}=0$

$3(x^2-4x+1)=0$

$\therefore 3x^2-12x+3=0$

이 식이 $3x^2+px+q$과 같아야 하므로

$p=-12$, $q=3$

$\therefore pq=-12\times3=-36$

## 079 답 ①

이차방정식 $2x^2-2x+k=0$의 두 근을 각각 $\alpha$, $\beta(\alpha>\beta)$라 하면

$\alpha-\beta=5$ $\cdots$ ㉠

두 근이 $\alpha$, $\beta$이고 $x^2$의 계수가 2인 이차방정식은

$2(x-\alpha)(x-\beta)=0$

$\therefore 2x^2-2(\alpha+\beta)x+2\alpha\beta=0$

이 식이 $2x^2-2x+k=0$과 같아야 하므로 $x$항의 계수를 비교하면

$-2(\alpha+\beta)=-2$에서 $\alpha+\beta=1$ $\cdots$ ㉡

㉠+㉡을 하면

$2\alpha=6$    $\therefore \alpha=3$

$\alpha=3$을 ㉡에 대입하면 $\beta=-2$

$\therefore k=2\alpha\beta=2\times3\times(-2)=-12$

## 080 답 ③

이차방정식 $x^2-4x-2a+7=0$의 두 근을 각각
$\alpha$, $\beta(\alpha>\beta)$라 하면 $\alpha-\beta=2$ ··· ㉠
두 근이 $\alpha$, $\beta$이고 $x^2$의 계수가 1인 이차방정식은
$(x-\alpha)(x-\beta)=0$
$\therefore x^2-(\alpha+\beta)x+\alpha\beta=0$
이 식이 $x^2-4x-2a+7=0$과 같아야 하므로 $x$항의 계수를 비교
하면
$-(\alpha+\beta)=-4$에서 $\alpha+\beta=4$ ··· ㉡
㉠+㉡을 하면
$2\alpha=6$    $\therefore \alpha=3$
$\alpha=3$을 ㉡에 대입하면 $\beta=1$
$-2a+7=\alpha\beta$이므로 $-2a+7=3\times1=3$
$-2a=-4$    $\therefore a=2$

## 081 답 ③

이차방정식 $x^2-6x+k=0$의 두 근의 비가 $1:2$이므로
두 근을 $\alpha$, $2\alpha$라 하자.
두 근이 $\alpha$, $2\alpha$이고 $x^2$의 계수가 1인 이차방정식은
$(x-\alpha)(x-2\alpha)=0$
$\therefore x^2-3\alpha x+2\alpha^2=0$
이 식이 $x^2-6x+k=0$과 같아야 하므로 $x$항의 계수를 비교하면
$-3\alpha=-6$에서 $\alpha=2$
$\therefore k=2\alpha^2=2\times2^2=8$

## 082 답 ③

이차방정식 $x^2+ax+b=0$의 두 근 중 작은 근을 $\alpha$라 하면
다른 한 근은 $3\alpha$야. 이때, 두 근의 차가 4이므로
$3\alpha-\alpha=4$, $2\alpha=4$    $\therefore \alpha=2$
즉, 이차방정식 $x^2+ax+b=0$의 두 근 2, 6이므로
두 근이 2, 6이고 $x^2$의 계수가 1인 이차방정식은
$(x-2)(x-6)=0$    $\therefore x^2-8x+12=0$
따라서 $a=-8$, $b=12$이므로
$a+b=-8+12=4$

## 083 답 $\frac{41}{20}$

이차방정식 $x^2-2(k+1)x+4k=0$의 두 근의 비가 $5:4$이므로
한 근을 $5\alpha$라 하면 다른 한 근은 $4\alpha$야.
두 근이 $5\alpha$, $4\alpha$이고 $x^2$의 계수가 1인 이차방정식은
$(x-5\alpha)(x-4\alpha)=0$
$\therefore x^2-9\alpha x+20\alpha^2=0$
이 식이 $x^2-2(k+1)x+4k=0$과 같아야 하므로
상수항을 비교하면 $4k=20\alpha^2$에서 $k=5\alpha^2$ ··· ㉠
또한, $x$항의 계수를 비교하면 $-2(k+1)=-9\alpha$이므로
$2(5\alpha^2+1)=9\alpha(\because$ ㉠), $10\alpha^2-9\alpha+2=0$
$(5\alpha-2)(2\alpha-1)=0$
$\therefore \alpha=\frac{2}{5}$ 또는 $\alpha=\frac{1}{2}$

(i) $\alpha=\frac{2}{5}$일 때, ㉠에 대입하면 $k=5\times\left(\frac{2}{5}\right)^2=\frac{4}{5}$

(ii) $\alpha=\frac{1}{2}$일 때, ㉠에 대입하면 $k=5\times\left(\frac{1}{2}\right)^2=\frac{5}{4}$

(i), (ii)에 의하여 모든 상수 $k$의 값의 합은 $\frac{4}{5}+\frac{5}{4}=\frac{41}{20}$이야.

## 084 답 ①

1, 5를 두 근으로 하고 $x^2$의 계수가 1인 이차방정식은
$(x-1)(x-5)=0$    $\therefore x^2-6x+5=0$
즉, 옳게 본 상수항은 5야.
또, $-2$, $-4$를 두 근으로 하고 $x^2$의 계수가 1인 이차방정식은
$(x+2)(x+4)=0$    $\therefore x^2+6x+8=0$
즉, 옳게 본 $x$의 계수는 6이야.
따라서 옳게 본 이차방정식은 $x^2+6x+5=0$이므로
$(x+5)(x+1)=0$    $\therefore x=-5$ 또는 $x=-1$

## 085 답 48

$-3$, 5를 근으로 하고 $x^2$의 계수가 1인 이차방정식은
$(x+3)(x-5)=0$    $\therefore x^2-2x-15=0$
즉, 옳게 본 일차항의 계수는 $-2$야.    $\therefore a=-2$
또, 3, $-8$을 근으로 하고 $x^2$의 계수가 1인 이차방정식은
$(x-3)(x+8)=0$    $\therefore x^2+5x-24=0$
즉, 옳게 본 상수항은 $-24$야.    $\therefore b=-24$
$\therefore ab=(-2)\times(-24)=48$

## 086 답 ④

$-3$, 3을 근으로 하고 $x^2$의 계수가 1인 이차방정식은
$(x+3)(x-3)=0$    $\therefore x^2-9=0$
즉, 옳게 본 상수항은 $-9$야.
또, 1, 9를 근으로 하고 $x^2$의 계수가 1인 이차방정식은
$(x-1)(x-9)=0$    $\therefore x^2-10x+9=0$
즉, 옳게 본 일차항의 계수는 $-10$이야.
따라서 옳게 본 이차방정식은 $x^2-10x-9=0$이므로 짝수 공식을
이용하여 근을 구하면 $x=5\pm\sqrt{5^2+9}=5\pm\sqrt{34}$
즉, $\alpha=5+\sqrt{34}$, $\beta=5-\sqrt{34}$ 또는 $\alpha=5-\sqrt{34}$, $\beta=5\pm\sqrt{34}$이므로
$\alpha^2+\beta^2=(\alpha+\beta)^2-2\alpha\beta$
$\qquad\qquad=(5+\sqrt{34}+5-\sqrt{34})^2-2(5+\sqrt{34})(5-\sqrt{34})$
$\qquad\qquad=100-2\times(-9)=118$

## 087 답 ③

연속하는 세 홀수를 $x$, $x+2$, $x+4$로 놓으면
$x^2+(x+2)^2+(x+4)^2=251$
$x^2+x^2+4x+4+x^2+8x+16=251$
$3x^2+12x-231=0$, $x^2+4x-77=0$
$(x+11)(x-7)=0$
$\therefore x=7 (\because x>0)$
따라서 세 홀수는 7, 9, 11이므로 그 합은 27이야.

**오답피하기**

이차방정식의 활용 문제에서는 이차방정식을 풀어 나온 두 근이
모두 답이 되는 것이 아닐 수 있어. 개수, 나이, 길이, 넓이 등을 구
하는 경우에는 양수인 근만 답이 됨을 기억해!

## 088 답 ①

연속된 두 짝수를 $x$, $x+2$라 하면
$x(x+2)=168$, $x^2+2x-168=0$
$(x+14)(x-12)=0$
$\therefore x=12 (\because x>0)$
따라서 두 짝수는 12, 14이므로 그 중 작은 수는 12야.

## 089 답 ③

연속된 두 자연수를 $x$, $x+1$이라 하면
$x^2+(x+1)^2=61$, $x^2+x^2+2x+1=61$
$2x^2+2x-60=0$, $x^2+x-30=0$
$(x+6)(x-5)=0$
$\therefore x=5$ ($\because x$는 자연수)
따라서 연속된 두 자연수는 5, 6이므로 그 합은 11이야.

## 090 답 ⑤

연속하는 세 자연수를 $x-1$, $x$, $x+1$이라 하면
$(x+1)^2=2x(x-1)-20$
$x^2+2x+1=2x^2-2x-20$, $x^2-4x-21=0$
$(x+3)(x-7)=0$
$\therefore x=7$ ($\because x$는 자연수)
따라서 세 수는 6, 7, 8이므로 이 중 가장 큰 수는 8이야.

## 091 답 ①

$(x+2)^2=2(x+2)$, $x^2+4x+4=2x+4$
$x^2+2x=0$, $x(x+2)=0$
$\therefore x=-2$ ($\because x\neq0$)

## 092 답 ④

차가 6인 두 자연수를 $x$, $x+6$이라 하자.
$x(x+6)=520$, $x^2+6x-520=0$
$(x+26)(x-20)=0$
$\therefore x=20$ ($\because x$는 자연수)
따라서 두 자연수는 20, 26이므로 그 합은 46이야.

## 093 답 39

조건 (가)에 의하여 십의 자리의 숫자를 $x$, 일의 자리의 숫자를 $3x$라 하면 구하는 두 자리 수는 $10x+3x$라 할 수 있어.
이때, 조건 (나)에서
$3x^2=(10x+3x)-12$
$3x^2-13x+12=0$
$(3x-4)(x-3)=0$
$\therefore x=3$ ($\because x$는 자연수)
따라서 구하는 두 자리 자연수는 39야.

## 094 답 8

$A=n(n+1)(n+2)(n+3)+1$
$\quad=\{n(n+3)\}\{(n+1)(n+2)\}+1$
$\quad=(n^2+3n)(n^2+3n+2)+1$
$n^2+3n=X$로 치환하면
$A=X(X+2)+1=X^2+2X+1$
$\quad=(X+1)^2=(n^2+3n+1)^2$
$A=89^2$에서 $(n^2+3n+1)^2=89^2$
그런데 $n$이 자연수이므로
$n^2+3n+1>0$이지?
즉, $n^2+3n+1=89$야.
$n^2+3n-88=0$
$(n+11)(n-8)=0$
$\therefore n=8$ ($\because n$은 자연수)

## 095 답 ⑤

$\dfrac{n(n-3)}{2}=119$를 정리하면
$n(n-3)=238$, $n^2-3n-238=0$
$(n+14)(n-17)=0$ $\therefore n=17$ ($\because n$은 자연수)
따라서 십칠각형이야.

**오답피하기**

위와 같이 상수항이 세 자리 이상의 수일 경우 인수분해가 쉽지 않아. 그럴 땐 소인수분해를 해보는 거야. 그런 다음 그 수의 약수인 수들을 나누어서 일차항의 계수가 나오도록 하면 돼.
즉, 해법은 소인수분해를 정확히 해야 한다는 거!

## 096 답 ④

$\dfrac{n(n+1)}{2}=120$이어야 하지?
$n(n+1)=240$, $n^2+n-240=0$
$(n+16)(n-15)=0$ $\therefore n=15$ ($\because n$은 자연수)
따라서 1부터 15까지 더하면 120이야.

## 097 답 9명

$\dfrac{n(n-1)}{2}=36$을 정리하면
$n(n-1)=72$, $n^2-n-72=0$
$(n+8)(n-9)=0$ $\therefore n=9$ ($\because n$은 자연수)
따라서 회원 수는 9명이야.

## 098 답 12번째

$\dfrac{n(n+1)}{2}=78$을 정리하면
$n(n+1)=156$, $n^2+n-156=0$
$(n+13)(n-12)=0$ $\therefore n=12$ ($\because n$은 자연수)
따라서 공의 개수가 78개인 삼각형은 12번째 삼각형이야.

## 099 답 ⑤

동생의 나이를 $x$살이라 하면 형의 나이는 동생의 나이보다 3살 많으므로 $(x+3)$살이야.
$(x+3)^2=2x^2+2$, $x^2+6x+9=2x^2+2$
$x^2-6x-7=0$, $(x+1)(x-7)=0$
$\therefore x=7$ ($\because x>0$)
따라서 형의 나이는 10살, 동생의 나이는 7살이므로 그 합은 17이야.

## 100 답 ①

왼쪽 면의 쪽수를 $x$라 하면 오른쪽 면의 쪽수는 $x+1$이지?
$x(x+1)=420$, $x^2+x-420=0$
$(x+21)(x-20)=0$ $\therefore x=20$ ($\because x>0$)
따라서 두 면의 쪽수는 20과 21이므로 두 쪽수의 합은 41이야.

## 101 답 10개

$20+2n-\dfrac{1}{4}n^2=15$, $2n-\dfrac{1}{4}n^2+5=0$
$n^2-8n-20=0$, $(n+2)(n-10)=0$
$\therefore n=10$ ($\because n>0$)
따라서 15만 원의 비용으로 10개를 만들 수 있어.

## 102 답 ④

지민이의 생일을 $x$일이라 하면 주아의 생일은 $(x+7)$일이지?

$x(x+7)=330$, $x^2+7x-330=0$

$(x+22)(x-15)=0$

$\therefore x=15 \ (\because x>0)$

따라서 지민이의 생일은 15일, 주아의 생일은 22일이므로
날짜의 합은 37이야.

## 103 답 30

장난감의 정가를 $a$원이라 하면 정가에서 $x\,\%$를 인상한 가격은

$a+a\times\dfrac{x}{100}=a\left(1+\dfrac{x}{100}\right)$(원) $\cdots$ ㉠

또, ㉠에서 $x\,\%$를 할인한 가격은

$a\left(1+\dfrac{x}{100}\right)-a\left(1+\dfrac{x}{100}\right)\times\dfrac{x}{100}$

$=a\left(1+\dfrac{x}{100}\right)\left(1-\dfrac{x}{100}\right)$(원) $\cdots$ ㉡

이때, 정가에서 $9\,\%$를 할인한 가격은

$a-a\times\dfrac{9}{100}=a\left(1-\dfrac{9}{100}\right)$(원)

이고 이것이 ㉡과 같으므로

$a\left(1+\dfrac{x}{100}\right)\left(1-\dfrac{x}{100}\right)=a\left(1-\dfrac{9}{100}\right)$

$1-\left(\dfrac{x}{100}\right)^2=1-\dfrac{9}{100}$, $\left(\dfrac{x}{100}\right)^2=\dfrac{9}{100}$

$\dfrac{x}{100}=\dfrac{3}{10} \ (\because x>0)$     $\therefore x=30$

## 104 답 7개

두 도시를 뽑아 직선 도로를 연결하면 되므로 도시가 $n$개 있을 때

$\dfrac{n(n-1)}{2}=21$, $n^2-n=42$

$n^2-n-42=0$, $(n+6)(n-7)=0$

$\therefore n=7 \ (\because n>0)$

따라서 도시의 개수는 7개야.

## 105 답 ②

학생 수를 $x$명이라 하면 한 학생이 받는 지우개의 수는

$\left(\dfrac{1}{2}x+4\right)$개야.

즉, 전체 지우개의 수는

(학생 수)×(한 학생이 받는 지우개의 수)이므로

$x\left(\dfrac{1}{2}x+4\right)=120$, $x^2+8x-240=0$

$(x+20)(x-12)=0$     $\therefore x=12 \ (\because x>0)$

따라서 학생 수가 12명이므로 한 학생이 받는 지우개의 수는

$\dfrac{1}{2}\times12+4=10$(개)야.

## 106 답 21개

줄의 수를 $x$개라 하면 한 줄에 배열된 의자의 수는

$(x+3)$개이므로

$x(x+21)=378$, $x^2+3x-378=0$

$(x+21)(x-18)=0$     $\therefore x=18 \ (\because x>0)$

따라서 줄의 수는 18개이므로 한 줄에 배열된 의자의 수는

$18+3=21$(개)야.

## 107 답 ③

물체가 지면에 떨어질 때의 높이는 $0$ m지?

$-5t^2+40t+100=0$, $t^2-8t-20=0$

$(t+2)(t-10)=0$

$\therefore t=10 \ (\because t>0)$

따라서 10초 후에 지면에 떨어져.

## 108 답 5초 후

쇠공이 지면에 떨어지는 것은 높이가 $0$ m일 때야.

$125-5t^2=0$, $t^2-25=0$

$(t+5)(t-5)=0$

$\therefore t=5 \ (\because t>0)$

따라서 5초 후에 지면에 떨어져.

## 109 답 ①, ③

로켓이 지면으로부터 $15$ m 높이일 때이므로

$15=20t-5t^2$, $t^2-4t+3=0$

$(t-1)(t-3)=0$

$\therefore t=1$ 또는 $t=3$

따라서 지면으로부터 $15$ m 높이에 있는 것은 발사한 지 1초 후 또
는 3초 후야.

## 110 답 8초

높이가 $320$ m 지점일 때의 시간을 구하면

$320=80t-5t^2$, $t^2-16t+64=0$

$(t-8)^2=0$     $\therefore t=8$ (중근)

즉, 던진 지 8초 후에 야구공의 위치는 $320$ m야.

또, 지면에 떨어질 때는 높이가 $0$ m이니까

$0=80t-5t^2$, $5t^2-80t=0$

$t^2-16t=0$, $t(t-16)=0$

$\therefore t=0$ 또는 $t=16$

그런데 $t=0$일 때는 처음 던졌을 때이므로 지면에 떨어질 때까지는
16초가 걸리지.

따라서 $320$ m 지점을 지난 후부터 지면에 떨어질 때까지 걸리는
시간은 $16-8=8$(초)야.

## 111 답 (2, 4)

일차함수의 그래프의 기울기는 $\dfrac{8}{-4}=-2$, $y$절편은 8이므로

주어진 그래프가 나타내는 식은 $y=-2x+8$

즉, ($\square$OAPB의 넓이)$=\overline{\text{OA}}\times\overline{\text{OB}}=ab$ $\cdots$ ㉠

점 P$(a,\,b)$는 직선 $y=-2x+8$ 위의 점이므로

$b=-2a+8$ $\cdots$ ㉡

㉡을 ㉠에 대입하면

$a(-2a+8)=8$

$-2a^2+8a-8=0$, $a^2-4a+4=0$

$(a-2)^2=0$     $\therefore a=2$ (중근)

이것을 ㉡에 대입하면 $b=4$

따라서 점 P의 좌표는 $(2,\,4)$야.

**오답피해기**

일차함수의 그래프의 $x$절편과 $y$절편이 주어졌을 때

(기울기)$=-\dfrac{(y절편)}{(x절편)}$이야.

## 112  답 (3, 3), (9, 9)

점 D가 직선 $y=x$ 위의 점이므로
점 D의 좌표를 D$(a, a)$라 하자.
점 A의 $x$좌표는 $a$, 점 B의 $x$좌표는 12이
고 직사각형 ABCD의 넓이가 27이므로
$\overline{AB} \times \overline{AD} = (12-a) \times a = 27$
$-a^2 + 12a - 27 = 0$
$a^2 - 12a + 27 = 0$, $(a-3)(a-9) = 0$
$\therefore a=3$ 또는 $a=9$
따라서 점 D의 좌표는 (3, 3) 또는 (9, 9)가 돼.

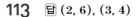

## 113  답 (2, 6), (3, 4)

$x$절편이 5, $y$절편이 10인 직선의 기울기는 $-\dfrac{10}{5} = -2$이므로
직선의 방정식은 $y = -2x + 10$이야.
즉, 점 A의 $x$좌표를 $a$라 하면 $y$좌표는 $-2a+10$이지.
이때, (△AOB의 넓이)$= \dfrac{1}{2} \times \overline{OB} \times \overline{AB}$이므로
$\dfrac{1}{2}a(-2a+10) = 6$, $-a^2 + 5a - 6 = 0$
$a^2 - 5a + 6 = 0$, $(a-2)(a-3) = 0$
$\therefore a=2$ 또는 $a=3$
따라서 점 A의 좌표는 (2, 6) 또는 (3, 4)야.

## 114  답 17

네 점의 좌표가 각각 A$(-2, -1)$, B$(t+3, -1)$,
C$(t+3, t+2)$, D$(-2, t+2)$이므로
$\overline{AB} = |t+3-(-2)| = |t+5| = t+5 \ (\because t>0)$
$\overline{BC} = |t+2-(-1)| = |t+3| = t+3 \ (\because t>0)$
이때, $\square ABCD = (t+5)(t+3) = 20$이므로
$t^2 + 8t - 5 = 0 \ \cdots \ \bigcirc$
근의 공식을 이용하여 $\bigcirc$을 풀면 $t = -4 \pm \sqrt{21}$
$\therefore t = -4 + \sqrt{21} \ (\because t>0)$
따라서 $a=-4$, $b=21$이므로
$a+b = -4+21 = 17$

## 115  답 5 cm

작은 정사각형의 한 변의 길이를 $x$ cm라 하면 큰 정사각형의 한
변의 길이는 $(13-x)$ cm야.
넓이의 합이 89 cm²이니까
$x^2 + (13-x)^2 = 89$, $x^2 + x^2 - 26x + 169 - 89 = 0$
$2x^2 - 26x + 80 = 0$, $x^2 - 13x + 40 = 0$
$(x-5)(x-8) = 0$
$\therefore x=5$ 또는 $x=8$
따라서 작은 정사각형의 한 변의 길이는 5 cm야.

## 116  답 2 m

가로의 길이를 $x$ m라 하면 둘레의 길이가 28 m이므로 세로의 길
이는 $(14-x)$ m야.
$x(14-x) = 48$, $14x - x^2 = 48$
$x^2 - 14x + 48 = 0$, $(x-6)(x-8) = 0$
$\therefore x=6$ 또는 $x=8$
따라서 직사각형의 가로와 세로의 길이는 각각 6 m, 8 m 또는
8 m, 6 m이므로 구하는 차는 $8-6 = 2$(m)야.

## 117  답 8 cm

밑변의 길이와 높이를 각각 $x$ cm라 하면
$\dfrac{1}{2}x(6+x) = 56$, $x(6+x) = 112$
$x^2 + 6x - 112 = 0$, $(x+14)(x-8) = 0$
$\therefore x=8 \ (\because x>0)$
따라서 사다리꼴의 높이는 8 cm야.

## 118  답 10 cm

$\overline{BD} = x$ cm이면 $\overline{DC} = (15-x)$ cm
△DCE가 직각이등변삼각형이므로 $\overline{DE} = \overline{DC} = (15-x)$ cm
($\square$BDEF의 넓이)$= \overline{BD} \times \overline{DE} = x(15-x) = 50$
$15x - x^2 = 50$, $x^2 - 15x + 50 = 0$
$(x-5)(x-10) = 0$
$\therefore x=5$ 또는 $x=10$
그런데 $\overline{BD} > \overline{DC}$이므로 $\overline{BD} = 10$ cm야.

### 오답|피해기

△DCE가 왜 직각이등변삼각형이냐구? △ABC가 직각이등변삼
각형이고, $\overline{BC}$와 $\overline{DE}$는 서로 수직이므로
△ABC∽△EDC (AA 닮음)이잖아.
이 문제의 경우 좌표축을 이용하여 문제를 푸는 방법을 이용하는
게 더 편할 수도 있어. 즉, $\overline{AB}$를 $y$축, $\overline{BC}$를 $x$축으로 잡고 점 B를
원점으로 잡는 거지. 그럼 $\overline{AC}$는 $y = -x+15$로 표현이 되겠지?
도형 문제에서 출제되는 고난도 문제는 좌표축을 적용해서 풀면
쉽게 해결되는 경우가 많다는 것 기억해 두자.

## 119  답 $(1+\sqrt{5})$ cm

$\overline{AB} = x$ cm라 하면 △ABC∽△DBA (AA 닮음)이니까
$\overline{AB} : \overline{BC} = \overline{DB} : \overline{BA}$에서 $x : (x+2) = 2 : x$
$x^2 = 2(x+2)$, $x^2 - 2x - 4 = 0$
$\therefore x = -(-1) \pm \sqrt{(-1)^2 + 4} = 1 \pm \sqrt{5}$
이때, $x>0$이므로 $x = 1 + \sqrt{5}$
$\therefore \overline{AB} = (1+\sqrt{5})$ cm

### 오답|피해기

∠BAC$=90°$이고 $\overline{AD} \perp \overline{BC}$일 때
• $+ \circ = 90°$이므로
△ABC∽△DBA∽△DAC (AA 닮음)

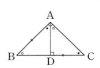

## 120  답 ⑤

$\overline{PQ} = x$ cm라 하면 $\overline{AR} = (8-x)$ cm
△ABC∽△APR (AA 닮음)이므로
$\overline{AC} : \overline{AR} = \overline{BC} : \overline{PR}$
$8 : (8-x) = 6 : \overline{PR}$
$\therefore \overline{PR} = \dfrac{3}{4}(8-x)$(cm)
△PQR $= \dfrac{1}{2} \times \overline{PQ} \times \overline{PR}$
$\quad\quad = \dfrac{1}{2} \times x \times \dfrac{3}{4}(8-x)$
$\dfrac{3}{8}x(8-x) = 6$, $8x - x^2 = 16$, $x^2 - 8x + 16 = 0$
$(x-4)^2 = 0$ $\therefore x=4$ (중근)
$\therefore \overline{PQ} = 4$ cm

**121** 답 $(-5+5\sqrt{5})$ cm

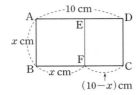

$\overline{AB}=x$ cm라 하자.
□ABCD와 □DEFC가 닮음이므로
$\overline{AB}:\overline{AD}=\overline{DE}:\overline{DC}$
$x:10=(10-x):x$에서
$x^2=10(10-x)$
$x^2=100-10x,\ x^2+10x-100=0$
$\therefore\ x=-5\pm\sqrt{25+100}=-5\pm5\sqrt{5}$
이때, $x>0$이므로 $x=-5+5\sqrt{5}$
따라서 $\overline{AB}$의 길이는 $(-5+5\sqrt{5})$ cm야.

**122** 답 2 cm

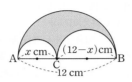

$\overline{AC}=x$ cm로 놓으면 $\overline{BC}=(12-x)$ cm야.
(색칠한 부분의 넓이)
$=(\overline{AB}$를 지름으로 하는 반원의 넓이$)$
　$-(\overline{AC}$를 지름으로 하는 반원의 넓이$)$
　$-(\overline{BC}$를 지름으로 하는 반원의 넓이$)$
$\frac{1}{2}\times\pi\times6^2-\frac{1}{2}\times\pi\times\left(\frac{1}{2}x\right)^2-\frac{1}{2}\times\pi\times\left(\frac{12-x}{2}\right)^2=5\pi$
$x^2-12x+20=0,\ (x-2)(x-10)=0$
$\therefore\ x=2$ 또는 $x=10$
이때, $\overline{AC}<\overline{BC}$이므로 $x=2$
따라서 $\overline{AC}=2$ cm야.

**123** 답 14초 후

$x$초 후의 가로의 길이는 $(24-x)$ cm, 세로의 길이는
$(20+2x)$ cm야.
$(24-x)(20+2x)=24\times20$
$480+48x-20x-2x^2=480$
$2x^2-28x=0,\ x^2-14x=0,\ x(x-14)=0$
$\therefore\ x=0$ 또는 $x=14$
이때, $x=0$일 때는 길이가 변하기 전이므로 $x=14$
따라서 14초 후에 처음 직사각형의 넓이와 같아져.

**124** 답 2 cm

늘인 길이를 $x$ cm라 하면
$(4+x)(6+x)=2\times(6\times4)$
$x^2+10x+24=48,\ x^2+10x-24=0$
$(x+12)(x-2)=0$
$\therefore\ x=2\ (\because\ x>0)$
따라서 가로, 세로의 길이를 2 cm씩 늘이면 그 넓이가 처음 직사각형의 넓이의 2배가 돼.

**125** 답 $(3+3\sqrt{2})$ cm

처음 원의 반지름의 길이를 $x$ cm라 하면 늘인 원의 반지름의 길이는 $(x+3)$ cm야.
$\pi(x+3)^2=2\times(\pi x^2)$
$x^2+6x+9=2x^2$
$x^2-6x-9=0$
$\therefore\ x=3\pm\sqrt{9+9}=3\pm3\sqrt{2}$
이때, $x>0$이므로 $x=3+3\sqrt{2}$
따라서 처음 원의 반지름의 길이는 $(3+3\sqrt{2})$ cm야.

**126** 답 ④

처음 직각이등변삼각형의 밑변의 길이를 $x$ cm라 하면 늘인 직각삼각형의 밑변의 길이는 $(x+1)$ cm, 높이는 $(x+3)$ cm야.
$\frac{1}{2}(x+1)(x+3)=2\times\frac{1}{2}x^2$
$x^2+4x+3=2x^2$
$x^2-4x-3=0$
$\therefore\ x=2\pm\sqrt{4+3}=2\pm\sqrt{7}$
이때, $x>0$이므로 $x=2+\sqrt{7}$
따라서 처음 직각이등변삼각형의 밑변의 길이는 $(2+\sqrt{7})$ cm야.

**127** 답 1

그림과 같이 길을 제거하여 잔디밭끼리 붙이면 가로의 길이는 $(36-x)$ m, 세로의 길이는 $(28-x)$ m인 직사각형이 되지?
$(36-x)(28-x)=945$
$1008-36x-28x+x^2=945$
$x^2-64x+63=0$
$(x-1)(x-63)=0$
$\therefore\ x=1\ (\because\ 0<x<28)$

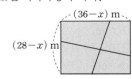

**128** 답 4 cm 또는 8 cm

빗금친 부분의 세로의 길이를 $x$ cm라 하면 가로의 길이는 $(24-2x)$ cm야.
빗금친 부분의 넓이가 64 cm²이므로
$x(24-2x)=64$
$24x-2x^2=64$
$2x^2-24x+64=0$
$x^2-12x+32=0$
$(x-4)(x-8)=0$
$\therefore\ x=4$ 또는 $x=8$
따라서 양쪽을 4 cm 또는 8 cm씩 접어 올려야 해.

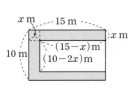

**129** 답 2 m

도로의 폭을 $x$ m라 하면
도로의 넓이는 전체 정원의 넓이에서 가운데 정원의 넓이를 빼면 되지?
$15\times10-(10-2x)(15-x)=72$
$150-150+40x-2x^2=72$
$2x^2-40x+72=0$
$x^2-20x+36=0$
$(x-2)(x-18)=0$
$\therefore\ x=2\ (\because\ 0<x<5)$
따라서 도로의 폭은 2 m야.

## 130 답 4 cm

타일의 짧은 변의 길이를 $x$ cm, 긴 변의 길이를 $y$ cm라 하면
$4x=2y+2$   ∴ $y=2x-1$ … ㉠
타일 8개가 놓인 직사각형의 넓이는
$4x(y+2x)=240$
$4x(2x-1+2x)=240$ (∵ ㉠)
$x(4x-1)=60$
$4x^2-x-60=0$
$(4x+15)(x-4)=0$
∴ $x=4$ (∵ $x>0$)
따라서 타일의 짧은 변의 길이는 4 cm야.

---

## 잘 틀리는 유형 훈련 +1up
p. 142

## 131 답 ②

**1st** 이차방정식의 계수가 모두 정수가 되도록 양변에 분모의 최소공배수를 곱해 보자.
$0.5x^2-\dfrac{4}{3}x+\dfrac{1}{6}=0$에서 $\dfrac{1}{2}x^2-\dfrac{4}{3}x+\dfrac{1}{6}=0$의 양변에 각 항의 계수의 분모 2, 3, 6의 최소공배수인 6을 곱하면
$3x^2-8x+1=0$
**2nd** 이차방정식을 근의 공식을 이용하여 풀자.
이때, 일차항의 계수가 짝수이므로
$x=\dfrac{-(-4)\pm\sqrt{(-4)^2-3\times1}}{3}=\dfrac{4\pm\sqrt{13}}{3}$
따라서 $a=3$, $b=13$이므로
$a+b=3+13=16$

## 132 답 ④

**1st** 이차방정식의 계수가 모두 정수가 되도록 양변에 10을 곱해 보자.
$0.3x=0.4-0.2x^2$의 양변에 10을 곱하면
$3x=4-2x^2$, $2x^2+3x-4=0$
**2nd** 이차방정식을 근의 공식을 이용하여 풀자.
근의 공식에 의해
$x=\dfrac{-3\pm\sqrt{3^2-4\times2\times(-4)}}{2\times2}=\dfrac{-3\pm\sqrt{41}}{4}$
따라서 $a=-3$, $b=41$이므로
$b-a=41-(-3)=44$

## 133 답 ①

**1st** 이차방정식 $ax^2+bx+c=0$에서 $b^2-4ac$의 부호에 따라 근의 개수가 달라지지?
ㄱ. $a^2-4b=(-5)^2-4\times6=1>0$이므로 서로 다른 두 근을 가져. (참)
ㄴ. $a^2-4b=0$이어야만 중근을 가져. (거짓)
ㄷ. $a^2-4b$에서 $b<0$이면 항상 $a^2-4b>0$이므로 서로 다른 두 근을 가져. (거짓)
따라서 옳은 것은 ㄱ뿐이야.

---

## 134 답 $-1$

**1st** 이차방정식 $ax^2+bx+c=0$에서 $b^2-4ac$의 부호를 확인해 보자.
(i) $\dfrac{1}{6}x^2-2x+6=0$, $x^2-12x+36=0$에서
$(-12)^2-4\times1\times36=0$이므로 근의 개수는 1개야.
∴ $a=1$
(ii) $3x^2-5x-2=0$에서
$(-5)^2-4\times3\times(-2)=49>0$이므로 근의 개수는 2개야.
∴ $b=2$
(iii) $0.2(x+1)^2=-0.4$, $2(x+1)^2=-4$
$2x^2+4x+2=-4$, $x^2+2x+3=0$
$2^2-4\times1\times3=-8<0$이므로 근은 없어.
∴ $c=0$
(i)~(iii)에 의해서 $a-b-c=1-2-0=-1$

## 135 답 $-17$

**1st** 중근을 가질 조건을 이용하자.
$(m^2-1)x^2+6(m+1)x+8=0$이 중근을 가지므로
$9(m+1)^2-8(m^2-1)=0$
$9m^2+18m+9-8m^2+8=0$
$m^2+18m+17=0$
$(m+17)(m+1)=0$
∴ $m=-17$ 또는 $m=-1$
이때, 이차방정식이므로 $m^2\ne1$에서 $m\ne-1$이고 $m\ne1$이어야 하므로 $m=-17$이야.

## 136 답 7

**1st** 중근을 가질 조건을 이용하자.
이차방정식 $(m^2-1)x^2-4(m-1)x+3=0$이 중근을 가지려면
$4(m-1)^2-3(m^2-1)=0$
$4m^2-8m+4-3m^2+3=0$
$m^2-8m+7=0$
$(m-1)(m-7)=0$
∴ $m=1$ 또는 $m=7$
**2nd** 이차방정식이 되려면 이차항의 계수가 0이 되면 안 돼.
이차방정식이므로 (이차항의 계수)≠0
즉, $m^2-1\ne0$에서 $m\ne-1$이고 $m\ne1$이어야 해.
∴ $m=7$

## 137 답 ⑤

**1st** 근을 가질 조건을 생각하자.

$x^2-2(k+1)x+k^2+4=0$이 근을 가지려면

$(k+1)^2-(k^2+4)\geq 0$, $k^2+2k+1-k^2-4\geq 0$

$2k\geq 3$ $\quad\therefore k\geq\dfrac{3}{2}$

**오답피하기**

근을 갖는다는 것은 서로 다른 두 근을 갖거나 중근을 갖는 것을 의미해. 그러니까 $b^2-4ac\geq 0$이어야지? 등호를 빠트리는 실수를 하기가 쉬워. 근을 갖는다는 것과 서로 다른 두 근을 갖는다는 것의 차이를 알겠지?

## 138 답 ①

**1st** 근을 가지는 조건을 생각해.

$x^2-2(a+b-2)x+(a+b-3)^2+1=0$이 근을 가지려면

$(a+b-2)^2-\{(a+b-3)^2+1\}\geq 0$

**2nd** 반복되는 식은 치환하자.

$a+b=t$로 치환하자.

$(t-2)^2-(t-3)^2-1\geq 0$, $t^2-4t+4-t^2+6t-9-1\geq 0$

$2t-6\geq 0$ $\quad\therefore t\geq 3$

따라서 $a+b\geq 3$이므로 선택지 중 $a+b$의 값이 될 수 없는 것은 ①이야.

## 139 답 ①

**1st** 이차방정식 $x^2-3x-5=0$의 두 근의 합과 곱을 구하자.

이차방정식 $x^2-3x-5=0$의 두 근을 $\alpha$, $\beta$라 하면

$x^2$의 계수가 1이므로 $(x-\alpha)(x-\beta)=0$에서

$x^2-(\alpha+\beta)x+\alpha\beta=0$ $\quad\therefore \alpha+\beta=3$, $\alpha\beta=-5$

**2nd** 상수 $a$, $b$의 값을 구하자.

즉, 이차방정식 $2x^2+ax+b=0$의 해는 $x=3$ 또는 $x=-5$야.

이때, 두 근이 3, $-5$이고 $x^2$의 계수가 2인 이차방정식은

$2(x-3)(x+5)=0$이므로 $2x^2+4x-30=0$

따라서 $a=4$, $b=-30$이므로

$a+b=4+(-30)=-26$

**오답피하기**

이 문제에서 이차방정식 $x^2-3x-5=0$의 해를 근의 공식을 이용하여 구해도 돼. 하지만 식이 복잡해지니까 이차방정식을 세워 계수를 비교하는 방법이 더 수월해.

## 140 답 93

**1st** 이차방정식 $x^2-4x-7=0$의 두 근의 합과 곱을 구하자.

이차방정식 $x^2-4x-7=0$의 두 근을 $\alpha$, $\beta$라 하면

$x^2$의 계수가 1이므로 $(x-\alpha)(x-\beta)=0$에서

$x^2-(\alpha+\beta)x+\alpha\beta=0$ $\quad\therefore \alpha+\beta=4$, $\alpha\beta=-7$

**2nd** 상수 $a$, $b$의 값을 구하자.

즉, 이차방정식 $3x^2+ax+b=0$의 해는 $x=4$ 또는 $x=-7$이야.

이때, 두 근이 4, $-7$이고 $x^2$의 계수가 3인 이차방정식은

$3(x-4)(x+7)=0$이므로 $3x^2+9x-84=0$

따라서 $a=9$, $b=-84$이므로

$a-b=9-(-84)=93$

## 141 답 ⑤

**1st** 이차방정식 $x^2-6x+k=0$의 다른 한 근을 구하자.

이차방정식 $x^2-6x+k=0$의 계수가 모두 유리수이므로

한 근이 $3-\sqrt{2}$이면 다른 한 근은 $3+\sqrt{2}$야.

**2nd** 유리수 $k$의 값을 구하자.

이차방정식 $x^2-6x+k=0$은 $3-\sqrt{2}$, $3+\sqrt{2}$를 두 근으로 하고,

$x^2$의 계수가 1이므로

$\{x-(3-\sqrt{2})\}\{x-(3+\sqrt{2})\}=0$

$x^2-(3-\sqrt{2}+3+\sqrt{2})x+(3-\sqrt{2})(3+\sqrt{2})=0$

$\therefore x^2-6x+7=0$

따라서 $k=7$이고, 다른 한 근은 $x=3+\sqrt{2}$야.

**[다른 풀이]**

이차방정식 $x^2-6x+k=0$에 $x=3-\sqrt{2}$를 대입하면

$(3-\sqrt{2})^2-6(3-\sqrt{2})+k=0$

$9-6\sqrt{2}+2-18+6\sqrt{2}+k=0$

$\therefore k=7$

따라서 이차방정식은 $x^2-6x+7=0$이므로 근의 공식을 이용하여 해를 구하면

$x=3\pm\sqrt{9-7}=3\pm\sqrt{2}$

즉, 다른 한 근은 $x=3+\sqrt{2}$야.

**오답피하기**

조건만 맞으면 공식을 적용하는 데 실수가 없을 거야.

**[다른 풀이]**처럼 근을 원래 방정식에 대입하여 미지수 $k$를 구하고, $k$를 대입하여 다른 한 근을 구할 수도 있어. 그러나 실수하기 쉬워. 조건에서 $k$가 왜 유리수로 주어졌을까? 바로 계수가 모두 유리수이니 켤레근을 이용하라는 뜻이야.

## 142 답 ④

**1st** 이차방정식 $x^2-14x+k=0$의 다른 한 근을 구하자.

이차방정식 $x^2-14x+k=0$의 계수가 모두 유리수이므로

한 근이 $7-\sqrt{2}$이면 다른 한 근은 $7+\sqrt{2}$야.

**2nd** 유리수 $k$의 값을 구하자.

이차방정식 $x^2-14x+k=0$은 $7-\sqrt{2}$, $7+\sqrt{2}$를 두 근으로 하고,

$x^2$의 계수가 1이므로

$\{x-(7-\sqrt{2})\}\{x-(7+\sqrt{2})\}=0$

$x^2-(7-\sqrt{2}+7+\sqrt{2})x+(7-\sqrt{2})(7+\sqrt{2})=0$

$\therefore x^2-14x+47=0$

따라서 $k=47$이고, 다른 한 근은 $x=7+\sqrt{2}$야.

## 143 답 ④

**1st** 이차방정식 $x^2+(2-k)x+28=0$의 두 근을 $\alpha$, $\beta(\alpha>\beta)$로 놓고, $\beta$의 값을 구하자.

이차방정식 $x^2+(2-k)x+28=0$의 두 근을 $\alpha$, $\beta(\alpha>\beta)$라 하면

$\alpha-\beta=3$ $\quad\therefore \alpha=\beta+3 \cdots \bigcirc$

이때, 두 근이 $\alpha$, $\beta$이고 $x^2$의 계수가 1인 이차방정식은

$(x-\alpha)(x-\beta)=0$에서 $x^2-(\alpha+\beta)x+\alpha\beta=0$이므로

$\alpha+\beta=2-k \cdots \bigcirc$, $\alpha\beta=28 \cdots \bigcirc$

$\bigcirc$을 $\bigcirc$에 대입하면

$(\beta+3)\beta=28$

$\beta^2+3\beta-28=0$

$(\beta+7)(\beta-4)=0$

$\therefore \beta=-7$ 또는 $\beta=4$

**2nd** 상수 $k$의 값을 구하자.

(i) $\beta=-7$일 때, ㉠에서 $\alpha=-7+3=-4$이므로 ㉡에 의해
$-4+(-7)=2-k$ $\therefore k=13$

(ii) $\beta=4$일 때, ㉠에서 $\alpha=4+3=7$이므로 ㉡에 의해
$7+4=2-k$ $\therefore k=-9$

(i), (ii)에 의해 양수 $k$의 값은 13이야.

## 144 답 ②

**1st** 이차방정식 $x^2-(m+2)x+8=0$의 두 근을 $\alpha$, $2\alpha$로 놓고, $\alpha$의 값을 구하자.

이차방정식 $x^2-(m+2)x+8=0$의 두 근을 $\alpha$, $2\alpha$라 하자.

이때, $\alpha$, $2\alpha$를 두 근으로 하고 $x^2$의 계수가 1인 이차방정식은
$(x-\alpha)(x-2\alpha)=0$에서 $x^2-3\alpha x+2\alpha^2=0$이므로
$m+2=3\alpha \cdots$ ㉠, $2\alpha^2=8 \cdots$ ㉡
㉡에서
$2\alpha^2=8$, $\alpha^2=4$ $\therefore \alpha=\pm2$

**2nd** 상수 $m$의 값을 구하자.

(i) $\alpha=2$일 때, ㉠에서 $m+2=6$
$\therefore m=4$

(ii) $\alpha=-2$일 때, ㉠에서 $m+2=-6$
$\therefore m=-8$

(i), (ii)에 의해 모든 $m$의 값의 합은 $4+(-8)=-4$야.

## 145 답 $x=-1$ 또는 $x=\dfrac{5}{2}$

**1st** A, B가 잘못 보고 구한 이차방정식을 각각 구하자.

A가 잘못 보고 구한 이차방정식은 두 근이 $-\dfrac{5}{2}$, 1이고 $x^2$의 계수가 $a$인 이차방정식이므로
$a\left(x+\dfrac{5}{2}\right)(x-1)=0$
$\therefore ax^2+\dfrac{3}{2}ax-\dfrac{5}{2}a=0$

B는 $x^2$의 계수를 잘못 보았으므로 B가 구한 이차방정식의 $x^2$의 계수를 $a'$이라 하면
$a'\left(x-\dfrac{3+\sqrt{29}}{2}\right)\left(x-\dfrac{3-\sqrt{29}}{2}\right)=0$
$\therefore a'x^2-3a'x-5a'=0$

이때, 두 사람이 본 이차방정식의 상수항은 같아야 하므로
$-\dfrac{5}{2}a=-5a'$ $\therefore a=2a' \cdots$ ㉠

**2nd** 이차방정식 $ax^2+bx+c=0$의 올바른 해를 구하자.

A는 $x$의 계수를, B는 $x^2$의 계수를 잘못 보았으므로
두 사람이 구해야 하는 올바른 이차방정식은
$ax^2-3a'x-\dfrac{5}{2}a=0$에서 $2a'x^2-3a'x-5a'=0(\because$ ㉠)이야.

따라서 $2x^2-3x-5=0$에서
$(x+1)(2x-5)=0$
$\therefore x=-1$ 또는 $x=\dfrac{5}{2}$

**오답피하기**

$x^2$의 계수를 잘못 보았으니 $x^2$의 계수를 다른 문자로 놓고 나머지 계수를 알아내야 해. 이런 발상을 하기가 쉽지 않아. 기계적으로 문제를 풀던 사람에게 신선한 느낌을 주는 문제야. 잘못 본 것에 신경쓰기 보다는 제대로 본 것에 초점을 맞추어야 해.

## 146 답 4개

**1st** 제대로 본 항을 이용하여 풀자.

잘못보고 푼 이차방정식은
$\{x-(-3+\sqrt{17}\,)\}\{x-(-3-\sqrt{17}\,)\}=0$이므로
$x^2+6x-8=0$이야.

이때, $x$의 계수를 잘못보고 푼 것이므로
옳은 이차방정식은 $x^2+ax-8=0$으로 놓을 수 있어.

그런데 이 이차방정식의 두 근을 정수 $m$, $n$이라 하면
$(x-m)(x-n)=0$에서
$x^2-(m+n)x+mn=0 \cdots$ ㉠

이것이 $x^2+ax-8=0$과 같아야 하므로 $mn=-8$

따라서 정수 $m$, $n$의 순서쌍 $(m, n)$을 구하면
$(1, -8)$, $(-1, 8)$, $(2, -4)$, $(-2, 4)$야.

**2nd** 이차방정식을 구하자.

㉠에 $m$, $n$의 값을 대입하면
$(m, n)=(1, -8)$일 때, $x^2+7x-8=0$
$(m, n)=(-1, 8)$일 때, $x^2-7x-8=0$
$(m, n)=(2, -4)$일 때, $x^2+2x-8=0$
$(m, n)=(-2, 4)$일 때, $x^2-2x-8=0$
따라서 가능한 이차방정식은 모두 4개야.

## 147 답 ②

**1st** 연속하는 세 자연수를 $x-1$, $x$, $x+1$로 놓자.
$x^2=(x+1)^2-(x-1)^2$
$x^2=x^2+2x+1-x^2+2x-1$
$x^2-4x=0$, $x(x-4)=0$
$\therefore x=4 (\because x>0)$
따라서 연속하는 세 자연수는 3, 4, 5이고 세 수의 합은
$3+4+5=12$야.

**오답피하기**

연속하는 세 자연수를 $x$, $x+1$, $x+2$로 놓고 풀 수도 있고, $x-2$, $x-1$, $x$로 놓을 수도 있어. 조건에 맞는 식을 제대로 세우지 못하면 틀릴 수 있어. 조건에 맞게 식을 꼼꼼히 세우는 훈련이 필요해.

## 148 답 ④

**1st** 연속하는 네 홀수를 $x-2$, $x$, $x+2$, $x+4$로 놓자.
$(x-2)^2+x^2+(x+2)^2+(x+4)^2=1044$
$x^2-4x+4+x^2+x^2+4x+4+x^2+8x+16=1044$
$4x^2+8x-1020=0$, $x^2+2x-255=0$
$(x+17)(x-15)=0$
$\therefore x=15 (\because x>0)$
따라서 가장 큰 홀수는 $x+4=15+4=19$야.

## 149 답 6초

**1st** 지면에 떨어질 때의 높이는 0 m야.
$-5t^2+10t+120=0$에서
$t^2-2t-24=0$

**2nd** 이차방정식을 풀자.
$(t+4)(t-6)=0$
$\therefore t=6 (\because t>0)$
따라서 6초 후에 지면에 떨어져.

## 150  답 ③

**1st** 건물 옥상의 높이는 45 m야.

$-5x^2+40x+45=45$에서

$x^2-8x=0,\ x(x-8)=0$

$\therefore\ x=8\ (\because\ x>0)$

따라서 8초 후에 건물의 옥상에 떨어져.

**오|답|피|하|기**

이 문제에서는 문제를 제대로 읽지 않으면 틀리기 쉽지. 수인이가 어디에 있는지를 잘 봐야 해. 왜냐하면 주어진 식은 '지면으로부터의 높이에 관한 식'이니까 말이야. 문제를 제대로 읽는다는 게 얼마나 중요한지 알겠지?

## 151  답 ④

**1st** 길을 뺀 나머지 땅을 모아 만들어지는 직사각형의 가로의 길이와 세로의 길이를 $x$에 대하여 나타내 봐.

$(45-2x)(30-x)=675$

$1350-105x+2x^2=675$

$2x^2-105x+675=0$

$(2x-15)(x-45)=0$

$\therefore\ x=\dfrac{15}{2}\ \left(\because\ 0<x<\dfrac{45}{2}\right)$

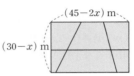

## 152  답 ③

**1st** 길을 제외한 잔디밭을 모아서 만들어지는 직사각형의 가로와 세로의 길이를 $x$에 대하여 나타내자.

$(12-3x)(9-2x)=45$

$(4-x)(9-2x)=15$

$2x^2-17x+21=0$

$(2x-3)(x-7)=0$

$\therefore\ x=\dfrac{3}{2}\ (\because\ 0<x<4)$

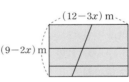

## 153  답 ④

**1st** 삼각형에서 각의 이등분선의 성질을 이용해.

$\overline{CD}=x\ \text{cm}$라 하면 직각삼각형 ABC에서 $\overline{AD}$는 ∠A의 이등분선이므로 $\overline{AB}:\overline{AC}=\overline{BD}:\overline{CD}$

$4:\overline{AC}=2:x\qquad\therefore\ \overline{AC}=2x\,(\text{cm})$

**2nd** 직각삼각형에서 피타고라스 정리가 성립하지?

직각삼각형 ABC에서 피타고라스 정리에 의해

$4^2=(2+x)^2+(2x)^2,\ 16=x^2+4x+4+4x^2$

$5x^2+4x-12=0,\ (x+2)(5x-6)=0$

$\therefore\ x=\dfrac{6}{5}\ (\because\ x>0)$

$\therefore\ \overline{AC}=2x=2\times\dfrac{6}{5}=\dfrac{12}{5}\,(\text{cm})$

## 154  답 ⑤

**1st** △ABH, △AHC는 모두 직각삼각형이므로 피타고라스 정리가 성립해.

△ABH는 직각삼각형이므로

$\overline{AH}^2=\overline{AB}^2-\overline{BH}^2=13^2-x^2\ \cdots\ ㉠$

또, △AHC도 직각삼각형이고, $\overline{CH}=\overline{BC}-\overline{BH}=2x-1$이므로

$\overline{AH}^2=\overline{AC}^2-\overline{CH}^2=15^2-(2x-1)^2\ \cdots\ ㉡$

**2nd** ㉠, ㉡이 같음을 이용하여 $x$의 값을 구하자.

㉠, ㉡에서

$13^2-x^2=15^2-(2x-1)^2$

$169-x^2=225-(4x^2-4x+1)$

$169-x^2=225-4x^2+4x-1$

$3x^2-4x-55=0,\ (3x+11)(x-5)=0$

$\therefore\ x=5\ (\because\ x>0)$

**3rd** $\overline{AH}$의 길이를 구하자.

따라서 $x=5$를 ㉠에 대입하면

$\overline{AH}^2=13^2-5^2=169-25=144$

$\therefore\ \overline{AH}=12\ (\because\ \overline{AH}>0)$

## 🎀 서술형 다지기
p. 146

[ 155-156 채점기준표 ]

| Ⅰ | 해를 갖는 범위를 구한다. | 40% |
|---|---|---|
| Ⅱ | 해를 갖지 않는 범위를 구한다. | 40% |
| Ⅲ | 자연수 $k$의 값의 합을 구한다. | 20% |

## 155  답 6

**먼저,** 해를 갖는 범위를 구하자.

이차방정식 $2x^2-5x+2k-3=0$이 해를 갖기 위해서는

$(-5)^2-4\times2\times(2k-3)\geq0$에서

$25-16k+24\geq0,\ -16k\geq-49$

$\therefore\ k\leq\dfrac{49}{16}\ \cdots\ ㉠$ ⋯ Ⅰ

**그다음,** 해를 갖지 않는 범위를 구하자.

또, 이차방정식 $(k+1)x^2+4x+3=0$이 해를 갖지 않기 위해서는

$4^2-4\times(k+1)\times3<0$에서

$16-12k-12<0,\ -12k<-4$

$\therefore\ k>\dfrac{1}{3}\ \cdots\ ㉡$ ⋯ Ⅱ

**그래서,** 자연수 $k$의 값의 합을 구하자.

따라서 ㉠과 ㉡을 모두 만족시키는 자연수 $k$의 값은

1, 2, 3이므로 $k$의 값의 합은 $1+2+3=6$이다. ⋯ Ⅲ

## 156  답 7

**먼저,** 해를 갖는 범위를 구하자.

이차방정식 $x^2-2x-k+2=-2k+5$가 해를 가지려면

$x^2-2x+k-3=0$에서 $2^2-4(k-3)\geq0$

$4-4k+12\geq0\qquad\therefore\ k\leq4\ \cdots\ ㉠$ ⋯ Ⅰ

**그다음,** 해를 갖지 않는 범위를 구하자.

또, 이차방정식 $x^2+2(k-1)x+k^2+k-5=0$이 해를 갖지 않으려면 $4(k-1)^2-4(k^2+k-5)<0$

$4k^2-8k+4-4k^2-4k+20<0,\ -12k+24<0$

$\therefore\ k>2\ \cdots\ ㉡$ ⋯ Ⅱ

**그래서,** 자연수 $k$의 값의 합을 구하자.

따라서 ㉠과 ㉡을 모두 만족시키는 자연수 $k$의 값은

3, 4이므로 $k$의 값의 합은 $3+4=7$이다. ⋯ Ⅲ

[157-158 채점기준표]

| I | 상수항을 구한다. | 30% |
|---|---|---|
| II | $x$의 계수를 구한다. | 30% |
| III | 올바른 두 근의 차를 구한다. | 40% |

## 157  답 7

먼저, 상수항을 구하자.

종국이가 잘못 보고 푼 이차방정식은

$(x+2)(x-3)=0$   ∴ $x^2-x-6=0$

종국이는 상수항을 제대로 보았으므로 $b=-6$   ··· I

그다음, $x$의 계수를 구하자.

하하가 잘못 보고 푼 이차방정식은

$(x+2)(x-7)=0$   ∴ $x^2-5x-14=0$

하하는 $x$의 계수를 제대로 보았으므로 $a=-5$   ··· II

그래서, 올바른 두 근의 차를 구하자.

옳게 본 이차방정식은 $x^2-5x-6=0$이므로

$(x+1)(x-6)=0$

∴ $x=-1$ 또는 $x=6$

따라서 두 근의 차는 $6-(-1)=7$이다.   ··· III

## 158  답 $\dfrac{7}{3}$

먼저, 상수항을 구하자.

재석이가 잘못 보고 푼 이차방정식은

$3(x+1)\left(x-\dfrac{2}{3}\right)=0$   ∴ $3x^2+x-2=0$

재석이는 상수항을 제대로 보았으므로 상수항은 $-2$이다.   ··· I

그다음, $x$의 계수를 구하자.

세호가 잘못 보고 푼 이차방정식은

$3\left(x-\dfrac{2}{3}\right)(x-1)=0$   ∴ $3x^2-5x+2=0$

세호는 $x$의 계수를 제대로 보았으므로 $x$의 계수는 $-5$이다. ··· II

그래서, 올바른 두 근의 차를 구하자.

옳게 본 이차방정식은 $3x^2-5x-2=0$이므로

$(3x+1)(x-2)=0$

∴ $x=-\dfrac{1}{3}$ 또는 $x=2$

따라서 두 근의 차는 $2-\left(-\dfrac{1}{3}\right)=\dfrac{7}{3}$이다.   ··· III

## 159  답 2

이차방정식 $2x^2+(a+3)x+b=0$의 모든 계수가 유리수이므로
한 근이 $1+2\sqrt{2}$이면 다른 한 근은 $1-2\sqrt{2}$이다.   ··· I

이때, 두 근이 $1+2\sqrt{2}$, $1-2\sqrt{2}$이고 $x^2$의 계수가 2인
이차방정식은 $2\{x-(1+2\sqrt{2})\}\{x-(1-2\sqrt{2})\}=0$이므로

$2(x^2-2x-7)=0$

∴ $2x^2-4x-14=0$   ··· II

따라서 $a+3=-4$에서 $a=-7$이고, $b=-14$이므로

$\dfrac{b}{a}=\dfrac{-14}{-7}=2$   ··· III

[채점기준표]

| I | 나머지 한 근을 구한다. | 30% |
|---|---|---|
| II | 이차방정식을 세운다. | 50% |
| III | $\dfrac{b}{a}$의 값을 구한다. | 20% |

## 160  답 2

이차방정식 $x^2+(t^2-5t+6)x+t-3=0$의 두 근의 절댓값이 같고
부호가 서로 반대이므로 두 근을 $\alpha$, $\beta$라 하면

$\alpha+\beta=0$ ··· ㉠, $\alpha\beta<0$ ··· ㉡   ··· I

이때, 두 근이 $\alpha$, $\beta$이고 $x^2$의 계수가 1인 이차방정식은

$(x-\alpha)(x-\beta)=0$에서 $x^2-(\alpha+\beta)x+\alpha\beta=0$이므로

$\alpha+\beta=t^2-5t+6$, $\alpha\beta=t-3$

㉠에 의해 $t^2-5t+6=0$, $(t-2)(t-3)=0$

∴ $t=2$ 또는 $t=3$   ··· II

(i) $t=2$일 때,

$\alpha\beta=t-3=2-3=-1$이므로 ㉡을 만족시킨다.

(ii) $t=3$일 때,

$\alpha\beta=t-3=3-3=0$이므로 ㉡을 만족시키지 않는다.

(i), (ii)에 의해 상수 $t$의 값은 2이다.   ··· III

[채점기준표]

| I | 두 근의 합과 곱의 조건을 구한다. | 30% |
|---|---|---|
| II | 두 근의 합의 조건을 만족시키는 $t$의 값을 구한다. | 40% |
| III | 조건을 모두 만족시키는 $t$의 값을 구한다. | 30% |

## 161  답 $-1$

이차방정식 $x^2-ax+b=0$의 두 근이 연속하는 자연수이므로 자연
수 $m$에 대하여 두 근을 $m$, $m+1$이라 하자.

이때, 두 근의 제곱의 차가 5이므로

$(m+1)^2-m^2=5$, $m^2+2m+1-m^2=5$

$2m=4$   ∴ $m=2$   ··· I

즉, 두 근이 2, 3이고 $x^2$의 계수가 1인 이차방정식은

$(x-2)(x-3)=0$에서 $x^2-5x+6=0$이므로

$a=5$, $b=6$   ··· II

따라서 $a-b=5-6=-1$이므로

$(a-b)+(a-b)^2+(a-b)^3+\cdots+(a-b)^{99}$

$=(-1)+(-1)^2+(-1)^3+\cdots+(-1)^{99}$

$=-1$   ··· III

[채점기준표]

| I | 근의 조건을 이용해 두 근을 구한다. | 40% |
|---|---|---|
| II | 두 근을 이용하여 이차방정식을 세워 $a$, $b$의 값을 구한다. | 30% |
| III | 주어진 식의 값을 구한다. | 30% |

## 162  답 $x=\dfrac{2}{3}$ 또는 $x=3$

처음의 이차방정식을 $3x^2+ax+b=0$이라 하자.

$3x^2+ax+b=0$의 $x$의 계수를 바꾸었더니 두 근이 1, 2가 되었으
므로 상수항 $b$는 제대로 본 경우이다.

즉, $3(x-1)(x-2)=0$에서 $3x^2-9x+6=0$이므로

$b=6$이다.   ··· I

$3x^2+ax+b=0$의 상수항을 바꾸었더니 두 근이 4, $-\dfrac{1}{3}$이 되었으
므로 $x$의 계수 $a$는 제대로 본 경우이다.

즉, $3(x-4)\left(x+\dfrac{1}{3}\right)=0$에서 $3x^2-11x-4=0$이므로

$a=-11$이다.   ··· II

따라서 처음의 이차방정식은 $3x^2-11x+6=0$이므로

$(3x-2)(x-3)=0$   ∴ $x=\dfrac{2}{3}$ 또는 $x=3$   ··· III

[채점기준표]

| I | 처음의 이차방정식의 상수항을 구한다. | 30% |
|---|---|---|
| II | 처음의 이차방정식의 $x$의 계수를 구한다. | 30% |
| III | 처음의 이차방정식의 올바른 해를 구한다. | 40% |

## 163   답 −1

직선 $mx-y+2=0$, 즉 $y=mx+2$가
제3사분면을 지나지 않으려면 그림과 같
이 그려져야 한다.

$\therefore m\leq 0$    … Ⅰ

직선이 점 $(m+1,\ 2m^2)$을 지나므로 점
의 좌푯값을 대입하면

$2m^2=m(m+1)+2$

$m^2-m-2=0$

$(m+1)(m-2)=0$

$\therefore m=-1$ 또는 $m=2$    … Ⅱ

따라서 $m\leq 0$이므로 $m=-1$    … Ⅲ

[채점기준표]

| I | 직선이 제3사분면을 지나지 않을 조건을 구한다. | 40% |
|---|---|---|
| II | 직선이 주어진 점을 지날 때의 $m$의 값을 구한다. | 40% |
| III | 조건을 모두 만족시키는 $m$의 값을 구한다. | 20% |

## 164   답 9분 후

평행이동시킨 지 $x$분 후 겹쳐진 부분인
직각삼각형의 밑변의 길이는
$(15-x)$ cm이고, 높이를 $h$ cm라 하면
겹쳐진 부분의 삼각형은 △ABC와 닮음
이므로

$15:(15-x)=20:h$

$\therefore h=\dfrac{4(15-x)}{3}$    … Ⅰ

$\therefore$ (겹쳐진 부분의 넓이)

$\quad =\dfrac{1}{2}\times(15-x)\times\dfrac{4(15-x)}{3}$

$\quad =\dfrac{2}{3}(15-x)^2\ (\text{cm}^2)$

이때, 겹쳐진 부분의 넓이가 24 cm²이므로

$\dfrac{2}{3}(15-x)^2=24$

$(15-x)^2=36$    … Ⅱ

$x^2-30x+189=0$

$(x-9)(x-21)=0$

$\therefore x=9\ (\because 0<x<15)$

따라서 이동시킨 지 9분 후이다.    … Ⅲ

[채점기준표]

| I | $x$분 후의 겹쳐진 부분의 밑변의 길이와 높이를 $x$에 대한 식으로 나타낸다. | 40% |
|---|---|---|
| II | 겹쳐진 부분의 넓이에 대한 이차방정식을 세운다. | 30% |
| III | 이차방정식을 풀어 $x$의 값을 구한다. | 30% |

## 165   답 $x=\dfrac{-3-\sqrt{21}}{2}$ 또는 $x=\dfrac{3+\sqrt{5}}{2}$

**1st** 근호 안을 인수분해하자.

$x^2-\sqrt{4x^2-8x+4}=\sqrt{x^2+1}$에서

$x^2-\sqrt{\{2(x-1)\}^2}=\sqrt{x^2+1}$ … ㉠

**2nd** $\sqrt{a^2}=\begin{cases} a & (a\geq 0) \\ -a & (a<0) \end{cases}$ 임을 이용하자.

(i) $x<0$일 때, $x-1<0$이므로 ㉠은

$\quad x^2+2(x-1)=-x+1,\ x^2+3x-3=0$

$\quad \therefore x=\dfrac{-3\pm\sqrt{9+12}}{2}=\dfrac{-3\pm\sqrt{21}}{2}$

그런데 $x<0$이므로 $x=\dfrac{-3-\sqrt{21}}{2}$

(ii) $0\leq x<1$일 때, $x-1<0$이므로 ㉠은

$\quad x^2+2(x-1)=x+1,\ x^2+x-3=0$

$\quad \therefore x=\dfrac{-1\pm\sqrt{1+12}}{2}=\dfrac{-1\pm\sqrt{13}}{2}$

그런데 $0\leq x<1$이므로 해가 없어.

(iii) $x\geq 1$일 때, $x-1\geq 0$이므로 ㉠은

$\quad x^2-2(x-1)=x+1,\ x^2-3x+1=0$

$\quad \therefore x=\dfrac{3\pm\sqrt{9-4}}{2}=\dfrac{3\pm\sqrt{5}}{2}$

그런데 $x\geq 1$이므로 $x=\dfrac{3+\sqrt{5}}{2}$

(i)~(iii)에 의해서

$x=\dfrac{-3-\sqrt{21}}{2}$ 또는 $x=\dfrac{3+\sqrt{5}}{2}$

## 166   답 4

**1st** 두 이차방정식의 해를 구하자.

먼저 이차방정식 $(x-3)^2=-12x+4$를 풀면

$(x-3)^2=-12x+4,\ x^2-6x+9=-12x+4$

$x^2+6x+5=0,\ (x+5)(x+1)=0$

$\therefore x=-5$ 또는 $x=-1$

이차방정식 $x^2+(2a-2)x+a(a-2)=0$을 풀면

$(x+a)(x+a-2)=0$

$\therefore x=-a$ 또는 $x=-a+2$

$\begin{array}{l} x \quad\quad\ a \rightarrow \quad\quad ax \\ x \times a-2 \rightarrow (a-2)x(+ \\ \quad\quad\quad\quad\quad\quad (2a-2)x \end{array}$

**2nd** $-a$와 $-a+2$가 $-5$와 $-1$ 사이에 있어야 해.

(i) $-5<-a<-1$이어야 하므로 $1<a<5$ … ㉠

(ii) $-5<-a+2<-1$이어야 하므로

$\quad -7<-a<-3$    $\therefore 3<a<7$ … ㉡

따라서 ㉠, ㉡을 모두 만족시키는 자연수 $a$의 값은 4야.

## 167   답 ⑤

**1st** 근이 존재하지 않을 조건을 이용하자.

$x^2+(p+q)x+pq+1=0$의 근이 존재하지 않으므로

$(p+q)^2-4(pq+1)<0$

$p^2+2pq+q^2-4pq-4<0$

$p^2-2pq+q^2-4<0$

$p^2-2pq+q^2<4$

즉, $(p-q)^2<4$이고, $p$, $q$는 자연수이므로

$(p-q)^2=0$ 또는 $(p-q)^2=1$인 경우만 성립해.

**2nd** $p-q=0$, $p-q=\pm1$인 경우를 따져 주자.

$p$, $q$는 주사위의 눈의 수이므로 $p$, $q$는 1, 2, 3, 4, 5, 6의 값을 갖지?

(i) $(p-q)^2=0$인 경우

$(1, 1)$, $(2, 2)$, $(3, 3)$, $(4, 4)$, $(5, 5)$, $(6, 6)$의 6개

(ii) $(p-q)^2=1$인 경우

$(1, 2)$, $(2, 1)$, $(2, 3)$, $(3, 2)$, $(3, 4)$, $(4, 3)$, $(4, 5)$,

$(5, 4)$, $(5, 6)$, $(6, 5)$의 10개

(i), (ii)에서 구하는 경우의 수는 16가지야.

## 168 답 8

**1st** 첫 번째와 두 번째 시행에서 덜어낸 알코올의 양을 구하자.

(i) [시행 1]에서 덜어낸 알코올의 양은 $x$ L지?

(ii) [시행 1]을 한 후 통에 들어 있는 혼합물과 알코올의 양의 비는 $48 : (48-x)$야.

이때, [시행 2]에서 알코올과 물이 섞여 있는 통에서 알코올과 물의 혼합물을 $(x+4)$ L만큼 덜어내었으므로 이 중에 포함된 알코올의 양을 $A$ L라 하면

$48 : (48-x)=(x+4) : A$ $\quad \therefore A=\dfrac{1}{48}(48-x)(x+4)$

**2nd** 두 번에 걸쳐 덜어낸 알코올의 양이 18 L라 하므로 방정식을 세워서 풀자.

$x+\dfrac{1}{48}(48-x)(x+4)=18$, $48x+(48-x)(x+4)=864$

$48x+48x+192-x^2-4x=864$, $x^2-92x+672=0$

$(x-8)(x-84)=0$ $\quad \therefore x=8 \ (\because 0<x<48)$

## 169 답 3분

**1st** 7분 동안 점 P가 움직인 거리를 구해 보자.

$2x^2+x$에 $x=7$을 대입하면 $2\times7^2+7=105$이니까 원 $O$의 둘레의 길이는 105 cm야.

**2nd** 두 바퀴 도는 데 걸린 시간을 구하자.

두 바퀴 도는 데 걸린 시간을 $x$분이라 하면

$2x^2+x=105\times2$, $2x^2+x-210=0$

$(2x+21)(x-10)=0$ $\quad \therefore x=10 \ (\because x>0)$

따라서 한 바퀴를 돈 후 다시 한 바퀴를 도는 데 걸리는 시간은 $10-7=3$(분)이야.

## 170 답 $\dfrac{1+\sqrt5}{2}$

**1st** 정오각형의 한 내각의 크기부터 구해야 해.

정 $n$각형의 한 내각의 크기는 $\dfrac{180°\times(n-2)}{n}$이지?

즉, 정오각형의 한 내각의 크기는 $\dfrac{180°\times(5-2)}{5}=108°$이므로

$\angle ABC=108°$야.

그런데 $\triangle ABC$는 $\overline{BA}=\overline{BC}=1$인 이등변삼각형이므로

$\angle BAC=\angle BCA=\dfrac{1}{2}\times(180°-108°)=36°$

마찬가지로 $\triangle ABE$도 $\overline{AB}=\overline{AE}=1$인 이등변삼각형이므로

$\angle ABE=\angle AEB=\dfrac{1}{2}\times(180°-108°)=36°$

이때, $\angle CBP=108°-36°=72°$이고

$\angle CPB=180°-(36°+72°)=72°$이므로

$\triangle CPB$는 $\overline{CP}=\overline{CB}=1$인 이등변삼각형이야.

$\therefore \overline{AP}=x-1$

**2nd** $\triangle ABC$와 닮음인 삼각형을 찾자.

$\triangle ABC$와 $\triangle APB$에서

$\angle BAC=\angle PAB=36°$, $\angle BCA=\angle PBA=36°$이므로

$\triangle ABC \backsim \triangle APB$(AA 닮음)

**3rd** 닮음비를 이용하여 $x$의 값을 구해.

즉, $\overline{AB} : \overline{AP}=\overline{AC} : \overline{AB}$이므로 $1 : (x-1)=x : 1$

$x(x-1)=1$, $x^2-x-1=0$

$\therefore x=\dfrac{1+\sqrt5}{2} \ (\because x>0)$

## 171 답 ④

**1st** 증가와 감소를 식으로 나타내 보자.

인상 전의 입장료를 $a$원, 방문객의 수를 $b$명이라 하자.

입장료를 $x$ % 인상하면

입장료는 $a\left(1+\dfrac{x}{100}\right)$원

방문객의 수는 $b\left(1-\dfrac{0.5x}{100}\right)$명

입장료 수입이 8 % 증가하면 수입은 $ab\left(1+\dfrac{8}{100}\right)$원이지?

**2nd** (입장료)×(방문객의 수)=(수입)임을 이용하자.

$a\left(1+\dfrac{x}{100}\right)\times b\left(1-\dfrac{0.5x}{100}\right)=ab\left(1+\dfrac{8}{100}\right)$

$1-\dfrac{5x}{1000}+\dfrac{x}{100}-\dfrac{5x^2}{100000}=\dfrac{108}{100}$

$1+\dfrac{x}{200}-\dfrac{x^2}{20000}=\dfrac{108}{100}$

$20000+100x-x^2=21600$

$x^2-100x+1600=0$

$(x-20)(x-80)=0$

$\therefore x=20 \ (\because 0<x<30)$

따라서 20 % 인상해야 해.

## 172 답 $(8-4\sqrt3)$ cm

**1st** 합동인 두 삼각형을 이용해 $\overline{BE}$와 길이가 같은 선분을 찾아.

$\triangle ABE$와 $\triangle ADF$에서

$\angle B=\angle D=90°$,

$\overline{AE}=\overline{AF}$, $\overline{AB}=\overline{AD}$이므로

$\triangle ABE \equiv \triangle ADF$ (RHS 합동)

$\therefore \overline{BE}=\overline{DF}$

즉, $\overline{BE}=\overline{DF}=x$ cm라 하면

$\overline{CE}=\overline{BC}-\overline{BE}=\overline{CD}-\overline{DF}=\overline{CF}$이므로

$\overline{CE}=\overline{CF}=4-x\,(\text{cm})$

**2nd** 직각삼각형에서 피타고라스 정리가 성립함을 이용해.

$\triangle CFE$는 직각삼각형이므로 피타고라스 정리에 의해

$\overline{EF}^2=\overline{CE}^2+\overline{CF}^2=(4-x)^2+(4-x)^2$

$\quad =32-16x+2x^2 \cdots \bigcirc$

또, $\triangle ABE$도 직각삼각형이므로 피타고라스 정리에 의해

$\overline{AE}^2=\overline{AB}^2+\overline{BE}^2=4^2+x^2$

$\quad =16+x^2 \cdots \bigcirc$

**3rd** 삼각형 AEF가 정삼각형이므로 $\overline{AE}=\overline{EF}$지?

따라서 $\overline{AE}=\overline{EF}$이므로 $\bigcirc$, $\bigcirc$에서

$32-16x+2x^2=16+x^2$

$x^2-16x+16=0$

$\therefore x=8\pm\sqrt{64-16}=8\pm4\sqrt3$

이때, $0<x<4$이므로 $x=8-4\sqrt3$

$\therefore \overline{BE}=(8-4\sqrt3)$ cm

개념 체크 001~045 정답은 p. 6~7에 있습니다.

**유형 다지기** 학교시험+학력평가

문제편 p. 154

## 046 답 ②

$y$가 $x$에 대한 이차식 $y=ax^2+bx+c$ ($a$, $b$, $c$는 상수, $a\neq0$)로 나타내어질 때, $y$를 $x$에 대한 이차함수라 하지?
그런데 ② $y=x^2-x-(x-1)^2$을 정리하면 $y=x-1$로 이차항이 없어지므로 이 함수는 일차함수가 돼.

## 047 답 ③

먼저 〈보기〉의 식들을 정리해 보자.
ㄱ. $y=x^2+3$ ← 이차함수!
ㄴ. $y=-2x+1$ ← 일차함수!
ㄷ. $y=(x+2)^2-x^2=4x+4$ ← 일차함수!
ㄹ. $y=(2x+3)^2-2x^2=4x^2+12x+9-2x^2$
   $=2x^2+12x+9$ ← 이차함수!
ㅁ. $y=\dfrac{1}{x^2}$ ← 이차함수가 아니야!
ㅂ. $y=x(3x-1)+x=3x^2$ ← 이차함수!
따라서 이차함수는 ㄱ, ㄹ, ㅂ이야.

**오답피해기**

일반적으로 중학교에서 배우는 다항식에서 분모에 문자가 있는 식은 다항식이라고 하지 않아. ㅁ은 분모에 $x$가 있는 분수식으로 이런 식을 유리함수라 해. 이 부분은 고등학교에서 배우게 돼.

## 048 답 ⑤

① $y=\dfrac{1}{2}\times5\times2x=5x$로 일차함수야.
② $y=4x$로 일차함수지!
③ $x\times y=20$, 즉 $y=\dfrac{20}{x}$으로 이차함수가 아니야.
④ $y=4x$로 일차함수야.
⑤ $y=\dfrac{1}{2}\times(6+x)\times4x=2x^2+12x$로 이차함수가 돼.

## 049 답 ④

함수 $y=4x^2+1-2x(ax+1)$을 정리하면
$y=(4-2a)x^2-2x+1$
$y$가 $x$에 대한 이차함수가 되려면 이차항의 계수 $4-2a$가 0이 아니어야 해.
$4-2a\neq0$ ∴ $a\neq2$
따라서 $a$의 값이 될 수 없는 것은 ④ 2야.

## 050 답 ⑤

이차함수 $f(x)=x^2-2x+3$에서
$f(1)=1^2-2\times1+3=2$이고,
$f(2)=2^2-2\times2+3=3$이야.
∴ $f(1)+f(2)=2+3=5$

## 051 답 ②

$f(a)=8$이므로 $2a^2-5a+1=8$
$2a^2-5a-7=0$
$(a+1)(2a-7)=0$
∴ $a=-1$ 또는 $a=\dfrac{7}{2}$
그런데 조건에서 $a$가 정수이니까 $a=-1$이 되지.

## 052 답 ④

이차함수 $f(x)=ax^2+5x-2$에서
$f(-1)=-10$이니까
$a-5-2=-10$ ∴ $a=-3$
$f(2)=b$이니까
$4a+10-2=b$, $-12+10-2=b$ ∴ $b=-4$
∴ $ab=-3\times(-4)=12$

## 053 답 ①

$f(x)=3x^2+ax-b$에서 $f(-2)=1$이므로
$12-2a-b=1$ ∴ $2a+b=11$ ⋯ ㉠
또, $f(3)=6$이므로
$27+3a-b=6$ ∴ $3a-b=-21$ ⋯ ㉡
㉠+㉡을 하면
$5a=-10$ ∴ $a=-2$
$a=-2$를 ㉠에 대입하면
$-4+b=11$ ∴ $b=15$
따라서 $f(x)=3x^2-2x-15$이므로
$f(-1)=3+2-15=-10$

## 054 답 ③

이차함수 $y=ax^2$ ⋯ ㉠에 대한 설명이야. 하나씩 맞는지 살펴보자.
① 꼭짓점은 $(0, 0)$이므로 원점이야. ← OK!
② 점 $(2, 4a)$의 좌표를 ㉠에 대입해 보면
   $4a=a\times2^2$으로 등식이 성립해. ← OK!
③ $a$의 절댓값이 작을수록 폭이 넓어져. ← NO!
④ $a>0$이면 아래로 볼록하고, $a<0$이면 위로 볼록해. ← OK!
⑤ 이차함수 $y=ax^2$과 $y=-ax^2$은 같은 $x$의 값에 대하여 부호가 서로 반대인 함숫값을 가지므로 $y=ax^2$의 그래프와 $y=-ax^2$의 그래프는 $x$축에 대하여 서로 대칭이야. ← OK!

## 055 답 ㅁ과 ㅂ

이차함수 $y=ax^2$의 그래프와 이차함수 $y=-ax^2$의 그래프는 $x$축에 대하여 서로 대칭이야.
따라서 ㅁ. $y=-2x^2$과 ㅂ. $y=2x^2$의 그래프가 $x$축에 대하여 서로 대칭이야.

## 056 답 ③

이차함수 $y=ax^2$의 그래프가 위로 볼록이면 $a<0$이어야 하고, 폭이 가장 넓은 것을 찾으려면 $a$의 절댓값이 가장 작은 것을 찾아야 해.
먼저 $a<0$인 것은 ①, ②, ③이지. 그 중 $a$의 절댓값은 ①은 3, ②는 1, ③은 $\dfrac{1}{4}$이므로 구하는 것은 ③이야.

## 057 답 ②

이차함수 $y=ax^2$의 폭은 $a$의 절댓값이 클수록 좁아지지?

이때,

$|-5|>|3|>|-1|>\left|\frac{3}{4}\right|>\left|-\frac{1}{2}\right|>\left|\frac{1}{3}\right|$이야.

따라서 폭이 좁은 것부터 차례로 나열하면

ㄷ, ㄱ, ㅁ, ㅂ, ㄴ, ㄹ이야.

## 058 답 ①

이차함수 $y=ax^2$의 그래프가 $x$축과 $y=2x^2$의 그래프 사이에 있으려면

$0<a<2$

또, $y=ax^2$의 그래프가 $x$축과 $y=-x^2$의 그래프 사이에 있으려면

$-1<a<0$

따라서 주어진 이차함수 $y=ax^2$ 중 $-1<a<0$ 또는 $0<a<2$를 만족하지 않는 것은 ①이야.

## 059 답 ⑤

이차함수 $y=ax^2$의 그래프가 점 $(-2, 6)$을 지나므로

$6=a\times(-2)^2$, $4a=6$ ∴ $a=\frac{3}{2}$

즉, 이차함수 $y=\frac{3}{2}x^2$의 그래프가 점 $(4, b)$를 지나므로

$b=\frac{3}{2}\times4^2=\frac{3}{2}\times16=24$

∴ $ab=\frac{3}{2}\times24=36$

## 060 답 ⑤

이차함수 $y=-\frac{1}{3}x^2$ ⋯ ㉠의 그래프를 그려 보자.

① 점 $(-3, 3)$의 좌표를 ㉠에 대입해 보면 $3\neq\left(-\frac{1}{3}\right)\times9=-3$이므로 이 점을 지나지 않아. ← NO!

② 축의 방정식은 $x=0$이야. ← NO!

③ $x^2$의 계수가 $-\frac{1}{3}$로 음수이므로 위로 볼록하지? ← NO!

④ 어떤 $x$의 값에 대해서도 $y\leq0$ ← NO!

⑤ $x>0$일 때, $x$의 값이 증가하면 $y$의 값은 감소해. ← OK!

## 061 답 ②

이차함수 $y=ax^2$의 그래프는 $a$가 양수니까 아래로 볼록하고, $0<a<2$이므로 $y=2x^2$의 그래프보다는 폭이 넓어.

따라서 이차함수 $y=ax^2$의 그래프로 옳은 것은 ②야.

## 062 답 $\frac{25}{4}$

㉠은 아래로 볼록한 포물선이므로 이차항의 계수가 양수인 이차함수의 그래프가 되는 거야. 또, ㉠은 ㉡보다 폭이 넓지?

즉, ㉠의 이차항의 계수의 절댓값은 ㉡의 이차항의 계수의 절댓값보다 작아.

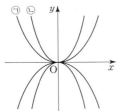

주어진 이차함수의 식 $y=-2x^2$, $y=-\frac{1}{4}x^2$, $y=\frac{1}{4}x^2$, $y=2x^2$에서 ㉠과 ㉡의 그래프의 식은 $y=\frac{1}{4}x^2$, $y=2x^2$이고 이 중 ㉠은 ㉡보다 이차항의 계수의 절댓값이 작아야 하니까 ㉠은 $y=\frac{1}{4}x^2$의 그래프가 되는 거야.

따라서 이차함수 $y=\frac{1}{4}x^2$의 그래프가 점 $(-5, a)$를 지나니까 이 점의 좌표를 대입하면

$a=\frac{1}{4}\times(-5)^2=\frac{25}{4}$

## 063 답 ②

구하는 이차함수의 식을 $y=ax^2$이라 하면 그래프가 점 $(3, 2)$를 지나므로

$2=9a$ ∴ $a=\frac{2}{9}$

따라서 구하는 이차함수의 식은 $y=\frac{2}{9}x^2$이야.

## 064 답 ③

구하는 이차함수의 식을 $y=ax^2$이라 하자.

이차함수 $y=ax^2$의 그래프가 두 점 $(2, 8)$, $(-1, k)$를 지나므로 먼저 점 $(2, 8)$의 좌표를 대입하면

$8=4a$ ∴ $a=2$

따라서 $y=2x^2$에 점 $(-1, k)$의 좌표를 대입하면

$k=2\times(-1)^2=2$

## 065 답 $-24$

$f(0)=0$이므로 이차함수 $y=f(x)$의 그래프의 꼭짓점은 원점이고 축이 $y$축이니까 식은 $y=ax^2$으로 놓을 수 있어.

이때, 이 그래프는 점 $(3, -6)$을 지나므로 좌표를 대입하면

$-6=9a$ ∴ $a=-\frac{2}{3}$

즉, 이 그래프의 식은 $y=f(x)=-\frac{2}{3}x^2$이야.

∴ $f(6)=-\frac{2}{3}\times36=-24$

## 066 답 $-4$

원점을 꼭짓점으로 하고 점 $(2, -3)$을 지나는 포물선을 그래프로 하는 이차함수의 식을 $y=ax^2$이라 하면

$-3=a\times2^2$ ∴ $a=-\frac{3}{4}$

즉, $y=-\frac{3}{4}x^2$의 그래프와 $x$축에 대하여 대칭인 그래프의 식은

$y=\frac{3}{4}x^2$이야.

따라서 $y=\frac{3}{4}x^2$의 그래프가 점 $(k, 12)$를 지나므로

$12=\frac{3}{4}k^2$, $k^2=16$

∴ $k=\pm4$

따라서 구하는 음수 $k$의 값은 $-4$야.

## 067 답 ④

이차함수 $y=3x^2-1$의 그래프를 그리면 그림과 같아.

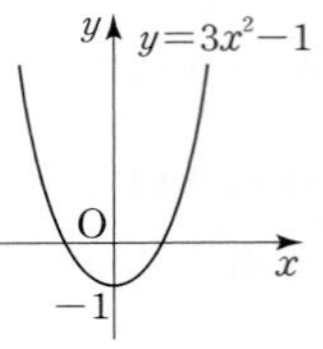


① 그림에서 아래로 볼록한 포물선이야. ← OK!
② 축이 $y$축이니까 축의 방정식은 $x=0$ ← OK!
③ 꼭짓점의 좌표는 $(0,\ -1)$ ← OK!
④ $y=3x^2-1$에 $x$ 대신 1, $y$ 대신 3을 대입하면 $3\neq3-1=2$로 등식이 성립하지 않지? 즉, 점 $(1,\ 3)$을 지나지 않아. ← NO!
⑤ $y=3x^2$의 그래프를 $y$축의 방향으로 $-1$만큼 평행이동하면 $y=3x^2-1$의 그래프가 돼. ← OK!

## 068 답 ③

이차함수 $y=x^2+2$의 그래프를 평행이동하여 완전히 포갤 수 있는 그래프는 이차항의 계수가 같은 것이므로 ③ $y=x^2$이야.

## 069 답 (0, 4)

이차함수 $y=-3x^2$의 그래프를 $y$축의 방향으로 $q$만큼 평행이동한 그래프의 식은 $y=-3x^2+q$가 되지.
이 그래프가 점 $(2,\ -8)$을 지난다고 하니까
$-8=-12+q$ $\quad\therefore q=4$
따라서 $y=-3x^2+4$의 그래프의 꼭짓점의 좌표는 $(0,\ 4)$야.

## 070 답 ①

그림은 꼭짓점이 $(0,\ 3)$이고 $y$축을 축으로 하는 이차함수의 그래프이므로 구하는 식을 $y=ax^2+3$이라 하자.
이 그래프가 점 $(2,\ 7)$을 지나므로 좌표를 $y=ax^2+3$에 대입해 보면
$7=4a+3$ $\quad\therefore a=1$
따라서 구하는 이차함수의 식은 $y=x^2+3$이야.

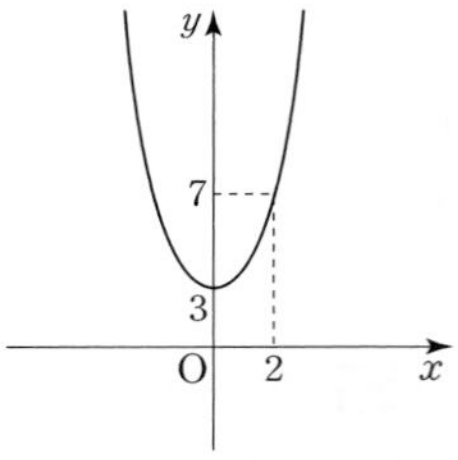


## 071 답 ④

이차함수 $y=2x^2+3$의 그래프를 $y$축의 방향으로 $k$만큼 평행이동하면 $y=2x^2+3+k$
이 식이 $y=2x^2-4$와 일치하므로
$3+k=-4$ $\quad\therefore k=-7$

## 072 답 ②

이차함수 $y=ax^2+q$의 그래프가 아래로 볼록하므로 이차항의 계수 $a$는 양수야.
$\therefore a>0$
또, 꼭짓점 $(0,\ q)$는 $x$축보다 아래쪽에 있으므로 $q$는 음수야. $\quad\therefore q<0$

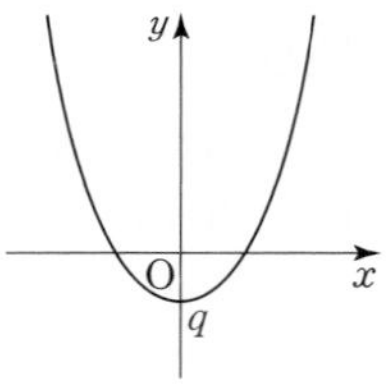


## 073 답 ③

$a<0$에서 $-a>0$이므로 $y=-ax^2-q$의 그래프는 아래로 볼록한 포물선이지?
또, 꼭짓점의 좌표는 $(0,\ -q)$인데 $q<0$이니까 꼭짓점은 $x$축보다 위쪽에 있게 돼.
따라서 이차함수 $y=-ax^2-q$의 그래프는 그림과 같아.

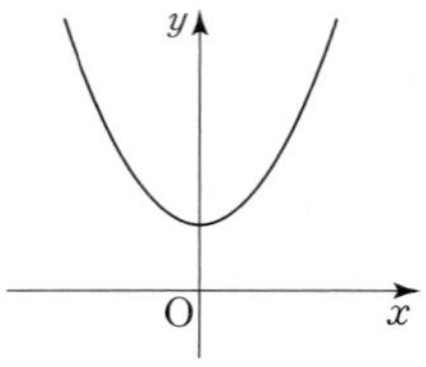


## 074 답 −4

이차함수 $y=ax^2+q$의 그래프를 $y$축의 방향으로 3만큼 평행이동한 것은 $y=ax^2+q+3$이고, 이것이 $y=ax^2-3$과 같아야 하니까
$q+3=-3$ $\quad\therefore q=-6$
이차함수 $y=ax^2-3$의 그래프가 점 $(2,\ 5)$를 지나므로
$5=4a-3$ $\quad\therefore a=2$
$\therefore a+q=2+(-6)=-4$

## 075 답 ③

이차함수 $y=-ax^2+q$의 그래프에서
① 아래로 볼록하니까 $-a>0$ $\quad\therefore a<0$ ← NO!
② 꼭짓점의 $y$좌표가 양수이니까 $q>0$ ← NO!
③ $aq<0$ ← OK!
④ $a<0$이고 $q>0$에서 $-q<0$이니까 $a-q=a+(-q)<0$ ← NO!
⑤ $a$와 $q$의 부호가 다르다고 항상 $a+q<0$이라고는 할 수 없어. ← NO!

## 076 답 ⑤

이차함수 $y=2x^2$의 그래프를 $y$축의 방향으로 5만큼 평행이동하면 $y=2x^2+5$의 그래프가 되지. 선분 AB는 $y$축에 평행하니까 선분 AB의 길이는 5가 되는 거야.

## 077 답 3

이차함수 $y=-2x^2+3$의 그래프를 $y$축의 방향으로 $a$만큼 평행이동한 그래프의 식은 $y=-2x^2+3+a$
이때, 이 그래프가 두 점 $(2,\ 1)$, $(-1,\ b)$를 지나므로
점 $(2,\ 1)$의 좌표를 대입하면
$1=-2\times2^2+3+a$ $\quad\therefore a=6$
점 $(-1,\ b)$의 좌표를 대입하면
$b=-2\times(-1)^2+3+a=-2+3+6=7$
따라서 두 점 $(2,\ 1)$, $(-1,\ 7)$을 지나는 직선의 기울기를 구하면
$m=\dfrac{7-1}{-1-2}=\dfrac{6}{-3}=-2$ $\quad\therefore y=-2x+n$
여기에 점 $(2,\ 1)$의 좌표를 대입하면
$1=(-2)\times2+n$ $\quad\therefore n=5$
$\therefore m+n=(-2)+5=3$

## 078 답 ㄴ, ㄹ

먼저 $y=-(x+3)^2$의 그래프를 그려 보면 그림과 같아.

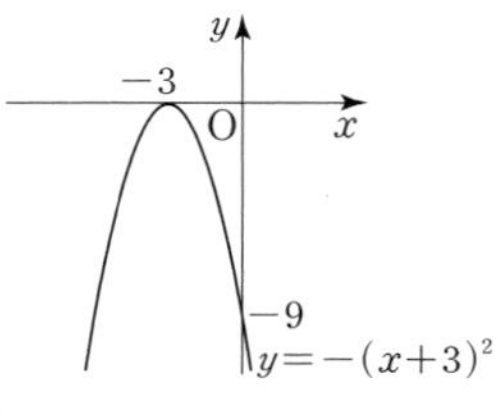


ㄱ. 꼭짓점의 좌표는 $(-3,\ 0)$이고, 직선 $x=-3$을 축으로 하는 포물선이지? (거짓)
ㄴ. $y=-x^2$의 그래프를 $x$축의 방향으로 $-3$만큼 평행이동한 거야. (참)
ㄷ. $y=(x+3)^2$의 그래프와 $x$축에 대하여 대칭이지? (거짓)
ㄹ. $x=0$일 때, $y=-(0+3)^2=-9$ (참)
따라서 옳은 것은 ㄴ, ㄹ이야.

## 079 답 ②

이차함수 $y=-\frac{1}{2}(x+2)^2$의 그래프는 꼭짓점의 좌표가 $(-2,\ 0)$이고, 축의 방정식은 $x=-2$야.
또, 이차항의 계수가 음수이니까 위로 볼록하므로 그래프는 그림과 같아.

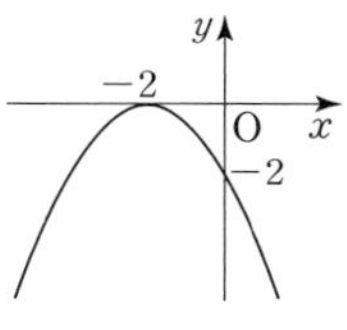

## 080 답 ⑤

구하는 이차함수의 그래프가 $y=3x^2$의 그래프와 모양이 같다고 하므로 이차항의 계수가 같겠지? 또, 꼭짓점의 좌표가 $(2, 0)$이므로
$y=3(x-2)^2$
따라서 $a=3$, $p=2$이므로
$a+p=3+2=5$

## 081 답 $a>0$, $p<0$

그림에서 $y=a(x-p)^2$의 그래프가 아래로 볼록하므로 $a>0$
또, 축이 직선 $x=p$이고 $y$축의 왼쪽에 있으므로 $p<0$

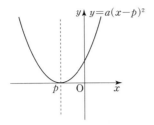

## 082 답 12

꼭짓점의 좌표가 $(2, 0)$이므로 그래프의 식은 $y=a(x-2)^2$ 꼴이야.
또, 그래프가 점 $(0, 2)$를 지나니까 좌표를 대입해 보면
$2=a(0-2)^2$, $4a=2$ $\therefore a=\dfrac{1}{2}$

따라서 이차함수 $y=\dfrac{1}{2}(x-2)^2$이 그림의 그래프를 만족하는 식이지?
이 이차함수의 그래프가 점 $(-3, m)$을 지나므로
$m=\dfrac{1}{2}\times(-3-2)^2=\dfrac{25}{2}$
또, 점 $(3, n)$을 지나므로
$n=\dfrac{1}{2}\times(3-2)^2=\dfrac{1}{2}$
$\therefore m-n=\dfrac{25}{2}-\dfrac{1}{2}=12$

## 083 답 ①

이차함수 $y=a(x-p)^2$의 그래프의 축의 방정식이 $x=-3$이라 하므로 $p=-3$
또, 이 그래프가 점 $(-2, 2)$를 지나니까
$2=a(-2+3)^2$ $\therefore a=2$
$\therefore ap=2\times(-3)=-6$

## 084 답 ③

일차함수 $y=ax+p$의 그래프가 오른쪽 위를 향하니까 $a>0$
또, $y$절편이 양수이니까 $p>0$
따라서 $y=a(x-p)^2$에서 $a>0$이므로 그래프는 아래로 볼록하고, $p>0$이므로 꼭짓점 $(p, 0)$은 그림과 같이 $x$축의 양의 부분에 있어.

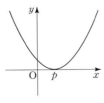

**오답피해기**

이차함수에서 부호 판별을 요구하는 문제는 늘 출제되니까 잘 기억해야 해. 그리고 일차함수 역시 잘 알고 있어야겠지? $y=ax+b$라는 일차함수에서 $a$는 기울기, $b$는 $y$절편이고 $a>0$이면 그래프가 오른쪽 위를 향하고, $a<0$이면 그래프가 오른쪽 아래를 향해. 잊어버리면 안 돼!

## 085 답 ③

이차함수 $y=-(x+2)^2+1$의 그래프를 $x$축의 방향으로 $p$만큼, $y$축의 방향으로 $q$만큼 평행이동하면
$y=-(x+2-p)^2+1+q$
이것이 $y=-x^2$의 그래프와 완전히 포개어지므로 두 식이 같다는 거지?
즉, $2-p=0$에서 $p=2$이고 $1+q=0$에서 $q=-1$
$\therefore p+q=2+(-1)=1$

## 086 답 ②

이차함수 $y=3(x-2)^2+2$의 그래프를 $x$축의 방향으로 $-1$만큼, $y$축의 방향으로 $-1$만큼 평행이동한 그래프의 식은
$y=3(x-2+1)^2+2-1$ $\therefore y=3(x-1)^2+1$

**오답피해기**

평행이동 문제에서 왜 $x$축의 방향으로 $p$만큼 이동한 것은 $-p$이고, $y$축의 방향으로 $q$만큼 이동한 것은 $+q$가 되는지 궁금하지? 원래 $y$축의 방향으로 $q$만큼 이동시키면 $y$ 대신에 $y-q$를 넣어야 해. 그런데 여기서 $-q$가 이항되어서 $y=$(함수식)$+q$의 형태로 정리되지. 결과적으로 우리는 이항된 $q$를 보기 때문에 $-q$가 아닌 $+q$를 보게 되지!

## 087 답 ④

이차함수 $y=(x+1)^2+1$의 그래프를 $x$축의 방향으로 4만큼, $y$축의 방향으로 2만큼 평행이동하면
$y=(x+1-4)^2+1+2=(x-3)^2+3$
따라서 선택지의 점 중 $y=(x-3)^2+3$의 그래프가 지나는 점은
④ $(4, 4)$야.

## 088 답 10

이차함수 $y=2(x-1)^2+3$의 그래프를 $x$축의 방향으로 2만큼, $y$축의 방향으로 $-1$만큼 평행이동하면
$y=2(x-1-2)^2+3-1$ $\therefore y=2(x-3)^2+2$
이 그래프가 점 $(1, m)$을 지나므로
$m=2\times(1-3)^2+2=10$

## 089 답 ⑤

이차함수 $y=-(x+3)^2$의 그래프를 $x$축의 방향으로 $-3$만큼, $y$축의 방향으로 4만큼 평행이동하면
$y=-(x+3+3)^2+4=-(x+6)^2+4 \cdots \bigcirc$
$\bigcirc$의 꼭짓점의 좌표는 $(-6, 4)$이고 축의 방정식은 $x=-6$
따라서 $p=-6$, $q=4$, $m=-6$이므로
$p-2q-3m=-6-8+18=4$

## 090 답 $-3$

이차함수 $y=\dfrac{2}{3}(x-2)^2$의 그래프의 축의 방정식은 $x=2$이므로
$p=2$
또, $y=-4\left(x+\dfrac{5}{4}\right)^2+3$의 그래프의 축의 방정식은 $x=-\dfrac{5}{4}$이므로
$q=-\dfrac{5}{4}$
$\therefore p+4q=2+4\times\left(-\dfrac{5}{4}\right)=2-5=-3$

## 091 답 ④

조건 (다)에서 이차함수 $y=\dfrac{1}{2}x^2$의 그래프를 평행이동한 것이므로

구하는 이차함수의 식의 이차항의 계수는 $\dfrac{1}{2}$이야.

조건 (가)에서 축의 방정식이 $x=-2$이니까 꼭짓점의 $x$좌표는 $-2$
가 돼.

$\therefore y=\dfrac{1}{2}(x+2)^2+q$

이때, 조건 (나)에 의해 이 이차함수의 그래프가 점 $(-4, 1)$을 지
나니까

$1=\dfrac{1}{2}\times(-4+2)^2+q,\ 1=2+q$

$\therefore q=-1$

$\therefore y=\dfrac{1}{2}(x+2)^2-1$

## 092 답 ⑤

① 이차함수 $y=5x^2$의 그래프의 꼭짓점의 좌표는 $(0, 0)$
② 이차함수 $y=-2x^2+3$의 그래프의 꼭짓점의 좌표는 $(0, 3)$
③ 이차함수 $y=3(x-1)^2$의 그래프의 꼭짓점의 좌표는 $(1, 0)$
④ 이차함수 $y=(x-1)^2-7$의 그래프의 꼭짓점의 좌표는 $(1, -7)$
⑤ 이차함수 $y=-2(x+4)^2-3$의 그래프의 꼭짓점의 좌표는
　$(-4, -3)$
이 중 꼭짓점이 제3사분면 위에 있는 것은 $x$좌표와 $y$좌표가 모두
음수인 것이므로 ⑤야.

## 093 답 ②

이차함수 $y=-a(x-p)^2+3$의 그래프의 축의 방정식이 $x=-1$
이므로 $p=-1$이지.
또, 이 이차함수의 그래프가 점 $(0, 4)$를 지나므로

$4=-a(0+1)^2+3$

$\therefore a=-1$

$\therefore a+p=-1+(-1)=-2$

## 094 답 ③

이차함수 $y=a(x-p)^2+q$의 그래프의 꼭짓점의 좌표가 $(-2, 6)$
이므로 $p=-2,\ q=6$
또, 이차함수 $y=a(x+2)^2+6$의 그래프가 점 $(4, 2)$를 지나니까

$2=a(4+2)^2+6,\ 36a=-4$

$\therefore a=-\dfrac{1}{9}$

$\therefore a+p+q=-\dfrac{1}{9}+(-2)+6=\dfrac{35}{9}$

## 095 답 ⑤

이차함수 $y=4x^2-5$의 그래프를 $x$축의 방향으로 $k$만큼, $y$축의 방
향으로 $k+2$만큼 평행이동한 그래프의 식은

$y=4(x-k)^2-5+k+2$

$\therefore y=4(x-k)^2+k-3$

따라서 평행이동한 그래프의 꼭짓점의 좌표는 $(k, k-3)$이고
이 점이 직선 $y=-x+9$ 위에 있으므로

$k-3=-k+9,\ 2k=12$

$\therefore k=6$

## 096 답 ③

이차함수 $y=-\dfrac{1}{2}x^2$의 그래프와 모양이 같으므로 이차항의 계수는

$-\dfrac{1}{2}$이고 꼭짓점의 좌표가 $(-2, 3)$이므로 구하는 식은

$y=-\dfrac{1}{2}(x+2)^2+3$

## 097 답 ②

꼭짓점의 좌표가 $(-2, -6)$인 이차함수의 식은
$y=a(x+2)^2-6 \cdots$ ㉠
이 이차함수의 그래프가 점 $(0, -2)$를 지나므로 이 점의 좌표를
㉠에 대입하면
$-2=a(0+2)^2-6 \qquad \therefore a=1$
즉, $y=(x+2)^2-6$이므로 $a=1,\ p=-2,\ q=-6$
$\therefore a+p+q=1+(-2)+(-6)=-7$

## 098 답 ④

이차함수 $y=x^2+1$의 그래프를 $x$축의 방향으로 $m+3$만큼, $y$축의
방향으로 $n-3$만큼 평행이동하면
$y=(x-m-3)^2+1+n-3$
$\therefore y=(x-m-3)^2+n-2$
이 그래프의 꼭짓점의 좌표가 $(2, 3)$이므로
$m+3=2,\ n-2=3 \qquad \therefore m=-1,\ n=5$
$\therefore m-n=-1-5=-6$

## 099 답 4

이차함수 $y=(a+1)(x-2)^2-a^2+3a+3$의 그래프의 꼭짓점의
좌표는 $(2, -a^2+3a+3)$이고 이 점이 점 $(2, -1)$과 일치해야 하
므로
$-a^2+3a+3=-1$
$a^2-3a-4=0,\ (a+1)(a-4)=0$
$\therefore a=-1$ 또는 $a=4$
그런데 주어진 함수가 이차함수이려면 $a+1\ne0$에서 $a\ne-1$이어
야 하므로 구하는 $a$의 값은 4야.

## 100 답 ③

이차함수 $y=\dfrac{2}{3}(x+3)^2-1$의 그래프에서

$x$의 값이 증가할 때 $y$의 값도 증가하는
$x$의 값의 범위는 $x>-3$이야.

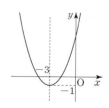

**오답피하기**

이차함수 $y=a(x-p)^2+q$의 그래프에서 증가·감소하는 $x$의 값
의 범위는 축 $x=p$를 기준으로 나뉘게 돼.
틀리기 쉬우니까 꼭 알아두자.

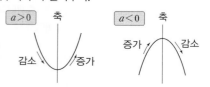

## 101 답 ②

이차함수 $y=-(x-2)^2+5$의 그래프에서 $x$의 값이 증가할 때 $y$의 값도 증가하는 $x$의 값의 범위는 $x<2$야.

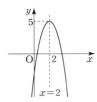

## 102 답 ③

이차함수 $y=2x^2$의 그래프를 $x$축의 방향으로 1만큼, $y$축의 방향으로 3만큼 평행이동하면 $y=2(x-1)^2+3$이 되지.
이 이차함수의 그래프에서 $x$의 값이 증가할 때 $y$의 값이 감소하는 $x$의 값의 범위는 $x<1$이야.

**오답피하기**

그래프의 증가·감소 문제는 축의 방정식과 밀접한 관계가 있어. 이런 문제는 $x^2$의 계수가 0보다 큰지 작은지, 축의 방정식이 무엇인지만 알면 그래프나 완벽한 식 없이도 풀 수 있으니까 이제 시간을 절약하는 연습도 해 보자!

## 103 답 ④

주어진 일차함수의 그래프에서 $y$절편이 4이므로 $b=4$
$y=ax+4$에 $x=2$, $y=0$을 대입하면
$0=2a+4$ ∴ $a=-2$
즉, $a=-2$, $b=4$를 $y=a(x-b)^2-ab$에 대입하면
$y=-2(x-4)^2+8$
따라서 $y=-2(x-4)^2+8$의 그래프는 위로 볼록하고 축의 방정식이 $x=4$이므로 $x$의 값이 증가할 때 $y$의 값도 증가하는 $x$의 값의 범위는 $x<4$야.

## 104 답 ①

$y=-3(x+2)^2+4$의 그래프를 $x$축에 대하여 대칭이동시키면
$-y=-3(x+2)^2+4$
∴ $y=3(x+2)^2-4$

## 105 답 $(1, -3)$

이차함수 $y=2(x+1)^2-3$의 그래프를 $y$축에 대하여 대칭이동시킨 그래프의 식은
$y=2(-x+1)^2-3$
∴ $y=2(x-1)^2-3$
따라서 꼭짓점의 좌표는 $(1, -3)$이야.

## 106 답 50

이차함수 $y=-3(x+1)^2-2$의 그래프를 $x$축에 대하여 대칭이동하면
$-y=-3(x+1)^2-2$
∴ $y=3(x+1)^2+2$
이 그래프가 점 $(3, a)$를 지나므로
$a=3\times(3+1)^2+2=48+2=50$

## 107 답 18

이차함수 $y=x^2$의 그래프를 $x$축에 대하여 대칭이동시키면
$y=-x^2$
또, 이 그래프를 $x$축의 방향으로 $-3$만큼, $y$축의 방향으로 6만큼 평행이동시키면
$y=-(x+3)^2+6$
이 식이 $y=a(x-p)^2+q$와 같아야 하므로
$a=-1$, $p=-3$, $q=6$
∴ $apq=(-1)\times(-3)\times6=18$

## 108 답 6

이차함수 $y=2(x+1)^2-3$의 그래프의 꼭짓점의 좌표는 $(-1, -3)$이므로 $A(-1, -3)$
이차함수 $y=2(x+1)^2-3$의 그래프를 $x$축에 대하여 대칭이동하면 $y=-2(x+1)^2+3$이므로 꼭짓점의 좌표는 $(-1, 3)$이야.
∴ $B(-1, 3)$
또한, 이차함수 $y=2(x+1)^2-3$의 그래프를 $y$축에 대하여 대칭이동하면 $y=2(x-1)^2-3$이므로
꼭짓점의 좌표는 $(1, -3)$이야.
∴ $C(1, -3)$
즉, 세 점 A, B, C를 좌표평면 위에 나타내면 그림과 같아.
∴ $\triangle ABC=\frac{1}{2}\times2\times6=6$

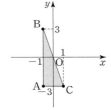

## 109 답 ④

이차함수 $y=-(x+2)^2+2$의 그래프의 꼭짓점의 좌표는 $(-2, 2)$가 되고, $x=0$을 대입한 값이 $y=-2$이므로
점 $(0, -2)$를 지나.
그리고 $x^2$의 계수가 음수이므로 위로 볼록한 포물선이 되겠지?
따라서 그래프는 그림과 같아.

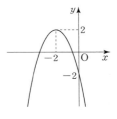

## 110 답 제1, 2사분면

이차함수 $y=-3(x-1)^2-1$의 이차항의 계수가 $-3$이므로 위로 볼록하고, 꼭짓점의 좌표가 $(1, -1)$이야.
또, $y$축과 점 $(0, -4)$에서 만나.
따라서 주어진 이차함수의 그래프는 그림과 같으므로 그래프가 지나지 않는 사분면은 제1, 2사분면이야.

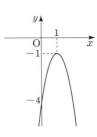

## 111 답 ④

먼저 그래프를 그려 보고 $x$축과 만나지 않는 것을 고르자.

① $y=2x^2$                    ② $y=-3x^2+1$

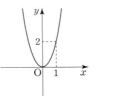     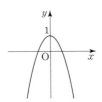

③ $y=-2(x+1)^2$

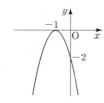

④ $y=2(x+1)^2+3$

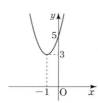

⑤ $y=3(x-2)^2-4$

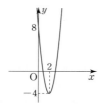

따라서 그래프 중 $x$축과 만나지 않는 것은 ④야.

## 112 답 $-1$

$y=a(x-1)^2+2$의 그래프의 꼭짓점의 좌표가 $(1, 2)$이므로 그래프가 위로 볼록해야 모든 사분면을 지나겠지?
$\therefore a<0 \cdots \bigcirc$

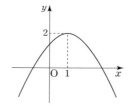

즉, 이 그래프가 모든 사분면을 지나기 위해서는 그림과 같이 그래프가 위로 볼록해야 하고, $y$축과의 교점의 $y$좌표가 양수이면 돼.
$a(0-1)^2+2=a+2>0 \qquad \therefore a>-2 \cdots \bigcirc$
따라서 $\bigcirc$, $\bigcirc$을 모두 만족시키는 정수 $a$의 값은 $-1$이야.

## 113 답 ③

이차함수 $y=-2(x-1)^2+3$의 그래프는 이차항의 계수가 $-2$이므로 위로 볼록하고, 꼭짓점의 좌표가 $(1, 3)$이야.

① 위로 볼록하지? ← NO!
② 꼭짓점의 좌표가 $(1, 3)$이지? ← NO!
③ $x=0$일 때, $y=-2\times(0-1)^2+3=1$이므로 $y$축과 점 $(0, 1)$에서 만나. ← OK!
④ $y=-2x^2$의 그래프를 $x$축의 방향으로 $1$만큼, $y$축의 방향으로 $3$만큼 평행이동한 거야. ← NO!
⑤ $x>1$일 때, $x$의 값이 증가하면 $y$의 값은 감소해. ← NO!

## 114 답 ㄱ, ㄴ

이차함수 $y=a(x-p)^2+q$의 그래프는
ㄱ. 축의 방정식이 $x=p$이므로 직선 $x=p$에 대하여 대칭이야. (참)
ㄴ. $a$의 절댓값이 클수록 포물선의 폭은 좁아져. (참)

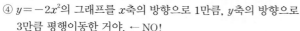

ㄷ. $a>0$일 때 $x>p$이면 $x$의 값이 증가할 때 $y$의 값도 증가해. (거짓)
따라서 옳은 것은 ㄱ, ㄴ이야.

## 115 답 ②, ⑤

① $y=3x^2+2$와 $y=-3(x-1)^2+4$의 이차항의 계수의 절댓값이 $3$으로 같으므로 두 이차함수의 그래프의 폭은 서로 같아. ← OK!
② $y=-x^2+5$의 그래프의 축의 방정식은 $x=0$이야. ← NO!
③ $y=2(x+3)^2-6$에 $x=-1$을 대입하면
$y=2\times(-1+3)^2-6=8-6=2$
즉, $y=2(x+3)^2-6$의 그래프는 점 $(-1, 2)$를 지나. ← OK!
④ 이차함수 $y=-\dfrac{1}{3}(x-4)^2+3$의 그래프는 그림과 같으므로 제 2사분면을 지나지 않아. ← OK!

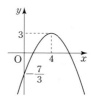

⑤ 이차함수 $y=-\dfrac{1}{2}(x-2)^2-7$의 그래프를 $y$축에 대하여 대칭이동하면
$y=-\dfrac{1}{2}(-x-2)^2-7$
$\therefore y=-\dfrac{1}{2}(x+2)^2-7$ ← NO!
따라서 옳지 않은 것은 ②, ⑤야.

## 116 답 $a>0$, $p<0$, $q<0$

이차함수 $y=a(x-p)^2+q$의 그래프가 아래로 볼록하니까 $a>0$
또, 꼭짓점 $(p, q)$가 제 3사분면 위의 점이니까 $p<0$, $q<0$

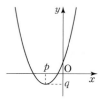

## 117 답 ③, ⑤

$y=a(x-p)^2+q$의 그래프가 위로 볼록하므로 $a<0$
또, 꼭짓점 $(p, q)$가 제 2 사분면 위의 점이니까 $p<0$, $q>0$

① $a<0$, $p<0$이므로 $ap>0$ ← OK!
② $a<0$, $q>0$이므로 $aq<0$ ← OK!
③ $p<0$, $q>0$이므로 $pq<0$ ← NO!
④ $a<0$, $p<0$, $q>0$이므로 $apq>0$ ← OK!
⑤ $a<0$, $p<0$이므로 $a+p<0$ ← NO!

## 118 답 $a-p-q>0$

$y=a(x+p)^2+q$의 그래프가 아래로 볼록하니까 $a>0$
꼭짓점 $(-p, q)$가 제4사분면 위의 점이므로 $-p>0$, $q<0$에서 $p<0$, $q<0$
$\therefore a-p-q=a+(-p)+(-q)>0$

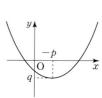

## 119 답 ②

$y=a(x+p)^2+q$의 그래프가 위로 볼록하므로 $a<0$
꼭짓점이 제2사분면 위의 점이니까
$-p<0$, $q>0$에서 $p>0$, $q>0$
즉, 일차함수 $y=apx+pq$의 그래프의 기울기는 $ap<0$이고, $y$절편은 $pq>0$이야.
따라서 일차함수의 그래프는 그림과 같아.

p. 164

## 120  답 $-3$

**1st** 그래프의 폭과 이차항의 계수의 관계를 생각해 보자.
이차항의 계수의 절댓값이 클수록 폭은 좁고 절댓값이 작을수록 폭은 넓어져.
즉, $y=ax^2$의 그래프가 $y=-\dfrac{1}{5}x^2$의 그래프보다 폭이 좁으니까
$a$의 절댓값이 $-\dfrac{1}{5}$의 절댓값보다 커야 해. … ㉠
또, $y=ax^2$의 그래프가 $y=-3x^2$의 그래프보다 폭이 넓으니까 $a$의 절댓값은 $-3$의 절댓값보다 작다는 걸 알 수 있어. … ㉡
**2nd** $a$가 음수임을 이용해.
$a$가 음수이므로 ㉠에서 $a<-\dfrac{1}{5}$
또, ㉡에서 $-3<a<0$
따라서 ㉠, ㉡을 모두 만족시키는 음의 정수 $a$의 값은 $-2$, $-1$이므로 그 합은 $-2+(-1)=-3$이야.

**오답피하기**
이차항의 계수의 절댓값이 클수록 폭이 좁아지고 작을수록 폭이 넓어지는 걸 알아야 해.
그리고 나서 $a$가 음수라는 걸 알고 부등식을 세우는 게 중요해! 음수라는 것에 실수할 수 있어.

## 121  답 $-6$

**1st** 이차항의 계수의 절댓값과 폭의 관계를 알아보자.
$y=ax^2$의 그래프가 $y=-\dfrac{1}{3}x^2$의 그래프보다 폭이 좁으니까 $a$의 절댓값이 $-\dfrac{1}{3}$의 절댓값보다 크지. … ㉠
또, $y=ax^2$의 그래프가 $y=4x^2$의 그래프보다 폭이 넓으니까 $a$의 절댓값은 4보다 작아야 해. … ㉡
**2nd** 음수 $a$의 값의 범위를 따져봐.
$a$가 음수이므로 ㉠에서 $a<-\dfrac{1}{3}$
또, ㉡에서 $-4<a<0$
따라서 ㉠, ㉡을 모두 만족시키는 음의 정수 $a$의 값은 $-3$, $-2$, $-1$이므로 그 합은 $-3+(-2)+(-1)=-6$이야.

## 122  답 $\dfrac{1}{4}$

**1st** $\overline{AB}=\overline{BC}=\overline{CD}=\overline{DE}$에서 다섯 개의 점 A, B, C, D, E가 같은 간격임을 알고 점 B의 $x$좌표를 구해 보자.
점 B는 $y=x^2$의 그래프 위의 점이고 $y$좌표가 16이니까
$16=x^2$에서 $x=\pm4$가 되지.
이때, 점 B는 제 2사분면 위의 점이니까 B$(-4, 16)$이 되어 $\overline{BC}=4$가 돼.
**2nd** $\overline{AB}=\overline{BC}=4$임을 이용하여 점 A의 좌표를 구해서 $a$의 값을 구해 보자.
$\overline{BC}=4$이니까 $\overline{AB}=4$가 되어야 해.
즉, 점 B의 $x$좌표가 $-4$이니까 점 A의 $x$좌표는 $-8$이 됨을 알 수 있어.

그럼 점 A의 좌표가 $(-8, 16)$이 되고 점 A는 $y=ax^2$의 그래프 위의 점이니까
$16=64a$ $\therefore a=\dfrac{1}{4}$

**오답피하기**
A, B, C, D, E의 $y$좌표가 16으로 같고 $\overline{AB}=\overline{BC}=\overline{CD}=\overline{DE}$임을 이용하여 A, B, C, D, E의 좌푯값을 구하는 게 핵심이야. 이걸 제대로 파악하지 못해서 틀리지.
$y$의 값이 같고 같은 간격으로 되어 있으니까 두 점 A, B의 $x$좌표의 차가 두 점 B, C의 $x$좌표의 차가 됨을 알 수 있을 거야.
한편, 이 부분에서 한 번 생각해 볼 것이 있어. 함수식에서 $y=0$을 대입하면 (이차식)$=0$의 모양이 되지? 이를 만족하는 $x$는 이차방정식의 해가 될 거야. 이 해는 이차함수의 그래프가 $x$축과 만나는 점들의 $x$좌표지. 그리고 이 두 좌표의 평균값이 $p$일 때 $x=p$가 축의 방정식이 된단다. 방정식과 함수, 꽤 친하지?

## 123  답 $\dfrac{1}{2}$

**1st** $y$좌표가 같음을 알고 두 점 A, B의 $x$좌표를 구해 보자.
점 B의 $y$좌표가 25이고 $y=x^2$의 그래프 위의 점이므로
$25=x^2$ $\therefore x=\pm5$
이때, 점 B는 제 2사분면 위의 점이니까 B$(-5, 25)$
그럼 $\overline{BC}=5$이고 $\overline{AB}=\overline{BC}$에서 $\overline{AB}=5$가 되지.
즉, 점 B의 $x$좌표가 $-5$이고 $\overline{AB}=5$가 되려면 점 A의 $x$좌표는 $-10$이 되어야 해.
따라서 점 A의 좌표는 $(-10, 25)$야.
**2nd** 점 A는 $y=\dfrac{1}{2}ax^2$의 그래프 위의 점이므로 점 A의 좌표를 대입해서 $a$의 값을 구하자.
점 A는 $y=\dfrac{1}{2}ax^2$의 그래프 위의 점이므로
$25=\dfrac{1}{2}a\times100$ $\therefore a=\dfrac{1}{2}$

## 124  답 ②

**1st** $x$축과 만나는 두 점의 중점의 $x$좌표가 꼭짓점의 $x$좌표임을 알자.
$x$축과 만나는 두 점의 중점의 $x$좌표가 꼭짓점의 $x$좌표이므로
(꼭짓점의 $x$좌표)$=\dfrac{-3+1}{2}=-1$
**2nd** 꼭짓점의 좌표로 이차함수의 식을 만들자.
이차함수의 그래프가 직선 $y=2$와 한 점에서 만나므로 꼭짓점의 좌표는 $(-1, 2)$야.
즉, $y=a(x+1)^2+2$이므로 $p=-1$, $q=2$
이때, 이 이차함수의 그래프가 점 $(1, 0)$을 지나므로 대입하면
$0=4a+2$ $\therefore a=-\dfrac{1}{2}$
$\therefore 2a-p+q=2\times\left(-\dfrac{1}{2}\right)-(-1)+2=2$

**오답피하기**
그래프를 보고 이차함수의 식을 만드는 건데 $x$축과의 교점의 성질을 알면 쉽게 풀 수 있어. 세 점 $(-3, 0)$, $(1, 0)$, $(-1, 2)$를 지난다고 하여 세 점의 좌표를 대입해서 세 문자 $a$, $p$, $q$를 구할 수도 있지만 계산이 복잡해지니까 위 풀이 방식으로 풀도록 해.

## 125 답 ①

**1st** 꼭짓점의 좌표를 구하자.

$x$축과 만나는 두 점의 좌표가 $(-4, 0)$, $(0, 0)$이므로

$$(꼭짓점의 \ x좌표)=\frac{-4+0}{2}=-2$$

또, 직선 $y=-3$과 한 점에서 만나므로 꼭짓점의 좌표는

$(-2, -3)$이야.

즉, $y=a(x+2)^2-3$이므로 $p=-2$, $q=-3$

**2nd** 원점을 지나므로 식에 대입하여 $a$의 값을 구하자.

이때, 이 이차함수의 그래프가 원점 $(0, 0)$을 지나므로 대입하면

$$0=4a-3 \quad \therefore a=\frac{3}{4}$$

$$\therefore a+p+q=\frac{3}{4}+(-2)+(-3)=-\frac{17}{4}$$

## 126 답 ⑤

**1st** 축의 방정식을 이용하여 구하려고 하는 이차함수의 식을 만들어 보자.

축의 방정식이 $x=2$이니까 $p=2$야.

이 함수의 그래프가 두 점 $(1, 1)$, $(0, 3)$을 지나니까 대입해 보면

$1=a+q \cdots$ ㉠

$3=4a+q \cdots$ ㉡

㉡-㉠을 하면

$3a=2 \quad \therefore a=\frac{2}{3} \cdots$ ㉢

㉢을 ㉠에 대입하면

$$\frac{2}{3}+q=1 \quad \therefore q=\frac{1}{3}$$

**2nd** $a+p-q$의 값을 구하자.

$$\therefore a+p-q=\frac{2}{3}+2-\frac{1}{3}=\frac{7}{3}$$

## 127 답 ③

**1st** 축의 방정식을 이용하여 함수식을 세우고 그래프가 지나는 두 점을 대입하자.

축의 방정식이 $x=-3$이므로 구하려는 이차함수의 식은

$y=a(x+3)^2+q$가 되어야 해.

$\therefore p=3$

이 함수의 그래프가 두 점 $(-2, 4)$, $(0, 5)$를 지나니까 대입하면

$4=a+q \cdots$ ㉠

$5=9a+q \cdots$ ㉡

㉡-㉠을 하면

$8a=1 \quad \therefore a=\frac{1}{8} \cdots$ ㉢

㉢을 ㉠에 대입하면

$$4=\frac{1}{8}+q \quad \therefore q=\frac{31}{8}$$

**2nd** $a-p+2q$의 값을 구해 보자.

$$\therefore a-p+2q=\frac{1}{8}-3+\frac{31}{4}=\frac{39}{8}$$

## 128 답 $y=\frac{1}{2}x-2$

**1st** 꼭짓점의 좌표를 구해 보자.

$y=\frac{1}{3}(x+1)^2-\frac{5}{2}$의 그래프의 꼭짓점의 좌표는 $\left(-1, -\frac{5}{2}\right)$

**2nd** 기울기와 한 점이 주어질 때 직선의 방정식을 구해 보자.

기울기가 $\frac{1}{2}$이니까 직선의 방정식을 $y=\frac{1}{2}x+b$로 두고

점 $\left(-1, -\frac{5}{2}\right)$의 좌표를 대입하자.

$$-\frac{5}{2}=-\frac{1}{2}+b \quad \therefore b=-2$$

따라서 구하는 직선의 방정식은 $y=\frac{1}{2}x-2$가 돼.

## 129 답 $y=-\frac{1}{2}x+1$

**1st** 먼저 이차함수의 그래프의 꼭짓점과 $y$축과의 교점의 좌표를 구하자.

$y=-\frac{1}{2}(x+1)^2+\frac{3}{2}$의 그래프의 꼭짓점의 좌표는 $\left(-1, \frac{3}{2}\right)$

또, $x=0$을 대입하면 $y=-\frac{1}{2}+\frac{3}{2}=1$이므로 $y$축과 만나는 점의 좌표는 $(0, 1)$이 돼.

**2nd** 두 점을 지나는 직선의 방정식을 구하자.

두 점 $\left(-1, \frac{3}{2}\right)$, $(0, 1)$을 지나는 직선에서

$$(기울기)=\frac{1-\frac{3}{2}}{0-(-1)}=-\frac{1}{2}$$

또, $y$절편은 1이므로 구하는 직선의 방정식은

$y=-\frac{1}{2}x+1$이야.

## 130 답 ①

**1st** 이차함수 $y=a(x-p)^2+q$의 그래프를 보고 $a$, $p$, $q$의 부호를 결정해 보자.

그래프가 위로 볼록하니까 $a<0$

이차함수 $y=a(x-p)^2+q$의 그래프의 꼭짓점의 좌표가 $(p, q)$이고, 꼭짓점이 제 2사분면 위에 있으므로 $p<0$, $q>0$

**2nd** $a$, $p$, $q$의 부호를 통해 $y=q(x-a)^2+p$의 그래프를 그려 보자.

$q>0$이므로 $y=q(x-a)^2+p$의 그래프는 아래로 볼록하고, 꼭짓점 $(a, p)$는 $a<0$, $p<0$이므로 제 3사분면 위에 있지?

따라서 그래프를 그리면 다음과 같아.

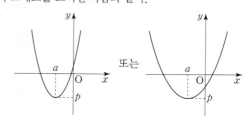

## 131 답 ③

**1st** $y=a(x-p)^2+q$의 그래프를 보고, $a$, $p$, $q$의 부호를 정하자.
이차함수 $y=a(x-p)^2+q$의 그래프가 아래로 볼록하니까
$a>0$
꼭짓점 $(p, q)$가 제4사분면 위에 있으니까
$p>0$, $q<0$
**2nd** $a$, $p$, $q$의 부호를 알고 $y=q(x-a)^2+p$의 그래프를 그리자.
이차함수 $y=q(x-a)^2+p$의 그래프는 $q<0$이니까 위로 볼록해.
또, 꼭짓점 $(a, p)$에서 $a>0$, $p>0$이니까 제1사분면 위의 점이므로 그래프를 그리면 그림과 같아.

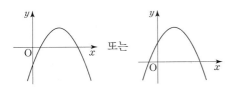

## 서술형 다지기
p. 166

## 132 답 $\frac{50}{9}$

**먼저,** 꼭짓점의 좌표를 이용하여 $p$, $q$의 값을 구하자.
$y=a(x-p)^2+q$에서 꼭짓점의 좌표는 $(p, q)$이므로
$p=2$, $q=4$ ··· I
**그다음,** $a$의 값을 구하자.
$y=a(x-2)^2+4$의 그래프가 점 $(-1, 0)$을 지나므로
$x=-1$, $y=0$을 대입하면
$0=a\times(-3)^2+4$ ∴ $a=-\frac{4}{9}$ ··· II
**그래서,** $a+p+q$의 값을 구하자.
∴ $a+p+q=\left(-\frac{4}{9}\right)+2+4=\frac{50}{9}$ ··· III

## 133 답 $-6$

**먼저,** 꼭짓점의 좌표를 이용하여 $p$, $q$의 값을 구하자.
$y=a(x-p)^2+q$에서 꼭짓점의 좌표는 $(p, q)$이므로
$p=-3$, $q=-4$ ··· I
**그다음,** $a$의 값을 구하자.
$y=a(x+3)^2-4$의 그래프가 점 $(0, 5)$를 지나므로
$x=0$, $y=5$를 대입하면
$5=a\times 3^2-4$, $9a=9$ ∴ $a=1$ ··· II
**그래서,** $a+p+q$의 값을 구하자.
∴ $a+p+q=1+(-3)+(-4)=-6$ ··· III

## 134 답 $-1$

**먼저,** 꼭짓점의 $x$좌표의 범위에 맞는 $a$의 값의 범위를 정하자.
이차함수 $y=(x+a)^2-2a-3$의 그래프의 꼭짓점이 제4사분면 위에 있으려면 꼭짓점의 $x$좌표인 $-a$가 0보다 커야 한다.
$-a>0$ ∴ $a<0$ ··· ㉠ ··· I
**그다음,** 꼭짓점의 $y$좌표의 범위에 맞는 $a$의 값의 범위를 정하자.
또, 꼭짓점의 $y$좌표의 값은 0보다 작아야 하므로
$-2a-3<0$ ∴ $a>-\frac{3}{2}$ ··· ㉡ ··· II
**그래서,** 정수 $a$의 값을 구하자.
따라서 ㉠, ㉡을 모두 만족시키는 정수 $a$의 값은 $-1$이다. ··· III

## 135 답 1

**먼저,** 꼭짓점의 $x$좌표의 범위에 맞는 $a$의 값의 범위를 정하자.
이차함수 $y=(x-a)^2+a-2$의 그래프의 꼭짓점이 제4사분면 위에 있으려면 $a>0$ ··· ㉠ ··· I
**그다음,** 꼭짓점의 $y$좌표의 범위에 맞는 $a$의 값의 범위를 정하자.
또, 꼭짓점이 제4사분면 위에 있으려면
$a-2<0$ ∴ $a<2$ ··· ㉡ ··· II
**그래서,** 정수 $a$의 값을 구하자.
따라서 ㉠, ㉡을 모두 만족시키는 정수 $a$의 값은 1이다. ··· III

## 136 답 1

$y=2x^2-18$이 $x$축과 만나는 점이 $y=a(x-b)^2$의 꼭짓점이므로
$y=0$을 대입하면
$2x^2-18=0$, $2x^2=18$ ∴ $x=\pm 3$
∴ $b=3$ $(∵ b>0)$ ··· I
또한, $y=2x^2-18$의 그래프의 꼭짓점 $(0, -18)$이 $y=a(x-3)^2$의 그래프 위의 점이므로 대입하면
$-18=a\times(-3)^2$ ∴ $a=-2$ ··· II
∴ $a+b=-2+3=1$ ··· III

## 137 답 28

$y=\frac{1}{2}x^2-k$의 그래프가 $x$축과 만나는 점의 $x$좌표를 구해 보면
$\frac{1}{2}x^2-k=0$, $x^2=2k$ ∴ $x=\pm\sqrt{2k}$
즉, 두 점 A, B 사이의 거리는 $2\sqrt{2k}$이다. ··· I
이때, 이 값이 정수가 되려면 $k=2n^2$(단, $n$은 정수)의 형태가 되어야 하고, $k$가 20보다 작은 자연수이므로
$k=2\times 1^2=2$, $k=2\times 2^2=8$, $k=2\times 3^2=18$ ··· II
따라서 모든 $k$의 값의 합은 $2+8+18=28$이다. ··· III

## 138 답 2

이차함수 $y=x^2$의 그래프를 $x$축의 방향으로
$2k$만큼 평행이동하면 $y=(x-2k)^2$이다.
$x$축과 만나는 점의 $x$좌표는 $0=(x-2k)^2$에서 $x=2k$이므로
A$(2k,\ 0)$ ⋯ Ⅰ
$y$축과 만나는 점의 $y$좌표는 $y=(2k)^2=4k^2$이므로
B$(0,\ 4k^2)$ ⋯ Ⅱ
이때, $\triangle OAB=\dfrac{1}{2}\times 2k\times 4k^2=4k^3$에서 $4k^3=32$이므로
$k^3=8=2^3$ ∴ $k=2$ ⋯ Ⅲ

## 139 답 $-18,\ -4$

점 $(4,\ -2)$가 $y=(x-p)^2+q$의 그래프 위의 점이므로 좌표를 대입하면
$-2=(4-p)^2+q$ ⋯ ㉠
꼭짓점 $(p,\ q)$가 직선 $y=-3x$ 위에 있으므로
$q=-3p$ ⋯ ㉡ ⋯ Ⅰ
㉡을 ㉠에 대입하면 $(4-p)^2-3p=-2$
$p^2-11p+18=0,\ (p-2)(p-9)=0$
∴ $p=2$ 또는 $p=9$
(i) $p=2$일 때, $q=-6$ (∵ ㉡)
(ii) $p=9$일 때, $q=-27$ (∵ ㉡) ⋯ Ⅱ
∴ $p+q=2+(-6)=-4$ 또는 $p+q=9+(-27)=-18$ ⋯ Ⅲ

## 140 답 $-3$

$y=(x-m)^2-m^2-4m+3$의 그래프를 $x$축의 방향으로 $m$만큼,
$y$축의 방향으로 $2m$만큼 평행이동하면
$y=(x-2m)^2-m^2-2m+3$ ⋯ ㉠ ⋯ Ⅰ
㉠이 $x$축과 한 점에서 만나기 위해서는 꼭짓점의 $y$좌표가 0이어야
한다. ⋯ Ⅱ
$-m^2-2m+3=0,\ m^2+2m-3=0$
$(m+3)(m-1)=0$
∴ $m=-3$ 또는 $m=1$
따라서 음수 $m$의 값은 $m=-3$이다. ⋯ Ⅲ

## 141 답 제 3사분면

주어진 그래프가 아래로 볼록하므로 $a>0$
꼭짓점 $(p,\ q)$가 제 4사분면 위에 있으므로 $p>0,\ q<0$ ⋯ Ⅰ
일차함수 $y=\dfrac{q}{a}x+\dfrac{a}{p}$의 그래프에서

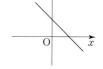

(i) $a$와 $q$의 부호가 서로 다르므로
　(기울기)$=\dfrac{q}{a}<0$
(ii) $a$와 $p$의 부호가 서로 같으므로
　($y$절편)$=\dfrac{a}{p}>0$ ⋯ Ⅱ

따라서 일차함수 $y=\dfrac{q}{a}x+\dfrac{a}{p}$의 그래프가 지나지 않는 사분면은
제3사분면이다. ⋯ Ⅲ

### 최고난도 만점 문제

p. 168

## 142 답 ①

**1st** $y$가 $x$에 대한 이차함수가 되려면 $y^2$의 항이 없어야 하므로 $y^2$의 계수가 0이 되게 하자.
$(a^2-4)x^2+3x+(a^2+a-6)y^2-2y=0$에서 $y$가 $x$에 대한 이차함수이니까 $y^2$의 계수 $a^2+a-6=0$이어야 해.
$a^2+a-6=0,\ (a+3)(a-2)=0$
∴ $a=-3$ 또는 $a=2$ ⋯ ㉠

**2nd** $x^2$의 계수가 0이 되면 안 되는 걸 이용해서 $a$의 값을 구해 보자.
$x^2$의 계수가 0이 되면 이차함수가 아니기 때문에 $a^2-4\neq 0$이어야 하지.
$a^2-4\neq 0,\ (a+2)(a-2)\neq 0$
∴ $a\neq -2$이고 $a\neq 2$ ⋯ ㉡
따라서 ㉠, ㉡에 의해서 $a=-3$이야.

## 143 답 $(2,\ 0)$

**1st** 이차함수의 그래프를 그리고 직선 $y=-2$에 대하여 대칭이동시켜 보자.

$y=\dfrac{1}{4}(x-2)^2-4$의 그래프는 아래로
볼록하고 꼭짓점이 $(2,\ -4)$이므로
그림과 같아.

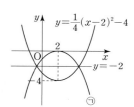

$y=\dfrac{1}{4}(x-2)^2-4$의 그래프를 직선
$y=-2$에 대칭이동시킨 그래프를
㉠이라 하자.
㉠의 꼭짓점의 좌표를 $(a,\ b)$라 하면 $x$좌표는 처음 그래프와 같아
야 하므로 $a=2$

$y$좌표 $b$와 처음 그래프의 꼭짓점의 $y$좌표 $-4$의 중점이 $-2$가 되어야 하므로

$$\frac{b+(-4)}{2}=-2 \quad \therefore b=0$$

따라서 ㉠의 꼭짓점의 좌표는 $(2,\ 0)$이야.

## 144 답 ③

**1st** 제 1, 3, 4사분면만을 지나는 그래프를 그리고 $a$, $p$, $q$의 부호를 구해 보자.

제 1, 3, 4사분면만 지나는 이차함수의 그래프는 그림과 같아.

$y=-a(x+p)^2+q$에서 위로 볼록하므로
$-a<0 \quad \therefore a>0$

또, 꼭짓점 $(-p,\ q)$가 제 1사분면 위의
점이니까
$-p>0,\ q>0 \quad \therefore p<0,\ q>0$

**2nd** 옳은 것은 직접 밝혀 보자.

① $a>0$, $p<0$에서 $a+p>0$인지 $a+p<0$인지는 알 수 없어. ← NO!

② $p<0$, $q>0$이니까 $pq<0$ ← NO!

③ $a>0$이고, $p<0$에서 $p^2>0$이므로 $ap^2>0$이야.
 즉, $q>0$이니까 $ap^2+q>0$ ← OK!

④ $a>0$, $p<0$, $q>0$이니까 $apq<0$ ← NO!

⑤ $-p>0$, $q>0$이니까 $q-p=q+(-p)>0$ ← NO!

## 145 답 4

**1st** 점 A의 $x$좌표를 $a$라 놓고 세 점 A, B, D의 좌표를 $a$에 대하여 나타내봐.

점 A의 $x$좌표를 $a(a>0)$라 하면 점 A는 이차함수 $y=2x^2$의 그래프 위의 점이므로 $A(a,\ 2a^2)$이야.

또, 점 D도 이차함수 $y=2x^2$의 그래프 위의 점이고 $\overline{AD}$가 $x$축에 평행하므로 $D(-a,\ 2a^2)$이지.

그리고 $\overline{AB}$는 $y$축에 평행하니까 점 B의 $x$좌표는 $a$이고, 점 B가 이차함수 $y=-x^2+5$의 그래프 위의 점이므로 $B(a,\ -a^2+5)$야.

**2nd** □ABCD가 정사각형이므로 $\overline{AB}=\overline{AD}$야.

$\overline{AB}=(-a^2+5)-2a^2=-3a^2+5$이고, $\overline{AD}=2a$지?

이때, □ABCD가 정사각형이므로 $\overline{AB}=\overline{AD}$에서
$-3a^2+5=2a,\ 3a^2+2a-5=0$
$(3a+5)(a-1)=0 \quad \therefore a=1 \ (\because a>0)$

**3rd** □ABCD의 넓이를 구하자.

따라서 정사각형 ABCD의 한 변의 길이가 $\overline{AD}=2a=2\times1=2$이므로 □ABCD의 넓이는 $2\times2=4$가 돼.

## 146 답 ⑤

**1st** $y=-\left(x-\dfrac{1}{2}\right)^2-\dfrac{7}{4}$의 그래프와 직선 $y=2x-8$이 만나는 점의 좌표를 구해 보자.

두 이차함수 $y=-\left(x-\dfrac{1}{2}\right)^2-\dfrac{7}{4}$, $y=x^2+ax+b$의 그래프가 만나는 두 점이 직선 $y=2x-8$ 위에 있으니까 $y=-\left(x-\dfrac{1}{2}\right)^2-\dfrac{7}{4}$의 그래프와 직선 $y=2x-8$이 만나는 두 점이 $y=x^2+ax+b$의 그래프 위에 있게 돼.

우선 $y=-\left(x-\dfrac{1}{2}\right)^2-\dfrac{7}{4}$의 그래프와 직선 $y=2x-8$이 만나는 점의 좌표를 구해 보자.

$$\begin{cases} y=-\left(x-\dfrac{1}{2}\right)^2-\dfrac{7}{4} & \cdots ㉠ \\ y=2x-8 & \cdots ㉡ \end{cases}$$

㉡을 ㉠에 대입해 보면

$2x-8=-\left(x-\dfrac{1}{2}\right)^2-\dfrac{7}{4}$
$2x-8=-x^2+x-2$
$x^2+x-6=0$
$(x+3)(x-2)=0$
$\therefore x=-3$ 또는 $x=2 \cdots ㉢$

㉢을 ㉡에 대입해 보면
$x=-3$일 때 $y=-14$이고, $x=2$일 때 $y=-4$

따라서 두 점 $(-3,\ -14)$, $(2,\ -4)$가 만나는 점이야. ··· ㉣

**2nd** 구한 두 점의 좌푯값을 $y=x^2+ax+b$에 대입해서 $a$, $b$의 값을 구해 보자.

$y=x^2+ax+b$의 그래프가 ㉣의 두 점을 지나니까 대입해서 $a$, $b$에 대한 두 식을 구할 수 있지?

$-14=9-3a+b$
$-4=4+2a+b$

두 식을 연립하여 풀면
$a=3,\ b=-14$
$\therefore a+b=3+(-14)=-11$

## 147 답 −4

**1st** 이차함수의 식을 구해 보자.

그래프에서 꼭짓점의 좌표가 $(1,\ -1)$이므로 이차항의 계수를 $a$라 하면 이차함수의 식은 $y=a(x-1)^2-1$

이 그래프가 점 $(0,\ 0)$을 지나니까
$0=a-1 \quad \therefore a=1$
$\therefore y=(x-1)^2-1$

**2nd** 이차함수의 그래프와 직선 $y=2$의 교점의 $x$좌표가 $\alpha$, $\beta$임을 이용하여 $\dfrac{\beta}{\alpha}+\dfrac{\alpha}{\beta}$의 값을 구해 보자.

$y=(x-1)^2-1$의 그래프와 직선 $y=2$의 교점의 $x$좌표를 구하기 위해 식을 세우면
$(x-1)^2-1=2,\ x^2-2x-2=0$
즉, 이차방정식 $x^2-2x-2=0$이 두 근이 $\alpha$, $\beta$야.

이때, 두 근이 $\alpha$, $\beta$이고 $x^2$의 계수가 1인 이차방정식은
$(x-\alpha)(x-\beta)=0$에서 $x^2-(\alpha+\beta)x+\alpha\beta=0$이므로
$\alpha+\beta=2,\ \alpha\beta=-2$야.

$$\therefore \frac{\beta}{\alpha}+\frac{\alpha}{\beta}=\frac{\alpha^2+\beta^2}{\alpha\beta}$$
$$=\frac{(\alpha+\beta)^2-2\alpha\beta}{\alpha\beta}$$
$$=\frac{4+4}{-2}=-4$$

**[다른 풀이]**

이차방정식 $x^2-2x-2=0$의 해를 근의 공식을 이용하여 구하면
$x=1\pm\sqrt{1+2}=1\pm\sqrt{3}$
즉, $\alpha=1-\sqrt{3}$, $\beta=1+\sqrt{3}$이므로

$$\frac{\beta}{\alpha}+\frac{\alpha}{\beta}=\frac{1+\sqrt{3}}{1-\sqrt{3}}+\frac{1-\sqrt{3}}{1+\sqrt{3}}$$
$$=\frac{(1+\sqrt{3})^2}{-2}+\frac{(1-\sqrt{3})^2}{-2}$$
$$=\frac{4+2\sqrt{3}}{-2}+\frac{4-2\sqrt{3}}{-2}$$
$$=-2-\sqrt{3}+(-2+\sqrt{3})=-4$$

## 148 답 $2\sqrt{3}-2$

**1st** 점 P에서 $\overline{AD}$, $\overline{AB}$에 수선의 발을 내린 후 닮음을 이용해.

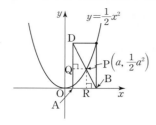

점 P의 $y$좌표를 $b$라 하면 점 $P(a, b)$는 $y=\frac{1}{2}x^2$의 그래프 위의 점이니까 $b=\frac{1}{2}a^2$

즉, $P\left(a, \frac{1}{2}a^2\right)$이야.

점 P에서 $\overline{AD}$, $\overline{AB}$에 내린 수선의 발을 각각 Q, R라 하면 $\triangle DQP \backsim \triangle PRB$야.

조건에서 $\overline{PD}:\overline{PB}=2:1$이니까 $\overline{DQ}:\overline{PR}=2:1$에서

$\overline{DQ}=2\overline{PR}=2\times\frac{1}{2}a^2=a^2$

$\therefore$ (점 D의 $y$좌표)$=\frac{1}{2}a^2+a^2=\frac{3}{2}a^2$

점 C의 $y$좌표도 $\frac{3}{2}a^2$이고 점 C가 $y=\frac{1}{2}x^2$의 그래프 위의 점이므로 $x$좌표를 구하면

$\frac{3}{2}a^2=\frac{1}{2}x^2$, $x^2=3a^2$

$\therefore x=\sqrt{3}a \; (\because a>0)$

즉, 점 C의 좌표는 $\left(\sqrt{3}a, \frac{3}{2}a^2\right)$, 점 B의 좌표는 $(\sqrt{3}a, 0)$이야.

또, $\overline{BR}=\sqrt{3}a-a$이고 $\overline{AR}=2\overline{BR}$이니까

$\overline{AR}=2(\sqrt{3}a-a)=(2\sqrt{3}-2)a$

이때, 점 A의 $x$좌표는 $a-(2\sqrt{3}-2)a=(3-2\sqrt{3})a$이므로

점 A의 좌표는 $((3-2\sqrt{3})a, 0)$이고,

점 D의 좌표는 $\left((3-2\sqrt{3})a, \frac{3}{2}a^2\right)$이야.

**2nd** $\square ABCD$가 정사각형이면 $\overline{AB}=\overline{AD}$이지?

$\square ABCD$가 정사각형이니까 $\overline{AB}=\overline{AD}$에서

$\sqrt{3}a-(3-2\sqrt{3})a=\frac{3}{2}a^2$

$(3\sqrt{3}-3)a=\frac{3}{2}a^2 \cdots \bigcirc$

그런데 $a>0$에서 $a\neq0$이므로 $\bigcirc$의 양변을 $a$로 나누면

$\frac{3}{2}a=3\sqrt{3}-3$

$\therefore a=\frac{2}{3}\times(3\sqrt{3}-3)=2\sqrt{3}-2$

---

# I 이차함수와 그래프(2)

**개념 체크 001~015** 정답은 p. 7에 있습니다.

## 유형 다지기 [학교시험+학력평가]

문제편 p. 172

### 016 답 ③

$y=-2x^2+8x-5$
$\quad=-2(x^2-\boxed{4x})-5$ ← $x^2$의 계수로 이차항과 일차항을 묶어.
$\quad\overset{\text{(가)}}{}$
$\quad=-2(x^2-4x+4-4)-5$ ← $\left\{\frac{(x의 계수)}{2}\right\}^2$을 더하고 빼.
$\quad\;\;\overset{\text{(나)}}{}\quad\overset{\text{(다)}}{}$
$\quad=-2(x-\boxed{2})^2+8-5$ ← 완전제곱식의 꼴로 바꾸어야 해.
$\quad\quad\quad\overset{\text{(라)}}{}$
$\quad=-2(x-\boxed{2})^2+3$ ← 상수항을 계산하면 되는 거야.
$\quad\quad\quad\overset{\text{(라)}}{}\quad\overset{\text{(마)}}{}$

### 017 답 18

$y=-2x^2+12x-1$
$\quad=-2(x^2-6x)-1$
$\quad=-2(x^2-6x+9-9)-1$
$\quad=-2(x-3)^2+18-1$
$\quad=-2(x-3)^2+17$
이것이 $y=a(x-p)^2+q$와 같으므로
$a=-2, p=3, q=17$
$\therefore a+p+q=-2+3+17=18$

### 018 답 1

$y=3x^2+6x+1$
$\quad=3(x^2+2x)+1$
$\quad=3(x^2+2x+1-1)+1$
$\quad=3(x+1)^2-3+1$
$\quad=3(x+1)^2-2$
이것이 $y=3(x-p)^2+q$와 같으므로
$p=-1, q=-2$
$\therefore p-q=-1-(-2)=1$

### 019 답 1

이차함수 $y=x^2-ax-1$의 그래프가 점 $(1, -4)$를 지나니까
$-4=1-a-1 \quad \therefore a=4$
$y=x^2-4x-1$을 완전제곱식의 꼴로 고쳐 보자.
$y=x^2-4x-1$
$\quad=(x^2-4x+4-4)-1$
$\quad=(x-2)^2-5$
이것이 $y=(x-b)^2+c$와 같으므로 $b=2, c=-5$
$\therefore a+b+c=4+2+(-5)=1$

### 020 답 ④

$y=x^2-4x+k$에 $x=3, y=-1$을 대입하면
$-1=9-12+k \quad \therefore k=2$
즉, $y=x^2-4x+2=(x-2)^2-2$이므로 구하는 꼭짓점의 좌표는 $(2, -2)$야.

---

## 021 답 −5

$$y=-2x^2+px-3=-2\left(x^2-\frac{p}{2}x+\frac{p^2}{16}-\frac{p^2}{16}\right)-3$$
$$=-2\left(x-\frac{p}{4}\right)^2+\frac{p^2}{8}-3$$

꼭짓점의 좌표가 $(-1, q)$이므로

$$\frac{p}{4}=-1, \ \frac{p^2}{8}-3=q$$

따라서 $p=-4$, $q=\frac{16}{8}-3=-1$이므로

$$p+q=-4+(-1)=-5$$

**[다른 풀이]**

$x^2$의 계수가 $-2$이고 꼭짓점의 좌표가 $(-1, q)$인 이차함수는
$$y=-2(x+1)^2+q=-2(x^2+2x+1)+q$$
$$=-2x^2-4x-2+q$$
이것이 $y=-2x^2+px-3$과 같으므로
$p=-4$, $-2+q=-3$에서 $p=-4$, $q=-1$
$\therefore p+q=-4+(-1)=-5$

## 022 답 ④

① $y=-x^2+2$의 그래프의 꼭짓점의 좌표는 $(0, 2)$
  ⇨ $y$축 위의 점
② $y=3(x+1)^2$의 그래프의 꼭짓점의 좌표는 $(-1, 0)$
  ⇨ $x$축 위의 점
③ $y=-x^2-2x=-(x^2+2x)$
    $=-(x^2+2x+1-1)=-(x+1)^2+1$
  그래프의 꼭짓점의 좌표는 $(-1, 1)$ ⇨ 제 2 사분면 위의 점
④ $y=x^2-4x-3=(x^2-4x+4-4)-3$
    $=(x-2)^2-7$
  그래프의 꼭짓점의 좌표는 $(2, -7)$ ⇨ 제 4사분면 위의 점
⑤ $y=-x^2+6x+1=-(x^2-6x+9-9)+1$
    $=-(x-3)^2+10$
  그래프의 꼭짓점의 좌표는 $(3, 10)$ ⇨ 제 1사분면 위의 점
따라서 꼭짓점이 제 4사분면 위에 있는 것은 ④야.

## 023 답 ㄷ, ㄱ, ㄴ, ㅁ, ㄹ

ㄱ. $y=5x^2-1$의 그래프의 축의 방정식은 $x=0$
ㄴ. $y=-3(x-1)^2$의 그래프의 축의 방정식은 $x=1$
ㄷ. $y=\frac{1}{3}(x+2)^2+1$의 그래프의 축의 방정식은 $x=-2$
ㄹ. $y=-x^2+5x-2$
    $=-\left(x^2-5x+\frac{25}{4}-\frac{25}{4}\right)-2$
    $=-\left(x-\frac{5}{2}\right)^2+\frac{17}{4}$
  즉, 그래프의 축의 방정식은 $x=\frac{5}{2}$
ㅁ. $y=-\frac{1}{2}x^2+2x-4$
    $=-\frac{1}{2}(x^2-4x+4-4)-4$
    $=-\frac{1}{2}(x-2)^2-2$
  즉, 그래프의 축의 방정식은 $x=2$
따라서 축이 가장 왼쪽에 있는 것부터 나열하면
ㄷ, ㄱ, ㄴ, ㅁ, ㄹ이야.

## 024 답 ②

$$y=x^2+ax+1=\left\{x^2+ax+\left(\frac{a}{2}\right)^2-\left(\frac{a}{2}\right)^2\right\}+1$$
$$=\left(x+\frac{a}{2}\right)^2-\frac{a^2}{4}+1$$

축의 방정식은 $x=-\frac{a}{2}$이므로

$$-\frac{a}{2}=-1 \qquad \therefore a=2$$

## 025 답 ④

$y=x^2-4x+5=(x-2)^2+1$이므로 꼭짓점의 좌표는 $(2, 1)$이야.
$$y=-x^2-2px+q=-(x^2+2px)+q$$
$$=-(x^2+2px+p^2-p^2)+q$$
$$=-(x+p)^2+p^2+q$$
이므로 꼭짓점의 좌표는 $(-p, p^2+q)$야.
그런데 두 꼭짓점이 일치하므로
$-p=2$, $p^2+q=1$에서 $p=-2$, $q=1-(-2)^2=-3$
$\therefore pq=(-2)\times(-3)=6$

## 026 답 2

주어진 이차함수의 그래프의 꼭짓점의 좌표를 구해 보면
$$y=x^2+4kx+4k^2+2k-3$$
$$=(x^2+4kx+4k^2)+2k-3$$
$$=(x+2k)^2+2k-3$$
이 이차함수의 그래프의 꼭짓점 $(-2k, 2k-3)$이 제 2사분면 위의
점이므로 $x$좌표는 음수, $y$좌표는 양수가 되어야 해.
즉, $-2k<0$이고 $2k-3>0$에서 $k>0$이고 $k>\frac{3}{2}$야.
따라서 조건을 모두 만족시키는 가장 작은 자연수 $k$의 값은 2야.

## 027 답 ③

이차함수 $y=x^2-4x+k$의 그래프의 꼭짓점의 좌표를 구해 보면
$$y=x^2-4x+k=(x^2-4x+4-4)+k$$
$$=(x-2)^2-4+k$$
즉, 이 이차함수의 꼭짓점의 좌표는 $(2, -4+k)$야.
이 꼭짓점이 직선 $2x+3y-1=0$ 위에 있으니까 꼭짓점의 좌표를
대입하면
$4+3(-4+k)-1=0$, $4-12+3k-1=0$
$3k-9=0 \qquad \therefore k=3$

## 028 답 ③

일차함수 $y=ax+b$의 그래프가 두 점 $(-2, 0)$, $(0, 2)$를 지나니
까 두 점의 좌표를 대입해 보면
$$\begin{cases} 0=-2a+b \\ 2=b \end{cases} \qquad \therefore a=1, \ b=2$$
즉, $y=ax^2+bx-1=x^2+2x-1$이지?
이제 이 이차함수의 그래프의 꼭짓점의 좌표를 구해 보자.
$$y=x^2+2x-1=(x^2+2x+1-1)-1$$
$$=(x+1)^2-2$$
따라서 꼭짓점의 좌표는 $(-1, -2)$이고, $x$좌표와 $y$좌표가 모두
음수이므로 제 3사분면 위의 점이야.

## 029 답 $-4$

이차함수 $y=-\dfrac{1}{2}x^2-2x-4$를 완전제곱식의 꼴로 고치면

$y=-\dfrac{1}{2}x^2-2x-4=-\dfrac{1}{2}(x^2+4x+4-4)-4$

$\qquad =-\dfrac{1}{2}(x+2)^2-2$

즉, 이차함수 $y=-\dfrac{1}{2}(x+2)^2-2$의 그래프는 $y=-\dfrac{1}{2}x^2$의 그래프를 $x$축의 방향으로 $-2$만큼, $y$축의 방향으로 $-2$만큼 평행이동한 거야.

따라서 $a=-2$, $b=-2$이므로

$a+b=-2+(-2)=-4$

## 030 답 $y=-x^2-4x-3$

그림을 보면 이차함수 $y=-x^2$의 그래프를 $x$축의 방향으로 $-2$만큼, $y$축의 방향으로 $1$만큼 평행이동시킨 걸 알 수 있지?

$\therefore y=-(x+2)^2+1=-x^2-4x-3$

## 031 답 ②

어떤 이차함수의 그래프를 $x$축의 방향으로 $1$만큼, $y$축의 방향으로 $2$만큼 평행이동해서 $y=2(x-3)^2+5$의 그래프가 되었다고 하므로 처음 이차함수의 그래프는 $y=2(x-3)^2+5$의 그래프를 $x$축의 방향으로 $-1$만큼, $y$축의 방향으로 $-2$만큼 평행이동시킨 거야.

즉, $y=2(x-3+1)^2+5-2$에서 $y=2(x-2)^2+3$이므로

이 식을 전개하면

$y=2(x^2-4x+4)+3=2x^2-8x+11$

## 032 답 $-3$

먼저 이차함수 $y=x^2-6x+2$를 완전제곱식의 꼴로 고친 뒤 평행이동시키자.

$y=x^2-6x+2=(x^2-6x+9-9)+2=(x-3)^2-7$

이것을 $x$축의 방향으로 $1$만큼 평행이동시키면

$y=(x-3-1)^2-7=(x-4)^2-7$

이 함수의 그래프가 점 $(2, k)$를 지나니까 좌표를 대입하면

$k=(2-4)^2-7=-3$

## 033 답 $-2$

이차함수 $y=a(x-2)^2-3$의 그래프를 $x$축의 방향으로 $-4$만큼, $y$축의 방향으로 $2$만큼 평행이동시키면

$y=a(x-2+4)^2-3+2=a(x+2)^2-1=ax^2+4ax+4a-1$

이것이 $y=-3x^2+px+q$와 같으므로

$a=-3$, $4a=p$, $4a-1=q$

따라서 $a=-3$, $p=-12$, $q=-13$이므로

$a+p-q=-3+(-12)-(-13)=-2$

## 034 답 ②

이차함수 $y=-3x^2+6x+4$를 완전제곱식의 꼴로 고쳐 보면

$y=-3x^2+6x+4=-3(x^2-2x)+4$

$\qquad =-3(x^2-2x+1-1)+4$

$\qquad =-3(x-1)^2+7$

이 그래프는 위로 볼록하고 축의 방정식이 $x=1$이므로 $x<1$일 때, $x$의 값이 증가하면 $y$의 값도 증가해.

## 035 답 $x>6$

$y=\dfrac{1}{3}x^2-4x+11=\dfrac{1}{3}(x^2-12x+36-36)+11$

$\qquad =\dfrac{1}{3}(x-6)^2-1$

따라서 이 그래프에서 $x$의 값이 증가할 때 $y$의 값도 증가하는 $x$의 값의 범위는 $x>6$이야.

## 036 답 $x<-\dfrac{1}{2}$

이차함수 $y=2x^2+mx-5$의 그래프가 점 $(2, 7)$을 지나니까 좌표를 대입하면

$7=8+2m-5$ $\quad \therefore m=2$

$\therefore y=2x^2+2x-5$

이 식을 완전제곱식의 꼴로 고쳐 보면

$y=2x^2+2x-5=2\left(x^2+x+\dfrac{1}{4}-\dfrac{1}{4}\right)-5$

$\qquad =2\left(x+\dfrac{1}{2}\right)^2-\dfrac{11}{2}$

따라서 이 그래프에서 $x$의 값이 증가할 때 $y$의 값은 감소하는 $x$의 값의 범위는 $x<-\dfrac{1}{2}$이야.

## 037 답 ⑤

이차함수 $y=-2x^2-8mx-4m^2+2$를 완전제곱식의 꼴로 고치면

$y=-2x^2-8mx-4m^2+2=-2(x^2+4mx)-4m^2+2$

$\qquad =-2(x^2+4mx+4m^2-4m^2)-4m^2+2$

$\qquad =-2(x+2m)^2+4m^2+2 \cdots$ ㉠

이때, $x<-2$이면 $x$의 값이 증가할 때 $y$의 값도 증가하고 $x>-2$이면 $x$의 값이 증가할 때 $y$의 값은 감소한다는 것은 이 그래프의 축의 방정식이 $x=-2$라는 거야.

㉠에서 축의 방정식이 $x=-2m$이므로

$-2m=-2$ $\quad \therefore m=1 \cdots$ ㉡

㉡을 ㉠에 대입하면 $y=-2(x+2)^2+6$

따라서 이 이차함수의 그래프의 꼭짓점의 좌표는 $(-2, 6)$이므로 꼭짓점의 $y$좌표는 $6$이야.

## 038 답 ⑤

이차함수 $y=-2x^2-6x+8$의 그래프가 $x$축과 만나는 두 점의 $x$좌표 $p$, $q$는 $y=0$일 때의 $x$의 값이야.

즉, 이차방정식 $-2x^2-6x+8=0$의 두 근이 $p$, $q$가 되는 거야.

이차방정식을 풀어 보면

$-2(x^2+3x-4)=0$, $-2(x+4)(x-1)=0$

$\therefore x=-4$ 또는 $x=1$

따라서 $p=-4$, $q=1$ 또는 $p=1$, $q=-4$야.

또, $y$축과 만나는 점의 $y$좌표 $k$는 $x=0$일 때의 $y$의 값이니까

$y=8$에서 $k=8$이야.

$\therefore p+q+k=1+(-4)+8=5$

## 039 답 ④

$x^2$의 계수가 $1$인 이차함수의 그래프의 꼭짓점의 좌표가 $(-1, 3)$이면 $y=(x+1)^2+3=x^2+2x+1+3=x^2+2x+4$

이것과 $y=x^2+bx+c$가 같으므로 $b=2$, $c=4$

따라서 $y=x^2+2x+4$에서 $x=0$일 때 $y=4$이므로 $y$축과 만나는 점의 좌표는 $(0, 4)$야.

## 040 답 $k<-1$

이차함수 $y=x^2+2x+k+2$의 그래프가 $x$축과 서로 다른 두 점에서 만나려면 이차방정식 $x^2+2x+k+2=0$이 서로 다른 두 근을 가지면 돼.

$2^2-4(k+2)>0$
$4-4k-8>0$
$-4k>4$
$\therefore k<-1$

## 041 답 ④

이차함수 $y=-x^2-x+20$의 그래프가 $x$축과 만나는 두 점의 좌표는 $y=0$을 대입해서 구하면 돼.

$-x^2-x+20=0$
$x^2+x-20=0$
$(x+5)(x-4)=0$
$\therefore x=-5$ 또는 $x=4$

따라서 $x$축과 만나는 두 점의 좌표는 $(-5, 0)$, $(4, 0)$이므로 두 점 사이의 거리는 $4-(-5)=9$야.

## 042 답 3

이차함수 $y=-x^2+2x+a$의 그래프가 $x$축과 서로 다른 두 점 A, B에서 만난다고 하므로 꼭짓점을 구해서 그래프를 그려 보자.

$y=-x^2+2x+a$
$\quad=-(x^2-2x)+a$
$\quad=-(x^2-2x+1-1)+a$
$\quad=-(x-1)^2+1+a \cdots$ ㉠

그림에서 보면 두 점 A, B는 축 $x=1$로부터 같은 거리에 있다는 걸 알 수 있어. $\overline{AB}=4$라고 하니까 점 A는 $x=1$로부터 좌측으로 2만큼 떨어져 있겠지.

즉, 점 A의 $x$좌표는 $-1$이 되는 거야.

따라서 ㉠의 그래프가 점 A$(-1, 0)$을 지나므로 점A의 좌표를 ㉠에 대입하면

$0=-4+1+a \quad \therefore a=3$

**오답피하기**

문제에서 이차함수의 그래프 위에 있는 두 점 A, B 사이의 거리가 4라고 하는데 이것을 어떻게 활용해야 할지 감이 잘 안 오지? 머릿속으로 고민만 하고 있지 말고 그래프부터 그려 봐. 그래프를 그리면 4라는 거리를 이용해서 두 점 A와 B의 $x$좌표를 알 수 있어. 이처럼 말로 쓰였을 때는 이해하기 힘들던 게 그래프로 그리면 이해되는 것들이 참 많아. 그래서 항상 그래프를 그리는 습관을 들여야 해. 평소에 그래프를 싫어하던 친구들이 있다면 앞으로는 그래프와 좀 더 친해질 수 있도록 그래프 그리는 연습을 해 보는게 어떨까?

## 043 답 ②

$y=-x^2-4x-5=-(x^2+4x)-5$
$\quad=-(x^2+4x+4-4)-5$
$\quad=-(x+2)^2-1$

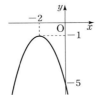

즉, 꼭짓점의 좌표는 $(-2, -1)$이고 이차항의 계수가 음수이니까 위로 볼록한 그래프야.

## 044 답 ③

$y=3x^2-12x+2=3(x^2-4x)+2$
$\quad=3(x^2-4x+4-4)+2$
$\quad=3(x-2)^2-10$

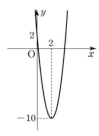

주어진 이차함수의 그래프의 꼭짓점의 좌표는 $(2, -10)$이고 이차항의 계수가 양수이니까 아래로 볼록하고 $y$축과 만나는 점의 좌표는 $(0, 2)$가 되지.

따라서 그림과 같이 그래프는 제 3사분면을 지나지 않아.

## 045 답 제 1, 3, 4사분면

이차함수 $y=ax^2-6ax-13$의 그래프가 점 $(2, 3)$을 지나니까 점 $(2, 3)$의 좌표를 대입하면

$3=4a-12a-13, \; -8a=16$
$\therefore a=-2$

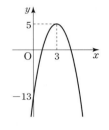

이차함수 $y=-2x^2+12x-13$의 그래프의 꼭짓점을 구하여 그래프를 그려 보자.

$y=-2x^2+12x-13$
$\quad=-2(x^2-6x+9-9)-13$
$\quad=-2(x-3)^2+5$

즉, 꼭짓점의 좌표는 $(3, 5)$, $y$축과의 교점의 좌표는 $(0, -13)$이고 위로 볼록한 포물선이야.

따라서 이 그래프가 지나는 사분면은 제 1, 3, 4사분면이야.

## 046 답 ③

$y=x^2-4x+5=(x^2-4x+4-4)+5$
$\quad=(x-2)^2+1$

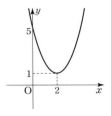

이 이차함수의 그래프는 꼭짓점의 좌표가 $(2, 1)$이고 아래로 볼록한 포물선이야.

ㄱ. 축의 방정식은 $x=2$이지. (참)

ㄴ. 꼭짓점의 좌표는 $(2, 1)$ (참)

ㄷ. $x>2$일 때, $x$의 값이 증가하면 $y$의 값도 증가해. (거짓)

ㄹ. $y=(x-2)^2+1$의 그래프를 $x$축의 방향으로 $-2$만큼, $y$축의 방향으로 $-1$만큼 평행이동하면 $y=x^2$의 그래프와 겹쳐지지? (참)

ㅁ. $y=-x^2+4x-5$는 $y=x^2-4x+5$에서 $y$ 대신 $-y$를 대입한 식이니까 $x$축에 대하여 대칭이야. (거짓)

따라서 옳은 것은 ㄱ, ㄴ, ㄹ로 3개야.

## 047 답 ④

① 이차항의 계수가 같으면 평행이동으로 겹칠 수 있어. ← OK!

② $a<0$이면 위로 볼록하고, $a>0$이면 아래로 볼록해. ← OK!

③ 이차함수 $y=-ax^2-bx-c$의 그래프는 $y=ax^2+bx+c$의 그래프를 $x$축에 대하여 대칭이동시킨 그래프야. ← OK!

④ $y=ax^2+bx+c=a\left(x+\dfrac{b}{2a}\right)^2-\dfrac{b^2}{4a}+c$이므로 축의 방정식은 $x=-\dfrac{b}{2a}$야. ← NO!

⑤ $y$축과의 교점의 좌표는 $(0, c)$야. ← OK!

## 048 답 ②, ④

① 이차항의 계수의 절댓값이 $|-2|>|-1|$이므로
$y=-2x^2+12x-9$의 그래프는 $y=-x^2$의 그래프보다 폭이
좁아. ← NO!

② $y=-2x^2+12x-9=-2(x^2-6x+9-9)-9$
$\qquad =-2(x-3)^2+9$
이므로 축의 방정식은 $x=3$이야. ← OK!

③ $y=-2(x-3)^2+9$의 그래프의 꼭짓점의 좌표
는 $(3, 9)$야. ← NO!

④ $x>3$일 때, $x$의 값이 증가하면 $y$의 값은 감소
해. ← OK!

⑤ 그림에서 주어진 이차함수의 그래프는 제 2사
분면을 지나지 않아. ← NO!

따라서 옳은 것은 ②, ④야.

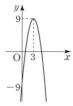

## 049 답 8

$y=-x^2+2x+3=-(x^2-2x)+3$
$\qquad =-(x^2-2x+1-1)+3$
$\qquad =-(x-1)^2+4$

따라서 꼭짓점 C의 좌표는 $(1, 4)$야.

두 점 A, B의 $x$좌표를 구하려면 $y=-x^2+2x+3$에서 $y=0$일 때
의 $x$의 값을 구하면 돼.

$-x^2+2x+3=0, \ x^2-2x-3=0$
$(x+1)(x-3)=0$
$\therefore \ x=-1$ 또는 $x=3$

따라서 $A(-1, 0)$, $B(3, 0)$이므로 $\overline{AB}=4$이고 $\triangle ABC$의 높이는
점 C의 $y$좌표인 4가 되지.

$\therefore \ \triangle ABC=\dfrac{1}{2}\times 4\times 4=8$

## 050 답 10

이차함수 $y=x^2-6x+5$의 그래프가 $x$축과 만나는 점의 좌표를 구
하기 위해 $y=0$을 대입하면

$x^2-6x+5=0, \ (x-1)(x-5)=0$
$\therefore \ x=1$ 또는 $x=5$

즉, $A(1, 0)$, $B(5, 0)$이고 $y$축과 만나는 점 C의 좌표는 $(0, 5)$이
므로

$\triangle ABC=\dfrac{1}{2}\times 4\times 5=10$

## 051 답 5

이차함수 $y=x^2+4x-5$의 그래프에서 점 A는 꼭짓점이니까 구해
보면

$y=x^2+4x-5=(x^2+4x+4-4)-5$
$\qquad =(x+2)^2-9 \cdots \ \bigcirc$

즉, 점 A의 좌표는 $(-2, -9)$가 되지.

또, $\bigcirc$에 $x=0$을 대입하면 $y=-5$이므로
$B(0, -5)$야.

따라서 $\triangle ABO$에서 밑변의 길이를
$\overline{OB}=5$로 하면 높이는 꼭짓점 A의 $x$좌
표의 절댓값이니까 2가 되는 거야.

$\therefore \ \triangle ABO=\dfrac{1}{2}\times 5\times 2=5$

## 052 답 12

이차함수 $y=-\dfrac{1}{4}x^2+bx+3$의 그래프가 점 $B(-6, 0)$을 지나므로

$0=-9-6b+3, \ 6b=-6 \qquad \therefore \ b=-1$

$\therefore \ y=-\dfrac{1}{4}x^2-x+3$

점 A는 이 이차함수의 그래프의 꼭짓점이므
로 완전제곱식의 꼴로 바꾸어 보자.

$y=-\dfrac{1}{4}x^2-x+3=-\dfrac{1}{4}(x^2+4x)+3$
$\qquad =-\dfrac{1}{4}(x^2+4x+4-4)+3$
$\qquad =-\dfrac{1}{4}(x+2)^2+4$

즉, 점 A의 좌표는 $(-2, 4)$가 되는 걸 알 수 있어.

따라서 $\triangle ABO$의 밑변의 길이는 $\overline{BO}=6$이고 높이는 점 A의 $y$좌
표니까 4가 돼.

$\therefore \ \triangle ABO=\dfrac{1}{2}\times 6\times 4=12$

## 053 답 $\dfrac{9}{8}$

두 점 A, B는 이차함수 $y=-2x^2+4x+16$의 그래프와 $x$축과의
교점이므로 $y=-2x^2+4x+16$에 $y=0$을 대입하면

$-2x^2+4x+16=0, \ x^2-2x-8=0$
$(x+2)(x-4)=0 \qquad \therefore \ x=-2$ 또는 $x=4$

즉, $A(-2, 0)$, $B(4, 0)$이야.

또, 점 C는 이차함수의 그래프와 $y$축과의 교점이므로 $C(0, 16)$이야.

한편,
$y=-2x^2+4x+16=-2(x^2-2x+1-1)+16$
$\qquad =-2(x-1)^2+18$

이므로 꼭짓점 D의 좌표는 $(1, 18)$이야.

따라서 $S_1=\triangle ABC=\dfrac{1}{2}\times 6\times 16=48$,

$S_2=\triangle ABD=\dfrac{1}{2}\times 6\times 18=54$이므로

$\dfrac{S_2}{S_1}=\dfrac{54}{48}=\dfrac{9}{8}$

**[다른 풀이]**

$\triangle ABC$와 $\triangle ABD$의 밑변의 길이가 같지?

즉, $\dfrac{S_2}{S_1}$의 값은 $\triangle ABD$의 높이를 $\triangle ABC$의 높이로 나눈 값과 같아.

따라서 $\triangle ABC$의 높이는 점 C의 $y$좌표인 16이고, $\triangle ABD$의 높이는
점 D의 $y$좌표인 18이므로 $\dfrac{S_2}{S_1}=\dfrac{18}{16}=\dfrac{9}{8}$야.

## 054 답 $(6, 6)$

이차함수 $y=\dfrac{1}{2}x^2-2x$의 그래프에서 먼저 두 점 A, P의 좌표를
구해 보자.

$y=\dfrac{1}{2}x^2-2x=\dfrac{1}{2}(x^2-4x)$
$\qquad =\dfrac{1}{2}(x^2-4x+4-4)=\dfrac{1}{2}(x-2)^2-2$

즉, 꼭짓점 P의 좌표는 $(2, -2)$야.

점 A는 이 그래프가 $x$축과 만나는 점이니까

$0=\dfrac{1}{2}x^2-2x, \ x^2-4x=0$
$x(x-4)=0 \qquad \therefore \ x=0$ 또는 $x=4$

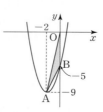

즉, 점 A의 좌표는 $(4, 0)$이지.

조건에서 $\triangle OPA : \triangle OAB = 1 : 3$, 즉 $\triangle OAB = 3\triangle OPA$이고

$\triangle OPA = \dfrac{1}{2} \times 4 \times 2 = 4$이므로 $\triangle OAB = 12$

$\triangle OAB$의 밑변의 길이를 $\overline{OA} = 4$라 하면 높이는 점 B의 $y$좌표이므로

$\triangle OAB = \dfrac{1}{2} \times \overline{OA} \times (\text{점 B의 } y\text{좌표})$

$\qquad = \dfrac{1}{2} \times 4 \times (\text{점 B의 } y\text{좌표}) = 12$

$\therefore (\text{점 B의 } y\text{좌표}) = 6$

이때, 점 B의 좌표를 $(a, 6)$으로 놓으면, 이 점을 이차함수의 그래프가 지나므로

$6 = \dfrac{1}{2}a^2 - 2a$, $a^2 - 4a - 12 = 0$

$(a+2)(a-6) = 0$

$\therefore a = -2$ 또는 $a = 6$

따라서 점 B는 제 1사분면 위의 점이니까 B$(6, 6)$이야.

## 055 답 64

$y = x^2 + 6x + 10 = (x^2 + 6x + 9 - 9) + 10$

$\quad = (x+3)^2 + 1$

이므로 꼭짓점 A의 좌표는 $(-3, 1)$이야.

이 이차함수의 그래프에서 $y = 17$일 때의 $x$의 값을 구하기 위해 $y = 17$을 대입하면

$17 = x^2 + 6x + 10$, $x^2 + 6x - 7 = 0$

$(x+7)(x-1) = 0$

$\therefore x = -7$ 또는 $x = 1$

즉, 점 P의 좌표는 $(-7, 17)$, 점 Q의 좌표는 $(1, 17)$이지.

따라서 $\triangle AQP$의 밑변을 $\overline{PQ}$라 할 때, $\overline{PQ} = 1 - (-7) = 8$이고 높이는 $17 - 1 = 16$이므로

$\triangle AQP = \dfrac{1}{2} \times 8 \times 16 = 64$

## 056 답 $\dfrac{81}{2}$

두 이차함수 $y = x^2 + a$와 $y = -\dfrac{1}{2}x^2 + b$의 그래프가 점 D$(3, 0)$을 각각 지나므로 $9 + a = 0$, $-\dfrac{9}{2} + b = 0$

$\therefore a = -9$, $b = \dfrac{9}{2}$

따라서 두 이차함수의 그래프의 꼭짓점 A, C의 좌표는 각각 A$\left(0, \dfrac{9}{2}\right)$, C$(0, -9)$이므로

$\square ABCD = \triangle ABD + \triangle BCD$

$\qquad = \dfrac{1}{2} \times 6 \times \dfrac{9}{2} + \dfrac{1}{2} \times 6 \times 9$

$\qquad = \dfrac{81}{2}$

## 057 답 ②, ⑤

① 이차함수 $y = ax^2 + bx + c$의 그래프가 위로 볼록하므로 $a < 0$

② 그래프의 축이 $y$축의 오른쪽에 있으므로 $ab < 0$에서 $b > 0$

③ 그래프와 $y$축과의 교점이 $x$축보다 위쪽에 있으므로 $c > 0$

④ $a < 0$이고 $-b < 0$, $-c < 0$이므로
$a - b - c = a + (-b) + (-c) < 0$

⑤ $a < 0$, $b > 0$, $c > 0$이므로 $abc < 0$

## 058 답 $a > 0$, $b > 0$, $c < 0$

이차함수 $y = ax^2 + bx + c$의 그래프가 아래로 볼록하므로 $a > 0$

그래프의 축이 $y$축의 왼쪽에 있으므로 $ab > 0$에서 $b > 0$

그래프와 $y$축과의 교점이 $x$축보다 아래쪽에 있으므로 $c < 0$

## 059 답 ④

이차함수 $y = ax^2 + bx + c$의 그래프가 아래로 볼록하므로 $a > 0$

축이 $y$축의 오른쪽에 있으므로 $a$와 $b$의 부호는 다르지?

$\therefore b < 0$

$y$축과의 교점이 $x$축보다 아래쪽에 있으므로 $c < 0$

① $ab < 0$  ② $ac < 0$  ③ $\dfrac{c}{b} > 0$

④ $x = 1$일 때, $y = a + b + c$이고 $y < 0$이므로
$a + b + c < 0$

⑤ $x = -2$일 때, $y = 4a - 2b + c$이고 $y > 0$이므로
$4a - 2b + c > 0 \cdots$ ㉠
이때, ㉠의 양변을 4로 나누면 $a - \dfrac{1}{2}b + \dfrac{1}{4}c > 0$

따라서 옳은 것은 ④야.

## 060 답 제 3사분면

$a < 0$, $b > 0$, $c < 0$이므로 $-a > 0$, $b > 0$, $-ac < 0$이지?

즉, $y = -ax^2 + bx - ac$의 그래프에서

(i) $-a > 0$이므로 아래로 볼록

(ii) $-a > 0$, $b > 0$에서 $-ab > 0$이므로 축은 $y$축의 왼쪽에 위치

(iii) $-ac < 0$이므로 $y$축과의 교점은 $x$축보다 아래쪽에 위치

(i)~(iii)에서 $y = -ax^2 + bx - ac$의 그래프는 그림과 같으므로 꼭짓점은 제3사분면 위에 있어.

## 061 답 ②

주어진 일차함수의 그래프에서

$(\text{기울기}) = a < 0$

$(y\text{절편}) = b < 0$

즉, 이차함수 $y = x^2 + ax + ab$에서 $x^2$의 계수가 양수이므로 아래로 볼록하고, $x^2$의 계수가 양수이고, $a < 0$이므로 그래프의 축은 $y$축의 오른쪽에 있으며 $a < 0$, $b < 0$에서 $ab > 0$이므로 그래프와 $y$축과의 교점은 $x$축의 위쪽에 있어.

따라서 그래프로 알맞은 것은 ②야.

## 062 답 ③

이차함수 $y = ax^2 + bx + c$의 그래프에서

위로 볼록하므로 $a < 0$

축이 $y$축의 왼쪽에 있으므로 $a$와 $b$는 같은 부호야.

$\therefore b < 0$

$y$축과의 교점이 $x$축보다 위쪽에 있으므로 $c > 0$

이때, $y = -bx^2 - cx + a$의 그래프에서

(i) $-b > 0$이므로 아래로 볼록

(ii) $-b > 0$, $-c < 0$에서 $bc < 0$이므로 축은 $y$축의 오른쪽에 위치

(iii) $a < 0$이므로 $y$축과의 교점이 $x$축보다 아래쪽에 위치

따라서 (i)~(iii)에서 $y = -bx^2 - cx + a$의 그래프로 적당한 것은 ③이야.

## 063  답 1

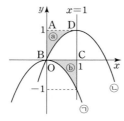

위의 그림에서 ⓐ 부분과 ⓑ 부분의 넓이가 같으니까 색칠한 부분의 넓이는 사각형 ABCD의 넓이와 같아.

ⓛ에서 $y=-x^2+2x=-(x-1)^2+1$이므로
점 D의 좌표는 $(1, 1)$이야.
따라서 $A(0, 1)$, $C(1, 0)$이므로
(□ABCD의 넓이)$=\overline{AB} \times \overline{BC}=1 \times 1 = 1$

## 064  답 ②

$y=5x^2-10x=5(x^2-2x+1-1)$
　　$=5(x-1)^2-5$
$\therefore P(1, -5)$
$y=5x^2-20x+15=5(x^2-4x+4-4)+15$
　　　　　　　　$=5(x-2)^2-5$
$\therefore Q(2, -5)$

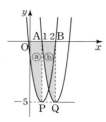

위의 그림에서 ⓐ 부분과 ⓑ 부분의 넓이가 같으므로 색칠한 부분의 넓이는 직사각형 APQB의 넓이와 같아.
$\therefore \square APQB=\overline{AB} \times \overline{AP}=1 \times 5=5$

## 065  답 ③

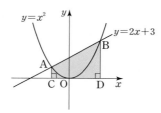

두 함수의 그래프의 교점의 $y$좌표가 같으므로
$x^2=2x+3$, $x^2-2x-3=0$
$(x+1)(x-3)=0$
$\therefore x=-1$ 또는 $x=3$
$x=-1$일 때, $y=(-1)^2=1$
$x=3$일 때, $y=3^2=9$
즉, 점 $A(-1, 1)$이고 점 $B(3, 9)$야.
또한, 점 $C(-1, 0)$, 점 $D(3, 0)$이므로
(사각형 ACDB의 넓이)$=\dfrac{1}{2} \times (\overline{AC}+\overline{BD}) \times \overline{CD}$
　　　　　　　　　　　　$=\dfrac{1}{2} \times (1+9) \times 4=20$

## 066  답 ④

꼭짓점의 좌표가 $(-1, -3)$이므로 이차함수의 식을
$y=a(x+1)^2-3$ ⋯ ㉠이라 놓자.
그래프가 점 $(0, -1)$을 지나므로 대입하면
$-1=a-3$　　$\therefore a=2$
따라서 ㉠은 $y=2(x+1)^2-3$이므로
$y=2(x+1)^2-3=2x^2+4x+2-3=2x^2+4x-1$

## 067  답 ②

축이 $y$축과 평행하고, 꼭짓점의 좌표가 $(3, 0)$이면 이차함수의 식을 $y=a(x-3)^2$으로 놓을 수 있어.
점 $(5, 2)$를 지난다고 했으니까 대입하면 $a$의 값을 구할 수 있지?
$2=4a$　　$\therefore a=\dfrac{1}{2}$
따라서 구하는 이차함수의 식은
$y=\dfrac{1}{2}(x-3)^2=\dfrac{1}{2}x^2-3x+\dfrac{9}{2}$

## 068  답 ①

꼭짓점의 좌표가 $(-2, 3)$이므로 이차함수의 식을 $y=a(x+2)^2+3$으로 놓을 수 있어. 그래프가 점 $(0, 1)$을 지나므로 이차함수의 식에 대입하면
$1=4a+3$　　$\therefore a=-\dfrac{1}{2}$
따라서 구하고자 하는 이차함수의 식은
$y=-\dfrac{1}{2}(x+2)^2+3=-\dfrac{1}{2}x^2-2x+1$
$\therefore a=-\dfrac{1}{2}$, $b=-2$, $c=1$
$\therefore abc=\left(-\dfrac{1}{2}\right) \times (-2) \times 1=1$

## 069  답 4

꼭짓점의 좌표가 $(-1, 4)$라 했으므로 $y=a(x+1)^2+4$로 놓을 수 있어. 그래프가 점 $(1, 0)$을 지나므로
$0=4a+4$　　$\therefore a=-1$
즉, 구하고자 하는 이차함수의 식은
$y=-(x+1)^2+4=-x^2-2x+3$
이므로 $x$축과 만나는 점의 좌표를 구하면
$-x^2-2x+3=0$, $x^2+2x-3=0$
$(x+3)(x-1)=0$　　$\therefore x=-3$ 또는 $x=1$
따라서 $x$축과 만나는 두 점 사이의 거리는 $1-(-3)=4$

## 070  답 $(0, 6)$

축의 방정식이 $x=-1$이므로 이차함수의 식을 $y=a(x+1)^2+q$로 놓을 수 있어.
그래프가 두 점 $(-2, 6)$, $(1, 12)$를 지나므로
점 $(-2, 6)$을 대입하면 $a+q=6$ ⋯ ㉠
점 $(1, 12)$를 대입하면 $4a+q=12$ ⋯ ㉡
㉡-㉠을 하면
$3a=6$　　$\therefore a=2$
이를 ㉠에 대입하면 $q=4$
따라서 구하는 이차함수의 식은 $y=2(x+1)^2+4=2x^2+4x+6$이므로 $y$축과 만나는 점의 좌표는 $(0, 6)$이야.

## 071 답 ④

축의 방정식이 $x=0$이므로 이차함수의 식은 $y=ax^2+q$로 놓을 수 있어.

점 $(-1, 2)$를 지날 때, $a+q=2$ ··· ㉠

점 $(2, -4)$를 지날 때, $4a+q=-4$ ··· ㉡

㉡−㉠을 하면

$3a=-6$  ∴ $a=-2$

이를 ㉠에 대입하면 $q=4$

따라서 이차함수의 식은 $y=-2x^2+4$이므로 점 $(1, k)$의 좌푯값을 대입하면

$k=-2+4=2$

## 072 답 ①

축의 방정식이 $x=-2$이고 꼭짓점이 $x$축 위에 있으므로 꼭짓점의 $y$좌표는 0이야. 즉, 꼭짓점의 좌표는 $(-2, 0)$이므로 이차함수의 식을 $y=a(x+2)^2$으로 놓을 수 있어. $a$의 값을 구할 수 있는 조건이 보이지?

점 $(-1, 5)$를 지나므로 이차함수의 식에 대입하자.

$5=a(-1+2)^2$  ∴ $a=5$

따라서 구하는 이차함수의 식은

$y=5(x+2)^2=5x^2+20x+20$

## 073 답 ③

직선 $x=-2$를 축으로 하는 이차함수의 식은 $y=a(x+2)^2+q$로 놓을 수 있어.

두 점 $(-3, 2)$, $(1, 4)$를 지나므로 이차함수의 식에 대입하자.

점 $(-3, 2)$를 대입하면 $a+q=2$ ··· ㉠

점 $(1, 4)$를 대입하면 $9a+q=4$ ··· ㉡

㉡−㉠을 하면

$8a=2$  ∴ $a=\dfrac{1}{4}$

이를 ㉠에 대입하면 $q=\dfrac{7}{4}$

따라서 이차함수의 식은 $y=\dfrac{1}{4}(x+2)^2+\dfrac{7}{4}$ ··· ㉢

이 포물선을 $x$축의 방향으로 2만큼, $y$축의 방향으로 $-1$만큼 평행이동시킨 식은 ㉢에서

$y=\dfrac{1}{4}(x+2-2)^2+\dfrac{7}{4}-1$

∴ $y=\dfrac{1}{4}x^2+\dfrac{3}{4}$

## 074 답 $y=-x^2+5x-2$

세 점 $(0, -2)$, $(1, 2)$, $(2, 4)$를 지나므로 이차함수의 식 $y=ax^2+bx+c$에 대입하자.

우선 점 $(0, -2)$를 대입하면 $c=-2$이므로

이차함수의 식 $y=ax^2+bx-2$에 점 $(1, 2)$를 대입하면

$a+b-2=2$

∴ $a+b=4$ ··· ㉠

점 $(2, 4)$를 대입하면

$4a+2b-2=4$, $4a+2b=6$

∴ $2a+b=3$ ··· ㉡

㉡−㉠을 하면 $a=-1$

이를 ㉠에 대입하면 $b=5$

∴ $y=-x^2+5x-2$

## 075 답 6

주어진 그래프에서 이차함수의 식을 구하기 위한 조건이 보이지?

그래, 세 점 $(3, 5)$, $(4, 0)$, $(0, 8)$을 지나지.

여기서 $y=ax^2+bx+c$에 점 $(0, 8)$을 대입하면 $c$의 값을 구할 수 있어. 즉, $c=8$이야.

이차함수의 식은 $y=ax^2+bx+8$이므로 점 $(4, 0)$을 대입하면

$16a+4b=-8$  ∴ $4a+b=-2$ ··· ㉠

점 $(3, 5)$를 대입하면

$9a+3b=-3$  ∴ $3a+b=-1$ ··· ㉡

㉠−㉡을 하면 $a=-1$

이를 ㉠에 대입하면 $b=2$

∴ $4a+b+c=-4+2+8=6$

## 076 답 ②

이차함수 $y=ax^2+bx+c$에 먼저 점 $(0, -1)$을 대입하면

$c=-1$

이제 $y=ax^2+bx-1$에 점 $(1, 4)$를 대입하면

$a+b-1=4$  ∴ $a+b=5$ ··· ㉠

점 $(-1, -2)$를 대입하면

$a-b-1=-2$  ∴ $a-b=-1$ ··· ㉡

㉠+㉡을 하면

$2a=4$  ∴ $a=2$

이를 ㉠에 대입하면 $b=3$

$\therefore y=2x^2+3x-1=2\left(x^2+\dfrac{3}{2}x+\dfrac{9}{16}-\dfrac{9}{16}\right)-1$

$\qquad =2\left(x+\dfrac{3}{4}\right)^2-\dfrac{17}{8}$

따라서 축의 방정식은 $x=-\dfrac{3}{4}$이야.

## 077 답 $(1, 5)$

이차함수 $y=ax^2+bx+c$의 그래프가 점 $(0, 3)$을 지나므로

$c=3$

$y=ax^2+bx+3$에 점 $(-1, -3)$을 대입하면

$a-b+3=-3$  ∴ $a-b=-6$ ··· ㉠

또, 점 $(2, 3)$을 대입하면

$4a+2b+3=3$  ∴ $2a+b=0$ ··· ㉡

㉠+㉡을 하면

$3a=-6$  ∴ $a=-2$

$a=-2$를 ㉡에 대입하면 $b=4$

따라서 이차함수의 식은

$y=-2x^2+4x+3=-2(x^2-2x+1-1)+3$

$\quad =-2(x-1)^2+5$

이므로 꼭짓점의 좌표는 $(1, 5)$야.

## 078 답 $-30$

그래프가 두 점 $(-1, 0)$, $(6, 0)$을 지나므로 구하는 이차함수의 식을 $y=a(x+1)(x-6)$으로 놓을 수 있어.

$\therefore y=a(x^2-5x-6)$ ··· ㉠

또한, 그래프가 점 $(0, 6)$을 지나니까 ㉠에 대입해.

$-6a=6$  ∴ $a=-1$

따라서 구하는 이차함수의 식은 $y=-x^2+5x+6$이므로

$a=-1$, $b=5$, $c=6$

$\therefore abc=-1\times5\times6=-30$

## 079 답 $\left(-\dfrac{1}{2}, -\dfrac{25}{4}\right)$

$x$축과 만나는 점의 좌표가 $(-3, 0)$, $(2, 0)$이므로
$y=a(x+3)(x-2)$로 놓으면 점 $(0, -6)$을 지나므로
$-6=a\times 3\times(-2)$    $\therefore a=1$
$\therefore y=(x+3)(x-2)=x^2+x-6$
$\quad =\left(x^2+x+\dfrac{1}{4}-\dfrac{1}{4}\right)-6=\left(x+\dfrac{1}{2}\right)^2-\dfrac{25}{4}$
따라서 꼭짓점의 좌표는 $\left(-\dfrac{1}{2}, -\dfrac{25}{4}\right)$야.

## 080 답 ③

$x$축과 만나는 점은 $(-2, 0)$, $(3, 0)$이므로 이차함수의 식을
$y=a(x+2)(x-3)$으로 놓을 수 있어. $a$의 값을 구할 수 있는 조
건이 있지? 점 $(-1, -2)$를 지난다는 거. 이 점의 좌표를 대입해.
$-2=a(-1+2)(-1-3)$, $-4a=-2$    $\therefore a=\dfrac{1}{2}$
따라서 구하는 이차함수의 식은
$y=\dfrac{1}{2}(x+2)(x-3)=\dfrac{1}{2}x^2-\dfrac{1}{2}x-3$
이므로 $y$축과 만나는 점의 $y$좌표는 $-3$이야.

## 081 답 3

$x$축과 두 점 $(-2, 0)$, $(4, 0)$에서 만나므로
$y=a(x+2)(x-4)$로 놓을 수 있어. 꼭짓점의 좌표를 구해 보자.
$y=a(x+2)(x-4)=a(x^2-2x-8)$
$\quad =a(x^2-2x+1-9)=a(x-1)^2-9a$
즉, 꼭짓점의 좌표는 $(1, -9a)$야.
이 꼭짓점이 직선 $y=-x+2$ 위에 있으므로
$-9a=-1+2$    $\therefore a=-\dfrac{1}{9}$
따라서 이차함수의 식은 $y=-\dfrac{1}{9}(x^2-2x-8)=-\dfrac{1}{9}x^2+\dfrac{2}{9}x+\dfrac{8}{9}$
이므로 $b=\dfrac{2}{9}$, $c=\dfrac{8}{9}$
$\therefore a+2b+3c=-\dfrac{1}{9}+\dfrac{4}{9}+\dfrac{24}{9}=3$

## 082 답 3초 후

$h=65$를 대입하면
$65=-5t^2+30t+20$, $5t^2-30t+45=0$
$t^2-6t+9=0$, $(t-3)^2=0$    $\therefore t=3$ (중근)
따라서 높이가 65 m가 되는 것은 3초 후야.

## 083 답 ③

$h=-5t^2+50t+55$이고, 지면의 높이는 0 m이므로
$-5t^2+50t+55=0$, $t^2-10t-11=0$
$(t+1)(t-11)=0$    $\therefore t=11$ ($\because t>0$)
따라서 지면에 떨어지는 것은 11초 후야.

## 084 답 3초

$y=50$을 대입하면
$50=35x-5x^2$, $5x^2-35x+50=0$
$x^2-7x+10=0$, $(x-2)(x-5)=0$
$\therefore x=2$ 또는 $x=5$
따라서 높이가 50 m 이상인 것은 2초부터 5초까지이므로 3초 동안
이야.

## 085 답 50개

$y=200$을 대입하면
$200=-\dfrac{1}{10}x^2+10x-50$, $\dfrac{1}{10}x^2-10x+250=0$
$x^2-100x+2500=0$, $(x-50)^2=0$
$\therefore x=50$ (중근)
따라서 하루에 생산해야 하는 제품의 개수는 50개야.

## 086 답 ②

$x$초 후의 밑변의 길이는 $(28+2x)$ cm, 높이는 $(36-x)$ cm야.
삼각형의 넓이를 $y$ cm²라 하면
$y=\dfrac{1}{2}(28+2x)(36-x)=(14+x)(36-x)$
$\quad =-x^2+22x+504$
삼각형의 넓이가 625 cm²일 때는 $y=625$일 때이므로
$625=-x^2+22x+504$
$x^2-22x+121=0$
$(x-11)^2=0$    $\therefore x=11$ (중근)
따라서 삼각형의 넓이가 625 cm²가 되는 때는 11초 후야.

## 087 답 ④

$x$초 후에 $\overline{AP}=x$ cm, $\overline{AQ}=(10-2x)$ cm이므로
삼각형 APQ의 넓이를 $y$ cm²라 하면
$y=\dfrac{1}{2}x(10-2x)=x(5-x)$
$\quad =-x^2+5x$
이때, 3초 후의 삼각형 APQ의 넓이는 $x=3$일 때이므로
$y=-3^2+5\times 3=6$
따라서 3초 후의 삼각형 APQ의 넓이는 6 cm²야.

## 088 답 10

$\overline{AP}=x$라 하면 $\overline{PB}=18-x$야.
두 직각이등변삼각형의 넓이의 합을 $y$라 하면
$y=\dfrac{1}{2}x^2+\dfrac{1}{2}(18-x)^2=\dfrac{1}{2}x^2+\dfrac{1}{2}x^2-18x+162$
$\quad =x^2-18x+162$
이때, 두 직각이등변삼각형의 넓이의 합이 82이면
$x^2-18x+162=82$
$x^2-18x+80=0$, $(x-8)(x-10)=0$
$\therefore x=8$ 또는 $x=10$
따라서 $\overline{AP}>\overline{PB}$이므로 넓이의 합이 82가 될 때의 $\overline{AP}$의 길이는
10이야.

## 089 답 8

$\overline{AP}=2x$라 하면 $\overline{PB}=16-2x$야.
두 원의 넓이의 합을 $y$라 하면
$y=x^2\pi+(8-x)^2\pi=(x^2+x^2-16x+64)\pi$
$\quad =(2x^2-16x+64)\pi$
이때, 두 원의 넓이의 합이 $32\pi$이면 $y=32\pi$이므로
$2x^2-16x+64=32$, $x^2-8x+16=0$
$(x-4)^2=0$    $\therefore x=4$ (중근)
따라서 두 원의 넓이의 합이 $32\pi$가 될 때,
$\overline{AP}$의 길이는 $2\times 4=8$이야.

## 090 답 ④

물받이의 높이가 $x$ cm이면 물받이의 단면의 폭은 $(20-2x)$ cm
이니까 단면의 넓이를 식으로 나타내면
$y=x(20-2x)=-2x^2+20x$
이때, $y=50$이면 $50=-2x^2+20x$
$x^2-10x+25=0$, $(x-5)^2=0$  ∴ $x=5$ (중근)
따라서 $y=50$일 때 $x$의 값은 5야.

## 091 답 ②, ④

직선의 기울기가 $-\dfrac{4}{3}$이므로 주어진 직선의 방정식은
$y=-\dfrac{4}{3}x+4$야.

즉, 점 P의 $x$좌표를 $a$라 하면 $y$좌표는 $-\dfrac{4}{3}a+4$이므로
$P\left(a, -\dfrac{4}{3}a+4\right)$이고, 점 Q의 좌표는 $(a, 0)$이야.
△POQ의 넓이를 $S$라 하면
$S=\dfrac{1}{2}\times\overline{OQ}\times\overline{PQ}=\dfrac{1}{2}\times a\times\left(-\dfrac{4}{3}a+4\right)=-\dfrac{2}{3}a^2+2a$
이때, △POQ의 넓이가 $\dfrac{4}{3}$이면 $S=\dfrac{4}{3}$이므로
$\dfrac{4}{3}=-\dfrac{2}{3}a^2+2a$, $a^2-3a+2=0$, $(a-1)(a-2)=0$
∴ $a=1$ 또는 $a=2$
따라서 △POQ의 넓이가 $\dfrac{4}{3}$일 때의 점 P의 좌표는
$\left(1, \dfrac{8}{3}\right)$ 또는 $\left(2, \dfrac{4}{3}\right)$야.

---

## 잘 틀리는 유형 훈련 +1up
p. 182

## 092 답 $\dfrac{1}{3}$

**1st** 꼭짓점의 좌표를 구하기 위해서는 $y=a(x-p)^2+q$의 꼴로 바꾸어 주어야 해.
$y=-x^2-4x-1=-(x^2+4x+4-4)-1$
$\quad =-(x+2)^2+3$
즉, 꼭짓점의 좌표는 $(-2, 3)$이야.
$y=\dfrac{2}{3}x^2+ax+b=\dfrac{2}{3}\left\{x^2+\dfrac{3}{2}ax+\left(\dfrac{3}{4}a\right)^2-\left(\dfrac{3}{4}a\right)^2\right\}+b$
$\quad =\dfrac{2}{3}\left(x+\dfrac{3}{4}a\right)^2-\dfrac{3}{8}a^2+b$
즉, 꼭짓점의 좌표는 $\left(-\dfrac{3}{4}a, -\dfrac{3}{8}a^2+b\right)$야.
**2nd** 두 함수의 그래프의 꼭짓점이 같다는 걸 이용하자.
두 점 $(-2, 3)$과 $\left(-\dfrac{3}{4}a, -\dfrac{3}{8}a^2+b\right)$가 같으므로
$-2=-\dfrac{3}{4}a$  ∴ $a=\dfrac{8}{3}$
$3=-\dfrac{3}{8}a^2+b$, $3=-\dfrac{3}{8}\times\left(\dfrac{8}{3}\right)^2+b$  ∴ $b=\dfrac{17}{3}$
∴ $b-2a=\dfrac{17}{3}-2\times\dfrac{8}{3}=\dfrac{1}{3}$

## 093 답 $-\dfrac{1}{2}$

**1st** 두 함수의 그래프의 꼭짓점을 구하자.
$y=-x^2+6x-8$
$\quad =-(x^2-6x+9-9)-8$
$\quad =-(x-3)^2+1$
즉, 꼭짓점의 좌표는 $(3, 1)$이야. ··· ㉠
$y=\dfrac{1}{2}x^2+ax+b$
$\quad =\dfrac{1}{2}(x^2+2ax+a^2-a^2)+b$
$\quad =\dfrac{1}{2}(x+a)^2-\dfrac{1}{2}a^2+b$
즉, 꼭짓점의 좌표는 $\left(-a, -\dfrac{1}{2}a^2+b\right)$야. ··· ㉡
**2nd** 꼭짓점이 같음을 이용해서 $a$, $b$의 값을 구해 보자.
㉠, ㉡에서 $(3, 1)$과 $\left(-a, -\dfrac{1}{2}a^2+b\right)$는 같으므로
$3=-a$  ∴ $a=-3$
$1=-\dfrac{1}{2}a^2+b$, $1=-\dfrac{9}{2}+b$
∴ $b=\dfrac{11}{2}$
∴ $2a+b=2\times(-3)+\dfrac{11}{2}=-\dfrac{1}{2}$

## 094 답 제 2사분면

**1st** 일차함수의 그래프를 보고 $a$, $b$의 값을 구해 보자.
직선 $y=ax+b$가 두 점 $(-2, 0)$, $(0, -1)$을 지나지?
$a=(기울기)=\dfrac{-1-0}{0-(-2)}=-\dfrac{1}{2}$
$b=(y절편)=-1$
**2nd** 이차함수의 그래프의 꼭짓점을 구해 보자.
$y=x^2-ax-b=x^2+\dfrac{1}{2}x+1$을 완전제곱식의 꼴로 고쳐서 꼭짓점의 좌표를 구하자.
$y=x^2+\dfrac{1}{2}x+1$
$\quad =\left\{x^2+\dfrac{1}{2}x+\left(\dfrac{1}{4}\right)^2-\left(\dfrac{1}{4}\right)^2\right\}+1$
$\quad =\left(x+\dfrac{1}{4}\right)^2+\dfrac{15}{16}$
즉, 꼭짓점의 좌표는 $\left(-\dfrac{1}{4}, \dfrac{15}{16}\right)$야.
따라서 꼭짓점은 제 2사분면 위에 있어.

## 095 답 ①

**1st** $y=ax+b$의 그래프를 보고 $a$, $b$의 값을 구해 보자.
일차함수 $y=ax+b$의 그래프가 두 점 $(0, 4)$, $(2, 0)$을 지나므로
두 점의 좌표를 대입하면
$b=4$, $2a+b=0$  ∴ $a=-2$, $b=4$
**2nd** $a=-2$, $b=4$를 이차함수에 대입하고 꼭짓점의 좌표를 구하자.
즉, $y=ax^2+bx+1=-2x^2+4x+1$이므로
$y=-2x^2+4x+1$
$\quad =-2(x^2-2x+1-1)+1$
$\quad =-2(x-1)^2+3$
따라서 꼭짓점의 좌표가 $(1, 3)$이니까
제 1사분면 위의 점이야.

## 096 답 $2\sqrt{6}$

**1st** $y=-x^2+4x+2$의 그래프가 $x$축과 만나는 두 점 A, B의 좌표를 구해 보자.

$y=-x^2+4x+2$의 그래프가 $x$축과 만나는 점의 $x$좌표를 구하기 위해 $y=0$을 대입하자.

$-x^2+4x+2=0$, $x^2-4x-2=0$

인수분해가 되지 않으니까 근의 공식을 이용하면 $x=2\pm\sqrt{6}$

$\therefore$ A$(2-\sqrt{6},\ 0)$, B$(2+\sqrt{6},\ 0)$

**2nd** 두 점 A, B 사이의 거리를 구해 보자.

두 점 A, B 사이의 거리는 선분 AB의 길이와 같아.

$\therefore \overline{\text{AB}}=|2+\sqrt{6}-(2-\sqrt{6})|=2\sqrt{6}$

**[다른 풀이]**

A$(\alpha,\ 0)$, B$(\beta,\ 0)$으로 놓으면 $\alpha$, $\beta$는 이차방정식 $-x^2+4x+2=0$의 두 근이야.

$x^2$의 계수가 $-1$이므로 $-(x-\alpha)(x-\beta)=0$에서

$-x^2+(\alpha+\beta)x-\alpha\beta=0$ $\quad\therefore \alpha+\beta=4,\ \alpha\beta=-2$

$(\alpha-\beta)^2=(\alpha+\beta)^2-4\alpha\beta=4^2-4\times(-2)=24$

$\therefore |\alpha-\beta|=\sqrt{24}=2\sqrt{6}$

따라서 $\overline{\text{AB}}=2\sqrt{6}$이야.

**오답피하기**

$y=ax^2+bx+c$의 그래프가 $x$축과 만나는 점의 $x$좌표는 이차방정식 $ax^2+bx+c=0$의 근과 같다는 걸 알아야 제대로 풀 수 있어. 그런데 이차방정식이 모두 인수분해가 되는 게 아니니까 인수분해가 되지 않을 때는 근의 공식을 이용하면 돼.

## 097 답 $-1$

**1st** 이차함수가 $x$축과 만나는 두 점을 구해 보자.

$y=x^2-6x+k$가 $x$축과 만나는 점의 $x$좌표는 $y=0$일 때의 $x$의 값이니까 $x^2-6x+k=0$에서 근의 공식을 이용하면

$x=3\pm\sqrt{9-k}$

**2nd** $\overline{\text{AB}}=2\sqrt{10}$을 이용해서 $k$의 값을 구해 보자.

A$(3-\sqrt{9-k},\ 0)$, B$(3+\sqrt{9-k},\ 0)$이라 놓으면

$\overline{\text{AB}}=2\sqrt{10}$이니까

$\overline{\text{AB}}=|3+\sqrt{9-k}-(3-\sqrt{9-k})|=2\sqrt{9-k}$에서

$2\sqrt{9-k}=2\sqrt{10}$, $9-k=10$ $\quad\therefore k=-1$

## 098 답 ④

**1st** 그래프에서 꼭짓점의 위치를 생각해 보자.

$y=x^2-x+1-k$

$\quad=\left(x^2-x+\dfrac{1}{4}-\dfrac{1}{4}\right)+1-k$

$\quad=\left(x-\dfrac{1}{2}\right)^2+\dfrac{3}{4}-k$

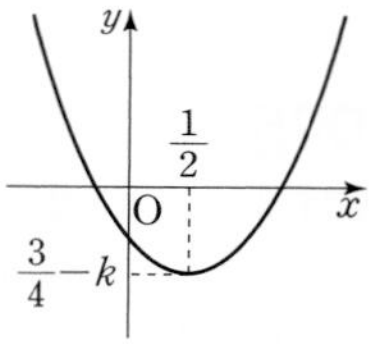

그래프가 $x$축과 두 점에서 만나려면 꼭짓점의 $y$좌표가 음수이어야 해.

$\dfrac{3}{4}-k<0$ $\quad\therefore k>\dfrac{3}{4}$

**[다른 풀이]**

이차함수 $y=x^2-x+1-k$의 그래프가 $x$축과 서로 다른 두 점에서 만난다는 건 $y=0$일 때, 이차방정식 $x^2-x+1-k=0$이 서로 다른 두 근을 갖는다는 걸 의미해.

$1-4(1-k)>0$, $1-4+4k>0$ $\quad\therefore k>\dfrac{3}{4}$

---

**오답피하기**

이런 유형의 문제에서 실수하기 쉬운 부분은 이차함수와 이차방정식의 관계를 이해하지 못해서 풀 수 없게 되는 거야.

이차함수와 이차방정식은 매우 밀접한 관련이 있어. 이차함수의 그래프가 $x$축과 만나는 점의 $x$좌표를 구하기 위해서 이차함수의 $y$가 0이 되는 $x$를 구하는 건데, 이때 이차방정식이 나오게 돼.

## 099 답 ⑤

**1st** 이차함수의 식을 완전제곱식의 꼴로 만들어 보자.

$y=-\dfrac{1}{2}x^2+2x-a=-\dfrac{1}{2}(x^2-4x)-a$

$\quad=-\dfrac{1}{2}(x^2-4x+4-4)-a=-\dfrac{1}{2}(x-2)^2+2-a$

**2nd** 그래프가 $x$축보다 아래쪽에 있도록 하는 $a$의 값의 범위를 구해 보자.

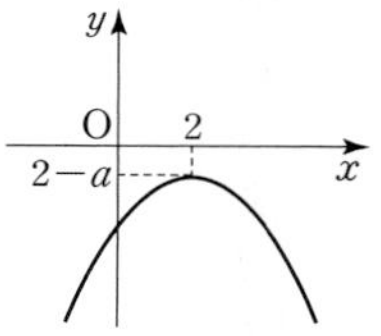

그림처럼 그래프가 $x$축보다 아래쪽에 있으려면 꼭짓점의 $y$좌표가 음수가 되어야 해.

$2-a<0$

$\therefore a>2$

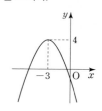

**오답피하기**

이차함수의 그래프가 '$x$축과 접한다.', '$x$축보다 위, 또는 아래에 있다.', '$y$축에 대하여 대칭이다.'같은 말들은 우리를 항상 헷갈리게 만들지? 그럴 땐 처음부터 그런 말을 머릿속에 넣고 고민하지 말고 우선 주어진 조건들을 통해서 대략적인 그래프의 모양을 알아보도록 해. 이 문제에서 주어진 정보로 우리가 알 수 있는 것은 이차함수의 그래프가 위로 볼록하고 그래프의 축이 $y$축보다 오른쪽에 있다는 사실이지? 아하! 그렇다면 이제 꼭짓점의 $y$좌표만 음수가 된다면 이차함수의 그래프가 $x$축보다 위로 올라갈 일은 없겠네? 이처럼 차근차근 따져가면서 그래프를 그리다보면 답에 접근하기 쉽겠지?

## 100 답 $a\leq-\dfrac{4}{9}$

**1st** 주어진 조건을 이용해서 이차함수의 그래프를 그려봐.

꼭짓점의 좌표가 $(-3,\ 4)$이고, 제1사분면을 지나지 않으려면 그래프는 그림과 같아야 해.

즉, ($y$축과의 교점의 $y$좌표)$\leq0$이어야 하므로 $x=0$일 때, $y$의 값이 0보다 작거나 같아야 하지.

따라서 $y=ax^2+bx+c=a(x+3)^2+4$에서

$x=0$일 때 $9a+4\leq0$ $\quad\therefore a\leq-\dfrac{4}{9}$

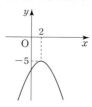

## 101 답 1

**1st** 모든 사분면을 지나려면 그래프가 어떤 모양이어야 할지 생각해 봐.

$y=a(x-2)^2-5$의 그래프의 꼭짓점의 좌표가 $(2,\ -5)$이므로 그래프가 위로 볼록하다면 [그림 1]과 같이 제 1, 2사분면을 지나지 않아.

즉, 모든 사분면을 지나려면 [그림 2]와 같이 그래프가 아래로 볼록해야 해.

$\therefore a>0$ $\cdots$ ㉠

[그림 1]

또한, ($y$축과의 교점의 $y$좌표)$<0$이어야 하므로 $x=0$을 대입하면

$4a-5<0$

$\therefore a<\dfrac{5}{4}$ ··· ㉡

따라서 ㉠, ㉡을 모두 만족시키는 정수 $a$의 값은 1이야.

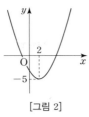

[그림 2]

## 102 [답] ⑤

**1st** 그래프를 보고 $a$, $b$, $c$의 부호를 구하자.

그래프가 위로 볼록하므로 $a<0$

축이 $y$축의 왼쪽에 있으므로 $a$와 $b$는 같은 부호야.  $\therefore b<0$

또, 그래프가 점 $(0, 0)$을 지나므로 $c=0$

**2nd** 옳은 것을 찾아 보자.

① $ab>0$ ← NO!

② $abc=0$ ← NO!

③ $a+b+c$는 $x=1$을 이차함수에 대입한 함숫값이므로 그림에서 함숫값의 부호를 구하면 $a+b+c<0$ ← NO!

④ $a-b+c$는 $x=-1$을 이차함수에 대입한 함숫값이므로 그림에서 함숫값의 부호를 구하면 $a-b+c>0$ ← NO!

⑤ $4a-2b+c$는 $x=-2$를 이차함수에 대입한 함숫값이므로 그림에서 함숫값의 부호를 구하면 $4a-2b+c>0$ ← OK!

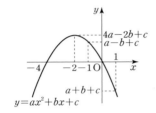

**오답피하기**

①, ②는 $a$, $b$, $c$의 부호로 알 수 있지만 ③, ④, ⑤는 $y=f(x)=ax^2+bx+c$로 두고 함숫값을 이용해서 풀어야 해. 그림에서 $f(1)<0$, $f(-1)>0$, $f(-2)>0$인 것을 이용해 보면 되는 거야. 이 부분이 생각하기에 어려울 거야. 하지만 이런 유형의 문제는 자주 나오니까 적절히 값을 대입해 보는 훈련을 하면 돼.

## 103 [답] ⑤

**1st** $y=ax^2+bx+c$의 그래프를 보고 $a$, $b$, $c$의 부호를 정해 보자.

위로 볼록이므로 $a<0$ ··· ㉠

축이 $y$축의 오른쪽에 있으므로 $a$와 $b$는 서로 다른 부호야.  $\therefore b>0$ ··· ㉡

$y$축과의 교점이 $x$축보다 위쪽에 있으므로 $c>0$ ··· ㉢

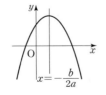

**2nd** ㉠, ㉡, ㉢을 이용해서 $y=cx^2+ax-b$의 그래프를 그려 보자.

$y=cx^2+ax-b$의 그래프에서

(ⅰ) $c>0$이므로 아래로 볼록

(ⅱ) $c$와 $a$의 부호가 서로 다르므로 축은 $y$축의 오른쪽에 위치

(ⅲ) $b>0$에서 $-b<0$이므로 $y$축과의 교점이 $x$축보다 아래쪽에 위치

따라서 $y=cx^2+ax-b$의 그래프는 그림과 같아.

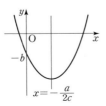

---

# 서술형 다지기

p. 184

[104-105 채점기준표]

| Ⅰ | $c$의 값을 구한다. | 30% |
|---|---|---|
| Ⅱ | $a$, $b$의 값을 구한다. | 50% |
| Ⅲ | $abc$의 값을 구한다. | 20% |

## 104 [답] $-4$

**먼저,** $c$의 값을 구하자.

이차함수 $y=ax^2+bx+c$의 그래프가 점 $(0, 2)$를 지나므로

$c=2$  ··· Ⅰ

**그다음,** $a$, $b$의 값을 각각 구하자.

이차함수 $y=ax^2+bx+2$의 그래프가 두 점 $(1, 3)$, $(-1, 5)$를 지나므로 $\begin{cases} a+b+2=3 \cdots ㉠ \\ a-b+2=5 \cdots ㉡ \end{cases}$

㉠+㉡을 하면 $2a+4=8$  $\therefore a=2$

이것을 ㉠에 대입하면 $b=-1$  ··· Ⅱ

**그래서,** $abc$의 값을 구하자.

$\therefore abc=2\times(-1)\times2=-4$  ··· Ⅲ

## 105 [답] $-16$

**먼저,** $c$의 값을 구하자.

이차함수 $y=ax^2+bx+c$의 그래프가 점 $(0, 8)$을 지나므로

$c=8$  ··· Ⅰ

**그다음,** $a$, $b$의 값을 각각 구하자.

이차함수 $y=ax^2+bx+8$의 그래프가 두 점 $(-2, 0)$, $(5, -7)$을 지나므로

$\begin{cases} 4a-2b+8=0 \\ 25a+5b+8=-7 \end{cases}$ 에서 $\begin{cases} 2a-b=-4 \cdots ㉠ \\ 5a+b=-3 \cdots ㉡ \end{cases}$

㉠+㉡을 하면 $7a=-7$  $\therefore a=-1$

이것을 ㉠에 대입하면 $-2-b=-4$  $\therefore b=2$  ··· Ⅱ

**그래서,** $abc$의 값을 구하자.

$\therefore abc=(-1)\times2\times8=-16$  ··· Ⅲ

[106-107 채점기준표]

| Ⅰ | 그래프가 지나는 $x$축 위의 두 점의 좌표를 이용하여 이차함수의 식을 세운다. | 30% |
|---|---|---|
| Ⅱ | $a$의 값을 구한다. | 40% |
| Ⅲ | $a-b-c$의 값을 구한다. | 30% |

## 106 [답] 2

**먼저,** $x$축 위의 두 점을 지나는 이차함수의 식을 세우자.

$x$축과 만나는 두 점의 $x$좌표가 $-3$과 $1$이므로

$y=ax^2+bx+c=a(x+3)(x-1)$  ··· Ⅰ

**그다음,** $a$의 값을 구하자.

$y=a(x+3)(x-1)=a(x^2+2x-3)$

$=a(x^2+2x+1)-4a=a(x+1)^2-4a$

꼭짓점의 $y$좌표가 $-4$이므로

$-4a=-4$  $\therefore a=1$  ··· Ⅱ

**그래서,** $a-b-c$의 값을 구하자.

따라서 구하는 이차함수의 식은 $y=x^2+2x-3$이고,

$y=ax^2+bx+c$와 같으므로 $b=2$, $c=-3$

$\therefore a-b-c=1-2+3=2$  ··· Ⅲ

I

## 107  답 $-2$

**먼저** $x$축 위의 두 점을 지나는 이차함수의 식을 세우자.

$y=ax^2+bx+c$의 그래프가 $x$축과 만나는 두 점의 좌표가 $(1,0)$, $(4,0)$이므로

$y=ax^2+bx+c=a(x-1)(x-4)$  … ❶

**그다음** $a$의 값을 구하자.

$y=a(x-1)(x-4)$의 그래프가 점 $(0,-4)$를 지나므로

$-4=a(0-1)(0-4)$

$\therefore a=-1$  … ❷

**그래서** $a-b-c$의 값을 구하자.

따라서 구하는 이차함수의 식은

$y=-(x-1)(x-4)=-x^2+5x-4$

이것이 $y=ax^2+bx+c$와 같으므로

$b=5$, $c=-4$

$\therefore a-b-c=-1-5+4=-2$  … ❸

## 108  답 $-\dfrac{49}{9}$

그래프를 $y$축에 대하여 대칭이동하면 꼭짓점의 $x$좌표의 부호만 반대가 된다.

즉, 주어진 그래프와 $y$축에 대하여 대칭인 그래프의 꼭짓점의 좌표는 $(-6,0)$이므로 $y=a(x+6)^2$으로 놓을 수 있다.  … ❶

이때, 점 $(0,-4)$를 지나므로

$-4=a(0+6)^2$

$\therefore a=-\dfrac{1}{9}$

$\therefore y=-\dfrac{1}{9}(x+6)^2=-\dfrac{1}{9}x^2-\dfrac{4}{3}x-4$

이것이 $y=ax^2+bx+c$와 같으므로

$a=-\dfrac{1}{9}$, $b=-\dfrac{4}{3}$, $c=-4$  … ❷

$\therefore a+b+c=\left(-\dfrac{1}{9}\right)+\left(-\dfrac{4}{3}\right)+(-4)=-\dfrac{49}{9}$  … ❸

[채점기준표]

| | | |
|---|---|---|
| ❶ | 주어진 그래프와 $y$축에 대하여 대칭인 그래프의 식을 세운다. | 40% |
| ❷ | $a$, $b$, $c$의 값을 각각 구한다. | 40% |
| ❸ | $a+b+c$의 값을 구한다. | 20% |

## 109  답 20

축의 방정식이 $x=2$이므로 $y=a(x-2)^2+q$로 놓자.  … ❶

두 점 $(5,0)$, $(0,-5)$를 지나므로 좌표를 대입하면

$\begin{cases} 9a+q=0 \cdots ㉠ \\ 4a+q=-5 \cdots ㉡ \end{cases}$

㉠$-$㉡을 하면

$5a=5$  $\therefore a=1$

$a=1$을 ㉠에 대입하면 $q=-9$  … ❷

즉, $y=(x-2)^2-9=x^2-4x-5$이므로

$a=1$, $b=-4$, $c=-5$

$\therefore abc=1\times(-4)\times(-5)=20$  … ❸

[채점기준표]

| | | |
|---|---|---|
| ❶ | 축의 방정식을 이용하여 이차함수의 식을 세운다. | 30% |
| ❷ | $a$의 값을 구한다. | 40% |
| ❸ | $abc$의 값을 구한다. | 30% |

## 110  답 130원

상품의 가격을 $2x$원 올리면 $5x$개가 적게 팔린다고 하므로 상품의 가격이 $(100+2x)$원이 되면 상품은 $(400-5x)$개가 팔리게 된다.

(총 판매 금액)=(상품 한 개당 가격)$\times$(판매 개수)이므로

총 판매 금액을 $y$원이라 하면

$y=(100+2x)(400-5x)=-10x^2+300x+40000$  … ❶

$y=42250$이면 $42250=-10x^2+300x+40000$

$10x^2-300x+2250=0$, $x^2-30x+225=0$

$(x-15)^2=0$  $\therefore x=15$ (중근)  … ❷

따라서 $x=15$일 때 이 상품의 총 판매 금액이 42250원이 되므로 이때의 상품 한 개당 판매 가격은

$100+2\times15=130$(원)이다.  … ❸

[채점기준표]

| | | |
|---|---|---|
| ❶ | 총 판매 가격을 $y$원이라 놓고 $y$를 $x$에 대한 이차함수의 식으로 나타낸다. | 40% |
| ❷ | $y=42250$일 때의 $x$의 값을 구한다. | 30% |
| ❸ | 한 개당 판매 가격을 구한다. | 30% |

## 111  답 $-9$

$x$축과의 교점을 구하기 위해 $y=x^2+2x-3$에 $y=0$을 대입하면

$x^2+2x-3=0$, $(x+3)(x-1)=0$

$\therefore x=-3$ 또는 $x=1$

$\therefore A(-3,0)$, $B(1,0)$  … ❶

직선 $y=mx-n$이 점 $C(0,-3)$을 지나므로 $n=3$

$\therefore y=mx-3$

직선 $y=mx-3$이 $\triangle ACB$의 넓이를 이등분하기 위해서는 두 점 A, B의 중점 $(-1,0)$을 지나야 하므로 좌표를 대입하면

$0=-m-3$  $\therefore m=-3$  … ❷

$\therefore mn=-3\times3=-9$  … ❸

[채점기준표]

| | | |
|---|---|---|
| ❶ | 점 A, B의 좌표를 구한다. | 30% |
| ❷ | 점 C를 지나는 직선이 두 점 A, B의 중점을 지나야 함을 이용하여 $m$, $n$의 값을 구한다. | 50% |
| ❸ | $mn$의 값을 구한다. | 20% |

## 112  답 1

$y=-x^2+4x+5=-(x^2-4x+4-4)+5$

$\qquad =-(x-2)^2+9$  … ❶

이 이차함수의 그래프를 $x$축의 방향으로 $k$만큼, $y$축의 방향으로 $k+4$만큼 평행이동한 그래프의 식은

$y=-(x-2-k)^2+9+k+4$

$\qquad =-(x-2-k)^2+13+k$ … ㉠  … ❷

이 이차함수의 그래프가 처음 그래프와 $y$축에서 만나므로 $y$축과의 교점의 좌표가 $(0,5)$이다.

즉, ㉠에 $x=0$, $y=5$를 대입하면

$5=-(-2-k)^2+13+k$, $-k^2-4k-4+13+k=5$

$k^2+3k-4=0$, $(k+4)(k-1)=0$

$\therefore k=1$ $(\because k>0)$  … ❸

[채점기준표]

| | | |
|---|---|---|
| ❶ | 주어진 이차함수의 식을 $y=a(x-p)^2+q$ 꼴로 나타낸다. | 20% |
| ❷ | 평행이동한 그래프의 식을 구한다. | 30% |
| ❸ | $y$축과의 교점의 좌표를 이용하여 $k$의 값을 구한다. | 50% |

## 113 답 18

새로 만든 직사각형의 가로의 길이는 $(24-x)$ cm, 세로의 길이는 $(16+2x)$ cm이다.  … Ⅰ

$y=(24-x)(16+2x)=-2x^2+32x+384$  … Ⅱ

이때, $y=312$이면 $312=-2x^2+32x+384$

$2x^2-32x-72=0$, $x^2-16x-36=0$

$(x+2)(x-18)=0$

$\therefore x=18$ $(\because x>0)$  … Ⅲ

[채점기준표]

| Ⅰ | 새로 만든 직사각형의 가로의 길이와 세로의 길이를 $x$에 대한 식으로 나타낸다. | 20% |
|---|---|---|
| Ⅱ | $y$를 $x$에 대한 이차함수의 식으로 나타낸다. | 30% |
| Ⅲ | $y=312$일 때의 $x$의 값을 구한다. | 50% |

## 최고난도 만점 문제
p. 186

## 114 답 $\dfrac{1}{3}$

**1st** 두 이차함수의 그래프의 꼭짓점을 구해 보자.

$y=2x^2-8ax+8a^2-3b=2(x^2-4ax+4a^2)-3b$
$=2(x-2a)^2-3b$

즉, 꼭짓점의 좌표는 $(2a, -3b)$야. … ㉠

$y=x^2+6bx+9b^2+a-3=(x^2+6bx+9b^2)+a-3$
$=(x+3b)^2+a-3$

즉, 꼭짓점의 좌표는 $(-3b, a-3)$이야. … ㉡

**2nd** 두 꼭짓점이 $x$축에 대하여 대칭이 됨을 이용해서 $a$, $b$의 값을 구해 보자.

㉠과 ㉡이 $x$축에 대하여 대칭이니까 ㉠을 $x$축에 대하여 대칭이동시키면 $x$좌표는 그대로이고 $y$만 $-y$가 돼.

$(2a, -3b) \xrightarrow{x축에 대하여 대칭} (2a, 3b)$ … ㉢

㉢이 ㉡과 같아야 하니까

$2a=-3b$, $3b=a-3$에서 $a=1$, $b=-\dfrac{2}{3}$

$\therefore a+b=1+\left(-\dfrac{2}{3}\right)=\dfrac{1}{3}$

## 115 답 $\dfrac{125}{8}$

**1st** 그래프를 보고 이차함수의 식을 구해 보자.

이차함수 $y=-x^2+bx+c$의 그래프와 직선 $x+y=4$가 두 점에서 만나는 게 보이지? 그 두 점 B, C에 해당하는 것이 각각 직선 $x+y=4$의 $x$절편, $y$절편이야.

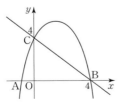

즉, $B(4, 0)$, $C(0, 4)$이므로

$y=-x^2+bx+c$에 대입해 보면 $c=4$

$0=-16+4b+c$, $4b-12=0$ $\therefore b=3$

$\therefore y=-x^2+3x+4$

**2nd** 점 P, A의 좌표를 구하자.

이 이차함수의 식을 완전제곱식의 꼴로 바꾸면

$y=-x^2+3x+4=-(x^2-3x)+4$
$=-\left(x^2-3x+\dfrac{9}{4}-\dfrac{9}{4}\right)+4$
$=-\left(x-\dfrac{3}{2}\right)^2+\dfrac{25}{4}$

즉, 꼭짓점 P의 좌표는 $\left(\dfrac{3}{2}, \dfrac{25}{4}\right)$가 돼.

$y=-x^2+3x+4$에 $y=0$을 대입하여 점 A의 좌표를 구하면

$-x^2+3x+4=0$, $x^2-3x-4=0$

$(x+1)(x-4)=0$ $\therefore x=-1$ 또는 $x=4$

$\therefore A(-1, 0)$

**3rd** △PAB의 넓이를 구해 보자.

△PAB의 밑변이 $\overline{AB}$이면 $\overline{AB}=5$,

높이는 점 P의 $y$좌표이니까 $\dfrac{25}{4}$지.

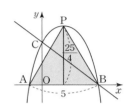

$\therefore △PAB=\dfrac{1}{2}\times 5\times \dfrac{25}{4}=\dfrac{125}{8}$

## 116 답 15 cm

**1st** $\overline{AB}$를 $x$축, $\overline{CM}$을 $y$축으로 하자.

$\overline{AB}$를 $x$축, $\overline{CM}$을 $y$축이라 하면 주어진 포물선은 두 점 $(-20, 0)$, $(20, 0)$을 지나므로

$y=a(x+20)(x-20)$

이것이 점 $(0, 16)$을 지나므로 좌표를 대입하면

$16=-400a$ $\therefore a=-\dfrac{1}{25}$

$\therefore y=-\dfrac{1}{25}(x+20)(x-20)$

따라서 $\overline{DH}$의 길이는 $x=5$일 때의 $y$의 값이므로

$y=-\dfrac{1}{25}(5+20)(5-20)=15$

$\therefore \overline{DH}=15$ cm

## 117 답 $-\dfrac{3}{2}$

**1st** 두 점 P, Q의 좌표를 구하자.

이차함수 $y=x^2+4x+3$의 그래프와 $x$축과의 교점의 좌표는

$0=x^2+4x+3$, $(x+3)(x+1)=0$

$\therefore x=-3$ 또는 $x=-1$

즉, $(-3, 0)$, $(-1, 0)$이야.

또, 이차함수 $y=-x^2-2x+3$의 그래프와 $x$축과의 교점의 좌표는

$0=-x^2-2x+3$, $x^2+2x-3=0$, $(x+3)(x-1)=0$

$\therefore x=-3$ 또는 $x=1$

즉, $(-3, 0)$, $(1, 0)$이야.

따라서 $P(-3, 0)$, $Q(0, 3)$이야.

**2nd** 선분 RS가 $y$축에 평행함을 이용하여 $\overline{RS}$의 길이를 식으로 나타내봐.

선분 RS는 $y$축에 평행하므로

$R(a, -a^2-2a+3)$,

$S(a, a^2+4a+3)$ (단, $a<0$)으로 놓으면

$\overline{RS}=(-a^2-2a+3)-(a^2+4a+3)$
$=-2a^2-6a$

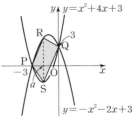

**3rd** □PSQR=△PSR+△QRS임을 이용하자.

□PSQR=△PSR+△QRS

$$=\frac{1}{2}\times(-2a^2-6a)\times\{a-(-3)\}$$
$$\qquad\qquad +\frac{1}{2}\times(-2a^2-6a)\times(0-a)$$
$$=-(a^2+3a)(a+3)+a(a^2+3a)$$
$$=(a^2+3a)\{-(a+3)+a\}$$
$$=-3a^2-9a$$

이때, □PSQR=$\frac{27}{4}$이면

$$\frac{27}{4}=-3a^2-9a,\ 12a^2+36a+27=0$$
$$4a^2+12a+9=0,\ (2a+3)^2=0$$
$$\therefore a=-\frac{3}{2}\ (중근)$$

따라서 사각형 PSQR의 넓이가 $\frac{27}{4}$일 때의 점 R의 $x$좌표는 $-\frac{3}{2}$이야.

## 118  답 $y=x^2+4x+3$

**1st** 꼭짓점의 $y$좌표가 주어졌으니까 구하는 식을 $y=a(x-p)^2+q$ 꼴로 놓자.

꼭짓점의 $y$좌표가 $-1$이므로 구하는 이차함수의 식을
$y=a(x-p)^2-1$ (단, $p$는 정수) … ㉠
이라 놓자.

**2nd** 그래프가 지나는 점을 이용해 $a$, $p$의 값을 구하자.

그래프가 두 점 $(-1,\ 0)$, $(1,\ 8)$을 지나므로 ㉠에 각각 대입하면

$\begin{cases}0=a(-1-p)^2-1\\8=a(1-p)^2-1\end{cases}$ 에서 $\begin{cases}a(p+1)^2=1\ \cdots\ ㉡\\a(p-1)^2=9\ \cdots\ ㉢\end{cases}$

㉢$-$㉡$\times9$를 하면
$$a(p-1)^2-9a(p+1)^2=0$$
이때, $a\ne0$이니까 양변을 $a$로 나누면
$$p^2-2p+1-9(p^2+2p+1)=0$$
$$p^2-2p+1-9p^2-18p-9=0$$
$$-8p^2-20p-8=0,\ 2p^2+5p+2=0$$
$$(p+2)(2p+1)=0\qquad\therefore p=-2\ 또는\ p=-\frac{1}{2}$$

이때, $p$는 정수라 했으므로 $p=-2$야.

즉, $p=-2$를 ㉡에 대입하면
$$a(-2+1)^2=1\qquad\therefore a=1$$
따라서 구하는 이차함수의 식은
$y=(x+2)^2-1=x^2+4x+3$이야.

## 119  답 24

**1st** 이차함수의 그래프를 보고 세 점 A, B, C의 좌표를 구해 보자.

그래프를 보면 점 A는 $x$축과 만나는 점이니까 $y=0$을 대입하면
$$x^2-4x-12=0,\ (x+2)(x-6)=0$$
$$\therefore x=-2\ 또는\ x=6$$
즉, 점 A의 좌표는 $(6,\ 0)$이야.
점 C는 그래프가 $y$축과 만나는 점이니까 $x=0$을 대입하면 $y=-12$
즉, 점 C의 좌표는 $(0,\ -12)$야.

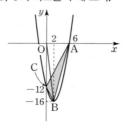

점 B는 이차함수의 그래프의 꼭짓점이지?
$$y=x^2-4x-12=(x^2-4x+4-4)-12$$
$$\qquad =(x-2)^2-16$$
즉, 점 B의 좌표는 $(2,\ -16)$이야.

**2nd** △BAC의 넓이는 □OCBA$-$△OCA임을 이용해.

□OCBA=△OCB+△OBA
$$=\frac{1}{2}\times\overline{OC}\times(점\ B의\ x좌표의\ 절댓값)$$
$$\qquad +\frac{1}{2}\times\overline{OA}\times(점\ B의\ y좌표의\ 절댓값)$$
$$=\frac{1}{2}\times12\times2+\frac{1}{2}\times6\times16$$
$$=12+48=60$$
$\therefore$ △BAC=□OCBA$-$△OCA
$$=□OCBA-\frac{1}{2}\times\overline{OA}\times\overline{OC}$$
$$=60-\frac{1}{2}\times6\times12$$
$$=60-36=24$$

### 오|답|피|하|기

세 점 A, B, C의 좌표를 다 구하고도 △BAC의 넓이를 구하기가 쉽지 않지.
이럴 때는 위의 풀이처럼 구할 수 있는 도형 사이의 넓이의 차를 이용해. 위의 풀이에서는 △BAC=□OCBA$-$△OCA로 구했는데, 점 B에서 $y$축에 내린 수선의 발을 D라 하면 △BAC=□ODBA$-$△CDB$-$△OCA로 구해도 돼.

## 120  답 ③

**1st** $\overline{AD}=x$ m로 놓고 트랙의 곡선 코스의 길이를 구해.

$\overline{AD}=x$ m라 하자.

트랙의 둘레의 길이가 400 m이므로
$$2x+2\pi\times\frac{\overline{AB}}{2}=2x+\pi\times\overline{AB}=400$$
$$\therefore \overline{AB}=\frac{1}{\pi}(400-2x)(m)$$

**2nd** 직사각형의 넓이를 이차함수의 식으로 나타내.

직사각형 ABCD의 넓이를 $y$ m²라 하면
$$y=x\times\frac{1}{\pi}(400-2x)=\frac{1}{\pi}(-2x^2+400x)$$

이때, 직사각형의 ABCD의 넓이가 $\frac{19200}{\pi}$ m²이면
$$\frac{19200}{\pi}=\frac{1}{\pi}(-2x^2+400x)$$
$$2x^2-400x+19200=0,\ x^2-200x+9600=0$$
$$(x-80)(x-120)=0$$
$$\therefore x=80\ 또는\ x=120$$

이때, 직선 코스의 길이가 곡선 코스의 길이보다 길어야 하므로
$x=120$

따라서 직사각형 ABCD의 넓이가 $\frac{19200}{\pi}$ m²일 때의 $\overline{AD}$의 길이는 120 m야.

# 학교 시험 일등급을 위한 중등 수학 고품격 유형서!

[일등급 중등 수학 시리즈]
· 중등 수학1(상), 1(하)
· 중등 수학2(상), 2(하)
· 중등 수학3(상), 3(하)

## 어려운 수학 문제를 엄선하여 쉽고 단기간에 총정리하는 명품 문제집입니다!

**1** 개념이 쉽게 이해되는 꿀팁과 개념 필수 문제로 수학 완성

수학 개념을 이해하기 쉽게 다양한 예로 정리하였고,
꿀팁으로 개념을 좀 더 재미있게 공부할 수 있도록 하였습니다.
개념에 문제를 적용시켜 개념+유형을 한꺼번에 총정리하고,
또 수학적 사고력을 키울 수 있도록 구성하였습니다.

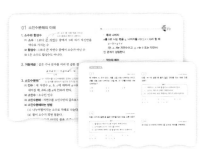

**2** 수학 상위권 도달을 위한 고난도 도전 문제 집중 훈련

복잡하기만 한 문제가 아닌 폭넓게 생각하고, 종합적으로 판단하여
해법에 도달할 수 있는 고품격 서술형 문제와 고난도 도전 문제를
엄선하여 수록하였습니다. 한 문제 한 문제 고민하고, 차근차근
풀어가면 수학 실력이 한층 깊어지는 매력을 경험할 수 있을 것입니다.

**3** 대단원 개념을 총정리하여 상위 1%에 도달

대단원별로 종합적인 사고력을 측정하는 문제로 구성하였습니다.
소단원별 문제를 통합하여 한번에 풀어 가면 대단원별 개념을 충실히
이해할 수 있어 학교 시험 만점에 도달할 수 있을 것입니다.

# 중등 수학을 심플하고 쉽게 공부한다!

중등 수학 1(상), 1(하) / 중등 수학 2(상), 2(하) /
중등 수학 3(상), 3(하)

수학을 쉽고 재미있게
잘 하는 비법은 있는 걸까?

심플 자이스토리로 개념을 쉽게
이해하고, 연산 훈련을 하면서
문제 유형을 익히면 되지!

## ❶ 개념 정리 + 개념 연습

이 책에서는 개념을 짧고 강력하게 정리하였습니다.
또, 중요한 개념은 [    ]에 알맞은 말 넣기, 헷갈리기 쉬운 것은
○, × 문제의 형태로 출제하여 개념강화를 위한 가장
기초적인 문제를 수록하였습니다.

## ❷ 개념 연산 훈련

수학은 특히 기초가 튼튼해야 합니다. 튼튼한 기초 위에
실력이 쑥쑥 자라도록 연산 능력을 극대화할 수 있게 쉬운
연산 문제를 구성하였습니다.

## ❸ 개념 필수 유형 잡기

이 코너에서는 자주 나오는 유형을 분류하여 유형에 대한
적응력을 높이고, 수학을 쉽게 할 수 있는 방법을 제시하였습니다.

## ❹ 내신 대비 연습 문제 + 대단원 총정리 문제

학교 시험에서 자주 나오는 유형들로 구성된 연습 문제와
대단원 총정리를 통해 실전에 적용할 수 있는 실력을 키울 수
있습니다.

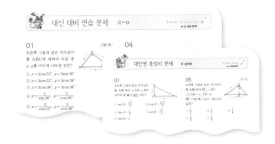

# 학교 시험 유형 훈련과 단계별로 서술형 문제 완성!!

# 자이스토리 중등 수학

QR코드를 통한
생생한 개념 강의와
전문항 동영상 강의 수록

2022
개정 교육과정
적용 출시!!

\* 2022 개정교육과정에 꼭 맞춘 **자이스토리**

자이스토리와 함께 하면 수학 실력이 하루하루 달라지는
놀라운 경험을 하실 수 있습니다.

[자이스토리 중등 수학 시리즈]
중등 수학 1-1, 1-2
중등 수학 2-1, 2-2
중등 수학 3-1, 3-2

## 01 개념 다지기 + 개념 확인 문제

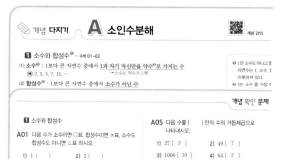

- 각 단원에서 꼭 알아야 하는 개념을 촘촘히 분류해 이해하기
쉽게 설명하였습니다.
- 개념 확인 문제를 풀어보며 개념을 다시 한 번 점검할 수
있습니다.

## 02 학교 시험 유형 익히기

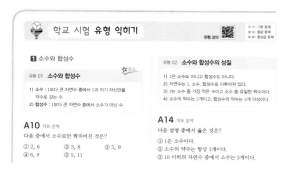

- 학교 시험에 출제되는 모든 유형을 정확히 파악할 수 있습니다.
- 최대 유형 훈련으로 개념을 확장시켜 문제를 쉽게 풀 수 있어
수학 실력이 쑥쑥 오릅니다.

## 03 서술형 다지기

- 어려워 하는 서술형 문제를 단계별로 익힐 수 있습니다.
- 스스로 서술하는 연습을 충분히 하면 학교 시험 서술형 문제가
쉽게 느껴질 것입니다.

## 04 고난도 도전 문제

- 여러 개념이 복합된 고난도 문제의 접근 방법을 배우고 익힙니다.
- 수학적 사고력을 확장시켜 학교 시험에서 100점을 받을 수
있습니다.